C0-ATS-076

COMMENTAIRE SUR
LE CANTIQUE DES CANTIQUES

SOURCES CHRÉTIENNES

N° 375

ORIGÈNE

COMMENTAIRE SUR LE CANTIQUE DES CANTIQUES

TOME I

TEXTE DE LA VERSION LATINE DE RUFIN
INTRODUCTION, TRADUCTION ET NOTES

par

Luc BRÉSARD, o.c.s.o. et **Henri CROUZEL, s.j.**

avec la collaboration de

Marcel BORRET, s.j.

Ouvrage publié avec le concours du
Centre National de la Recherche Scientifique
et de l'Œuvre d'Orient

LES ÉDITIONS DU CERF, 29, BD DE LATOUR-MAUBOURG, Paris 7e
1991

La publication de cet ouvrage a été préparée avec le concours de l'Institut des Sources Chrétiennes (U.R.A. 993 du Centre National de la Recherche Scientifique)

ISBN 2-204-04397-4
ISNN 0750-1978

NOTE PRÉLIMINAIRE

La présente édition est l'œuvre de Luc Brésard, moine de Cîteaux, d'Henri Crouzel, professeur à l'Institut catholique de Toulouse et à l'Université Grégorienne de Rome, et de Marcel Borret, des Sources Chrétiennes. Au Frère Brésard sont dues la division du texte en chapitres et paragraphes, la traduction, une partie des notes, l'histoire des Commentaires et de l'influence d'Origène. Au Père Crouzel la rédaction de l'introduction, une révision de la traduction et d'importantes notes d'érudition et de théologie origénienne. Au Père Borret une seconde révision de l'ensemble — l'introduction exceptée — et des additions aux notes, signées de ses initiales (M. B.).

Le présent tome I contient l'introduction, la bibliographie, le texte et la traduction du prologue et des deux premiers livres du *Commentaire sur le Cantique*, ainsi qu'un certain nombre de fragments de chaînes exégétiques correspondant à ces livres.

On trouvera dans le tome II le texte et la traduction des livres III et IV, avec les fragments de chaînes qui leur correspondent ; y seront donnés aussi, pour l'ensemble de l'ouvrage, des notes complémentaires et des index.

INTRODUCTION

Origène n'est pas le premier commentateur chrétien du Cantique des cantiques : cet honneur revient à Hippolyte, selon la liste des écrits de ce dernier donnée par Eusèbe au livre VI de son *Histoire Ecclésiastique*. Cette information du grand historien laisse d'ailleurs plus de problèmes ouverts qu'elle n'en résout, car s'il nous apprend qu'Hippolyte était évêque, il ne nous dit pas de quelle Église[1], et il n'est pas clair que cet Hippolyte soit le même que le Romain[2]. En tout cas son *Commentaire sur le Cantique des cantiques* nous est parvenu dans une version géorgienne faite sur l'arménien, lui-même traduit du grec, et par des fragments grecs, arméniens, syriaques et paléoslaves[3].

Origène est donc le second commentateur chrétien du Cantique des cantiques. En publiant dans *Sources Chrétiennes*[4] les deux homélies d'Origène sur ce même poème, Dom O. Rousseau leur a consacré une longue introduction : nous conseillons au lecteur de la lire, car elle contient des données que nous ne reprenons pas.

1. *H.E.* VI, 20,2.

2. Voir *Ricerche su Ippolito* (*Studia Ephemeridis « Augustinianum »*, 13), Rome 1977. M. GEERARD dans la *Clavis Patrum Graecorum*, I *(Patres Anteniceni)*, Turnhout 1983, n. 1870, expose rapidement les discussions à ce sujet en donnant les principales références. Mais J. FRICKEL, *Das Dünkel um Hippolyt von Rom*, Graz 1988, est revenu à un seul Hippolyte.

3. Liste des éditions dans GEERARD, *op. cit.*, n. 1871.

4. *SC* 37, 1954 ; 2e éd. revue et corrigée, *SC* 37 *bis*, 1966.

I. — LES TRAVAUX D'ORIGÈNE SUR LE CANTIQUE DES CANTIQUES

Ces travaux sont multiples :

1) Le petit commentaire Dans la *Philocalie* d'Origène, recueil de morceaux choisis attribué à Basile de Césarée et Grégoire de Nazianze, on lit en VII, 1 un fragment ainsi présenté par les Philocalistes : «Sur le caractère propre des personnages de la divine Écriture. Extrait du petit tome sur le Cantique qu'il écrivit dans sa jeunesse». Dans la liste des œuvres d'Origène que contient la lettre 33 de Jérôme à Paula sont signalés, outre le grand commentaire que nous éditons, «deux autres tomes qu'il écrivit à ce sujet dans sa jeunesse». Un petit problème est posé par le fait que les Philocalistes ne parlent que d'un tome et Jérôme de deux[1].

2) Les deux Homélies Nous mentionnons les deux Homélies en second lieu, bien qu'elles semblent postérieures au grand Commentaire, ayant été vraisemblablement prononcées, comme la plupart des homélies conservées, après qu'Origène eut atteint la soixantaine, c'est-à-dire à partir de 245. Eusèbe dit en effet que c'est seulement à cet âge qu'Origène «permit à des tachygraphes de noter les entretiens (διαλέξεις) pronon-

1. On a pu se demander avec E. Preuschen (dans *Theologische Literaturzeitung* 22, 1897, p. 321-324) si ce petit commentaire ne subsistait pas dans un commentaire arménien attribué à Origène et signalé par J. Dashian dans *Catalog der armenischen Handschriften in der Mechitaristen-Bibliothek zu Wien* I/2, Vienne 1894. Mais M. Geerard, *op. cit.*, n. 1525, s'appuyant sur l'avis de J.-P. Mahé qui en prépare l'édition, en refuse l'attribution à Origène.

cés par lui en public»[1]. Or, plus haut[2], Eusèbe donne au verbe διαλέγεσθαι le sens d'«expliquer les Écritures divines devant l'assemblée de l'Église» et cite une lettre d'Alexandre de Jérusalem et de Théoctiste de Césarée où la même action est désignée par ὁμιλεῖν et par προσομιλεῖν : le sens primitif de ὁμιλία est d'ailleurs celui d'«entretien familier». Bien que cela ait été contesté, on peut continuer à comprendre ces «entretiens» des homélies. Il semble cependant que nous possédions des homélies antérieures à cette date, par exemple celles sur Luc, mais elles auraient été non pas improvisées, mais écrites ou du moins révisées par Origène lui-même.

Ces deux homélies sont mentionnées par Jérôme dans la liste de la lettre 33 à Paula. Mais nous ne les connaissons que par une traduction du même Jérôme, faite à la demande du pape Damase, comme l'indique sa préface. F. Cavallera[3] conjecture que la date de cette traduction serait 383, dix ans donc avant la fatidique année 393, où, à la suite de la visite d'Atarbios, Jérôme, d'admirateur enthousiaste du grand Alexandrin, en deviendra le détracteur acharné. Dans la préface adressée au Pape, débordante d'enthousiasme pour le grand Commentaire origénien, il caractérise ces deux homélies comme plus adaptées aux commençants, les enfants spirituels nourris encore de lait, alors que le Commentaire viserait les chrétiens plus avancés, déjà alimentés de nourriture solide.

3) Le Commentaire

Nous éditons ici le Commentaire en dix livres, du moins ce qui en reste. Sur les circonstances de sa composition Eusèbe rapporte[4] : «Étant allé alors à Athènes, (Origène) y achève les livres sur Ézéchiel et y commence ceux sur le Cantique qu'il y poursuit jusqu'au cinquième livre. Puis, étant

1. *H.E.* VI, 36,1.
2. *H.E.* VI, 19, 16-18.
3. *Saint Jérôme, sa vie et son œuvre*, Paris-Louvain 1922, I/2, p. 26.
4. *H.E.* VI, 32,2 (trad. Bardy).

revenu à Césarée, il les mène jusqu'à leur terme, c'est-à-dire jusqu'au dixième livre.» Ce voyage est daté par Eusèbe du règne de Gordien III, c'est-à-dire entre 238 et 244, plus précisément par G. Bardy de 240 ; P. Nautin le situe en 245 pour des raisons qui tiennent à sa théorie propre concernant l'auteur du *Remerciement à Origène* attribué à Grégoire le Thaumaturge[1]. Nous retenons donc comme plus vraisemblable la date de 240.

De ce Commentaire et de ses dix tomes Jérôme parle à plusieurs reprises : dans la liste de la lettre 33 écrite en 385 ; dans la lettre 37, § 3, envoyée à Marcella en 385 pareillement, à propos du Commentaire sur le même livre composé par Reticius d'Autun. Mais le seul texte dans lequel il le décrive un peu est toujours la préface adressée à Damase de sa traduction des *Homélies sur le Cantique*. Nous la reproduisons en partie selon la traduction d'O. Rousseau :

«Alors qu'il a dépassé tous les écrivains dans ses autres œuvres, Origène, dans le Cantique des Cantiques, s'est surpassé lui-même. Car en dix volumes bien comptés, où sont contenues près de vingt mille lignes, il en a magnifiquement et clairement disserté. Il l'a fait tout d'abord selon la version des Septante, ensuite d'après celle d'Aquila, de Symmaque et de Théodotion, et enfin d'après une cinquième version, qu'il a trouvée, dit-il, sur le rivage d'Actium. Il semble vraiment que se soit accomplie en lui cette parole : 'Le roi m'a introduit dans son appartement.' Mais j'ai laissé de côté cette œuvre qui demanderait trop de temps, de travail et de force pour être dignement traduite en latin ...»

1. P. NAUTIN, *Origène*, 1977, p. 81-86, 155-161, 183-197, 380-382, 447-448. — Avis différent concernant Grégoire le Thaumaturge, H. CROUZEL, éd. de *RemOr.*, *SC* 148, 1969, Introd., p. 14-33 ; «Faut-il voir trois personnages en Grégoire le Thaumaturge ?», *Gregorianum* 60 (1979), p. 287-320 ; *Origène*, 1985, p. 18 et la n. 3. — Divergence maintenue, P. NAUTIN, art. «Grégoire dit le Thaumaturge», *DHGE* 22 (1987), col. 39-42.

Retenons d'abord l'admiration éprouvée par Jérôme pour cet écrit qui manifeste la grande intimité d'Origène avec les réalités divines ; ensuite sa longueur, qui correspondrait actuellement à un livre de 600 pages. Mais le caractère hautement mystique de l'œuvre ne dispensait pas Origène de ses habitudes scientifiques d'exégète critique. Il faisait état non seulement de la version des Septante, mais des trois autres versions qu'il avait collationnées dans ses *Hexaples* et même de la Quinta trouvée près d'Actium en Épire, dans un lieu qu'Eusèbe[1] appelle Nicopolis. Et il commentait aussi ces autres textes comme le montrent certains des fragments grecs que nous possédons encore.

La version de Rufin

Du Commentaire restent d'une part la traduction de Rufin en latin, d'autre part des fragments grecs. La version rufinienne contient le prologue, les trois premiers livres, et peut-être le début du livre IV, que la majorité des manuscrits rattachent au livre III. A la différence d'autres traductions du même auteur, elle n'est pas précédée d'une préface de Rufin qui nous renseignerait sur les circonstances et les intentions de sa composition. Alors que la plupart des autres traductions rufiniennes peuvent être datées à cause de ces préfaces, celle-ci ne peut pas l'être avec sécurité. Peut-être faut-il l'attribuer aux tout derniers jours de la vie de Rufin, en 410, lorsque ce dernier, accompagnant Mélanie la Jeune et son mari Pinien, s'est réfugié en Sicile devant l'invasion de l'Italie du Sud par Alaric et ses Goths. Il fait de cette période un tableau dramatique dans la préface des homélies origéniennes sur les Nombres. A la fin de cette lettre, adressée à son ami Ursace, abbé de Pinetum, il note qu'il ne lui reste plus à traduire des homélies d'Origène sur la Loi que quelques *oratiunculae* sur le Deutéronome, et il espère bien y

1. *H.E.* VI, 16, 2.

parvenir si Dieu guérit ses yeux. Mais il est possible que le très cher fils Pinien lui demande d'autres travaux *(iniungat et alia)*. Serait-ce donc pour obéir à Pinien que Rufin, au lieu de traduire les homélies sur le Deutéronome, se serait lancé dans le *Commentaire sur le Cantique des cantiques* qui serait ainsi la dernière de ses traductions? Cela expliquerait d'une part l'état inachevé de ce travail, interrompu par la mort, alors qu'il aurait à peine commencé le livre IV — s'il s'agit bien du livre IV — et qu'il lui restait encore à traduire la plus grande partie du livre IV et les livres V à X, d'autre part l'absence de préface, ou plutôt de lettre dédicatoire, celle-ci étant composée après l'achèvement de l'œuvre.

On a beaucoup écrit sur la manière de traduire de Rufin, aussi bien que sur celle de son ami, puis ennemi, Jérôme, dont les principes ne sont pas tellement différents. Quand on peut comparer ses versions au texte original conservé, par exemple aux deux chapitres du *Traité des principes* d'Origène qui se trouvent dans la *Philocalie*[1], ou, pour le *Commentaire sur l'Épître aux Romains*, aux fragments découverts dans les papyrus de Toura, on se rend compte que ce ne sont pas des traductions à proprement parler, mais plutôt des paraphrases, parfois assez proches du mot-à-mot, mais la plupart du temps assez éloignées, visant surtout à présenter au public de langue latine une œuvre bien écrite et composée, adaptée aux capacités de ses lecteurs et en quelque sorte valable par elle-même. Habituellement le sens est respecté, malgré quelques petits contresens. Il arrive à Rufin de prendre des libertés avec l'original, mais il les avoue souvent honnêtement dans ses préfaces. Ainsi il croit que le *Traité des principes* a été interpolé par des hérétiques en matière de théologie trinitaire, et c'est pourquoi il a supprimé certains développements qu'il a remplacés par des passages pris à d'autres

1. Comparaison faite dans le détail par N. Pace, *Ricerche sulla traduzione di Rufino del «De Principiis» di Origene*, Florence 1990.

œuvres d'Origène : il a agi de même, toujours à partir d'Origène, pour rendre plus compréhensible ce qui ne lui paraissait pas assez clair. Quelquefois il a supprimé des répétitions par souci de brièveté[1]. Le problème que posent à propos de ce même livre les fragments de Jérôme et de Justinien ne sont pas toujours à résoudre, comme on l'a fait trop systématiquement, à l'avantage des uns et au désavantage de l'autre[2]. Dans la préface aux *Homélies sur les Nombres* il déclare avoir mélangé au texte de ces homélies des *excerpta*, c'est-à-dire des scolies, qu'il a pu trouver sur les mêmes passages. En ce qui concerne le *Commentaire sur le Cantique* il a fait un remaniement important : il a supprimé les allusions aux versions grecques d'Aquila, Symmaque, Théodotion et de la Quinta attestées par Jérôme et par les fragments grecs. Il aura probablement pensé que ces curiosités critiques dépassaient les capacités et les intérêts de ses lecteurs latins. Si ces derniers en effet pouvaient prêter attention à la Septante, car toutes les versions latines de la Bible antérieures à la Vulgate de Jérôme étaient faites sur elle, on ne voit pas quels avantages ils pouvaient trouver à des explications fondées sur les autres versions grecques. Il est vraisemblable que si Rufin avait pu achever la traduction et la faire précéder d'une préface il aurait signalé alors les libertés prises sur ce point avec le texte origénien. Rufin — et c'est assez compréhensible — ajoute aussi plusieurs fois des explications concernant les traductions latines de la Bible ou la langue latine : on le verra par exemple expliquer qu'au lieu d'employer le mot *malum*, pomme, il le remplace par une forme latinisée du grec, *melum*, pour éviter une confusion fâcheuse avec son homonyme *malum*, mal (III, 5, 2).

1. Préfaces aux livres I et III du *PArch*.

2. Voir les discussions au sujet de chaque fragment dans le commentaire de l'édition du *Traité des Principes* (*SC* 253 et 269).

Fragments grecs

Le *Commentaire sur le Cantique des cantiques* est connu encore par des fragments grecs. Le dernier texte cité par la *Philocalie* d'Origène[1], concernant l'endurcissement par Dieu du cœur de Pharaon, est tiré du livre II du Commentaire et correspond d'assez près à la version rufinienne. De même un fragment du prologue conservé par la chaîne de Cramer[2]. Pour d'autres fragments cités par W. A. Baehrens[3] la correspondance avec le texte latin est plus lâche.

Chaîne de Procope

Bien plus nombreux sont les fragments conservés par la Chaîne sur le Cantique des cantiques de Procope de Gaza[4]. Ce personnage des ve et vi^e^ siècles, «sophiste» chrétien, maître de l'école de rhétorique de Gaza, semble avoir été l'inventeur des chaînes exégétiques, compilations de textes d'auteurs patristiques divers, rangés suivant le verset scripturaire qu'ils commentent. Si on compare la version rufinienne aux fragments qui lui correspondent chez Procope, on s'aperçoit vite qu'ils ne représentent pas le texte même d'Origène, mais des résumés faits par le caténiste, car ils sont beaucoup plus brefs qu'elle, ce qui n'est pas le cas des fragments que nous avons cités dans le paragraphe précédent. Ils conservent parfois cependant des allusions aux autres versions grecques que Rufin a omises. Dans

1. *Philoc.* 27, 13 (fragment reproduit *infra, ad* II 2, 16-19, p. 306-311).
2. J. A. Cramer, *Catenae graecorum Patrum in Novum Testamentum*, t. VIII, p. 115 (fragment reproduit *infra, ad* Prol. 2, 6-9. p. 94-99).
3. *GCS* VIII, p. LIII-LIV (Nachträge).
4. Voir *PG* 13, col. 62-198 dans les notes de l'édition du Commentaire selon Rufin, puis col. 197-216, correspondant à la partie du Commentaire que Rufin n'a pas traduite; de même *PG* 17, col. 253-288 d'après A. Mai. Pour l'ensemble de la chaîne voir *PG* 87/2, col. 1545-1780.

cette édition nous ne nous occupons que des fragments correspondant à la partie que Rufin a conservée. Nous ne les reproduisons pas selon le texte grec, car il faudrait pour cela une édition critique qui manque et qui est à faire pour l'ensemble de la Chaîne de Procope, mais seulement à titre indicatif en traduction française[1].

1. Traduction donnée à la fin de chacun des 2 tomes de l'ouvrage. Tout au long de cette édition, les passages auxquels correspondent ces fragments ont été signalés en marge par un astérisque (*).

II. — L'EXÉGÈSE LITTÉRALE DU CANTIQUE DES CANTIQUES PAR ORIGÈNE

Sens littéral, sens allégorique

Nous entendons ici les mots «exégèse littérale» dans le sens où Origène les comprend, très différent de la signification que donnent à cette expression les exégètes modernes. Pour les modernes en effet le sens littéral est celui que l'écrivain a en vue. En ce qui concerne le Cantique des cantiques il n'est alors pas possible de déterminer le sens littéral avant d'avoir résolu le problème essentiel, celui de l'intention dans laquelle ce poème a été composé : est-ce un poème d'amour humain qui a été ensuite considéré dès avant le Christ par les Juifs comme une allégorie de l'amour de Dieu pour son peuple, ou un poème exprimant allégoriquement dès le départ l'amour divin? C'est à cette dernière opinion que se range par exemple l'étude de A. Robert, R. Tournay et A. Feuillet, qui fait entre autres choses l'histoire de toutes les interprétations données[1]. Pour les partisans de la seconde opinion il est évident que sens littéral et sens allégorique coïncident; pour ceux de la première ils sont distincts puisque le sens littéral est celui d'une œuvre chantant un amour humain et que celui que lui a donné la tradition, juive puis chrétienne, constitue un sens allégorique qui est autre. Origène est intimement persuadé que la signification qu'a voulue l'Esprit Saint en inspirant cet écrit est de symboliser l'amour divin : il est d'accord avec les partisans de la seconde opinion. Mais il distingue comme ceux de la première un sens littéral et un sens allégorique : le sens

1. *Le Cantique des Cantiques*, p. 43-55.

donné par l'Esprit est considéré par lui comme spirituel ou allégorique et distingué d'un sens littéral qui ne représente pas l'intention de l'auteur, mais la matérialité même de ce qui est dit ; dans un langage figuré comme ici, le sens littéral est la figure employée, le sens spirituel ou allégorique ce que signifie la figure.

Dès le prologue Origène essaie de caractériser le genre littéraire du poème sacré et, avant d'expliquer chaque verset, il le situe brièvement dans son contexte littéral. Conformément à sa doctrine à laquelle il reste habituellement fidèle, sauf exceptions toujours possibles, c'est le sens littéral selon la signification qu'il lui donne, qui sert de base au sens allégorique.

Un épithalame

Le Cantique des cantiques est donc pour lui un épithalame, c'est-à-dire un chant de noces, composé par Salomon à la manière d'un drame. Les personnages sont l'Époux et l'Épouse, accompagnés l'un par les «amis de l'Époux», l'autre par les «jeunes filles» qui constituent son entourage : on voit aussi intervenir les «filles de Jérusalem», distinctes ou non des «jeunes filles». L'Épouse s'adresse tantôt à son Époux, tantôt à ses suivantes, et pareillement l'Époux tantôt à l'Épouse, tantôt à ses compagnons : il arrive aussi qu'il y ait dialogue entre l'Époux et les «jeunes filles», l'Épouse et les «amis de l'Époux». C'est donc un drame, semblable à ceux qui sont joués dans les théâtres, avec divers personnages qui entrent en scène pendant que d'autres en sortent, chacun jouant et récitant son rôle. Parmi les quatre sujets qu'Origène annonce comme devant être traités dans son prologue, le dernier devait être la raison de cette composition dramatique. Malheureusement, si les trois premiers sont facilement discernables, on ne voit pas après eux trace du dernier, soit qu'Origène l'ait oublié, soit que Rufin l'ait omis.

Une composition dramatique

A propos de *Cant.* 1, 2 a : « Qu'il me baise des baisers de sa bouche », Origène répète ce qu'il a déjà dit sur la forme dramatique du poème. Il voit dans ce verset les paroles d'une Épouse qui a reçu de son Époux de nombreux cadeaux sans avoir pu encore jouir de sa présence : devant le retard que met ce dernier à se manifester, elle est malade à force de le désirer. Et elle prie Dieu de le lui envoyer. Mais *Cant.* 1, 2 b et 3 a : « Car tes seins sont délectables plus que le vin, et l'odeur de tes parfums surpasse tous les aromates », montre que l'Époux est survenu subitement et que l'Épouse perçoit ses parfums qui vont la transporter d'allégresse. *Cant.* 1, 3 b : « Ton nom est un parfum répandu » est encore une parole de l'Épouse, le grec ἐκκενωθέν étant traduit par Rufin en *exinanitum* et par Jérôme (*HomCant.* I, 4) en *effusum*. Ce qui suit en *Cant.* 1, 3 c - 4 a : « C'est pourquoi les jeunes filles t'ont aimé, elles t'ont attiré, nous courrons à ta suite à l'odeur de tes parfums » est expliqué avec *Cant.* 1, 3 b, car c'est toujours l'Épouse qui parle à l'Époux, alors que dans l'*HomCant.* I, 5 la seconde partie de la phrase est attribuée aux jeunes filles. Mais en *Cant.* 1, 4 b l'Épouse s'adresse aux jeunes filles dont elle vient de parler : elle a couru avec elles, mais elle a gagné la course et a été introduite pour cela dans la chambre du roi et telle est la raison de ces paroles : « Le roi m'a introduite dans sa chambre. » Ce qui suit : « Exultons et réjouissons-nous à cause de toi » est mis dans la bouche des jeunes filles qui s'adressent, soit à l'Époux pour lui demander de partager l'honneur fait à l'Épouse, soit à l'Épouse pour la féliciter et lui exprimer la part qu'elles prennent à sa joie. La phrase suivante, *Cant.* 1, 4 c : « Nous aimerons tes seins plus que le vin » est attribuée d'abord aux jeunes filles s'adressant, soit à l'Époux, soit à l'Épouse, puis à l'Épouse parlant à l'Époux ; les jeunes filles poursuivent à l'intention de l'Époux : « L'Équité t'a aimé. »

A propos de *Cant.* 1, 5 : «Je suis brune et belle, filles de Jérusalem, comme les tentes de Cédar, comme les tentures de peaux de Salomon», Rufin signale la variante : «Je suis noire et belle», qui correspond au grec de la Septante. Ici l'Épouse ne s'adresse pas aux jeunes filles qui la suivent, mais aux «filles de Jérusalem», qui lui reprochent son teint sans être capables de percevoir sa beauté. Dans l'*HomCant.* I, 6, au contraire, les jeunes filles elles-mêmes sont ces «filles de Jérusalem». *Cant.* 1, 6 a : «Ne prenez point garde au fait que j'ai bruni : le soleil m'a regardée de côté» n'est pas expliqué au sens littéral, sauf en ce qui concerne l'action du soleil qui brunit ou noircit. Mais la conciliation entre le teint basané ou noir de l'Épouse et sa beauté ne sera cherchée que sur le plan spirituel. Par ailleurs *Cant.* 1, 6 b : «Les fils de ma mère ont combattu en moi ; ils m'ont placée gardienne dans les vignes ; ma vigne à moi, je ne l'ai pas gardée» entraîne la remarque suivante : il n'est pas dit que les «fils de sa mère» aient combattu contre elle, mais en elle ; ni qu'ils l'ont mise à garder une vigne, mais des vignes ; en plus de ces vignes l'Épouse a sa vigne propre qu'elle n'a pas gardée. L'*HomCant.* I, 7 traduit au contraire : «Les fils de ma mère ont combattu contre moi *(aduersum me)*».

Alors que l'*HomCant.* I, 7 voit à ce moment une disparition subite de l'Époux et qu'Origène l'explique par son expérience mystique personnelle des «jeux de cache-cache» du Verbe, le *ComCant.* commente un peu plus longuement que d'ordinaire le sens littéral de *Cant.* 1, 7 : «Toi qu'a chéri mon âme, indique-moi où tu fais paître (ton troupeau), où tu as ta couche à midi, de peur que d'aventure je ne devienne comme celle qui est couverte d'un voile parmi les troupeaux de tes compagnons.» Depuis le début du poème l'Épouse a parlé d'abord à Dieu, puis à son Époux, ensuite aux jeunes filles, et elle a été comme un chœur jouant — comme dans la tragédie attique — le rôle d'intermédiaire entre l'Époux, les jeunes filles et les filles de Jérusalem, parlant à chaque groupe.

Mais en 1, 7 elle s'adresse à l'Époux et ce qu'elle lui dit manifeste qu'il est berger, comme ce qu'elle disait en 1, 4 montrait qu'il était aussi roi, un roi qui gouverne des hommes, un berger qui conduit des brebis. *Cant.* 1, 8 : «Si tu ne te connais pas, ô bonne — ou belle — entre les femmes, sors sur les traces des troupeaux et fais paître les boucs parmi les tentes des bergers», n'entraîne pas d'explication littérale dans le commentaire sauf la remarque que le fameux précepte grec «Connais-toi toi-même», attribué à l'un des sept sages de la Grèce, probablement à Chilon de Lacédémone, a été prononcé avant lui par Salomon dans ce passage : nous retrouvons là le fameux thème judéo-chrétien du «larcin des Grecs», qui veut que tout ce que les philosophes grecs ont dit de bien, ils l'aient pris à la Bible. C'est l'Époux qui parle et l'*HomCant.* I, 9 y voit, comme le Commentaire, une menace à l'Épouse. *Cant.* 1, 9 : «A ma cavalerie — le grec porte : à ma cavale — parmi les chars des Pharaon, je t'estime semblable, ma compagne» contient une allusion aux chars de Pharaon poursuivant Israël avant le passage de la mer Rouge[1] : mais la cavalerie de l'Époux a vaincu celle de Pharaon, pareillement l'Épouse dépasse toutes les autres femmes. L'Époux chante encore en *Cant.* 1, 10 la beauté de l'Épouse : «Que tes joues sont devenues gracieuses ! Les voilà comme celles d'une tourterelle, ton cou comme des colliers.» Après la parole un peu dure qu'il lui a dite en *Cant.* 1, 8 les joues de l'Épouse ont rougi et en sont devenues plus belles : elles sont comparées à la tourterelle, ce qui exprime l'honnêteté et la gaieté du visage.

Alors l'Époux va se reposer et les amis de l'Époux disent à l'Épouse en *Cant.* 1, 11 et 12a : «Nous te ferons des imitations d'or avec des pointillés d'argent jusqu'à ce que le roi se soit couché.» Mais l'Épouse entre dans la chambre de l'Époux et dit en *Cant.* 1, 12b : «Mon nard a donné son

1. *Ex.* 14, 5s.

parfum.» La phrase en grec est ambiguë : s'agit-il du parfum du nard ou du parfum de l'Époux ? Aussi Rufin hésite-t-il entre *odorem suum* et *odorem eius*. Avant que l'Épouse n'entre dans la chambre de l'Époux, le nard ne donnait pas de parfum : il en donne quand elle y est entrée. Ainsi est évoqué le nard que Marie de Béthanie a répandu sur les pieds de Jésus[1] : le parfum de l'Époux, dépassant celui du nard, revient à l'Épouse. C'est alors que l'Épouse dit : «C'est un sachet de myrrhe de goutte, pour moi, mon Bien-Aimé, qui restera, entre mes seins» (*Cant.* 1, 13). C'est de la myrrhe concentrée, non diluée. Pour la première fois, remarque Origène, l'Époux est désigné par l'Épouse du mot *fraternus* (ἀδελφιδός), qui se retrouve plusieurs fois dans le poème et qui signifie littéralement fils du frère : Origène va l'expliquer spirituellement du Christ et de l'Église. L'Épouse continue, en *Cant.* 1, 14 : «Mon Bien-Aimé est pour moi une grappe de cypre dans les vignes d'Engaddi.» Origène trouve là aussi une ambiguïté : ce cypre peut désigner soit une grappe de raisin en fleur, soit la fleur d'un arbuste qui ressemble à une grappe de raisin en fleur, probablement le troène ou le henné ; mais il se prononce pour le raisin à cause de la mention des vignes d'Engaddi, un coin de la terre de Judée connu pour ses baumiers plus que pour ses vignes. Nous apprenons aussi que *Cant.* 1, 12b, 13 et 14 sont des paroles de l'Épouse adressées aux jeunes filles.

Les versets qui suivent sont un colloque de l'Époux et de l'Épouse. A propos de *Cant.* 1, 15 : «Que tu es belle, ma compagne, que tu es belle, tes yeux ... des colombes!», Origène récapitule tout ce que jusqu'ici l'Époux a dit à l'Épouse. L'Épouse répond (*Cant.* 1, 16) : «Que tu es beau, mon Bien-Aimé, oui vraiment que tu es beau! Notre couche est ombragée.» Maintenant, pour la première fois, l'Épouse semble avoir considéré avec plus d'attention la

1. *Jn* 12, 3.

beauté de l'Époux. «Les solives de nos maisons sont des cèdres et nos poutres des cyprès» (*Cant.* 1, 16). Le Commentaire met ces paroles dans la bouche de l'Époux en réponse à ce qu'a dit auparavant l'Épouse, mais l'*HomCant.* II, 5 pense qu'il faut les attribuer à plusieurs personnages à cause du pluriel «nos maisons» : dans ce cas elles seraient prononcées par les amis de l'Époux. Il est question du cèdre parce qu'il ne pourrit pas et du cyprès parce qu'il a une odeur agréable. Mais la suite, *Cant.* 2, 1-2, est de l'Époux qui parle de lui : «Je suis la fleur des champs et le lis des vallées», puis, de l'Épouse : «Comme un lis au milieu des épines, ainsi ma compagne au milieu des filles.» L'Épouse lui fait écho, manifestant toute son admiration pour lui (*Cant.* 2, 3) : «Comme un pommier parmi les bois de la forêt, ainsi mon Bien-Aimé au milieu des fils. A son ombre j'ai désiré me trouver et son fruit est doux à ma gorge.» A ce sujet Rufin donne une petite explication philologique à laquelle nous avons fait allusion plus haut. Normalement il aurait dû traduire μῆλον par *arbor mali*, «l'arbre de la pomme». Mais il y aurait eu confusion entre *malum*, pomme, et *malum*, mal. Alors, préférant offenser les grammairiens plutôt que supporter une telle ambiguïté, il latinise le mot grec, *arbor meli*. Cette parole est adressée par l'Épouse aux jeunes filles, comme l'Époux auparavant parlait à ses amis.

«Introduisez-moi dans la maison du vin» (*Cant.* 2, 4 a). D'après le Commentaire l'Épouse s'adresse ici aux amis de l'Époux : après avoir vu la chambre du roi elle veut participer au festin royal. L'*HomCant.* II, 7 interprète au contraire cette parole comme dite par l'Époux. Mais, c'est l'Épouse qui dit à ces mêmes amis de l'Époux : «Ordonnez en moi la charité» (*Cant.* 2, 4 b). Ce qui suit : «Réconfortez-moi avec des parfums, entourez-moi de pommes, car je suis blessée de charité» (*Cant.* 2, 5) est l'occasion d'un petit retour en arrière. L'Épouse a donc pénétré dans la chambre du roi, puis dans la salle des banquets : cette vue l'a remplie d'admiration, l'a comblée d'amour, au point qu'elle se sent défaillir et demande aux amis de l'Époux de la soutenir. De nouveau Rufin donne sur le mot *amoyris, amoyrum*, des explications que l'on commentera dans les notes du texte. Du commentaire il semble resssortir que c'est là une parole de l'Épouse, dite probablement encore aux amis, mais Origène est surtout préoccupé d'avertir son lecteur que cela ne doit pas être pris dans un sens charnel. Dans le verset 2, 7 « Je vous en conjure, filles de Jérusalem, par les puissances et par les forces du champ, n'éveillez pas, ne réveillez pas la charité avant qu'il ne le veuille », l'Épouse s'adresse aux jeunes filles : celles-ci sont identifiées ici aux filles de Jérusalem, alors qu'elles en étaient distinguées par le même Commentaire — et non par l'*HomCant.* I, 6 — à propos de *Cant.* 1, 5. Mais l'Épouse entend la voix de l'Époux, comme de loin, « la voix de mon Bien-Aimé » (*Cant.* 2, 8 a) et elle s'arrête dans sa conversation avec les jeunes filles, filles de Jérusalem. Origène explique alors d'une seule traite les versets qui suivent selon leur sens littéral, quitte à revenir ensuite spirituellement sur chacun dans le détail. L'Épouse entend d'abord sa voix, puis elle le voit, bondissant par-dessus les montagnes et les collines voisines de la maison où elle se trouve (2, 8 b) : elle le compare au chevreuil et au faon des cerfs (2, 9 a) ; au chevreuil à cause de sa vue perçante, et au cerf qui tue les serpents. L'Époux arrive alors à la maison qu'il aborde par-derrière pour regarder par la fenêtre. Mais il y a là des filets *(retia* ou *laqueos)* dans lesquels l'Épouse ou ses compagnes seraient prises si elles sortaient, mais ils ne peuvent pas prendre l'Époux qui est plus fort qu'eux. Il les déchire et il regarde à travers eux. Maintenant il n'y a plus de danger pour l'Épouse, elle entend l'Époux qui l'invite à le rejoindre au-dehors (*Cant.* 2, 8-10). A propos du chevreuil et du faon des cerfs, Origène remarque encore que, d'après *Deut.* 14, 4-5, ce sont des animaux purs et il cite d'autres textes bibliques les concernant.

Quand Origène parvient aux paroles de l'Époux qu'entend ensuite et rapporte l'Épouse (*Cant.* 2, 10-14), il renvoie à propos du déroulement de l'action aux explications qu'il vient de donner. Plus loin il explique que l'Époux montre à l'Épouse le lieu où elle doit aller, cachée sous le voile de la roche, près, non du mur, mais de l'avant-mur, expliqué comme un mur construit par-devant le mur de la ville. Là l'Époux veut voir le visage de l'Épouse qui enlèvera son voile : il veut entendre sa voix, alors qu'elle se tait par respect pour son Époux. Tout cela se passe au printemps, époque qui rend les sorties agréables, alors que pendant l'hiver l'Épouse est restée cloîtrée dans la maison.

Le dernier verset commenté dans la traduction de Rufin est 2, 15 : « Attrapez pour nous les tout petits renards qui ravagent nos vignes et nos vignes fleuriront. » L'Époux ne s'adresse plus à l'Épouse, mais à ses compagnons : il faut prendre ces petits renards qui empêchent la vigne de parvenir à sa fleur. Il n'est pas possible de voir pourquoi Rufin à cet endroit a cessé de traduire : à moins qu'il ne s'agisse d'une cause indépendante de sa volonté.

III. — L'EXÉGÈSE SPIRITUELLE DU CANTIQUE DES CANTIQUES PAR ORIGÈNE

Le Cantique des cantiques, considéré comme un écrit allégorique, aussi bien que son Commentaire origénien, s'inscrit dans une tradition qui traverse les deux Testaments : celle de l'union conjugale de Iahvé et d'Israël, transposée dès le Nouveau Testament en union du Christ et de l'Église. Mais, en plus de son sens ecclésial, Origène voit aussi dans l'Épouse l'âme fidèle, signification à peine effleurée avant lui et à laquelle il a donné une orchestration considérable, créant le thème du mariage mystique. Il ne met d'ailleurs aucune opposition entre l'acception collective et l'acception individuelle, étant fort loin, comme toute l'Antiquité chrétienne, des oppositions modernes entre individualisme et collectivisme. Au contraire pour lui ces deux sens sont intimement liés : parce que l'Église est Épouse du Christ, l'âme «ecclésiastique», au sens origénien qui désigne ainsi celle qui est membre de l'Église par opposition à l'hérétique, peut être Épouse ; les progrès spirituels de cette dernière la rendent de plus en plus parfaitement Épouse et rejaillissent sur l'Église qui devient elle aussi plus parfaitement Épouse. Le grand thème de l'union du Christ avec l'Église et avec l'âme ne se trouve pas seulement dans les *Homélies* et le *Commentaire sur le Cantique des cantiques* : on le rencontre à tout moment dans le reste de l'œuvre de l'Alexandrin.

Dans l'Ancien Testament

Retraçons brièvement la tradition dans laquelle s'insère Origène. Parmi les peuples qui entourent Israël on constate toute une sexualité sacrale et divine, liée surtout aux cultes de fécondité et manifestée à la fois par des mythes et par des rites. Israël est dès le début en réaction contre ces hiérogamies mythiques et rituelles des peuples voisins, qui se manifestent aussi dans son propre pays, avec les cultes idolâtriques des « hauts lieux ». Cependant à l'époque des prophètes se constitue une autre sacralisation du mariage, bien différente cependant de celles des peuples voisins en ce sens que l'Épouse de Iahvé n'est pas une déesse-parèdre qui serait d'une certaine façon son égale, mais le peuple dont il a fait son peuple, sa créature qu'il élève par grâce à la dignité d'Épouse : l'union conjugale est un des symboles de l'alliance que Iahvé a conclue avec Israël. Le thème commence avec Osée, qui lui donne dès le début sa forme la plus parfaite et la plus dramatique : Osée reçoit de Iahvé l'ordre d'épouser une femme aux mœurs légères pour offrir le symbole vivant de son union avec Israël qui lui est infidèle et le trahit avec les faux dieux. Par la bouche du prophète Iahvé exprime sa colère, menace de mettre fin à ses bienfaits, mais il aime toujours et, quand l'infidèle revient, il pardonne. Le même thème est exploité par Jérémie, Ézéchiel, les derniers chapitres du livre d'Isaïe. Juifs et chrétiens ont interprété dans ce sens les deux épithalames royaux que sont le psaume 45 et le Cantique des cantiques.

Dans le Nouveau Testament

Le Nouveau Testament transpose à plusieurs reprises l'union conjugale de Iahvé et d'Israël en celle du Christ et de l'Église. Dans plusieurs passages évangéliques le Christ est nommé l'Époux, sans que l'Épouse soit explicitement désignée, mais elle est en fait constituée par la foule qui entoure l'Époux : ainsi *Matth.* 9, 14-16 et les textes parallèles des autres synoptiques ; *Matth.* 22, 1-13, la parabole des invités aux noces ; *Matth.* 25, 1-13, celle des vierges sages ou insensées ; *Jn* 3, 26-29, où le Baptiste se désigne lui-même comme l'ami de l'Époux, l'Épouse étant cette foule qui allait auparavant à Jean et qui va maintenant à Jésus. L'Église-Épouse est plus explicitement désignée en *II Cor.* 11, 2, qui s'applique aux chrétiens de Corinthe ; *Éphés.* 5, 22-23, qui voit dans l'union de l'homme et de la femme l'image du « grand mystère » qu'est celle du Christ et de l'Église ; *Apoc.* 19, 7-9, qui décrit les noces de l'Agneau avec une Épouse ornée des mérites des saints ; enfin *Apoc.* 21-22, où l'Église glorieuse, une Jérusalem nouvelle, est vue descendre du ciel, « prête comme une Épouse qui s'est parée pour son époux ». Mais l'Épouse n'est pas seulement l'Église céleste, c'est aussi la terrestre qui, sous l'action de l'Esprit Saint, soupire après la venue de l'Époux : « Et l'Esprit et l'Épouse disent : Viens. »

L'Épouse a donc toujours dans le Nouveau Testament le sens collectif. Le sens individuel est cependant insinué en deux passages de la Première Épître aux Corinthiens. A propos de la gravité des péchés de la chair qui sont un véritable sacrilège, puisque le corps du chrétien est le sanctuaire de Dieu, *Gen.* 2, 24 : « ils seront deux pour former une seule chair » est cité en 6, 16, puis transposé en 6, 17 : « celui qui s'attache au Seigneur est un seul esprit (avec lui) ». Enfin, au chapitre suivant, en 7, 32-34, celui et celle qui ne sont pas mariés sont dits pouvoir plus librement se soucier des affaires du Seigneur, chercher à plaire au Seigneur, alors que celui et celle qui sont mariés doivent se soucier des affaires du monde, chercher à plaire à leur conjoint, et ils sont divisés.

Le sens individuel du mariage mystique ne semble guère apparent dans le *Commentaire sur le Cantique des cantiques* d'Hippolyte, où l'on ne voit point apparaître clairement l'âme individuelle. L'idée que des âmes fidèles sont épouses du Christ se manifeste cependant dans trois passages de Tertullien[1], appliquée à des veuves qui ont renoncé au remariage et à des vierges, en prolongement de *I Cor.* 7, 32-34. Il n'est pas possible de dire cependant qu'Origène dériverait sur ce point de Tertullien, car il n'y a pas d'indice qu'il l'ait connu ; et il ignore le latin comme la plupart des Pères grecs.

1. *Uxor.* 1, 4, 4 ; *resurr.* 61, 1 ; *virg. vel.* 16, 4.

On peut dès lors considérer que si Origène a trouvé la signification ecclésiale de l'Épouse dans la tradition néotestamentaire et dans des allusions passagères des Pères qui l'ont précédé, il est vraiment l'inventeur de la signification individuelle, à peine insinuée avant lui dans les deux passages de la Première aux Corinthiens. Il serait faux cependant de dire — ce qui s'écrit cependant quelquefois — que la signification individuelle a remplacé chez lui l'ecclésiale et de le représenter comme un individualiste pur. On peut remarquer au contraire dans le Commentaire sur le Cantique l'équilibre parfait qui se manifeste entre les deux acceptions : il suffit pour cela d'étudier à propos de chacun des versets commentés la structure de ses explications[1]. Tantôt il applique le verset en bon ordre d'abord à l'Église, puis à l'âme, moins souvent l'inverse. Tantôt il l'applique seulement à l'Église ou seulement à l'âme. Tantôt il les mêle plus ou moins l'une et l'autre ou passe à plusieurs reprises de l'une à l'autre. De toute façon la place accordée à l'Église semble plutôt plus importante que celle qui est consacrée à l'âme.

Les personnages principaux de ce drame sont au sens spirituel d'abord le Christ, puis l'Église et l'âme. Il y a donc à étudier la christologie du Commentaire, son ecclésiologie et son anthropologie spirituelle. Quant aux «amis de l'Époux», ils désignent d'abord les anges, patriarches ou prophètes qu'avant d'apparaître dans son Incarnation, le Christ envoie à sa jeune fiancée, l'Église adolescente de l'Ancien Testament, pour la préparer à sa venue, puis les apôtres, aussi désignés comme les «fils de la mère» de l'Épouse. Les jeunes filles qui entourent cette dernière apparaissent soit, suivant la signification collective, comme les Églises particulières distinguées de l'Église, soit, suivant l'acception individuelle, comme les âmes progressantes, pleines de jeunesse et d'allégresse.

1. Voir le détail dans Crouzel, «Le thème du mariage mystique chez Origène», p. 47-56.

IV. — LA CHRISTOLOGIE DU COMMENTAIRE

Sont représentés dans le Commentaire les principaux thèmes qui constituent habituellement la christologie d'Origène. Nous les énumérons simplement, en renvoyant à d'autres travaux qui les étudient[1] : la médiation du Christ s'exerçant d'abord par sa divinité seule, ensuite par sa double nature ; le Fils présent dans le sein du Père, où il exprime les mystères qu'il contient en tant qu'il est la Sagesse ; le Fils faisant connaître le Père ; les diverses ἐπίνοιαι ou dénominations du Fils, parmi lesquelles les vertus ; les allusions à l'Incarnation, la kénose, la Passion, la Résurrection et les sacrements ; l'impeccabilité de l'âme humaine du Christ, dès la préexistence ; l'âme du Christ ombre du Verbe, image de l'image de Dieu qui est le Verbe ; le Christ Rédempteur, vainqueur du péché, supprimant la noirceur du péché ; la Passion-Résurrection supprimant le voile qui cachait les mystères ; le Christ nouveau Salomon, c'est-à-dire nouveau Pacifique, faisant régner la paix. On retrouve aussi dans le Commentaire la plupart des grands thèmes mystiques origéniens qui ont tous le Christ au centre : l'image de Dieu qui est le Verbe et selon laquelle a été créé l'homme ; les nourritures spirituelles ; le vin de la vraie Vigne ; les cinq sens spirituels ; etc.

Insistons sur deux points plus particuliers au *Commentaire* comme aux *Homélies sur le Cantique*, au moins par la place qu'ils leur donnent[2]. D'abord le Christ est Charité (ἀγάπη, *caritas*) ou Amour (ἔρως, *amor*), non seulement

1. H. Crouzel, «Le Christ Sauveur selon Origène», *Studia missionalia* 30 (1981), p. 63-87.

2. H. Crouzel, «La christologie d'Origène selon son *Commentaire sur le Cantique des Cantiques*», *Praesentia Christi. Festchrift J. Betz*, Dusseldorf 1984, p. 421-433.

objet d'amour, mais source de l'amour. Ensuite la possession de l'Époux par l'Épouse demande de la part de cette dernière, qu'il s'agisse de l'Église ou de l'âme, un progrès continuel.

Le Christ est Charité ou Amour

Le prologue contient un développement important sur l'amour spirituel et sur l'amour charnel caractérisés l'un et l'autre par leurs objets, les réalités spirituelles ou les réalités charnelles. Origène pense trouver dans les Écritures une différence de vocabulaire entre *amor* (ἔρως), qui s'appliquerait principalement à l'amour charnel, et *caritas* ou *dilectio* (ἀγάπη), qui désigneraient surtout l'amour spirituel ; mais il se rend bien compte que cette distinction n'a rien de fixe et qu'on peut découvrir nombre d'exceptions. Mais la charité découle de Dieu qui est charité selon *I Jn* 4, 7-8. Et celui qui vient de Dieu, le Fils, est lui aussi charité. Tous deux sont charité et c'est pourquoi la charité du Père et celle du Fils sont une seule charité. Nous trouvons là une des nombreuses expressions origéniennes de l'unité des deux personnes, qui préfigurent sur un mode plus dynamique qu'ontologique l'unité de nature qui sera définie à Nicée. Le Christ est donc Charité et c'est là une de ses nombreuses dénominations (ἐπίνοιαι). Si le Fils constitue avec le Père une unique source d'amour, il est aussi avec lui un unique objet d'amour : seuls le Père et le Fils sont à aimer « de tout son cœur, de toute son âme, de toutes ses forces »[1]. Aimer le Fils c'est aimer en lui le Père[2].

Le Fils est aussi appelé *amor*, ἔρως, par Ignace d'Antioche qu'Origène cite[3]. Puisque le Père est charité et que le Fils seul le connaît, seul le Fils connaît la charité. Il

1. *Lc* 10, 27.
2. *Rom.* 8, 39.
3. Ignace, *Ad Rom.* VII, 2. Voir la note complémentaire 3 : « Mon amour est crucifié ».

en est de même en sens inverse, et aussi du Saint Esprit lorsqu'il révèle aux âmes l'immensité de la charité qui vient du Père et s'identifie à son Fils.

L'Église, ou l'âme, en progrès continuel

Pareillement l'Épouse, prise en chacun de ses deux sens, est animée par l'amour de son Époux et désire engendrer de lui : tel est, selon Origène, le sujet essentiel du Cantique des cantiques et il s'exprime de diverses façons. Elle désire l'Époux, veut jouir de son amour, le voir présent près d'elle, parvenir jusqu'à sa couche, recevoir ses baisers. Quand il est éloigné d'elle, elle le cherche.

C'est chez Origène qu'apparaît pour la première fois le thème mystique du trait et de la blessure d'amour, issu de la conjonction d'*Is.* 49, 2 selon la Septante : « Il m'a placé comme une flèche aiguë, il m'a caché dans son carquois », avec *Cant.* 2, 5 suivant la même version : « Je suis blessée de charité. » Si ce thème trouve son expression la plus parfaite dans le Commentaire et dans la seconde Homélie[1], il apparaît dès les débuts de la carrière littéraire d'Origène[2] et inspire le *Discours de Remerciement* de son élève Grégoire le Thaumaturge[3]. Il est rappelé dès le prologue du Commentaire, et on le retrouve après cette œuvre[4], surtout dans une allusion pleine de sens du *Contre Celse*[5]. Dès le prologue donc la beauté du Verbe, se manifestant à travers celle du visible qui est son œuvre, décoche la flèche choisie et provoque la blessure salutaire (Prol. 2, 17). Mais, comme il est naturel, l'interprétation de *Cant.* 2, 5 va être l'occasion d'un magnifique développement. Les traits de

1. *HomCant.* II, 8, fin.
2. *ComJn* I, 133.228-229.267 ; *FragmLam.* CIV (*GCS* 3, p. 272).
3. VI, 78 et 84.
4. *SelPs. 36* III, 3 (*PG* 12, col. 1338 B-C).
5. VI, 9 ; cf. H. Crouzel, « Origines patristiques d'un thème mystique : le trait et la blessure d'amour chez Origène », dans *Kyriakon. Festschrift J. Quasten*, Münster i. W. 1970, I, p. 309-319.

charité qui percent l'âme soulèvent en elle un tel désir de l'Époux qu'elle ne saurait plus vouloir autre chose. Ce désir peut prendre des formes diverses, se porter sur telle ou telle vertu, car l'Époux est toute vertu et chacune des vertus, selon la doctrine des dénominations du Christ. Mais la charité est la vertu globale qui contient toutes les autres ; aussi la blessure de charité englobe-t-elle toutes les vertus (III, 8, 13-15). Le Père est l'Archer, le Fils la Flèche, mais il est aussi, selon la brève allusion du *Contre Celse* signalée, la blessure elle-même qui s'identifie au Christ présent dans l'âme. Par la blessure qu'il fait dans l'âme, l'Époux est donc présent en elle et par son désir l'Épouse possède déjà d'une certaine façon l'Époux.

Ce n'est pas sur les réalités corporelles mais sur les spirituelles que porte cet amour, et la connaissance qui s'identifie avec lui : en effet Origène, avec son esprit plus synthétique qu'analytique, définit en dernière instance la connaissance par une citation de *Gen.* 4, 1 : « Adam connut Ève son épouse », c'est-à-dire par l'union figurée par l'acte de l'amour humain[1]. L'amour de l'Épouse, par-delà l'humanité de Jésus, tend vers la divinité du Verbe, avec lequel l'homme Jésus ne fait qu'un. C'est pourquoi l'Époux l'appelle à quitter le corporel et le sensible pour se hâter vers l'incorporel et le spirituel. Le corporel est cependant le point de départ. Les « fenêtres » des yeux présentent à l'Épouse la beauté de la création et de là son cœur s'élève jusqu'au Créateur ; par les « fenêtres » des oreilles elle entend l'Écriture, en qui est le Verbe, Parole de Dieu. C'est donc déjà dans le sensible que l'Épouse entend la voix de l'Époux et que se produit la première rencontre. Le « lit » ou la « couche » dont parle *Cant.* 1, 16 est interprété du corps, du corps qui appartient à la fois à l'un et à l'autre, puisque selon *I Cor.* 6, 15 nos corps sont les membres du Christ et puisque l'Église est le corps du

1. *ComJn* XIX, 22-23.

Christ. Bien que les mystères du Jésus historique ne soient pas le terme de l'union de l'Épouse avec l'Époux, ils y ont cependant leur rôle et leur place. Origène le précise dans un beau passage[1] à propos des jeunes filles qui entourent l'Épouse et symbolisent les âmes progressantes : ce texte rappelle par son mouvement le chapitre du *Traité des Principes* sur l'Incarnation du Verbe[2] selon une autre traduction de Rufin. Mais, à travers le sensible, c'est vers le terme céleste que les jeunes filles s'empressent, à la suite de l'Épouse.

On a reproché à Origène de n'avoir pas distingué dans sa conception de l'amour le mouvement du désir, que les modernes appellent l'*éros*, de celui du don, qu'ils nomment l'*agapè*, et même de n'avoir vu dans l'amour que le désir. Le premier reproche est en partie justifié, encore que ce manque de distinction n'a peut-être pas l'importance que lui donnent certaines systématisations récentes. Le second est injustifié, car Origène signale dans l'amour, sans les opposer l'un à l'autre, les deux mouvements. En effet si un amour uniquement ἔρως est égoïste et inacceptable pour un chrétien, l'amour spirituel le plus pur qu'on puisse imaginer reste nécessairement à la fois ἔρως et ἀγάπη, l'ἔρως étant transcendé par l'ἀγάπη sans cesser d'être ἔρως. Une pure ἀγάπη dans ce sens est inconcevable pour les créatures que nous sommes : elle serait en opposition non seulement avec le désir de l'union mystique, mais encore avec l'espérance, vertu théologale, et même avec l'adoration par laquelle nous nous reconnaissons face à Dieu comme des indigents. Dire à Dieu : Je veux tout donner et ne rien désirer, témoignerait d'une ὕϐρις inconcevable et serait d'ailleurs une absurdité, car nous ne pouvons rien donner à Dieu que nous n'ayons d'abord reçu de lui. Les anciens chrétiens n'ont pas mis sous les mots

1. *ComCant.* I, 4, 5.
2. *PArch.* II, 6, 2.

ἔρως et ἀγάπη des sens aussi tranchés et opposés que les théologiens contemporains.

L'union de l'Épouse et de l'Époux comporte un itinéraire spirituel, aussi bien sur le plan collectif que sur l'individuel. La manière même dont l'Épouse perçoit l'Époux exprime ce progrès. Ainsi l'Époux se compare à la fleur des champs et au lis des vallées, alors que l'Épouse le désigne comme le pommier parmi les arbres de la forêt : tout cela indique le progrès de la fleur au fruit. De même, selon le prologue, les différents titres par lesquels les Proverbes, l'Ecclésiaste, le Cantique des cantiques désignent leur auteur commun, Salomon le Pacifique, figure du Christ, manifestent les diverses étapes du progrès que le Christ fait dans l'âme. Son aboutissement est une identification de plus en plus grande du fidèle au Christ : le serviteur sera devenu comme son seigneur et le disciple comme son maître. A l'âme débutante, encore toute petite, soumise aux tuteurs et aux curateurs, le Christ ne peut donner encore l'or pur, mais seulement « des imitations d'or avec des pointillés d'argent » qui laissent entrevoir de loin les mystères. Mais quand le Christ a progressé dans l'âme, il arrive même chez certains à avoir assez d'espace pour se promener en eux, pour y banqueter, pour y loger avec le Père et l'Esprit. Ou bien c'est l'allégorie des vallées, puis des collines et des montagnes. L'Épouse ne voit de l'Époux que ce dont son progrès spirituel la rend capable. Nous sommes tout près du thème des différentes formes que revêt le Christ. Tous ceux qui le rencontraient pendant sa vie terrestre le voyaient, mais comme un simple homme, sans soupçonner en lui le Dieu. Pour voir la divinité transparaître à travers l'humanité, les apôtres Pierre, Jacques et Jean ont dû gravir la montagne, symbole de l'ascension spirituelle. Jésus ressuscité ne s'est montré qu'à ses disciples, il n'est pas allé se manifester devant Pilate, Hérode ou les princes des prêtres, car ces derniers n'avaient pas les dispositions requises pour que parvienne à leur connaissance la nature divine du ressuscité : ils étaient réellement incapables de la percevoir. Certes, une personne divine n'est vue que lorsqu'elle veut se faire voir, mais la connaissance est la rencontre de deux libertés ; Dieu ne force jamais l'homme, et le progrès spirituel est la manifestation concrète de la disponibilité de l'homme aux révélations divines. Un autre thème en est proche, celui des nourritures spirituelles. C'est par le Fils, continuellement nourri par son Père dans l'acte à la fois éternel et continuel de sa génération, qu'est distribuée aux créatures raisonnables, anges et hommes, la seule nourriture qui leur convienne, la nature de Dieu : mais pour s'adapter aux capacités très diverses des âmes, le Fils devient toutes sortes de nourritures, qu'Origène désigne à partir d'expressions de l'Écriture.

Ce que l'Épouse désire plus que tout, c'est la présence du Verbe. Elle souffre de son absence, elle veut savoir où il prendra son repos à midi pour qu'elle n'aille pas s'égarer dans les troupeaux de ses compagnons, elle veut avoir l'Époux présent et être seule à seul avec lui. Tout cela s'applique à la fois à l'Église et à l'âme chrétienne.

V. — L'ECCLÉSIOLOGIE DU COMMENTAIRE

Elle a fait l'objet d'une étude complète qu'il suffira de résumer ici, tout en y renvoyant le lecteur, celle de Chênevert[1].

L'Église de la préexistence

Un texte que ce dernier étudie longuement[2] semble bien faire allusion à la préexistence des âmes et à l'Église de la préexistence, formée de toutes les « intelligences » préexistantes et épouse de l'humanité préexistante unie au Verbe. C'est là une hypothèse favorite d'Origène, dont il serait trop long d'exposer ici les raisons et les sources, à la fois platoniciennes et judéo-chrétiennes. Tous les êtres raisonnables, ceux qui, après la chute originelle située dans cette préexistence, deviendront anges, hommes et démons, ont été créés ensemble et égaux, et la venue en ce monde sensible sera pour les hommes la conséquence, voulue par Dieu, de cette chute. Parmi les « intelligences » préexistantes se trouvait celle qui était unie dès sa création au Verbe de Dieu et qui plus tard s'incarnera dans le sein de Marie. L'ensemble de ces créatures raisonnables formait donc l'Église de la préexistence, unie comme l'épouse à l'époux au Christ-homme dans sa préexistence. Certes, tout cela n'est pas dit dans le *Commentaire sur le Cantique* qui se contente d'une simple allusion, mais la perspective de la préexistence éclaire bien des passages de cet écrit. Et le progrès de l'âme se présente comme une restauration progressive de l'état de perfection de la préexistence.

1. *L'Église dans le Commentaire d'Origène sur le Cantique des Cantiques*, Bruxelles-Paris-Montréal 1969.
2. *ComCant.* II, 8, 4-7.

Le lieu de cette Église préexistante groupée autour du Christ-homme préexistant, et à travers lui du Verbe, est souvent nommé la Jérusalem céleste : elle se confond d'une certaine façon avec le «sein du Père». C'est en elle qu'après la chute reste l'âme du Christ, avant la kénose de l'Incarnation, au milieu des anges. C'est en elle que devra être réinstallée l'Église tombée sur la terre, et vers elle que se portent tous les désirs du spirituel. L'âme du Christ, que son union au Verbe rendait impeccable, bien qu'elle fût douée de liberté comme toutes les âmes, se trouvait «sous la forme de Dieu» par suite de cette union. Par amour pour son Épouse déchue, tombée dans la chair par suite de sa faute, elle se soumet à la kénose de l'Incarnation et laissant la «forme de Dieu» revêt la «forme de l'esclave[1]». Le Verbe, qui ne fait qu'un avec le Christ-homme, participe à cette kénose tout en restant mystérieusement dans le sein du Père, son lieu. Mais la kénose du Christ-homme et du Verbe avec lui n'a pour but que de ramener l'Épouse-Église dans la béatitude de la Jérusalem céleste d'où elle provient. Alors les noces du Christ et de l'Église seront parfaites et définitives.

L'Église de l'Ancien Testament

Le premier état de l'Épouse ici-bas est celui de l'Église de l'Ancien Testament, antérieur à l'Incarnation. C'est à elle, qui se trouve encore dans un état d'enfance, comme la petite fiancée, que l'Époux envoie ses «amis», anges, patriarches et prophètes, pour l'éduquer et entretenir en elle le désir d'un Époux qu'elle ne possède pas encore. Ils ne cessent de lui parler de la beauté de l'Époux, d'éveiller en elle l'attrait de ce monde spirituel et céleste qu'il contient et représente, et par là l'amour de celui qui doit venir. Ils lui apprennent à deviner la beauté de l'Époux à travers celle de la création, son œuvre, par l'analogie qui unit le terrestre au céleste, le visible à l'invisible : car les

1. *Phil.* 2, 5-8.

êtres d'ici-bas sont les images, imparfaites certes, de ceux de l'au-delà, et ils conservent en eux quelque reflet de leur beauté qui doit donner à ceux qui les perçoivent l'idée et le désir de la beauté parfaite. Mais ces préfigurations des réalités célestes on les trouve avant tout dans la Bible : les mystères d'en haut y sont indiqués à travers les images terrestres et l'Époux s'y manifeste par l'intermédiaire de types qui sont des personnages de l'ancienne alliance comme Salomon, Moïse ou d'autres ; de même les principaux mystères du Verbe incarné s'y devinent à travers des événements ou des réalités. A la fiancée du Christ les Proverbes de Salomon enseignent la morale et son Ecclésiaste la physique : une morale qui est surtout une ascèse, une physique dont le but est essentiellement religieux. Toutes les anciennes Écritures contribuent à la formation en elle des vertus et de la charité qui la font déjà participer à l'Époux qui viendra. Mais la formation que les amis de l'Époux apportent à l'Épouse, si elle l'oriente vers la perfection, est peu de chose à côté de ce que l'Époux, quand il viendra, apportera. Les « imitations d'or » ne sont que les ombres des réalités spirituelles : quelque utile que soit l'« ombre de la Loi », on ne peut, quand le Christ est venu, y rester en refusant de passer à l'« ombre du Christ », qui caractérise le temps de l'Église terrestre après l'Incarnation. L'Ancien Testament a pour Origène, dans sa polémique contre les exclusions marcionites, une valeur réelle : dans la nouvelle alliance il sert toujours de préparation au Christ, à condition de ne pas s'enfermer en lui mais de voir son rôle de préparation. C'est la venue du Christ qui manifeste la valeur de l'Ancien Testament en montrant celui vers lequel il tend.

La venue du Christ

A la venue du Christ, les païens sont appelés dans l'Église, et la majeure partie des enfants d'Israël a fait défection. Cette universalité ou catholicité de l'Église, formée d'hommes venus de toutes les nations et rassemblés en une seule communauté, a fortement frappé Origène comme toute l'Église primitive : c'est ainsi que le nom du Christ s'est répandu dans le monde entier à la suite de sa kénose. Le participe ἐκκενωθέν, qui qualifie le parfum qu'est le nom de l'Époux, contient deux sens à la fois, celui de «vidé», l'*exinanitum* de Rufin, celui de «répandu», l'*effusum* de Jérôme : parce qu'il s'est «vidé» de la «forme de Dieu» pour prendre la «forme de l'esclave», le Christ dans son humanité s'est répandu sur toute la terre. Et quand l'ensemble des nations aura pénétré dans l'Église, tout Israël sera sauvé : Origène le répète à la suite de Paul[1] et ne cesse de réfléchir sur le mystère de l'infidélité d'Israël. La parenté entre l'Église et la synagogue est soulignée à propos du mot ἀδελφιδός que l'Épouse donne à l'Époux[2] : Jérôme le traduit dans les homélies par *fratruelis* et Rufin par *fraternus*, le premier signifiant cousin par la mère, et le second, comme le mot grec, fils du frère, cousin par le père. C'est selon cette seconde signification qu'Origène l'explique dans le Commentaire : l'Église a pour frère le premier peuple, le peuple juif, dont le Christ est le fils. Mais c'est selon la première qu'il l'expliquera en *HomCant.* II, 3 (*SC* 37 *bis*, p. 112) : «Notre Sauveur..., Époux de l'Église est, en tant que fils de la synagogue-sœur, le 'neveu' de son Épouse.»

L'Église venue des nations est «noire (ou brune) et belle», noire à cause de l'obscurité de son origine par rapport à la noblesse d'Israël. Elle est figurée par l'Éthiopienne qu'épouse Moïse, au grand scandale de Marie et d'Aaron, par la reine de Saba qui va rendre visite à Salomon. Elle est noire à cause de ses péchés antérieurs, belle parce qu'elle s'est convertie, approchée de Jésus et qu'elle a reçu de lui sa beauté. L'attitude parfois assez négative, surtout dans ce Commentaire, qui est celle d'Origène envers la philosophie grecque, manifeste ce péché des païens qui suppose de leur part une responsabili-

1. *Rom.* 11, 25-26.
2. *Cant.* 1, 16 et plusieurs fois dans la suite.

té dans l'erreur et une infidélité à l'égard de la vérité. Mais Origène ne cesse de répéter que tout homme est pécheur. Ceux qui viennent des nations se sont tournés vers le Seigneur en confessant leur foi et en se repentant, et ils sont entrés dans l'Église, dans la communion des croyants. La foi est en effet comme un lien direct établi entre l'âme et le Christ : son effet est de rectifier l'intelligence par la Parole de Dieu contenue dans l'Écriture, mais elle ne peut exister sans une réforme morale, sans la pratique de toutes les vertus, qui est l'imitation du Christ.

Dans sa situation terrestre d'aujourd'hui l'Église est en possession de l'Époux, mais non complètement : la perfection viendra avec les noces définitives de la béatitude. L'Église vit à l'ombre du Christ, ombre qui représente son humanité «sous laquelle nous vivons parmi les nations», selon une exégèse fréquente de *Lam.* 4, 20. C'est le Christ incarné dans chacun des événements de sa vie terrestre, révélations de son mystère, qui est présenté continuellement à son imitation, à sa contemplation, une contemplation qui transforme le contemplateur en l'image du contemplé : de ces événements son Incarnation et sa Passion-Résurrection sont au premier plan, avec la kénose qui les constitue. Même si dans le Commentaire Origène ne parle guère des sacrements que par de rapides allusions, il a une conscience vive et profonde de ce qui est l'essence même du sacramentalisme : à travers des réalités humaines comme à travers le Christ-homme, c'est le divin lui-même qui est communiqué. De la participation de Dieu à l'humanité découle la participation de l'homme à la divinité.

La doctrine paulinienne de l'Église Corps du Christ se trouve à plusieurs reprises dans le Commentaire, avec moins de netteté peut-être que dans un célèbre passage du *Commentaire sur Jean*[1] qui présente la résurrection de

1. *ComJn* X, 228-238.

l'Église commme celle du «véritable et plus parfait corps du Christ» : il fait ainsi du corps physique du Christ l'image de l'Église avec la diversité de ses membres. Le Corps du Christ est l'expression de l'unité de l'Église, malgré la multiplicité des Églises locales : non seulement les fonctions sont différentes, mais encore les degrés de perfection spirituelle. Il exprime aussi la charité qui doit animer les membres du Corps — une charité «ordonnée» selon l'interprétation donnée à *Cant.* 2, 4 — et la solidarité qui partage entre les membres du Christ le bonheur et la souffrance. Mais cette unité, cette solidarité, ne sont pas acquises une fois pour toutes, elles sont en continuel devenir, conditionnées par la sainteté des membres. Car l'unité de l'Église est une participation à l'unité même de la Trinité, opérée en elle par le Christ.

Un problème est posé par la perfection même que dans bien des passages Origène attribue à l'Épouse. Faudrait-il accepter les accusations d'aristocratisme souvent portées contre lui et penser qu'il exclurait de l'Église les imparfaits que nous sommes? Mais une lecture plus attentive et complète du texte montre que l'Épouse elle-même est représentée avec ses imperfections ou en progrès, ce qui suppose l'imperfection au départ : tantôt elle est représentée comme parfaite, tantôt non. Y a-t-il contradiction? Pour répondre à cette question il faut prendre conscience du caractère fortement eschatologique qu'ont souvent les explications du Commentaire : tantôt il s'agit d'une eschatologie consommée, tantôt de cette eschatologie en devenir qui a commencé avec la première venue du Christ et qui correspond au temps que nous vivons. Origène examine parfois cette époque-là, parfois ce moment-ci. Il en est de même de ce qu'Origène dit à propos du parfait : la plupart du temps il considère son idéal qui ne sera réalisé que dans la béatitude; mais il lui arrive aussi de dire que dans ce monde-ci il n'y a pas beaucoup de différence entre le simple chrétien et le parfait, qui, comparé à celui de la béatitude, est comme un enfant vis-à-vis d'un adulte, ou même comme un animal par rapport à un homme. Comme le dit éloquemment J. Chênevert[1] : «Pour Origène, on l'a vu, la réalité d'un être, sa vérité, n'existe que dans son idée, dans sa fin, et nul être ne devient pleinement lui-même qu'il n'ait rejoint cette idée, cette fin qui le définit, qu'il ne s'y soit identifié. La vraie nature d'un être ne se saisit et ne se comprend donc que dans la mesure où on la cherche dans cet idéal et dans cette fin qui le réalise, qui le consomme. Ainsi de l'Église.»

La doctrine de l'Église contenue dans le Commentaire concerne essentiellement son essence mystique : Origène ne s'attarde guère dans ce livre à décrire ses institutions, sinon par quelques allusions rapides sur sa liturgie, sa hiérarchie, son enseignement. On trouve dans ses autres œuvres bien davantage d'informations, quoique toujours données en passant ; plusieurs livres récents les ont recueillies et étudiées[2].

1. Chênevert, p. 268-269.

2. Quoi qu'on en dise souvent, Origène nous a laissé des informations nombreuses sur les institutions ecclésiales. Par exemple A. Vilela, étudiant *La condition collégiale des prêtres au IIIe siècle*, Paris 1971, consacre 113 pages à Origène contre 16 à Clément, 26 à Tertullien, 86 à Cyprien, 32 à Hippolyte. Voir pareillement : H. J. Vogt, *Das Kirchenverständnis des Origenes*, Cologne 1974 ; Th. Schäfer, *Das Priester-Bild im Leben und Werk des Origenes*, Francfort 1977. On ne peut citer ici les nombreux livres ou articles consacrés aux sacrements de baptême, d'eucharistie, de pénitence, de mariage chez Origène.

VI. — L'ANTHROPOLOGIE DU COMMENTAIRE

L'Épouse du Cantique, avons-nous dit, n'est pas seulement pour Origène l'Église, elle est aussi l'âme fidèle. Dans un appendice à son livre[1] J. Chênevert essaie de justifier, devant les répugnances modernes à employer ce terme d'âme, l'usage origénien, en montrant qu'il équivaut à la notion paulinienne d'homme intérieur. Il faut remarquer en outre que pour désigner l'épouse du Verbe il fallait, pour la cohérence de l'image, utiliser un mot féminin. Et on ne voit pas quel autre terme que ψυχή, traduit par Rufin en *anima*, il aurait pu prendre pour désigner le partenaire humain individuel du Fils de Dieu.

Les deux doctrines essentielles de l'anthropologie spirituelle d'Origène sont la création de l'âme à l'image de Dieu et l'anthropologie trichotomique voyant en l'homme un esprit (πνεῦμα, *spiritus*), qui correspond dans une certaine mesure à la grâce sanctifiante, une âme (ψυχή, *anima*) et un corps (σῶμα, *corpus*) ; l'âme elle-même est partagée, ou plutôt disputée, entre deux éléments ou tendances. Le premier, attirant l'âme vers l'esprit, est appelé soit intelligence (νοῦς, *mens*), soit faculté principale (ἡγεμονικόν, *principale animae* ou *cordis* ou *mentis*), soit cœur (καρδία, *cor*) ; le second, subissant l'attraction du corps, est nommé, entre autres appellations, chair (σάρξ, *caro*) ou pensée de la chair (φρόνημα τῆς σαρκός, *sensus carnis* ou *carnalis*). Nous n'insisterons pas sur ces deux points, ayant exposé à plusieurs reprises ces doctrines. Disons ce que présente de particulier le *Commentaire sur le Cantique*.

1. Chênevert, p. 283-285.

Comme l'Église, l'âme fidèle est l'Épouse du Cantique

Bien des explications données de l'Église sont aussi vraies pour l'âme. Enflammée du désir de connaître, elle ne se satisfait pas de l'enseignement des docteurs, elle veut être instruite par le Christ en personne. Elle progresse d'une connaissance par l'extérieur vers une connaissance plus intime, celle de l'Époux lui-même. Les âmes en progrès sont représentées par les jeunes filles, pleines de jeunesse et d'allégresse. Comme l'Église, l'âme est elle aussi «noire et belle», noire à cause de ses péchés, belle par sa pénitence et par l'éclat qu'elle reçoit alors de l'Époux. Lorsqu'elle vient à la foi, elle subit les assauts des démons, mais les anges, ses frères, fils comme elle de la Jérusalem céleste, la protègent ; elle abandonne alors sa propre vigne, ses mœurs antérieures. Comme l'Église-enfant de l'Ancien Testament, l'âme est d'abord toute petite à cause de son peu de connaissance : elle est soumise aux tuteurs et aux curateurs qui l'instruisent de paraboles. Mais, quand elle parvient à la perfection, le Verbe de Dieu se promène en elle, se repose en elle, prend ses repas en elle avec toute la Trinité. Elle est douée de sens spirituels — un thème fameux d'Origène —, des yeux par lesquels elle est illuminée, des oreilles qui entendent dans son sens profond la Parole de Dieu, un goût qui lui fait goûter le Pain de Vie, un odorat qui jouit des parfums du Verbe. L'Épouse aux yeux de colombe, c'est l'âme spirituelle, habitée par l'Esprit Saint. La couche n'est pas seulement le corps que l'Église, en tant que Corps du Christ, a en commun avec le Christ, mais cela s'applique aussi à l'âme individuelle, car la puissance divine parvient jusqu'au corps, lui accordant le don de la chasteté, de la continence et des autres bonnes œuvres. Le champ dont le Christ est la fleur est aussi l'âme, appelée ainsi à cause de sa simplicité plane et égale. Le thème du trait et de la blessure d'amour est appliqué par Origène à l'âme seule, non à l'Église. Les visites de l'Époux à l'âme sont ses illuminations. Le Verbe parle à l'âme d'abord par les sens corporels, la vue dans la lecture de l'Écriture, l'ouïe dans l'audition de la Parole.

Arrêtons-nous à quelques passages. De même que les présents de fiançailles envoyés par l'Époux à l'Église fiancée étaient les écrits de la Loi et des prophètes, l'âme a reçu en dot la loi naturelle, l'intelligence raisonnable *(rationabilis sensus)* et le libre arbitre et, en outre, l'enseignement des docteurs. Cette expression *rationabilis sensus* n'est pas à interpréter seulement dans le sens purement naturel, par opposition à surnaturel, du vocabulaire scolastique, car si Origène connaît, et exprime à deux reprises, la distinction du naturel et du surnaturel, il ne pense guère selon ces schèmes. Le terme *rationabilis*, λογικός, exprime une participation au Logos éternel de Dieu qui est son Fils, Parole et Raison selon les deux sens principaux inséparables du mot λόγος. Comme la participation de l'homme à l'image de Dieu avec laquelle ce caractère «raisonnable» se confond, il exprime à la fois des aspects «naturels» et des aspects «surnaturels».

«Si tu ne te connais pas»

Le verset *Cant.* 1, 8 : «Si tu ne te connais pas, ô bonne — ou belle — entre les femmes, sors sur les traces des troupeaux et fais paître tes boucs parmi les tentes des bergers» est commenté exclusivement de l'âme et fournit à Origène l'occasion de parler de l'examen de conscience. Cette connaissance d'elle-même qui est ici exigée de l'âme ne la referme pas sur elle, elle l'ouvre au contraire sur Dieu. Car l'âme doit savoir que la cause de sa beauté est sa création selon l'image de Dieu : si elle l'ignore, elle sera condamnée à paître les boucs, ceux qui représentent les damnés du Jugement dernier[1]. La connaissance de soi dans la perspective de la participation à l'image reçue de Dieu est donc une condition essentielle du salut. Elle porte sur la nature de l'âme et sur les sentiments ou passions qu'elle

1. *Matth.* 25, 33.

éprouve, en conséquence sur les motifs qui la font agir : si elle cherche à développer en elle toutes les vertus, sans s'arrêter dans la voie de ses progrès ; si elle agit ainsi dans son intérêt à elle seule ou dans celui des autres ; si elle est déjà sur la voie de la vertu ou non ; si elle cède au mal par méchanceté ou par fragilité ; si elle domine les passions dans certains cas, non dans d'autres ; si elle fait le bien avec joie ou par force ; si on peut lui faire croire tout ce qu'on veut ou non. L'âme doit voir aussi ce qu'elle a à faire, ce qu'elle doit éviter, ce qui lui manque et ce qu'elle a en abondance, ce qu'il lui faut corriger et ce qu'il lui faut conserver. Si l'âme ne se connaît pas en tout ce qui vient d'être dit, elle se condamne à l'inconstance, à subir aveuglément des influences opposées successives.

Mais il ne lui suffit pas de connaître ses sentiments et ce qui la fait agir, il lui faut encore la science de ce qu'elle est, corporelle ou incorporelle, simple ou composée, créée ou incréée. Qu'elle connaisse son origine, selon les deux opinions courantes à l'époque parmi les chrétiens : ou bien elle est issue comme le corps de la semence paternelle (traducianisme), ou bien elle est créée directement par Dieu (créationisme) ; et dans ce dernier cas qu'elle sache si elle est créée au moment de la formation du corps, ou auparavant (préexistence). Faut-il croire à la transmigration des âmes de corps en corps, ou, comme l'Écriture le suppose, à une fin du monde où le corruptible se transformera en incorruptible ? Y a-t-il en dehors de l'homme d'autres esprits raisonnables et d'autres dépourvus de raison ? L'ange est-il de même nature que l'homme, puisqu'il est raisonnable comme lui, ou l'homme devient-il semblable à l'ange par grâce, etc. Il y a donc pour Origène dans le « Connais-toi toi-même » deux séries de problèmes : les premiers énumérés sont d'ordre psychologique et moral, propres à chaque être humain et à son action ; les seconds sont d'ordre métaphysique et religieux, ils concernent la nature même de l'être humain. Sur ces derniers si l'âme n'en cherche pas la réponse dans la Parole de Dieu et dans la loi divine, elle sera condamnée à courir çà et là parmi les tentes des bergers, c'est-à-dire à travers les sectes des philosophes. Donner une réponse aux problèmes concernant la nature de l'âme n'est, certes, pas à la portée de tous, mais ceux qui ont la possibilité de chercher et ne le font pas, par paresse, manquent à leur devoir d'enseigner les autres : comme le serviteur paresseux de la parabole ils enfouissent leur talent dans le sol et le laissent improductif. Origène exprime ici une des raisons fondamentales de son enseignement et de son œuvre écrite[1].

« Ordonnez en moi la charité »

Important est encore le commentaire de *Cant.* 2, 4 : « Ordonnez en moi la charité. » Ce passage a eu une influence considérable sur la tradition postérieure[2]. Origène ne dit pas s'il l'applique à l'Église ou à l'âme : il n'est question au début que de l'Épouse ; un peu avant la fin elle est dite « l'Église ou l'âme tendant à la perfection ». En fait tout s'applique ici à l'âme individuelle, sans préjudice de son application à l'Église. Origène commence par une constatation : l'être humain aime, quand il a l'âge d'aimer, mais cet amour peut être ordonné ou désordonné, désordonné quand on aime ce qu'on ne doit pas aimer, qu'on n'aime pas ce qu'on doit aimer, ou qu'on aime plus ou moins qu'il n'est juste. Avant toutes choses Dieu doit être aimé sans mesure, « de tout son cœur, de toute son âme, de toutes ses forces », et le Fils avec le Père, car c'est « dans le Christ Jésus » que Dieu doit être ainsi aimé. Pour le prochain il y a une mesure : il doit être aimé « comme soi-même », car nous sommes membres d'un même corps. Aimer une créature comme Dieu seul doit être aimé, « de tout son cœur ... », serait de l'idolâtrie. Mais dans la hiérarchie des affections, conjugales, familiales, amicales

1. Cette raison est remarquablement exprimée dans *ComJn* V, 8.
2. Voir H. Pétré, « *Ordinata Caritas* : un enseignement d'Origène sur la charité », *RecSR* 42 (1954), p. 40-57.

et autres, le mérite de chacun tient sa place. Cette insistance sur le mérite se rattache à une des préoccupations majeures d'Origène dans sa lutte contre le prédestinatianisme des gnostiques, puisque ces derniers supprimaient du salut — du moins Origène le comprend ainsi — toute considération de vie morale et de liberté, en ce qui concerne les «pneumatiques», sauvés par nature, et les «hyliques», damnés par nature : elle ne manque pas cependant de choquer nombre de modernes qui reprochent à Origène de méconnaître la gratuité de l'amour de Dieu pour les hommes et de l'amour de l'homme pour son prochain, qui doit être à l'imitation de l'amour de Dieu. Il ne faut pas oublier cependant que si l'amour que Dieu offre aux hommes est gratuit, les effets de cet amour dépendent de la réponse libre que lui fait l'homme : c'est une conséquence du respect de Dieu pour la liberté humaine. Une attitude analogue, *mutatis mutandis*, est inévitable en ce qui concerne les rapports humains : il y a malheureusement des cas où l'amour du prochain devra se réduire, étant donné ses dispositions à notre égard, à une attitude plutôt négative, ne pas lui faire ni souhaiter du mal — il reste toujours possible de prier pour lui — et où l'on devra essayer de se mettre à l'abri de ses mauvaises intentions. Par ailleurs, sous peine d'ingratitude, les bienfaits reçus interviennent nécessairement dans cette hiérarchie de l'amour. Et les liens du mariage, ceux que créent les relations entre parents et enfants, ou entre proches, ajoutent à l'amour des obligations de justice. Aussi serions-nous moins disposé que ses critiques à reprocher à Origène, dans ce passage ou dans les autres textes équivalents[1], de méconnaître la gratuité de l'amour[2].

1. *HomCant.* II, 8; *HomLc* XXV.
2. Voir un exemple de ces critiques dans W. J. P. Boyd, «Origen's Concept of the Love of God», *Studia Patristica* XIV (*TU* 117), 1976, p. 110-116.

VII. — ORIGÈNE MYSTIQUE

On a parfois mis en doute, ou du moins sous-estimé, l'authenticité de la mystique d'Origène. Une des raisons en est l'allure fréquemment «intellectuelle» que semblent revêtir ses illuminations. Les «baisers» du Verbe seront vus dans la compréhension de paroles de l'Écriture. C'est pourquoi on a parlé assez souvent à son sujet de «mystique intellectuelle», termes qui pourraient être dans une certaine mesure admissibles s'ils se contentaient de signifier que dans l'expression de sa mystique Origène privilégie en général l'aspect connaissance par rapport à l'aspect amour; encore que la place de l'amour dans le *Commentaire* et les *Homélies sur le Cantique* soit considérable. Mais on y voit fréquemment une mystique de qualité inférieure qui ne serait pas vraiment une mystique.

On peut se demander si, en disant cela, les critiques ne projettent pas sur Origène des conceptions modernes qui ne correspondent pas aux siennes et à celles de son époque. D'abord la distinction de l'«intellectuel» et du «spirituel», d'une part conceptuel et discursif, d'autre part intuitif, semble ignorée des auteurs anciens qui vont à Dieu par toutes les puissances de leur âme, sans faire d'opposition, ni même de distinction, entre elles. Il en est de même pour les distinctions de facultés, entre connaissance et amour. L'esprit beaucoup plus synthétique qu'analytique d'Origène, qui définit la connaissance, selon l'un de ses emplois hébraïques, par l'acte même de l'amour humain[1], n'est pas celui des scolastiques, ni des modernes. D'ailleurs l'union mystique est à la fois connaissance et amour : inspirée par un désir de Dieu, que le Commentaire origénien exprime sans cesse, par un don de Dieu à l'âme et de l'âme à Dieu,

1. *Gen.* 4, 1.

un don réciproque, qui transparaît à travers toutes ces pages, elle donne une connaissance supérieure à toute autre connaissance humaine, un contact de l'esprit humain avec l'Esprit divin, par-delà, au moins dans une certaine mesure, toute image, tout signe, tout concept, tout mot.

On a voulu aussi opposer la mystique d'Origène à celle, jugée plus authentique, de Grégoire de Nysse, par le fait que la première serait une mystique de la lumière, la seconde une mystique de la ténèbre : il ne faut pas oublier cependant que le thème de la lumière existe aussi chez Grégoire et que celui de la ténèbre n'est pas tout à fait absent d'Origène. En fait on a décrit l'union mystique à la fois comme lumière, parce qu'elle est une connaissance qui surpasse toutes les autres, et comme ténèbre, parce que cette connaissance, dépassant image, signe et concept, est radicalement déconcertante pour l'esprit humain et peut être dite également une inconnaissance. Il faut remarquer en outre que des raisons contingentes de signe inverse, d'ordre polémique, ont pu influer sur cette opposition, qui probablement n'est qu'apparente : Origène est fréquemment en réaction contre l'extase-inconscience des montanistes qui prétendaient que l'Esprit Saint, quand il inspire le prophète, chasse son intelligence et sa conscience et se sert de lui comme d'un pur instrument, comportement qui, selon l'Alexandrin, serait indigne de Dieu et dénoterait au contraire la possession diabolique ; Grégoire de son côté, après son frère Basile, lutte contre le néo-arien Eunome, qui soutenait qu'on pouvait donner de Dieu une définition, donc avoir de lui une véritable idée. On comprend en conséquence que chacun ait insisté sur l'aspect opposé quand il s'agissait de connaissance de Dieu. Mais cela ne permet pas de juger de l'authenticité ni de la profondeur de cette connaissance[1].

1. Sur tout cela voir H. Crouzel, *Connaissance*, surtout aux pages 524-536.

Quant aux expressions brûlantes de désir et d'amour qui parsèment ce Commentaire et quant à la dévotion fortement affective qui s'y exprime, comme d'ailleurs dans d'autres œuvres, elles seraient seulement l'effet d'un «genre littéraire», c'est-à-dire elles seraient un langage conventionnel. Mais d'où viendrait ce langage conventionnel qui supposerait des modèles antérieurs, et où sont ces modèles ? On ne peut guère se tourner pour les trouver vers le néoplatonisme de Plotin — postérieur d'ailleurs à Origène, qui avait vingt ans de plus que lui —, ni vers le gnosticisme, car on n'y trouvera aucun équivalent de la relation personnelle d'amour qui unit au Christ le chrétien Origène. Parmi les mystiques chrétiens antérieurs, les écrits pauliniens et johanniques, ceux de Clément d'Alexandrie ont une autre tonalité. Et si Ignace d'Antioche manifeste lui aussi un amour brûlant du Christ dans la perspective de son martyre proche, la manière n'est pas la même. Ces expressions sont pour son époque trop originales, à travers même les traductions qui les respectent, pour représenter un langage conventionnel.

VIII. — HISTOIRE DU COMMENTAIRE SUR LE CANTIQUE ET INFLUENCE D'ORIGÈNE

Le Cantique des Cantiques est sans doute, avec les Psaumes, le livre de l'Écriture qui fut le plus commenté. Le Targum du Cantique et le Midrash Rabbah témoignent, chacun à leur manière, que déjà dans le judaïsme antique chaque parole du livre saint avait été scrutée et interprétée[1]. Ainsi le Targum fait tout au long du Cantique une relecture complète de l'histoire d'Israël. Dans cette interprétation juive, l'Époux du Cantique est Dieu, l'Épouse, c'est l'Assemblée d'Israël.

Il va sans dire qu'avec la nouveauté apportée par le christianisme, une transposition de cette interprétation était à faire. Hippolyte est le premier qui l'essaie[2]. Pour lui, l'Époux est d'une manière constante le Christ. Il est plus difficile de cerner qui est l'Épouse : son texte, d'allure oratoire, interpelle souvent son auditeur[3]; mais ces interpellations mêmes montrent assez que, pour lui, l'Épouse n'est pas tant l'âme individuelle que l'assemblée réunie pour l'écouter, l'Église locale. Elle sera aussi, d'une

1. Le Targum du Cantique est en fait une explication allégorique plus qu'une paraphrase du Cantique, contrairement à ce qu'est en général un Targum. Il fut rédigé à une époque assez tardive, mais «sous la broderie édifiante, on devine la trame qui s'imposait au targumiste comme ancienne et traditionnelle» (Joüon, n° 37). Le Midrash Rabbah est légèrement postérieur : fin du VIIIe siècle - début du IXe. «Le compilateur donne sur chaque verset un grand nombre d'interprétations, avec l'indication des rabbins auxquels la tradition les attribuait» *(ibid.)*.

2. *De Cantico* (*CSCO* 264). Sur le personnage d'Hippolyte, voir *supra*, Introd., p. 9.

3. On rencontre rarement le mot *ecclesia* (8, 2; 26, 1), mais plus souvent une interpellation : *te, homo, homines*, et aussi : *omnes* (15, 2.3), *populus* (8, 1), *nos* (24, 2), *christianus* (19, 3).

manière plus universelle, l'Église en sa totalité, les «rassemblés parmi les nations»[1].

Le Commentaire d'Hippolyte, sans doute œuvre de jeunesse[2], est loin d'avoir toute la valeur et l'importance des *Homélies* et *Commentaire sur le Cantique* d'Origène, qui, du reste, s'en est assez peu inspiré, bien qu'il ne lui soit sans doute pas inconnu[3]. De fait, si le premier a eu quelque influence sur la postérité[4], l'œuvre du second en a connu davantage encore. D'abord parce qu'Origène reprend et accentue l'interprétation ecclésiale d'Hippolyte en la complétant par une application à l'âme individuelle qui intériorise l'exégèse allégorique concernant le mystère du Christ et de l'Église. Ces deux lignes de lecture complémentaires[5] resteront un trait constant de la lecture patristique du Cantique comme de toute l'Écriture. Ensuite parce que les explications d'Origène sur ce livre saint sont le lieu privilégié des thèmes spirituels légués par l'Alexandrin à sa postérité : mariage mystique, blessure d'amour, sens spirituels, etc. Et même dans le détail de l'exégèse, on retrouvera chez les commentateurs postérieurs des explications dont la source est à chercher dans le *Commentaire* et les deux *Homélies sur le Cantique*[6].

1. Deux expressions signifient nettement l'Église universelle : «la compagne dans l'Évangile» (19, 2) et : «les rassemblés parmi les nations» (27, 12). On trouve cette dernière dénomination chez Origène.

2. Cf. M. Richard, art. «Hippolyte de Rome», *DSp* 7,1 (1969), col. 536.

3. Comparer par exemple *ComCant.* IV, 3 avec *De Cantico* 20, 1-3.

4. Ainsi Ambroise s'inspire d'Hippolyte dans son *Commentaire sur le psaume 118*, entre autres. Un exemple privilégié en est l'exégèse de *Cant.* 2, 8. Son explication où il est question des sauts du Verbe, du ciel dans le sein de la Vierge, du sein de la Vierge sur la croix, de la croix aux enfers, des enfers au ciel (*De Cant.* 21, 2), se retrouve un peu partout dans les exposés postérieurs sur le Cantique, mais non chez Origène.

5. Avec le sens historique ou littéral, ce sont les trois sens de l'Écriture déjà précisés par Origène en *PArch.* IV, 2, 4 s.

6. On en signalera quelques-unes à titre d'exemples.

Durant les dix siècles qui séparent Origène de celui que Mabillon appela le «dernier des Pères»[1], Bernard de Clairvaux, les différents commentateurs du Cantique se répartissent en quatre groupes. L'un assez diffus dans l'espace, d'Alexandrie à l'Espagne en passant par la Cappadoce, mais non dans le temps — nous restons au IVe siècle — est assez important. Puis au VIe siècle, Grégoire le Grand et quelques auteurs de moindre importance. Entre 700 et 900, Bède le Vénérable et quelques moines. Et enfin au Moyen Age se pressent autour de Bernard de Clairvaux cisterciens, bénédictins, ou autres[2]. Regardons de plus près chacun de ces groupes.

IVe siècle

Au IVe siècle, avant d'être vilipendé, Origène est vénéré, on le lit, on s'en inspire. Après lui, à son exemple et dans la ligne de sa triple exégèse, les commentaires sur le Cantique se multiplient. En tous ceux qui nous sont parvenus[3], on décèle plus ou moins des traces d'une lecture des écrits de l'Alexandrin sur le Cantique : très peu chez Apponius, dont l'important commentaire[4] reste très personnel ; celui de Grégoire d'Elvire († après 392)[5] «reflète, quoique sans

1. *S. Bernardi opera. Praef. generalia* XXIII (*PL* 182, p. 25-26). Cf. O. ROUSSEAU, «Saint Bernard le dernier des Pères», dans *Saint Bernard théologien*, Rome 1953, p. 307-308.

2. Ce dernier groupe, très important, sera localisé géographiquement au nord d'une ligne : Cologne, Cîteaux, Paris, Mont-Saint-Michel, presque exclusivement.

3. Nous connaissons par JÉRÔME l'existence de trois commentaires du Cantique qui ont été perdus par la suite, ceux de Triphyllius de Lédra (cf. *vir. ill.* 92), Victorin de Pettau (*ibid.* 74) — qui, d'après lui (*ep.* 84, 7), doit beaucoup à Origène — et Reticius d'Autun (*ibid.* 82). Dans sa lettre 37, Jérôme donne à Marcella une appréciation peu élogieuse de ce dernier travail : «Elles m'ont paru innombrables, les fautes qui entachent ce commentaire.»

4. *In Canticum canticorum expositio, CCSL* 19 (1986), p. 1-311.

5. *In Canticum canticorum libri quinque, CCSL* 69 (1967), p. 169-210. Son interprétation est avant tout ecclésiale.

servilité, les interprétations d'Origène»[1]. L'évêque Philon de Carpase, à Chypre (vers 400), nous montre de façon très nette, en plusieurs endroits, qu'il a lu le commentaire d'Origène[2]. C'est moins apparent pour le peu qui nous reste du commentaire de Cyrille d'Alexandrie († 444), sauf pour un fragment qui n'est qu'un résumé des explications d'Origène[3]. Grégoire de Nysse († 394) s'appuie assez souvent sur Origène dans les premières de ses quinze homélies sur le Cantique[4]; par la suite les traces de l'Alexandrin se font plus rares. Quant à Théodoret de Cyr (393-458), son commentaire[5] ne cache pas ses nombreux emprunts à ses devanciers et les traces d'Origène sont fréquentes et nettes.

A cette époque, ceux-là même qui n'ont pas commenté le Cantique s'inspirent, en d'autres de leurs œuvres, des écrits de l'Alexandrin sur ce livre saint. Ainsi l'*Homélie sur le début des Proverbes* de Basile (329-379)[6] reprend des idées développées par Origène dans le prologue du Commentaire ; ses autres homélies et sa Règle présentent aussi des traces d'une lecture d'Origène.

En Occident, Hilaire de Poitiers († 367) aurait composé un commentaire du Cantique, mais Jérôme, de qui nous tenons ce renseignement[7], n'en avait pas eu connaissance. Quoi qu'il en soit, d'après ses commentaires sur les Psaumes et un peu par le *De Trinitate*, on perçoit que l'évêque de Poitiers avait fréquenté l'Alexandrin. Quant à

1. H. DE LUBAC, *Exégèse médiévale* I, 1, p. 216 et n. 4.
2. Un exemple : le collier donné à Thamar de *Gen.* 38, 18, qui déjà chez Origène (II, 7, 16) paraît une image assez surprenante, se trouve aussi, encore moins liée au contexte, chez PHILON (*Enarratio in Canticum canticorum* 22, *PG* 40, col. 53 A).
3. *PG* 69, 1284 C - 1285 A. Le texte est reproduit par Baehrens, *GCS* 8, p. LIV (Nachträge).
4. *In Canticum canticorum*, *GN*, vol. VI.
5. *Explanatio in Canticum canticorum*, *PG* 81, col. 27-214.
6. *PG* 31, col. 385 D s.
7. Cf. *vir. ill.* 100.

l'évêque d'Hippone, il n'a pas commenté le Cantique et l'a relativement peu cité[1]. Toutefois le Père de Lubac a souligné l'influence d'Origène sur Augustin[2].

C'est surtout Ambroise (339-397) qui reprend les idées d'Origène commentant le Cantique, dans le *De Isaac et anima*[3] — traité qui est en fait, un petit commentaire sur le Cantique à propos d'Isaac (le Christ) et de Rébecca (l'âme) —, dans l'*Exposition sur le psaume 118*[4], et encore ailleurs : *De virginitate, De sacramentis, De Spiritu sancto*. Dans le même temps, vers 383, Jérôme, plein d'enthousiasme pour « l'immortel génie » d'Origène[5], donne une traduction latine de ses deux *Homélies sur le Cantique*, et Rufin, vers 410, de son *Commentaire*. Grâce à eux l'influence de ces écrits va continuer de s'exercer en Occident.

VIe siècle A la fin du IVe siècle, en effet, se déchaîne la querelle origéniste entretenue par un Jérôme deuxième manière, devenu agressif envers l'auteur du *Traité des principes*. Après la seconde crise, celle du VIe siècle, c'en est presque fini pour l'Orient d'un Origène dont la pensée a été faussée, durcie, systématisée par Évagre et les moines origénistes. Les commentaires sur le Cantique se font plus rares ; pourtant Procope de Gaza (vers 465-530)[6] et plus tard Michel Psellos

1. Cf. A.-M. La Bonnardière, « Le Cantique des cantiques dans l'œuvre de saint Augustin », *Revue des Études Aug.* I, 3 (1955), p. 225-237.

2. *Exégèse médiévale* I, 1, p. 213-214. De fait, nous relevons chez Augustin différents thèmes origéniens : les trois livres de Salomon, les sens spirituels, la blessure d'amour ; celle-ci est toujours appliquée par lui à l'Église, à l'inverse d'Origène pour qui elle concerne l'âme individuelle.

3. *PL* 14, col. 502-534.

4. *PL* 15, col. 1198-1526.

5. *Vir. ill.* 54. Voir aussi la lettre à Paula (*ep.* 33, 3-4).

6. *In Cantica canticorum* (*PG* 87/2, col. 1545-1780).

(1018-1078)[1], avec leurs chaînes sur le Cantique, nous font connaître des fragments de commentaires perdus de Nil et de Maxime[2], témoins malgré tout de l'influence d'Origène en tant que commentateur du Cantique[3].

En Occident par contre, où Jérôme et surtout Rufin ont fait connaître l'Alexandrin, «nulle œuvre autant que la sienne n'a provoqué les larcins latins»[4]. En ce même VIe siècle où origéniens et antiorigéniens se déchirent en Orient, Grégoire le Grand (vers 540-604) médite les livres d'Origène, et à travers sa forte spiritualité marquée par la componction, l'ascèse, le désir de Dieu et une contemplation qui se heurte à la *reverberatio*, on décèle dans ses œuvres de nombreuses traces origéniennes[5], notamment dans son propre *Commentaire sur le Cantique* — qui «a bien des traits communs avec le commentaire origénien»[6] —, dans ses *Morales sur Job*, ses *Homélies sur Ézéchiel* et *sur l'Évangile*.

Le *Commentaire du Cantique de* Grégoire le Grand, moine et évêque de Rome, est comme une charnière. Avant lui le livre était commenté par des évêques, dont certains étaient moines. Après lui, il l'est par des moines, dont certains sont exceptionnellement évêques[7].

1. *PG* 122, col. 537-686.

2. Perdu aussi en Occident et au Ve siècle, un commentaire du pélagien Julien d'Éclane, écrit après 421, dont on connaît quelques rares fragments par Bède.

3. Il faut ensuite attendre 1355 pour qu'un moine du mont Athos, Matthieu Cantacuzène, laisse un commentaire du Cantique, dans un tout autre style d'ailleurs, insistant beaucoup sur la Vierge.

4. H. DE LUBAC, *Exégèse médiévale* I, 1, p. 212. Et ailleurs : «Origène serait lu, tout particulièrement sur l'Hexateuque et le Cantique» (p. 219).

5. *Ibid.*, p. 211 et n. 3 et 4 ; p. 222, n. 5.

6. *Ibid.*, p. 222.

7. Un peu antérieur à Grégoire le Grand, il faut mentionner le commentaire assez succinct de Just d'Urgel († après 546), où l'on décèle quelques légères traces du commentaire origénien. Après Grégoire, son disciple, Paterius, rassemble dans les *Testimonia* une anthologie des textes de Grégoire, entre autres ceux concernant le Cantique.

Époque carolingienne

A l'époque carolingienne, en effet, ce sont des moines, fils de saint Benoît[1], qui commentent le Cantique. Parmi eux, Bède le Vénérable († 735) fait figure de chef de file par suite de l'influence qu'il a exercée sur ce temps[2]. D'après A. Siegmund, « manifestement Bède n'a pas connu Origène », si l'on en juge d'après la répartition des versets de ses 41 chapitres selon les personnages[3]. De fait, le Père de Lubac souligne que le Commentaire origénien n'a été connu qu'assez tard[4]. Le peu de rapprochements que l'on pourrait faire provient donc de sources indirectes[5]. Le commentaire d'Alcuin († 804) n'est rien d'autre qu'un résumé aride de celui de Bède[6]. Quant à celui que l'on attribue, sans doute à tort, à Haimon d'Auxerre[7] (vers 850), il reprend, lui aussi, les idées de

1. Avant Benoît d'Aniane on ne peut parler encore de « bénédictins » au sens où nous l'entendons aujourd'hui, car il y avait sans doute peu de monastères où la législation était unifiée. Cependant l'esprit bénédictin avait déjà pénétré profondément aussi bien le monachisme celtique que le monachisme romain.

2. Son commentaire du Cantique comporte sept livres (*PL* 91, col. 1065-1236). Mais le premier est une réfutation de Julien d'Éclane et la transcription du texte même du Cantique ; le septième est une anthologie tirée des œuvres de Grégoire le Grand.

3. *Die Überlieferung der griechischen Literatur in der lateinischen Kirche bis zum 12 Jh.*, Munich 1949, p. 165.

4. *Exégèse médiévale* I, 1, p. 224 : au seuil du xe siècle on le croit toujours non traduit.

5. Bède cite parfois nommément ses sources : Ambroise (*PL* 91, col. 1218 B), Jérôme (1112 C ; 1188 C), Apponius (1112 A ; 1162 C), Grégoire le Grand (1223 A).

6. C. Spicq dit d'Alcuin qu'il « ne cherche pas à approfondir, mais à vulgariser » (*Esquisse d'une histoire de l'exégèse latine au Moyen Age*, Paris 1944, p. 34). — En appendice aux œuvres d'Isidore de Séville (*PG* 83, col. 1119-1132) figure une *expositio* sur le Cantique. Elle est, en fait, tirée d'Alcuin.

7. *Commentarium in Cantica canticorum* (*PL* 117, col. 295 s.). Attribution contestée : voir *Clavis Patrum Latinorum* (*Sacris Erudiri* III), 1951, n. 910 et 1220.

Bède, mais avec plus d'aisance et de richesse de pensée[1].

On commence à remarquer à cette époque la séduction qu'exerce le Cantique sur les moines : Angélome, moine de Luxeuil, est le type du parfait compilateur[2]. Il ne s'en cache pas et, dans sa préface, présente son *enchiridion* comme étant une tapisserie *(stromata)* de textes qu'il reliera en «interpolant quelque chose de lui»[3]. Il commence donc le commentaire de chaque verset par le texte du «bienheureux pape de Rome, Grégoire»[4], et poursuit en citant surtout les commentaires d'Alcuin et d'Apponius[5].

Cette séduction exercée par le Cantique est à son comble aux XIe et XIIe siècles. «Le livre qui fut le plus lu, le plus souvent commenté dans les cloîtres du Moyen Age, affirme dom Jean Leclercq, c'est le Cantique des Cantiques[6].» Ici aussi, commentaires et sermons sont l'œuvre de moines qui en nourrissent leur vie intérieure et qui, lorsqu'ils sont abbés, partagent avec leurs moines leurs méditations du

1. Nous connaissons aussi l'existence d'un commentaire du Cantique par Ambroise Aupert († 784), mais il ne nous est pas parvenu.

2. Ses *Enarrationes in Cantica canticorum* (*PL* 115, col. 555-628) sont le seul commentaire de cette époque que l'on puisse dater avec précision : 851-854.

3. *PL* 115, col. 553 A-B.

4. Du moins jusqu'à l'endroit où s'arrête le texte de Grégoire (col. 577 A).

5. Il tire également profit du *De universo* de Raban Maur et de Paterius, mais, comme nous l'avons dit (*supra*, p. 59, n. 7), celui-ci ne fait que reproduire Grégoire. Une table détaillée de ces sources est donnée par F. Ohly, *Hohelied Studien*, p. 80 s.

6. *L'amour des lettres et le désir de Dieu*, Paris 1957, p. 83. — Parallèlement les rabbins juifs commentent le Cantique à cette époque. On ne peut qu'être frappé, en feuilletant une bibliographie (Marvin H. Pope, *Song of Song* [*The Anchor Bible* 7 C], New York 1977), de l'alternance des commentateurs chrétiens et juifs. Parmi ces derniers citons Rashi (Rabbi Salomon ben Isaac) et Ibn Ezra (Abraham ben Meir) dont les commentaires nous sont parvenus par Génébrard.

Cantique[1]. C'est sans doute au début de cette époque qu'il convient de situer la « Glose ordinaire » attribuée à tort par Migne à Walafried Strabon[2]. Le Père de Lubac a souligné l'influence d'Origène sur la Glose : « Parfois elle reproduit directement l'Origène de Rufin[3]. » Dans la Glose sur le Cantique, les emprunts sont nombreux et nets[4]. On hésite également sur la date et l'auteur du commentaire attribué à Anselme de Laon[5]. C'est au XIe siècle, dans le cadre de la réforme clunisienne et des couvents bénédictins de Normandie, que se situent le commentaire de Robert de Tombelaine (vers 1010-1090)[6], dont l'inspiration origénien-

1. Avec leurs moines ou avec un plus grand public, car Dom J. LECLERCQ souligne que les *Sermons sur le Cantique* de Bernard, sans doute ébauchés au chapitre de Clairvaux, ont été ensuite retravaillés et ciselés avec un art consommé (« Les sermons de saint Bernard ont-ils été prononcés », dans *Recueil d'études sur saint Bernard et ses écrits*, I, Rome 1962, p. 193-212).

2. *Glossa ordinaria — Canticum canticorum* (*PL* 113, col. 1125-1168). Walafried Strabon, abbé de Reichenau, est mort en 849. « Ce serait un anachronisme de placer une telle œuvre au IXe siècle ..., le IXe siècle, époque intellectuellement pauvre et faible dans le domaine scripturaire, étant radicalement impuissant à favoriser l'élaboration d'un travail aussi achevé que la Glose ordinaire » (C. SPICQ, *op. cit.*, p. 5 et 44).

3. *Exégèse médiévale* I, 1, p. 238. Voir aussi p. 231.

4. Par exemple rapprocher 1131 D *(et frequenter ... tenebitur)* de *HomCant.* I, 2 ; 1132 A *(Abraham ... epulatur)* résume *ComCant.* II, 4, 27-31 ; etc.

5. *Enarratio in Canticum canticorum* (*PL* 162, col. 1187-1228). F. OHLY situe cet ouvrage au XIe s., en rapport avec la Glose (*Hohelied Studien*, p. 112) Dom J. LECLERCQ le place au XIIe s. (« Le commentaire du Cantique des cantiques attribué à Anselme de Laon », *Rech. de théol. ancienne et médiévale* 16 [1949], p. 29-39).

6. Le début du Commentaire de ROBERT DE TOMBELAINE se trouve en *PL* 150, col. 1364-1370. Il se continue en *PL* 79, col. 493-548, à la suite de l'*Expositio super Canticum* de Grégoire le Grand.

ne a été remarquée[1], et celui de son disciple Richard de Fourneaux[2]; en Italie, celui de Bruno d'Asti[3].

Les cisterciens

Le XIIe siècle voit le développement de l'ordre cistercien sous l'influence de Bernard (1090-1153). Celui-ci découvre le *Commentaire* et les *Homélies* d'Origène *sur le Cantique* et sait faire partager son enthousiasme à Guillaume de Saint-Thierry (1145)[4]. Les deux amis sont alors malades, couchés côte à côte dans l'infirmerie de Clairvaux. « Nous étions tous deux malades ... Il m'expliqua le Cantique des Cantiques autant de temps que le permit cette maladie ... Tous les jours, de peur d'oublier ce qu'il avait dit, je le consignais par écrit[5]. » L'effet de cette rencontre fut profond et durable : Bernard nous livre son chef-d'œuvre dans ses 88 *Sermons sur le Cantique*, œuvre de sa maturité, soigneusement ciselée[6]. Guillaume, lui, recueille dans les écrits d'Ambroise et dans ceux de Grégoire le Grand tous les passages expliquant le texte du Cantique, et pour chacun d'eux, fait un commentaire suivi[7]. De plus, il compose son propre

1. Cf. P. QUIVY et J. THIRION, « Robert de Tombelaine et son Commentaire sur le Cantique », dans *Millénaire monastique au Mont Saint-Michel*, II, Paris 1967, p. 355.

2. Plus tard abbé de Préaux, de 1101 à 1131. Ce commentaire, attesté par Ordéric Vital, est aujourd'hui perdu (*Histoire littéraire de la France*, par des Religieux bénédictins de la Congrégation de S. Maur, 11, Paris 1762, p. 174).

3. *Expositio in Cantica canticorum* (*PL* 164, col. 1233-1288). Emprunts nombreux aux devanciers, Ambroise, Grégoire, Bède, etc., d'où les traces d'Origène.

4. Sur cette hypothèse et sa vérification, voir P. VERDEYEN, « Théologie mystique de Guillaume de Saint-Thierry », dans *Ons Geestelijk Erf* (Anvers), 1977, p. 330 s.

5. *S. Bernardi vita prima* 59 (*PL* 185, col. 259 B-C).

6. Édition critique par J. Leclercq, C. H. Talbot et H. M. Rochais, *Sancti Bernardi opera*, t. I (1-35) et II (36-86), Rome 1957 et 1958. Traduction française par A. Béguin, *Œuvres mystiques de saint Bernard*, Paris 1953, p. 85-878.

7. *Commentarius in Cantica Canticorum e scriptis sancti Ambrosii collectus* (*PL* 15, col. 1851-1962); *Excerpta ex libris sancti Gregorii*

commentaire du Cantique, où l'on relève des traces discrètes, mais nettes d'une lecture des écrits d'Origène[1]. Après eux, Gilbert de Hoiland († 1172) reprendra l'explication du Cantique là où Bernard l'avait interrompue[2]. Jean de Ford († 1220), en 120 sermons, poursuit là où Gilbert s'était arrêté[3]. Thomas le Cistercien applique le texte sacré à l'âme individuelle, mais il est aussi le premier à en donner une application mariale[4]. D'autres encore commenteront le Cantique : Gilbert de Straford, cistercien ou bénédictin (2e moitié du XIIe siècle), Robert d'Olomonc († 1240) et surtout Geoffroy d'Auxerre (1188), secrétaire et biographe de Bernard[5]. Mais son ouvrage est un travail de compilation, tiré en partie des commentaires de Bernard et de Gilbert de Hoiland. Voilà qui montre la fascination exercée par le Cantique sur les moines d'alors.

D'autres que les cisterciens expliquent également le livre sacré : le bénédictin Wolberon de Saint-Pantaléon à Cologne[6], Gilbert Foliot († 1187), moine, puis évêque de Londres[7]. En ce qui concerne les chanoines réguliers,

papae super Cantica Canticorum (*PL* 180, col. 441-474). — Ces ouvrages auraient été écrits « à la demande de saint Bernard », d'après J. DÉCHANET, *Guillaume de Saint-Thierry*, Bruges 1942, p. 45.

1. *Expositio altera super Cantica Canticorum* (*PL* 180, col. 473-546. Ces traces ont été relevées par J. DÉCHANET dans son édition de l'*Expositio* de Guillaume (*SC* 82, 1962). Pour l'influence d'Origène sur Guillaume, outre P. VERDEYEN *(art. cit.)*, voir aussi L. BOUYER, *La spiritualité de Cîteaux*, Paris 1955, ch. 5.

2. *Sermones in Canticum Salomonis* (*PL* 184, col. 11-252).

3. A partir de *Cant.* 5, 8 : *Sermones* (*CCCM* 17 et 18).

4. *In Cantica Canticorum commentarii* (*PL* 206, col. 21-862). Son Commentaire est parfois attribué à tort à Thomas Gallus. Il est plus juste de dire « Thomas le Cistercien » que « Thomas de Cîteaux », car on ne sait pas quel était son monastère d'origine : Cîteaux, Clairvaux, Vaucelles ?

5. *Expositio in Cantica Canticorum*, éd. F. Gastaldelli, Rome 1974.

6. *Commentaria vetustissima et profundissima super Canticum canticorum Salomonis* (*PL* 195, col. 1001-1278). Wolberon fut abbé de 1147 à 1165.

7. *Expositio in Cantica canticorum* (*PL* 202, col. 1147-1304).

Migne attribue un important commentaire du Cantique à Richard de Saint-Victor († 1173); mais cet ouvrage est d'un auteur postérieur, car on y lit une référence à Innocent III (1198-1216)[1] !

Il faut signaler aussi un groupe à part, qui, à la suite de Rupert de Deutz (1070-1129)[2], commente le Cantique en l'appliquant à la Vierge Marie : le bénédictin Honorius d'Autun (1090-1156)[3], le prémontré Philippe de Harvengt († 1183)[4], Alain de Lille (1120-1202), entré à Cîteaux à la fin de sa vie[5].

Le Père de Lubac a montré comment l'influence d'Origène s'était exercée à travers tout ce Moyen Age latin : « C'est le commentaire origénien du Cantique, écrit-il, qui a fixé une fois pour toutes l'interprétation mystique de ce livre, mystique au double sens du mot : exégétique et spirituel[6]. »

Parmi tous les auteurs du Moyen Age latin, Bernard est un exemple particulièrement représentatif de cette influence origénienne. Assurément, comme la plupart de ses contemporains, l'abbé de Clairvaux commente le Cantique selon les trois sens mis en valeur par Origène. Mais il y a plus. Non pas que Bernard ait copié Origène : « La vraie source de Bernard est en lui » affirme dom Jean Leclercq[7]. Cependant les eaux de cette source ont un

1. *In Cantica canticorum explanatio* (*PL* 196, col. 405-524) : *Innocentius tamen dicit ibi contrarium* (col. 482 A). Hugues de Saint-Victor, lui non plus, n'a pas laissé de commentaire sur le Cantique ; au début de son *Commentaire sur l'Ecclésiaste* il traite des trois livres de Salomon selon l'explication donnée par Origène (*PL* 185, col. 116 A-B).

2. *Commentaria in Canticum canticorum* (*CCCM* 26).

3. *Expositio in Cantica canticorum* (*PL* 72, col. 347-495).

4. *Commentarii in Canticum canticorum* (*PL* 203, col. 181-490).

5. *In Cantica canticorum ad laudem Deiparae Virginis Mariae* (*PL* 210, col. 51-110). — Sur le bien-fondé de cette exégèse mariale, voir H. de Lubac, *Méditation sur l'Église*, Paris 1953, p. 241 s.

6. *Exégèse médiévale* I, 1, p. 198-304, p. 237 en particulier.

7. « Aux sources des *Sermons sur le Cantique* », dans *Recueil d'études sur saint Bernard et ses écrits*, I, Rome 1962, p. 297.

certain reflet qui rappelle les flots d'eau vive dispensés par Origène ; c'est dans la profondeur de cette source que se situe l'influence de l'Alexandrin chez le cistercien.

D'une part Bernard est comme imprégné par la lecture d'Origène : en témoignent des tournures de phrases imitant celles d'Origène[1], une affectivité s'exprimant avec les mêmes mots que lui[2], l'emploi de thèmes chers à celui-ci[3]. D'autre part Bernard s'inspire d'Origène à maintes reprises dans son explication du livre saint[4]. Ainsi son premier Sermon sur le Cantique est un résumé du prologue du Commentaire d'Origène et montre bien la manière dont l'abbé de Clairvaux tire profit de sa lecture, laissant tomber certains passages, présentant ce qu'il retient dans un ordre différent, marquant son texte des notes de sa spiritualité propre. De même le Sermon 41, presque en son entier, est inspiré d'Origène[5], et ici encore on discerne comment Bernard utilise sa lecture en relation avec son expérience personnelle : ce qu'Origène explique en fonction de la lecture de l'Écriture, il le reprend en l'appliquant à la connaissance mystique au secret du cœur. Origène est le catéchiste soucieux de former la foi des chrétiens en leur montrant le Christ dans l'Écriture, Bernard, l'abbé préoccupé d'éduquer ses frères à la vie

1. Bernard explique l'Écriture par l'Écriture, à la manière d'Origène ; et il explique la nécessité de passer du sens historique ou littéral au sens spirituel.

2. Ces mots : «Mon Jésus», «Mon Seigneur Jésus» sont chez Origène l'expression d'une relation intime et personnelle avec le Sauveur. Cf. F. Bertrand, *Mystique de Jésus chez Origène*, Paris 1951, p. 147-148.

3. Le thème des puits (*SSC* 16, 1 ; 22, 2), des divers aspects du Verbe (*SSC* 28, 8 ; 31, 7).

4. Voir J. P. Th. Deroy, *Bernardus en Origenes* ; L. Brésard, «Bernard et Origène commentent le Cantique».

5. Cf. *ComCant.* II, 8. Bernard est le seul à avoir relevé et utilisé l'exégèse d'Origène sur ce verset du Cantique dont il est question dans ce sermon.

monastique et désireux de leur communiquer son expérience de la contemplation.

C'est ainsi que dans une vingtaine d'autres Sermons sur le Cantique, on peut glaner des traces moins amples, mais assez perceptibles, d'une lecture par Bernard des *Homélies* ou du *Commentaire* d'Origène *sur le Cantique*. Certaines sont des réminiscences ou souvenirs d'une lecture précédente, mais d'autres, et les plus importantes, se situent à un niveau plus profond. On le sent : Bernard a été séduit par Origène ; il y a une affinité secrète entre l'abbé de Clairvaux et le catéchète d'Alexandrie : même sens de la nécessité de la prière pour percer le mystère de Dieu, même dévotion tendre envers l'humanité du Christ, même admiration confuse et reconnaissante devant son abaissement qui le pousse à se faire tout petit par amour pour nous — parfum répandu, faon des cerfs —, même expérience intime des venues du Verbe en l'âme[1], même sens de la fragilité de cette vie vécue dans l'ombre de la foi en attendant que les ombres déclinent et laissent place à la clarté de la vision.

Et pourtant, malgré cette séduction exercée par l'Alexandrin, jamais il n'est nommé ; tout au plus, lorsque Bernard fait allusion à cette source, on lit : « Certains ont interprété ce texte », et : « Celui qui lui attribuait une autre signification. »[2] Bien mieux, on rencontre à deux reprises, dans les Sermons sur le Cantique, deux violentes attaques, où pour une fois Origène est expressément nommé dans l'une et suffisamment reconnaissable dans l'autre[3], qui voisinent fort allègrement avec des réminiscences, imitations ou inspirations.

1. A remarquer pourtant une nuance : pour Origène celles-ci se font davantage dans la lecture de l'Écriture, et pour Bernard dans la contemplation silencieuse.

2. *SSC* 29, 6.

3. *SSC* 54, 3 et 75, 5.

Le Père Henri de Lubac, tout comme dom Jean Leclercq, donne l'explication de ce fait en montrant comment tout le Moyen Age latin a eu à l'égard de l'auteur du *Traité des principes* « un mélange d'attrait irrésistible et de méfiance »[1]. « On lit Origène et en même temps on parle de sa folie[2]. » Bernard est bien ici l'image de son époque.

1. J. Leclercq, *L'amour des lettres et le désir de Dieu*, Paris 1957, p. 94.

2. H. de Lubac, *Exégèse médiévale* I, 1, p. 245. Toute la fin de ce chapitre IV, consacré à l'« Origène latin », traite de ce sujet.

IX. — MANUSCRITS, ÉDITIONS, TRADUCTIONS

Nous reproduisons à peu de choses près le texte de l'édition de W. A. Baehrens au tome VIII des *Origenes Werke* de la collection berlinoise *G.C.S.*[1]. L'éditeur a étudié en détail la tradition manuscrite d'abord dans *Ueberlieferung und Textgeschichte der lateinisch erhaltenen Origeneshomilien zum Alten Testament*[2], puis, de façon plus rapide, dans l'*Einleitung* de son édition[3]. Il divise les manuscrits en quatre classes et en choisit une douzaine pour son édition.

Dans la majorité des manuscrits le *Commentaire sur le Cantique des cantiques* ne retient que trois livres : une minorité présente comme le début d'un quatrième ce qui est ailleurs la fin du troisième. Cassiodore, qui, dans ses *Institutions divines*[4], rapporte que Rufin a traduit jusqu'à l'explication de *Cant.* 2, 14 — là s'arrête toujours le texte que nous possédons —, ne signale aussi que trois livres. On donnera dans la présente édition une division en quatre livres.

Le *Commentaire sur le Cantique des cantiques* se trouve dans les trois éditions, plusieurs fois reproduites, du XVIe siècle, celles de Merlin, Érasme et Génébrard : dans les trois il comprend le prologue, puis quatre tomes, qualifiés d'homélies. Il faut attendre Charles Delarue et la parution des œuvres complètes pour avoir une nouvelle édition du Commentaire[5]. Il y ajoute les fragments de la chaîne de Procope : toujours prologue et quatre tomes.

1. *Die Griechischen Christlichen Schriftsteller* : le tome VIII, publié à Leipzig en 1925, contient le *ComCant.* aux pages 61-241.

2. *Texte und Untersuchungen zur Geschichte der altchristlichen Literatur* 42/1, Leipzig 1916, p. 131-158.

3. P. XX-XXVIII.

4. *Inst. div.* 5 (*PG* 70, col. 1117 A).

5. Tome III, Paris 1740.

L'édition Delarue est reproduite par Fr. Oberthür[1], H. E. Lommatzsch[2], A. B. Caillau et M. Guillon[3], J.-P. Migne[4]. Des fragments de la chaîne de Procope de Gaza ont été aussi publié par A. Mai[5]. Vient enfin l'édition de W. A. Baehrens en 1925.

Nous n'avons cité jusque là que des éditions d'Origène, mais le *Commentaire sur le Cantique* se trouve aussi dans des éditions de Jérôme à qui la traduction est attribuée par bien des manuscrits dans le but d'échapper au verdict du Pseudo-Décret de Gélase ne permettant de lire d'Origène que ce que Jérôme acceptait : ainsi les éditions de Th. Laelius et J. Andreas[6], qui est la plus ancienne de toutes, l'anonyme de 1480[7], celles d'Érasme[8], de Victorius[9], de Martianay[10].

Une traduction anglaise, due à R. P. Lawson, a paru en 1957, dans la collection *Ancient Christian Writers*, et une traduction italienne, due à M. Simonetti, en 1976. Signalons aussi la traduction japonaise de T. Odaka[11], parue en 1982. Il faudrait ajouter à la liste plusieurs publications partielles.

1. Tome IX, Würzburg 1785.
2. Tomes XIV-XV, Berlin 1842-1843.
3. Tome X, Paris 1829.
4. *PG* 13, Paris 1857.
5. *Classicorum auctorum e vaticanis codicibus*, IX, 1837, col. 257-430 : on les retrouve en *PG* 17, col. 253-288.
6. Rome 1468 et rééditions.
7. Parme.
8. Bâle 1516 et rééditions.
9. Rome 1572 et rééditions.
10. Francfort 1684 et rééditions.
11. Les références de ces trois traductions sont à chercher dans la Bibliographie (III).

Pour finir nous indiquons ici les quelques modifications apportées par la présente édition au texte de Baehrens :

	S.C.	*G.C.S.*
Prologue		
2, 34	*trinae singularitatis*	*trinitatis*
3, 1	*epopticen*	*enopticen*
Livre I		
3, 9	*tenet*	*tenent*
4, 15	*dicetur*	*dicitur*
Livre II		
5, 10	<*scire*> *si*	*si*
5, 13	*praebuit*	*praebet*
6, 13	*deitate*	*deitatem*
Livre III		
9, 1	*verbis tamen paulo apertioribus currit*	[*verbis — currit*]
Livre IV		
2, 10	*diaboli*	[*diaboli*]

BIBLIOGRAPHIE

I. — Sigles et abréviations

Les sigles et abréviations utilisés dans cet ouvrage sont ceux de la collection *Sources Chrétiennes*. Il faut y ajouter :

GN	voir à III : Langerbeck
SSC	*Sermon(s) sur le Cantique*
SVF	*Stoicorum Veterum Fragmenta*, éd. H. von Arnim, Leipzig 1903
VigChrist.	*Vigiliae Christianae*, Amsterdam.

Pour l'annotation nous nous sommes servis des traductions bibliques du Cantique données dans les ouvrages abrégés ainsi :

BJ	*Bible de Jérusalem*
Chouraqui	voir à III, *s.v.*
Crampon	*La Sainte Bible*, trad. Crampon
Dhorme	*Bible, Biblioth. de la Pléiade*, trad. Dhorme
Joüon	voir à III, *s.v.*
Osty	*Bible*, trad. Osty
Pirot-Clamer	*La Sainte Bible*, trad. Pirot et Clamer
Segond	*La Sainte Bible*, trad. Segond
TOB	*Traduction œcuménique de la Bible*
Tournay	voir à III, *s.v.*

En ce qui concerne Philon, nous utilisons les abréviations adoptées par la collection des *Œuvres de Philon d'Alexandrie*, publiée sous la direction de R. Arnaldez, C. Mondésert et J. Pouilloux.

II. — Œuvres d'Origène

Les œuvres exégétiques sont désignées par *Hom (Homilia)*, *Com (Commentarium)*, *Ser (Commentariorum series)*, *Fragm (Fragmenta)*, *Sel (Selecta)*, *Exc (Excerpta)*, suivis de la référence au passage biblique commenté.

Pour les œuvres non exégétiques nous nous servons des

abréviations suivantes : *PArch. (Peri Archôn* ou *Traité des principes), ExhMart. (Exhortation au martyre), PEuch. (Peri Euchès* ou *Traité de la prière), CCels. (Contre Celse), EntrHér. (Entretien avec Héraclide), Philoc. (Philocalie), RemOr.* (*Remerciement à Origène* de Grégoire le Thaumaturge).

Nous nous référons à la collection *Sources Chrétiennes* lorsque les œuvres d'Origène y ont déjà été publiées, la plupart avec le texte grec ou latin, toutes avec une traduction française, une introduction et des notes :

7 *bis*. *Homélies sur la Genèse*. H. de Lubac, L. Doutreleau, 1985[3].

29. *Homélies sur les Nombres*. A. Méhat. Trad. seule, 1951.

37 *bis*. *Homélies sur le Cantique*. O. Rousseau, 1966[2].

67. *Entretien avec Héraclide*. J. Scherer, 1960.

71. *Homélies sur Josué*. A. Jaubert, 1960.

87. *Homélies sur S. Luc*. H. Crouzel, F. Fournier, P. Périchon, 1962.

120. *Commentaire sur S. Jean*. C. Blanc. Tome I. Livres I-V, 1966.

132. *Contre Celse*. M. Borret. Tome I. Livres I-II, 1967.

136. *Id*. Tome II. Livres III-IV, 1968.

147. *Id*. Tome III. Livres V-VI, 1969.

148. Grégoire le Thaumaturge : *Remerciement à Origène*. — *La lettre d'Origène à Grégoire*. H. Crouzel, 1969.

150. *Contre Celse*. M. Borret. Tome IV. Livres VII-VIII, 1969.

157. *Commentaire sur S. Jean*. C. Blanc. Tome II. Livres VI et X, 1970.

162. *Commentaire sur l'Évangile selon Matthieu*. R. Girod. Tome I. Livres X-XI, 1970.

222. *Commentaire sur S. Jean*. C. Blanc. Tome III. Livre XIII, 1975.

226. *Philocalie* 21-27 *(Sur le libre arbitre)*. É. Junod, 1976.

227. *Contre Celse*. M. Borret. Tome V. Introduction et Index, 1976.

232. *Homélies sur Jérémie*. P. Husson, P. Nautin. Tome I. Introduction et Homélies I-XI, 1976.

238. *Id*. Tome II. Homélies XII-XX et Homélies latines, Index, 1977.

252. *Traité des principes*. H. Crouzel, M. Simonetti. Tome I. Livres I-II. Introduction, texte critique et traduction, 1978.

253. *Id*. Tome II. Livres I-II. Commentaire et fragments, 1978.

268. *Id.* Tome III. Livres III-IV. Texte critique et traduction, 1980.
269. *Id.* Tome IV. Livres III-IV. Commentaire et fragments, 1980.
286. *Homélies sur le Lévitique.* M. Borret. Tome I. Introduction et Homélies I-VII, 1981.
287. *Id.* Tome II. Homélies VIII-XVI, Index, 1981.
290. *Commentaire sur S. Jean.* C. Blanc. Tome IV. Livres XIX-XX, 1982.
302. *Philocalie* 1-20 et *Lettre à Africanus.* M. Harl, N. de Lange, 1983.
312. *Traité des principes.* H. Crouzel, M. Simonetti. Tome V. Compléments et Index, 1984.
321. *Homélies sur l'Exode*, M. Borret, 1985.
328. *Homélies sur Samuel.* P. et M.-T. Nautin, 1986.
352. *Homélies sur Ézéchiel.* M. Borret, 1989.

Les textes qui n'ont pas été publiés dans *Sources Chrétiennes* sont cités d'après la Patrologie de Migne *(PG)*, ou le Corpus de Berlin *(GCS)*, ou, pour les fragments sur les épîtres pauliniennes, le *Journal of Theological Studies (JThS)*.

Pour les traductions du *Commentaire sur le Cantique* données par Lawson, Odaka, Simonetti, voir à III.

III. — Ouvrages divers

Cette liste comprend essentiellement les titres d'ouvrages et articles qui sont cités plusieurs fois et d'une manière abrégée.

Pour une bibliographie d'ensemble jusqu'en 1982, voir ci-dessous : Crouzel (H.), *Bibliographie critique d'Origène* et *Supplément* I, avec les index. — Le *Supplément* II est à paraître.

Brésard (L.), « Bernard et Origène commentent le Cantique », *Collectanea cisterciensia* 44 (1982), p. 111-130, p. 183-209, p. 293-308. — Article reproduit en un volume séparé (Abbaye de Scourmont, Forges 1983).

Brésard (L.), « Un texte d'Origène : l'Échelle des Cantiques », *Proche Orient Chrétien* 39 (1989), p. 3-25.

Chênevert (J.), *L'Église dans le Commentaire d'Origène sur le Cantique des Cantiques, Studia* 24, Bruxelles-Paris-Montréal 1969 (= Chênevert).

Chouraqui (A.), *Le Cantique des cantiques suivi des Psaumes*, Paris 1970 (= Chouraqui).

CRAMER (J. A.), *Catenae graecorum Patrum in Novum Testamentum.* T. VIII : *In Epistolas catholicas,* Oxford 1844 (= CRAMER).

CROUZEL (H.), *Bibliographie critique d'Origène* (*Instrumenta Patristica* VIII), Steenbrugge - La Haye 1971 ; *Supplément* I (*Instr. Patr.* VIII A), 1982 ; *Supplément* II (*Instr. Patr.* VIII B), à paraître.

CROUZEL (H.), *Origène*, Paris-Namur 1985.

CROUZEL (H.), *Origène et la « connaissance mystique »* (*Museum Lessianum*, section théol. 56), Bruges-Paris 1961 (= CROUZEL, *Connaissance*).

CROUZEL (H.), *Origène et la philosophie* (*Théologie* 52), Paris 1962 (= CROUZEL, *Philosophie*).

CROUZEL (H.), « Le thème du mariage mystique chez Origène », *Studia missionalia* 26 (1977), p. 35-57.

CROUZEL (H.), *Théologie de l'image de Dieu chez Origène* (*Théologie* 34), Paris 1956 (= CROUZEL, *Image*).

DANIÉLOU (J.), *Message évangélique et culture hellénistique aux IIe et IIIe siècles* (*Histoire des doctrines chrétiennes avant Nicée,* II), Tournai 1961, réimpr. Paris 1991.

DANIÉLOU (J.), *Théologie du judéo-christianisme* (*Histoire des doctrines chrétiennes avant Nicée,* I), Tournai 1958 ; édition renouvelée et complétée, Paris 1991.

DE BRUYNE (D.), « Les anciennes versions latines du Cantique des cantiques », *RBén.* 38 (1926), p. 97-122.

DEROY (J. P. Th.), *Bernardus en Origenes : Enkele opmerkingen over de invloed van Origenes op Sint Bernardus' Sermones super Cantica Canticorum,* Haarlem 1963.

FIELD (F.), *Origenis Hexaplorum quae supersunt fragmenta,* 2 vol., Oxford 1865, réimpr. Hildesheim 1964 (= FIELD).

GENÉBRARD (G.), *Canticum canticorum Salomonis versibus et commentariis illustratum,* Paris 1585 (= GENÉBRARD).

JOÜON (P.), *Le Cantique des Cantiques. Commentaire philologique et exégétique,* Paris 1909 (= JOÜON).

LANGERBECK (H.), *Gregorii Nysseni In Canticum Canticorum* (*Gregorii Nysseni opera,* éd. W. Jaeger, vol. VI), Leyde 1960 (= *GN*).

LAWSON (R. P.), *Origen. The Song of Songs : Commentary and Homilies* (*ACW* 26), introd., trad. anglaise et notes, Westminster (Maryl.) - Londres 1957 (= LAWSON).

LUBAC (H. DE), *Exégèse médiévale. Les quatre sens de l'Écriture*, 1re partie : t. I-II ; 2e partie : t. I-II (*Théologie* 41 ; 42 et 59), Paris 1959-1964.

LUBAC (H. DE), *Histoire et Esprit. L'intelligence de l'Écriture d'après Origène* (*Théologie* 16), Paris 1959.

NAUTIN (P.), *Origène. Sa vie et son œuvre*, Paris 1977.

ODAKA (T.), *Origenis Commentarium in Canticum Canticorum, Homiliae in Canticum Canticorum* (coll. des *Classiques chrétiens* éditée par l'Univ. Sophia, vol. 10), introd., trad. japonaise et notes (préface de P. Nemeshegyi), Tokyo 1982 — titre en latin et en japonais.

OHLY (F.), *Hohelied Studien. Grundzüge einer Geschichte der Hohenliedauslegung des Abendlandes bis um 1200*, Wiesbaden 1958.

Origeniana Secunda. Second colloque international des études origéniennes (Bari, 20-23 sept. 1977), éd. H. Crouzel et A. Quacquarelli, Rome 1980.

ROBERT (A.), TOURNAY (R.), avec le concours de FEUILLET (A.), *Le Cantique des Cantiques. Traduction et Commentaire (Études bibliques)*, Paris 1963 (= ROBERT-TOURNAY).

SIMONETTI (M.), *Origene. Commento al Cantico dei Cantici (Collana di Testi Patristici)*, introd., trad. italienne et notes, Rome 1976 (= SIMONETTI).

TOURNAY (R.), *Quand Dieu parle aux hommes le langage de l'amour. Études sur le Cantique des Cantiques* (*Cahiers de la Revue Biblique* 21), Paris 1982 (= TOURNAY).

VACCARI (A.), *Cantici Canticorum uetus Latina translatio a S. Hieronymo ad Graecum textum hexaplarem emendata*, Rome 1959.

TEXTE ET TRADUCTION

PROLOGUE

Chapitre premier

Le livre

1-3 : Ce petit livre
est un épithalame,
un chant nuptial
écrit par Salomon
sous la forme d'un drame,
avec personnages,
dialogues et action ;
4-7 : dispositions
pour le lire ;
8 : plan du prologue.

Baehrens p. 61 PG (co

ORIGENIS

COMMENTARIUM IN CANT. CANTICORUM

PROLOGUS.

1

1 Epithalamium libellus hic, id est nuptiale carmen, dramatis in modum mihi videtur a Solomone conscriptus, quem cecinit instar nubentis sponsae et erga sponsum suum, qui est Sermo Dei, caelesti amore flagrantis. (6 Adamavit enim eum sive anima quae ad imaginem eius facta est, sive ecclesia. Sed et magnificus hic ipse ac perfectus sponsus quibus verbis usus sit ad coniunctam sibi animam vel ecclesiam, haec ipsa scriptura nos edocet. (6

2 Sodales quoque sponsae adulescentulae cum sponsa positae quae dixerint, quaeque etiam amici ac sodales

1. Sur l'épithalame, chant nuptial en l'honneur des époux, genre littéraire antique imité par des auteurs chrétiens, voir *HomCant.* I, 1 (fin) et la note *ad loc.*, *SC* 37 *bis*, p. 71 s. Voir les articles *s.v.* dans *Oxford Class. Dictionnary* (1949), p. 332 s.; dans *DSp* 14, 1 (1960), col. 907-909 (S.-P. MICHEL).

2. Voir la note complémentaire 1 : « Le Verbe de Dieu ».

3. Présentation du deuxième personnage principal, l'Épouse, interlocutrice de l'Époux, et qui sera interprétée tour à tour comme l'âme faite à l'image de Dieu ou comme l'Église. La notion d'*image*, qui

ORIGÈNE

COMMENTAIRE SUR LE CANTIQUE DES CANTIQUES

PROLOGUE

1

Un épithalame

1 Ce petit livre est un épithalame[1], c'est-à-dire un chant nuptial, écrit par Salomon sous la forme d'un drame, me semble-t-il. Il l'a chanté dans le rôle de l'Épouse, alors qu'elle se marie et brûle d'un amour céleste pour son Époux, le Verbe de Dieu[2]. De lui en effet se sont éprises soit l'âme qui fut faite à son image[3], soit l'Église. De plus, quelles paroles cet Époux magnifique et parfait adressa-t-il à l'âme unie à lui ou à l'Église, ce livre même de l'Écriture nous l'enseigne.

2 En outre, ce qu'ont dit les jeunes filles, compagnes de l'Épouse formant sa suite, ainsi que les amis et compa-

intervient d'emblée ici, est une pièce maîtresse de la théologie et de l'anthropologie d'Origène. La notation est discrète, et elle le restera. Dès l'abord, elle avertit que le thème de l'image est sous-jacent au thème du mariage mystique. Le dynamisme qui fait tendre l'Épouse vers l'Époux est celui de l'image vers son modèle. Pour l'illustration de ce thème, voir par exemple : *PArch.* I, 2, 6 ; *HomGen.* I, 13 et XIII, 4 ; *HomLév.* IV, 3 ; *CCels.* VI, 63.

sponsi, ex eodem nihilominus libello, quod Canticum Canticorum attitulatur, agnoscimus. Possibilitas enim data est etiam ipsis amicis sponsi aliqua dicere, ea dumtaxat quae ab ipso audierant sponso, laetantes de coniunctione sponsae. Fit ergo sermo ab sponsa non solum ad sponsum, sed etiam ad adulescentulas, et rursum sponsi sermo non tantummodo ad sponsam, sed etiam ad amicos dirigitur sponsi.

3 Et hoc est quod supra diximus, carmen nuptiale in modum dramatis esse conscriptum. Drama enim dicitur, ut in scaenis agi fabula solet, ubi diversae personae introducuntur et, aliis accedentibus, aliis etiam discedentibus, a diversis et ad diversos textus narrationis expletur. Quae singula suo ordine scriptura haec continet, totumque 62 eius corpus mysti|cis formatur eloquiis.

4 Sed primo scire nos oportet quoniam, sicut puerilis aetas non movetur ad amorem passibilem, ita nec ad capienda quidem verba haec parvula et infantilis interioris hominis aetas admittitur, illorum scilicet qui *lacte* in Christo aluntur *non cibo forti*[a], et qui nunc primum *rationabile et sine dolo lac concupiscunt*[b]. In verbis enim Cantici Canticorum ille cibus est de quo dicit Apostolus : *Perfectorum autem est solidus cibus* et tales requirit auditores qui *pro possibilitate sumendi exercitatos habeant sensus ad discretionem boni vel mali*[c].

a. Hébr. 5,12 || b. I Pierre 2,2 || c. Hébr. 5,14.

---

1. Poètes tragiques ou comiques «imitent des personnages qui agissent, des personnages dramatiques. C'est ce qui, au dire de certains, a fait appeler leurs œuvres des drames (δράματα), parce qu'ils imitent des personnages agissants (δρῶντας)», Aristote, *Poét.* 1448 a, trad. Hardy.

2. *Mysticis eloquiis* : le terme μυστικός se réfère à la connaissance des mystères, la réalité divine que le chrétien doit s'efforcer de connaître. Cf. Crouzel, *Connaissance*, p. 25s.

gnons de l'Époux, nous l'apprenons aussi du même petit livre intitulé «Cantique des cantiques». Car aux amis mêmes de l'Époux il fut également donné de pouvoir dire quelques mots, du moins ceux qu'ils avaient entendus de l'Époux, dans leur joie de son union avec l'Épouse. Ainsi la parole de l'Épouse s'adresse non seulement à l'Époux, mais encore aux jeunes filles, et en retour la parole de l'Époux s'adresse non seulement à l'Épouse, mais encore aux amis de l'Époux.

3 Voilà pourquoi nous avons dit plus haut que ce chant nuptial fut écrit sous la forme d'un drame[1]. Il y a drame en effet, selon la coutume de jouer une pièce sur la scène, quand divers personnages sont introduits et que, les uns arrivant, les autres s'éloignant, la suite du récit se développe des uns aux autres. Autant de traits qu'en détail et dans leur ordre contient ce livre de l'Écriture, dont tout le corps est formé de paroles aux sens mystiques[2].

Dispositions pour le lire

4 Mais d'abord il nous importe de le savoir : comme l'âge de l'enfance n'est pas porté à l'amour passionnel, de même n'est point admis à recevoir ces paroles l'âge enfantin et puéril de l'homme intérieur[3], c'est-à-dire de ceux qui dans le Christ sont nourris «de lait, non de nourriture solide[a]», et qui à ce moment d'abord «désirent le pur lait[4] spirituel[b]». Car dans les paroles du Cantique des cantiques il y a cette nourriture dont l'Apôtre dit : «Elle est pour les parfaits la nourriture solide», et elle demande des auditeurs tels que, «pour pouvoir la prendre[5], ils aient les sens exercés au discernement du bien et du mal[c]».

3. L'âge de l'homme intérieur est expliqué plus loin : Prol. 2,6 s.

4. Sur le symbole du lait, cf. CLÉMENT D'ALEXANDRIE, *Péd.* VI, 36, 1 s.; sur le thème des «nourritures spirituelles», cf. *infra*, III, 5, 7, la note *ad loc.*

5. Cf. *PEuch.* 27, 5. Pour διὰ τὴν ἕξιν, noter la traduction attestée seulement ici, *pro possibilitate*, au lieu de *pro consuetudine*.

5 Et quidem *parvuli*[d] quos diximus, si veniant ad haec loca, potest fieri ut nihil quidem ex hac scriptura proficiant nec tamen valde laedantur, vel ipsa quae scripta sunt legentes vel quae ad explanationem eorum dicenda sunt recensentes.

6 Si vero aliquis accesserit, qui secundum carnem tantummodo vir est, huic tali non parum ex hac scriptura discriminis periculique nascetur. Audire enim pure et castis auribus amoris nomina nesciens, ab interiore homine ad exteriorem et carnalem virum omnem deflectet auditum, et a spiritu convertetur ad carnem nutrietque in semet ipso concupiscentias carnales, et occasione divinae scripturae commoveri et incitari videbitur ad libidinem carnis. Ob hoc ergo moneo, et *consilium do*[e] omni qui nondum carnis et sanguinis molestiis caret, neque ab affectu naturae materialis abscedit, ut a lectione libelli huius eorumque quae in eum dicentur penitus temperet.

7 Aiunt enim observari etiam apud Hebraeos quod, nisi quis ad aetatem perfectam maturamque pervenerit, libellum hunc nec in manibus quidem tenere permittatur. Sed et illud ab iis accepimus custodiri, quoniamquidem moris est apud eos omnes scripturas a doctoribus et sapientibus (6 tradi pueris, simul et eas quas δευτερώσεις appellant, ad ultimum quattuor ista reservari, id est principium Genesis, in quo mundi creatura describitur, et Ezechiel prophetae principia, in quibus de Cherubin refertur, et finem, in quo

d. Cf. Hébr. 5,13 || e. Cf. I Cor. 7,25 ; II Cor. 8,10.

1. Voir H. Bietenhard, art. « Deuterôsis », dans *RAC* 3 (1957), col. 842-849 : les sens du mot sont multiples ; de toute façon, il s'applique à quelque chose qui vient en second. Lawson, p. 313, n. 7, y voit la Mischna, codification des traditions orales ; de même, Simo-

5 Certes, «les petits enfants [d]» dont nous parlons, s'ils en venaient à ces passages, il pourrait se faire qu'ils ne tirent aucun profit de ce livre de l'Écriture, sans toutefois en subir un grand dommage, soit en examinant le texte même, soit en révisant ce qu'on doit dire pour l'expliquer.

6 Mais quelqu'un l'aborde-t-il qui est un homme seulement selon la chair, pour un homme de ce genre naîtra de cet écrit bien du risque et du danger. En effet, ne sachant pas entendre les noms de l'amour purement et avec des oreilles chastes, il détournera de l'homme intérieur vers l'homme extérieur et charnel toute sa manière d'entendre, et il se tournera de l'esprit vers la chair, nourrira en lui-même des convoitises charnelles, et à l'occasion de la divine Écriture paraîtra incité et poussé au plaisir de la chair. Voilà donc pourquoi je donne un avertissement et un conseil [e] à quiconque n'est pas encore délivré des embarras de la chair et du sang et n'a pas renoncé à la disposition de la nature matérielle : qu'il s'abstienne absolument de la lecture de ce petit livre et de ce qu'on dira en sa faveur.

7 On l'observe aussi chez les Hébreux, dit-on : à moins d'être arrivé à un âge mûr et parfait, il n'est pas même permis de tenir entre les mains ce petit livre. De plus, c'est d'eux que nous avons reçu cette pratique, puisqu'il est d'usage chez eux que toutes les Écritures soient enseignées aux enfants par les docteurs et les sages, en même temps qu'on réserve pour la fin ces quatre écrits qu'ils appellent δευτερώσεις [1], à savoir le début de la Genèse où l'on décrit la création du monde, les débuts du prophète Ézéchiel où

NETTI, p. 35 et n. 6, et N. DE LANGE, *Origen and the Jews*, Cambridge 1976, p. 34-35. D'après Origène, il s'agirait de 4 passages ou livres de la Bible qui, devant recevoir une interprétation mystique ou ésotérique, étaient dits δευτερώσεις, parce qu'ils étaient expliqués en second.

templi aedificatio continetur[f], et hunc Cantici Canticorum librum.

8 Igitur necessarium mihi videtur, antequam ad ea quae in hoc libello scripta sunt discutienda veniamus, de 63 | amore prius ipso, qui est scripturae huius causa praecipua, pauca disserere, et post haec de ordine librorum Solomonis, in quibus hic liber tertio loco positus videtur; tum etiam de attitulatione libelli ipsius, cur Canticum Canticorum superscriptus sit, post etiam quomodo dramatis in modum, et tamquam fabula quae in scaenis personarum immutatione agi solet, videatur esse compositus.

f. Cf. Éz. 10, 1 s.; 40, 1 s.

---

1. Même témoignage de Jérôme : il fallait avoir atteint «l'âge du ministère sacerdotal, trente ans», avant de pouvoir lire ces parties de l'Écriture (*in Ezech.*, Prol.) — «... il y avait une ancienne loi ... qui interdisait de communiquer n'importe quel texte de l'Écriture à n'importe quel âge», écrit seulement Grégoire de Nazianze (*Or.* II, 48).

2. Les commentateurs néoplatoniciens des œuvres d'Aristote et de Platon, contemporains d'Origène, faisaient précéder leurs commentaires d'introductions aux schémas, sinon rigides, du moins bien codifiés. Origène s'inspire vraisemblablement de cette manière de faire. Il fait état, au cours de ce chapitre, des premiers points qu'abordent ces commentateurs dans leurs introductions aux dialogues de Platon : la

l'on parle des chérubins et la fin où l'on traite de la construction du Temple[f], et ce livre du Cantique des cantiques[1].

Plan du prologue

8 Il me paraît donc nécessaire, avant qu'on en vienne au contenu de ce petit livre, de faire un bref exposé d'abord sur l'amour lui-même, thème principal de cet écrit, et ensuite, sur l'ordre des livres de Salomon, parmi lesquels ce livre semble placé au troisième rang ; et puis, sur le titre du petit livre même, pourquoi est-il intitulé «Cantique des cantiques» ; enfin, de quelle manière il semble composé à la façon d'un drame, et comme une pièce de théâtre habituellement jouée sur une scène avec changement de personnages[2].

mise en scène dramatique (§ 3), les personnages du drame (§§ 1-2), les conditions requises pour que le livre soit utile au lecteur (§§ 4-7). Ici, dans ce dernier paragraphe (§ 8), il annonce les autres points contenus dans le schéma-robot des commentateurs néoplatoniciens : le thème général de l'œuvre, sa place dans la philosophie, la raison d'être de son titre. Voir sur ce sujet : I. Hadot, «Les introductions aux commentaires exégétiques chez les auteurs néoplatoniciens et les auteurs chrétiens», dans M. Tardieu, *Les règles de l'interprétation*, Paris 1987, p. 99-119. L'auteur se demande pourquoi Origène n'a pas traité le dernier thème annoncé. Rufin l'aurait-il transposé au début du prologue ? Origène aurait-il repris ce thème à la fin du prologue, développement supprimé par Rufin ? Faut-il deviner la trace de cet exposé au chap. 1 du livre I ?

Chapitre 2

Amour et Charité

1-23 : *Amour* ; 1-3 : difficulté de parler de la nature de l'amour ; 4-5 : il y a deux hommes en chacun de nous ; 6-8 : leurs âges ; 9-10 : leurs membres ; 11-14 : leur nourriture et leur boisson ; 15-19 : leur amour ; 20-23 : d'où la variété des vocables de l'Écriture.

24-48 : *Charité* ; 24-27 : Dieu est Charité ; 28-29 : aimer Dieu ; 30-32 : aimer le prochain ; 33-40 : acceptions diverses du terme de charité ; l'acception propre désigne Dieu ; 41-45 : la perfection de la charité ; 46-48 : amour pour le Verbe de Dieu, afin d'avoir de lui des enfants, conçus de sa semence, enfantés soit par l'Église, soit par l'âme. La charité concerne le Père, le Fils, le Saint Esprit.

2

1 Apud Graecos quidem plurimi eruditorum virorum volentes investigare veritatis indaginem, de amoris natura multa ac diversa etiam dialogorum stilo scripta protulerunt, conantes ostendere non aliud esse amoris vim nisi quae animam de terris ad fastigia caeli celsa perducat, nec ad summam posse beatitudinem perveniri nisi amoris desiderio provocante. Sed et quaestiones de hoc quasi in conviviis propositae referuntur, inter eos, puto, inter quos non ciborum, sed verborum convivium gerebatur. Alii vero etiam artes quasdam, quibus amor hic in anima gigni vel augeri posse videretur, conscriptas reliquerunt. Sed has artes carnales homines ad vitiosa desideria et culpabilis amoris mysteria traxerunt.

2 Non ergo mirum sit si et apud nos, ubi quanto plures simpliciores, tanto plures et imperitiores videntur, difficilem dicimus et periculo proximam de amoris natura disputationem, cum apud Graecos, qui sapientes et eruditi videntur, fuerint tamen aliqui qui de his non ita acceperint ut scriptum est, sed occasione eorum quae de amore dicta sunt, in lapsus carnis et in impudicitiae praecipitia corruerunt, sive ex his quae scripta erant, ut supra memoravimus, admonitiones quasdam atque incitamenta sumentes, sive incontinentiae suae velamen scripta veterum praeferentes.

1. Il s'agit du *Banquet* de Platon et d'œuvres d'écrivains érotiques.

2. Telle est la dialectique ascendante de l'amour (*Banquet* 209 e - 212 c). Origène connaît l'œuvre, dont il citera en entier le mythe de la naissance de l'Amour (*ibid.*, 203 b-e) dans *CCels.* IV, 39. (M.B.)

2

A. La nature de l'amour

Difficulté d'en parler

1 Chez les Grecs, à vrai dire, bien des hommes instruits, voulant chercher à dépister la vérité, proposèrent sur la nature de l'amour des écrits nombreux et divers également sous la forme de dialogues[1] ; ils s'efforçaient de montrer que la force de l'amour n'est pas autre chose que celle qui conduit l'âme de la terre aux cimes élevées du ciel[2], et qu'on ne peut parvenir à la suprême béatitude si le désir de l'amour n'y invite. De plus, on rapporte que des questions sur ce thème étaient débattues dans des sortes de banquets entre des personnes entre lesquelles, je pense, se tenait un banquet non d'aliments mais de paroles. Et d'autres laissèrent consignés par écrit certains procédés grâce auxquels cet amour semblait pouvoir naître ou croître dans l'âme. Mais, hommes charnels, ils appliquèrent ces procédés aux désirs vicieux et aux secrets de l'amour coupable.

2 Qu'on ne s'étonne donc pas si chez nous aussi, où semble-t-il, plus il y a de gens à être simples, plus il y en a aussi à être inexpérimentés, nous disons qu'un débat sur la nature de l'amour est difficile et bien risqué : puisque chez les Grecs, qui semblent sages et savants, il s'en trouva néanmoins qui ne comprirent pas le sens de ce qui est écrit à ce sujet. Mais à l'occasion des propos sur l'amour, ils se précipitèrent dans les fautes de la chair et les abîmes de l'impudicité : soit qu'ils tirèrent de ces textes, comme on l'a mentionné plus haut, des incitations et stimulations, soit qu'ils mirent en avant les écrits des anciens comme voile de leur incontinence.

3 Ne ergo et nos tale aliquid incurramus, ea quae a veteribus bene et spiritaliter scripta sunt vitiose et carnaliter advertentes, tam corporis quam animae nostrae palmas protendamus ad Deum, ut Dominus, qui *dedit verbum evangelizantibus virtute multa*[a], donet et nobis in *virtute* sua *verbum* quo possimus, ex his quae scripta sunt, intellectum sanum et ad aedificationem pudicitiae aptum vel nomini ipsi vel naturae amoris ostendere.

4 In principio verborum Moysei, ubi de mundi conditione conscribitur, duos invenimus homines creatos referri, primum | *ad imaginem et similitudinem Dei factum*[b], secundum *e limo terrae fictum*[c]. Hoc Paulus apostolus bene sciens et ad liquidum in his eruditus in suis litteris apertius et evidentius binos esse per singulos quosque homines scripsit ; sic enim dicit : *Nam si is qui foris est homo noster corrumpitur, sed ille qui intus est renovatur de die in diem*[d] et iterum : *Condelector enim legi Dei secundum interiorem hominem*[e] et his similia aliquanta conscribit. (65 64

5 Unde puto neminem iam debere dubitare quod Moyses de duorum hominum factura vel figmento scripserit in principio Genesis, cum videat Paulum, qui melius utique quam nos intelligebat ea quae a Moyse scripta sunt, duos homines esse per singulos quosque dicentem. Quorum

a. Ps. 67, 12 || b. Cf. Gen. 1, 26 || c. Cf. Gen. 2, 7 || d. II Cor. 4, 16 || e. Rom. 7, 22.

---

1. Ces élévations priantes, fréquentes dans les homélies, se trouvent dans les commentaires et jusque dans *PArch*. II, 9, 4, et les trois doxologies de l'ouvrage.

2. Le livre de la Genèse, attribué longtemps à Moïse.

3. *Factum / fictum*, d'après les verbes ποιεῖν et πλάττειν, constamment associés au thème des deux créations ; de même, plus loin, *factura* et *figmento*. Cette interprétation du récit de la création de l'homme, selon laquelle l'homme corporel aurait été *façonné (fictum)* par Dieu, et l'homme intérieur *fait (factum)*, se trouvait dans des homélies (*HomJér*. I, 10 ; *HomGen*. I, 13) ; et ailleurs, mêmes citations

3 Dès lors, pour ne rien encourir de tel, nous aussi, en détournant dans un sens vicieux et charnel ce qui fut écrit par les anciens dans une intention belle et spirituelle, tendons vers Dieu les mains tant de notre corps que de notre âme[1] : pour que le Seigneur, qui «a donné sa parole aux messagers avec une grande puissance[a]», nous accorde à nous aussi, dans sa «puissance», sa «parole» qui nous permette d'exposer, à partir de ce qui est écrit, une signification saine et propre à édifier la pureté, soit pour le nom même, soit pour la nature de l'amour.

Il y a deux hommes en nous

4 Au début des paroles de Moïse[2], où est décrite la création du monde, nous trouvons qu'il est fait mention de deux hommes créés[3] : le premier, «fait à l'image et à la ressemblance de Dieu[b]», le second, «façonné du limon de la terre[c]». L'apôtre Paul, qui en était bien conscient et clairement instruit, d'une façon plus nette et plus manifeste a écrit dans ses lettres qu'il y a deux hommes pour chaque individu. Voici ce qu'il dit : «Car si en nous l'homme extérieur se détériore, l'homme intérieur se renouvelle de jour en jour[d]»; et encore : «Car je prends plaisir à la Loi de Dieu selon l'homme intérieur[e]»; et il a d'assez nombreuses notations pareilles[4].

5 C'est pourquoi je pense que nul ne doit plus douter que Moïse n'ait écrit au début de la Genèse sur la création ou le modelage de deux hommes, à voir Paul, qui à coup sûr comprenait mieux que nous ce qu'a écrit Moïse, dire qu'il y a deux hommes en chaque individu. L'un d'eux,

pauliniennes qu'ici, même affirmation que Paul a trouvé dans le double récit de la Genèse sa doctrine des deux hommes : *EntrHér.* 11-12; 15-16. Origène dépend ici de PHILON (*Leg.* I, 31.53.88; *Opif.* 134).

4. Par exemple, *Éphés.* 3, 16; 4, 32. Mais pour employer l'expression *similia aliquanta*, Origène doit songer encore aux textes où il est question du «vieil homme» : *Rom.* 6,6; *Éphés.* 4, 22.24; *Col.* 3,9.

unum, id est interiorem, renovari per singulos dies memorat, alium vero, id est exteriorem, in sanctis quibusque et talibus qualis erat Paulus, corrumpi perhibet et infirmari. Quod si alicui videbitur de hoc adhuc aliquid dubitandum, in locis propriis melius explanabitur. Nunc autem, propter quid memoriam fecerimus interioris et exterioris hominis, prosequamur.

6 Ostendere enim ex his volumus quod scripturis divinis per homonymas, id est per similes appellationes, immo per eadem vocabula, et exterioris hominis membra et illius interioris partes affectusque nominantur eaque non solum vocabulis, sed et rebus ipsis sibi invicem comparantur.

7 Verbi gratia, aetate est aliquis puer secundum interiorem hominem, quem possibile est crescere et ad aetatem iuvenis adduci atque inde succedentibus incrementis pervenire *ad virum perfectum*[f] et effici patrem, His autem

f. Cf. Éphés. 4, 13.

---

1. Par exemple, *ComRom.* I, 19, fin.
2. Le thème des degrés de croissance est familier à Origène. D'après *HomNombr.* IX, 9, aux différents degrés d'âge correspondent les progrès réalisés par tout croyant figuré par le bâton d'Aaron.

Fragment grec de la chaîne de Cramer, VIII, p. 115. — Il conserve le texte grec correspondant à la traduction de Rufin depuis *ostendere* (Prol. 2, 6) jusqu'à *dicendi sunt* (2, 9). Baehrens le reproduit (*GCS* 8, p. LIII).

6 Ὁμώνυμά τινα τοῖς συμβαίνουσι κατὰ τὸν ἔξω ἄνθρωπόν ἐστι καὶ παρὰ τὸν ἔσω καὶ ἀναλογίαν πρὸς ἄλληλα ἔχοντα.

7 Οἷον κατὰ τὰς ἡλικίας ἐστὶ *παιδίον* κατὰ τὸν ἔξω ἄνθρωπον, ὅπερ ἐπιδεχόμενον αὔξησιν ἐπὶ τὸν *νεανίσκον* φθάνει, ἕως οὗ χρηματίσας ἀνὴρ γένηται *πατήρ*. Χρῶμαι δὲ τούτοις τοῖς ὀνόμασι διὰ

rappelle-t-il, l'homme intérieur, se renouvelle de jour en jour, mais l'autre, rapporte-t-il, l'homme extérieur, dans tous les saints tels qu'était Paul, se détériore et s'affaiblit. Verrait-on en la matière encore un point à mettre en doute, il sera mieux expliqué aux passages qui le concernent[1]. Mais ici, puisque nous avons fait mention de l'homme intérieur et de l'homme extérieur, continuons.

Leurs âges

6 A ce propos en effet nous voulons montrer que les divines Écritures nomment par des homonymes, c'est-à-dire par des appellations semblables, bien plus, par les mêmes vocables, d'une part les membres de l'homme extérieur, et de l'autre les parties et dispositions de l'homme intérieur ; et qu'elles les comparent réciproquement, non seulement par les vocables mais encore par les réalités elles-mêmes.

7 .Par exemple, en âge, on est un enfant selon l'homme intérieur, qui peut grandir, être amené à l'âge de jeune homme, et de là par des progrès successifs parvenir à «l'état d'homme parfait[f]» et devenir père[2]. Nous avons

Celui-ci, après avoir reverdi par le baptême, montre sa première pousse (= enfant) par «la première confession du Christ par le fidèle» ; puis «il se couvre de feuilles ... par l'action de l'Esprit Saint» (= jeune homme) ; «il produit des fleurs quand il commence à faire des progrès» (= homme) et des fruits lorsqu'il «donne la vie aux autres» (= père).

---

6. Il existe certains termes homonymes pour ce qui arrive selon l'homme extérieur et pour ce qui concerne l'homme intérieur ; et ils ont une analogie les uns avec les autres.

7. Par exemple, en ce qui qui regarde l'âge, il y a l'enfant selon l'homme extérieur qui, en croissant, arrive à l'état de jeune homme, jusqu'à ce que, appelé homme, il devienne père. J'emploie ces noms

nominibus uti voluimus, ut consona divinae scripturae, illi scilicet quae ab Iohanne scripta est, vocabula poneremus ; ait enim ille : *Scripsi vobis, pueri, quoniam cognovistis*
65 *Patrem ; scripsi vobis, patres,* | *quia cognovistis eum, qui est ab initio ; scripsi vobis, iuvenes, quoniam fortes estis et Verbum Dei manet in vobis et vicistis malignum*[g]. Evidens utique est nec ab ullo omnino arbitror dubitari quod *pueros* hic Iohannes vel *adulescentes* aut *iuvenes* vel etiam *patres* secundum animae, non secundum corporis appellet aetatem.

8 Sed et Paulus dicit in quodam loco : *Non potui vobis loqui quasi spiritalibus, sed quasi carnalibus, tamquam parvulis in Christo ; lac vobis potum dedi, non escam*[h]. *In Christo* autem *parvulus* procul dubio secundum animae, non secundum carnis nominatur aetatem. Denique idem Paulus etiam in alio loco ait : *Cum essem parvulus, sicut* (

g. I Jn 2, 13-14 || h. I Cor. 3, 1-2.

1. Cf. *HomGen.* VII, 1, fin.

τὴν γραφὴν τὴν παρὰ τῷ Ἰωάννῃ ἐν τῇ Καθολικῇ ἐπιστολῇ τὰ τρία τάξας ὀνόματα ταῦτα. Ὁμωνύμως δὲ καὶ ἀναλόγως τοῖς κατὰ τὸν ἔξω ἄνθρωπον τούτοις τρισὶ καὶ εἴποιμι ἄν, ὅτι ἐστί τις *παιδίον* κατὰ τὸν ἔσω ἄνθρωπον ὅμοιον, ὁποῖός ποτ' ἂν εἴη ὅμοιος τοῦ τοιούτου ὁ ἔξω. Οὕτω καὶ *νεανίσκος* κατὰ τὸν κρυπτὸν τῆς καρδίας ἄνθρωπον· ἀκόλουθον δὲ τούτοις ἐστι λέγειν, ὅτι τις καὶ ἔσω ἀνὴρ καὶ πατήρ. Λέγει δὲ οὕτως ὁ Ἰωάννης· *Ἔγραψα ὑμῖν, παιδία, ὅτι ἐγνώκατε τὸν Πατέρα· ἔγραψα ὑμῖν, πατέρες, ὅτι ἐγνώκατε τὸν ἀπ' ἀρχῆς· ἔγραψα ὑμῖν, νεανίσκοι, ὅτι ἰσχυροί ἐστε, καὶ ὁ λόγος τοῦ Θεοῦ μένει ἐν ὑμῖν, καὶ νενικήκατε τὸν πονηρόν*[g]. Σαφὲς δ' οἶμαι καὶ τῷ τυχόντι τυγχάνει, ὅτι τοῖς τὴν ψυχὴν *παιδίοις* καὶ *νεανίσκοις* καὶ *πατράσι* ταῦτα λέγει γράφειν.

8 Καὶ Παῦλος δέ που φησί· *Οὐκ ἠδυνήθην ὑμῖν λαλῆσαι ὡς πνευματικοῖς, ἀλλ' ὡς σαρκικοῖς· ὡς νηπίους ἐν Χριστῷ γάλα ὑμᾶς ἐπότισα, οὐ βρῶμα*[h]. Ὁ δὲ *ἐν Χριστῷ νήπιος* τὴν ψυχὴν τοιόσδε τις ὢν οὕτως ὀνομάζεται, καθὼς καὶ ἀλλαχοῦ ὁ αὐτὸς Παῦλος φησίν· *Ὅτε*

1. Lire ὀνόματα, bien sûr, et non ὀνόματας.

voulu employer ces noms pour fixer des vocables conformes à la divine Écriture, à savoir celle qui a Jean pour auteur ; car il dit : «Je vous écris, enfants, parce que vous avez connu le Père ; je vous écris, pères, parce que vous avez connu celui qui est dès le commencement ; je vous écris, jeunes gens, parce que vous êtes forts et que la parole de Dieu demeure en vous, et que vous avez vaincu le Malin[g].» Il est bien évident qu'absolument personne, je pense, ne doute qu'ici Jean donne les noms d'enfants, d'adolescents ou plutôt de jeunes gens, même de pères, d'après l'âge de l'âme et non celui du corps.

8 De plus, Paul dit dans un passage : «Je n'ai pu vous parler comme à des spirituels, mais comme à des charnels. Comme à de petits enfants dans le Christ, c'est du lait que je vous ai donné à boire, non un aliment solide[h].» Or «petit enfant dans le Christ» est sans nul doute une appellation d'après l'âge de l'âme et non celui de la chair[1]. Enfin le même Paul dit encore à un autre endroit : «Quand j'étais

---

en raison de ce qu'écrit Jean dans l'épître catholique, ayant mis en ordre ces trois noms[1]. Les rapportant selon l'homonymie et l'analogie à ces trois états de l'homme extérieur, je dirais : quelqu'un est un enfant selon l'homme intérieur, semblable (si) (l'enfant) extérieur lui est semblable. Et de la même façon, il est jeune homme, selon l'homme caché du cœur ; il suit de là que l'on peut dire de quelqu'un qu'il est homme et père selon l'intérieur. Car ainsi parle Jean : «Je vous écris, enfants, parce que vous avez connu le Père : je vous écris, pères, parce que vous avez connu celui qui est dès le commencement ; je vous écris, jeunes gens, parce que vous êtes forts et que la Parole de Dieu demeure en vous et que vous avez vaincu le Mauvais[g].» Il est clair, je pense, et à la portée du premier venu, qu'il veut dire qu'il écrit à ceux qui, par l'âme, sont «enfants», «jeunes gens», «pères».

8. Paul dit également quelque part : «Je n'ai pu vous parler comme à des spirituels, mais comme à des charnels ; comme à des petits enfants dans le Christ, je vous ai donné du lait à boire, non une nourriture solide[h].» Or «le petit enfant dans le Christ» est ainsi nommé parce qu'il est quelqu'un de tel par l'âme, comme ailleurs encore le même Paul déclare : «Quand j'étais enfant, je parlais comme

parvulus loquebar, sicut parvulus sapiebam, sicut parvulus cogitabam; cum autem factus sum vir, destruxi quae erant parvuli[i]. Et iterum alias dicit : *Donec occurramus omnes in virum perfectum, in mensuram aetatis plenitudinis Christi*[j] ; scit enim occursuros esse omnes qui credunt *in virum perfectum* et *in mensuram aetatis plenitudinis Christi.*

9 Igitur sicut haec quae memoravimus aetatum nomina iisdem vocabulis et exteriori homini adscribuntur et interiori, ita invenies etiam membrorum nomina corporalium transferri ad animae membra, seu potius efficientiae haec animae affectusque dicendi sunt.

10 Dicitur ergo in Ecclesiaste : *Sapientis oculi in capite eius*[k] ; item in evangelio : *Qui habet aures audiendi, audiat*[l] ; in prophetis quoque : *Sermo Domini, qui factus est in manu Hieremiae prophetae*[m], sive alterius cuiuslibet. Simile est et illud quod ait : *Pes autem tuus non offendat*[n] et iterum : *Mei autem paulo minus moti sunt pedes*[o]. Evidenter quoque et venter animae designatur, ubi dicit : *Domine, a timore*

i. I Cor. 13, 11 || j. Éphés. 4, 13 || k. Eccl. 2, 14 || l. Matth. 11, 15 || m. Jér. 50 (27), 1 ; Is. 20, 2 || n. Prov. 3, 23 || o. Ps. 72, 2.

ἤμην *νήπιος, ὡς νήπιος ἐλάλουν, ὡς νήπιος ἐφρόνουν, ὡς νήπιος ἐλογιζόμην.* Εἶτ' ἐπεὶ μὴ ἔμεινεν ἐν τῷ *νηπίῳ,* φησίν· *Ὅτε δὲ ἐγενόμην ἀνήρ, κατήργηκα τὰ τοῦ νηπίου*[i]. Οὕτως ἀκούω καὶ τοῦ· *Μέχρι καταντήσωμεν οἱ πάντες εἰς ἄνδρα τέλειον, εἰς μέτρον ἡλικίας τοῦ πληρώματος τοῦ Χριστοῦ*[j]· οἶδε γὰρ *καταντήσοντας* πάντας τοὺς πιστεύοντας *εἰς ἄνδρα τέλειον* καὶ *μέτρα* νοητῆς *ἡλικίας.*

9 Ὥσπερ δὲ παρὰ τὸν ἔσω ἄνθρωπον καὶ τὸν ἔξω ἄνθρωπον ταῦτα συμβέβηκεν ὁμώνυμα καὶ ἀναλογίαν ἔχοντα πρὸς ἄλληλα, οὕτως εὕροις ἂν καὶ τὰ ὀνόματα τῶν μελῶν τοῦ σώματος μεταφερόμενα ἐπὶ τὴν ψυχήν.

enfant, je parlais comme un enfant, je raisonnais comme un enfant, je pensais comme un enfant ; mais une fois devenu homme, j'ai fait disparaître ce qui était de l'enfant[i].» Et ailleurs il dit encore : «Jusqu'à ce que nous parvenions tous à l'état d'homme parfait, à la force de l'âge qui réalise la plénitude du Christ[j].» Il sait en effet que tous ceux qui croient sont destinés à «parvenir à l'état d'homme parfait, à la force de l'âge qui réalise la plénitude du Christ».

Leurs membres

9 Donc, tout comme ces noms d'âges que nous avons mentionnés dans les mêmes termes sont attribués à l'homme extérieur et à l'homme intérieur, de même on trouvera aussi que les noms des membres corporels sont transposés aux membres de l'âme, ou plutôt qu'on doit les dire des opérations et des dispositions de l'âme.

10 Il est justement dit dans l'Ecclésiaste : «Les yeux du sage sont dans sa tête[k]» ; de même dans l'Évangile : «Qui a des oreilles pour entendre, qu'il entende[l]» ; dans les prophètes aussi : «Parole du Seigneur, qui fut mise dans la main du prophète Jérémie[m]», soit de n'importe quel autre. Semblable est encore cette autre parole : «Ton pied ne heurtera rien[n]», et de nouveau : «Un peu plus et mes pieds glissaient[o].» A l'évidence aussi est désigné encore le ventre de l'âme, là où on dit : «Seigneur, à te craindre nous

---

un enfant, je pensais comme un enfant, je raisonnais comme un enfant.» Puis, comme il n'était pas resté au stade de l'enfance, il ajoute : «Une fois devenu homme, j'ai fait disparaître ce qui était propre à l'enfant[i].» J'entends de même aussi : «Jusqu'à ce nous parvenions tous à être homme parfait, à la force de l'âge de la plénitude du Christ[j].» Paul sait, en effet, que tous les croyants parviendront à être «homme parfait», et à «la force de l'âge» spirituel.

9. Et de même que, parallèlement à l'homme intérieur et à l'homme extérieur, se sont rencontrées ces expressions homonymes et analogues les unes aux autres, ainsi trouverait-on aussi les noms des membres du corps employés métaphoriquement pour l'âme.

tuo in ventre concepimus[p]. Nam inde quis dubitet, cum dicitur : *Sepulcrum patens est guttur eorum*[q] et iterum : *Praecipita, Domine, et divide linguas eorum*[r], sed 66 et quod | scriptum est : *Dentes peccatorum contrivisti*[s], et iterum : *Contere bracchium peccatoris et maligni*[t]? Et quid opus est me de his plura colligere, cum abundantissimis testimoniis Scripturae divinae repletae sint?

11 Ex quibus evidenter ostenditur membrorum haec nomina nequaquam corpori visibili aptari posse, sed ad invisibilis animae partes virtutesque debere revocari, quoniam vocabula quidem habent similia, aperte autem et sine ulla ambiguitate non exterioris, sed interioris hominis significantias gerunt.

12 Est ergo materialis huius hominis, qui et exterior homo appellatur, cibus potusque naturae suae cognatus, corporeus scilicet iste et terrenus. Similiter autem etiam spiritalis hominis ipsius, qui et interior dicitur, est proprius cibus ut *panis* ille *vivus qui de caelo descendit*[u]. Sed et potus eius est ex illa aqua quam promittit Iesus dicens : *Quicumque biberit ex hac aqua quam ego do ei, non sitiet in aeternum*[v].

13 Sic ergo per omnia similitudo quidem vocabulorum secundum utrumque hominem ponitur, rerum vero proprietas unicuique discreta servatur, et corruptibili corruptibilia praebentur, incorruptibili vero incorruptibilia proponuntur.

14 Unde accidit ut simpliciores quidam nescientes distinguere ac secernere quae sint, quae in scripturis divinis interiori homini, quae vero exteriori deputanda

p. Is. 26,18 || q. Ps. 5,10 || r. Ps. 54,10 || s. Ps. 3,8 || t. Ps. 9,36 (10,15) || u. Jn 6,33.51 || v. Jn 4,14.

1. Voir la note complémentaire 2 : «Les sens spirituels de l'homme».

avons conçu dans le ventre[p].» Car qui en douterait, quand on dit : «Leur gosier est un sépulcre béant[q]», et encore : «Brouille, Seigneur, et divise leurs langues[r]», et de plus, ce qui est écrit : «Tu as brisé les dents des pécheurs[s]»; et encore : «Brise le bras du pécheur et du méchant[t].» Mais qu'ai-je besoin d'en rassembler davantage, alors que les divines Écritures sont pleines de témoignages surabondants[1] ?

11 Par quoi il est montré à l'évidence que ces noms de membres ne peuvent en aucune façon être appliqués au corps visible, mais doivent être rapportés aux parties et aux puissances de l'âme invisible : car ils ont bien de pareilles dénominations, mais ils comportent clairement et sans nulle équivoque des significations propres à l'homme non pas extérieur, mais intérieur.

Leur nourriture et leur boisson

12 Il y a donc pour cet homme matériel, qu'on appelle aussi homme extérieur, une nourriture et une boisson apparentées à sa nature, c'est-à-dire corporelles et terrestres. Mais pareillement aussi, pour l'homme spirituel lui-même, qu'on dit encore intérieur, il y a une nourriture propre, comme ce «pain vivant qui descendit du ciel[u]». De plus, sa boisson est de cette eau que Jésus a promise : «Qui boira de cette eau que je lui donne n'aura plus jamais soif[v].»

13 Ainsi donc, par tous ces exemples est bien offerte une similitude de vocables concernant l'un et l'autre homme, mais le sens propre à chacune des réalités est maintenu distinct : ce qui est corruptible est présenté au corruptible, ce qui est incorruptible est proposé à l'incorruptible.

14 D'où il arrive que des gens plus simples, incapables de distinguer et de discerner qu'est-ce qui, dans les divines Écritures, doit être attribué à l'homme intérieur, ou au contraire à l'homme extérieur, trompés par les ressem-

sint, vocabulorum similitudinibus falsi ad ineptas quasdam se fabulas et figmenta inania contulerint, ut etiam post resurrectionem cibis corporalibus utendum crederent, potumque sumendum non solum ex illa *vite vera*[w] et vivente in saecula, verum et ex istis vitibus et fructibus ligni. Sed de his alias videbimus.

15 Nunc ergo, ut praecedenti observatione distinximus, est quidem secundum interiorem hominem alius sine filiis et sterilis, alius vero abundans in filiis ; secundum quod et illud advertimus dictum : *Sterilis peperit septem, et fecunda in filiis infirmata est*[x], et ut in benedictionibus dicitur : *Non erit in vobis sine filiis et sterilis*[y].

16 Igitur si haec ita se habent, sicut dicitur aliquis carnalis | amor, quem et Cupidinem poetae appellarunt, secundum quem qui amat, *in carne seminat*, ita est et quidam spiritalis amor, secundum quem ille interior homo amans *in Spiritu seminat*[z]. Et ut evidentius dicam, si quis est qui *portat* adhuc *imaginem terreni* secundum exteriorem hominem, iste agitur cupidine et amore terreno ; qui vero *portat imaginem caelestis*[aa] secundum interiorem hominem, agitur cupidine et amore caelesti.

67

17 Amore autem et cupidine caelesti agitur anima, cum perspecta pulchritudine et decore Verbi Dei speciem eius adamaverit, et ex ipso telum quoddam et vulnus amoris acceperit. Est enim Verbum hoc *imago* et splendor *Dei invisibilis, primogenitus omnis creaturae, in quo creata sunt*

w. Cf. Jn. 15, 1 || x. I Sam. 2, 5 || y. Ex. 23, 26 || z. Cf. Gal. 6, 8 || aa. Cf. I Cor. 15, 49.

1. *PArch.* II, 11, 1-2 (et n. 11 *ad loc.*, *SC* 253, p. 228) ; *ComMatth.* XVII, 35. Il s'agit des millénaristes ou chiliastes qui croyaient, d'après *Apoc.* 20, 4-8 qu'ils prenaient à la lettre, à un règne de mille ans du Christ et des martyrs dans la Jérusalem terrestre. Ils étaient les frères des littéralistes, qui refusaient l'interprétation allé-

blances des mots, se réfugient dans des fables ineptes et de vaines fictions : au point de croire que même après la résurrection on doit user de nourritures corporelles et boire non seulement du produit de cette «vigne véritable[w]» et vivante pour les siècles, mais encore de celui des vignes d'ici-bas et des fruits du bois[1]. Mais de cela nous aviserons une autre fois.

Leur amour

15 Maintenant donc, d'après notre distinction dans l'observation qui précède, selon l'homme intérieur, l'un est sans enfants et stérile, mais l'autre est abondamment pourvu de fils ; à ce propos, nous remarquons encore cette parole : «La stérile enfante sept fois, la femme aux nombreux fils se flétrit[x]», et comme il est dit dans les bénédictions : «Il n'y aura personne parmi vous à être sans fils et stérile[y].»

16 Si donc il en est ainsi, de même que l'on parle d'un amour charnel que les poètes ont appelé aussi Cupidon — et qui aime selon lui «sème dans la chair» —, de même il y a aussi un amour spirituel, et en aimant selon lui, cet homme intérieur «sème dans l'Esprit[z]». Pour parler plus clairement, s'il est quelqu'un qui «porte» encore «l'image du terrestre» selon l'homme extérieur, celui-là est conduit par un désir et un amour terrestres ; mais celui qui «porte l'image du céleste[aa]» selon l'homme intérieur est conduit par un désir et un amour célestes.

17 Or, l'âme est conduite par un amour et un désir célestes quand, à la vue de la beauté et du charme du Verbe de Dieu, elle fut éprise de sa grâce et reçut de lui un trait et une blessure d'amour. Car ce Verbe est «l'Image» et la Splendeur «du Dieu invisible, le Premier-né de toute

gorique de l'Écriture, et des anthropomorphites, qui entendaient littéralement les membres humains et les passions humaines que la Bible attribue à Dieu. Cf. JUSTIN, *Dial.* 80-82 ; IRÉNÉE, *Haer.* V, 35, 3-4, citant avec éloge un texte étrange de Papias.

omnia quae in caelis sunt et quae in terris sive visibilia sive invisibilia[ab]. Igitur si quis potuerit capaci mente conicere et considerare horum omnium quae in ipso creata sunt decus et speciem, ipsa rerum venustate percussus, et splendoris magnificentia ceu *iaculo*, ut ait propheta, *electo*[ac] terebratus, salutare ab ipso vulnus accipiet et beato igne amoris eius ardebit.

18 Oportet nos etiam illud scire : illicitus amor et contra legem sicut accidere potest homini exteriori, verbi gratia, ut non sponsam vel coniugem amet, sed aut meretricem aut adulteram, ita et interiori homini, hoc est animae, accidere potest amor non in legitimum sponsum, quem diximus esse Verbum Dei, sed in adulterum aliquem et corruptorem. Quod sub hac eadem figura evidenter declarat Ezechiel propheta ; ubi *Oollam* et *Oolibam* introducit sub specie *Samariae* et *Hierusalem*[ad] adulterino amore corruptas, sicut locus ipse scripturae propheticae evidenter ostendit volentibus plenius scire.

19 Exardescit autem etiam hic spiritalis amor animae aliquando quidem, ut edocuimus, erga aliquos spiritus nequitiae, aliquando autem erga Spiritum sanctum et Verbum Dei, qui est sponsus fidelis et eruditae animae vir 68 dicitur et cuius ipsa sponsa in hac | praecipue scriptura quae habetur in manibus nominatur, sicut Domino praestante plenius ostendemus, cum verba ipsius libelli explanare coeperimus.

20 Videtur autem mihi quod divina Scriptura, volens cavere ne lapsus aliquis legentibus sub amoris nomine

ab. Col. 1, 15-16 || ac. Cf. Is. 49, 2 || ad. Cf. Éz. 23, 4.

créature, en qui furent créées toutes choses, celles qui sont dans les cieux et celles qui sont sur la terre, soit visibles, soit invisibles[ab]». Dès lors, si on peut d'une intelligence capable envisager et considérer le charme et la grâce de tout ce qui fut créé en lui, frappé par l'élégance même des choses, et percé par la magnificence de leur splendeur, ou comme dit le prophète, «par la flèche de choix[ac]», on en recevra une blessure salutaire et on brûlera du feu bienheureux de son amour.

18 Il nous faut encore le savoir : de même qu'un amour illicite et contraire à la Loi peut arriver à l'homme extérieur, par exemple, au point qu'il aime non pas son épouse ou sa fiancée mais ou une courtisane ou une adultère, de même aussi à l'homme intérieur, c'est-à-dire à l'âme, peut arriver un amour, non pas pour son Époux légitime, qui est, avons-nous dit, le Verbe de Dieu, mais pour tel ou tel adultère et corrupteur. C'est ce que, sous cette même figure, montre clairement le prophète Ézéchiel : quand il met en scène Oola et Ooliba, à propos de «Samarie» et de «Jérusalem[ad]», corrompues par un amour adultère, comme le passage même de l'Écriture prophétique l'expose clairement à ceux qui veulent en savoir davantage.

19 Or même cet amour spirituel de l'âme s'enflamme : tantôt, comme nous l'avons enseigné, pour certains esprits du mal; tantôt, pour l'Esprit Saint et pour le Verbe de Dieu, qui est appelé l'Époux fidèle et le mari de l'âme instruite, laquelle est nommée son Épouse, en particulier dans ce texte de l'Écriture que nous avons entre les mains. Avec l'aide du Seigneur nous le montrerons plus complètement, après avoir commencé l'explication des paroles du petit livre lui-même.

Les vocables de l'Écriture

20 Mais il me semble que la divine Écriture a voulu éviter que naisse quelque faute chez les lecteurs à l'occasion du nom de l'amour et, à cause de tous les plus

nasceretur, pro infirmioribus quibusque eum qui apud sapientes saeculi cupido seu amor dicitur, honestiore vocabulo caritatem vel dilectionem nominasse, verbi gratia, ut cum dicit de Isaac : *Et accepit Rebeccam, et facta est ei uxor, et dilexit eam*[ae], et iterum de Iacob et Rachel similiter dicit Scriptura : *Rachel autem erat decora oculis et pulchra facie; et dilexit Iacob Rachel, et dixit : Serviam tibi septem annis pro Rachel filia tua iuniore*[af].

21 Evidentius autem immutata vis vocabuli huius apparet in Amnon, qui adamavit sororem suam Thamar; scriptum est enim : *Et factum est post haec et erat Absalon filio David soror decora specie valde, et nomen ei Thamar, et dilexit eam Amnon filius David*[ag]. *Dilexit* posuit pro adamavit. *Et tribulabatur*, inquit, *Amnon ita, ut infirmaretur propter Thamar sororem suam, quoniam virgo erat; et grave videbatur in oculis Amnon facere ei aliquid*[ah]. Et post pauca de violentia quam intulit Amnon Thamar sorori suae, ita dicit Scriptura : *Et noluit Amnon audire vocem eius, sed invaluit super eam et humiliavit eam, et dormivit cum ipsa. Et odivit eam Amnon odio magno valde, quoniam maius erat odium, quo oderat eam, quam dilectio, qua dilexerat eam*[ai].

22 Et in his ergo et in aliis pluribus locis invenies Scripturam divinam refugisse amoris vocabulum, et caritatis dilectionisque posuisse. Interdum tamen, licet raro,

ae. Gen. 24, 67 || af. Gen. 29, 17-18 || ag. II Sam. 13, 1 || ah. II Sam. 13, 2 || ai. II Sam. 13, 14-15.

1. Selon la distinction fréquente aujourd'hui, ἀγάπη dénote plutôt un amour de bienveillance, oblatif et désintéressé : l'amour de dilection. Ἔρως est au contraire l'amour passion, l'amour des amants. Mais ici, Origène oppose simplement par leur objet ἀγάπη, l'amour spirituel, à ἔρως, l'amour charnel (cf. *infra*, § 36). — Dans les passages, cités d'après la Septante, ἀγάπη est exprimé tantôt par la forme verbale ἀγαπᾶν (*Gen.* 24, 67 ; 29, 17-19 ; *II Sam.* 13, 1.15 ; *Cant.*

faibles, elle a nommé ce qu'on appelle chez les sages du siècle désir ou amour[1] d'un vocable plus honorable, charité ou tendresse, par exemple, quand elle dit au sujet d'Isaac : « Il prit Rébecca, elle devint sa femme, et il la chérit[ae]. » Et de nouveau, à propos de Jacob et de Rachel, l'Écriture dit de même : « Rachel était belle à voir et avait un beau visage ; Jacob chérit Rachel et dit : Je te servirai sept ans pour Rachel, ta fille cadette[af]. »

21 Or la signification inchangée de ce mot apparaît plus clairement à propos d'Amnon qui devint amoureux passionné de Tamar sa sœur. Il est écrit en effet : « Et voici ce qui arriva ensuite : Absalon, fils de David, avait une sœur très belle à voir qui se nommait Tamar, et Amnon, fils de David, la chérit[ag]. » On a mis « Il la chérit », au lieu de « Il en devint amoureux ». « Et Amnon était tourmenté au point de se rendre malade au sujet de sa sœur Tamar, car elle était vierge ; et il semblait grave, aux yeux d'Amnon de lui faire quelque chose[ah]. » Et peu après, de la violence qu'Amnon fit à sa sœur Tamar, l'Écriture parle en ces termes : « Amnon ne voulut pas écouter sa voix, mais il la maîtrisa, la renversa et coucha avec elle. Alors Amnon se mit à la haïr très fort ; et la haine qu'il lui vouait surpassait la tendresse dont il l'avait chérie[ai]. »

22 Donc, et dans ces passages et dans plusieurs autres, on trouvera que la divine Écriture s'est détournée du vocable d'amour pour employer ceux de charité et de tendresse[2]. Néanmoins parfois, bien que rarement, elle

5, 8 ; en latin, *diligere*, rendu par chérir, sauf exceptions qui seront notées) ; tantôt par la forme nominale ἀγάπη (*II Sam.* 13, 15 ; en latin, *dilectio*, rendu par tendresse). — Ἔρως est exprimé tantôt par la forme verbale ἐραστεύειν (*Prov.* 4, 6 ; en latin *adamare*, aimer passionnément), tantôt par la forme nominale ἐραστής (*Sag.* 8, 2 ; en latin *amator*, amant passionné).

2. En fait, dans les textes cités plus haut, le mot « charité » n'est pas employé. Il le sera plus loin à propos du Cantique.

proprio vocabulo amorem nominat et invitat ad eum atque incitat animas, ut cum dicit in Proverbiis de sapientia : *Adama eam, et servabit te; circumda eam, et exaltabit te; honora eam, ut te amplectatur*[aj]. Sed et in eo libello qui dicitur Sapientia Solomonis, ita scriptum est de ipsa 69 sapientia : | *Amator factus sum decoris eius*[ak].

23 Arbitror autem quod, ubi nulla lapsus videbatur occasio, ibi tantum nomen amoris inseruit. Quid enim passibile aut quid indecorum possit aliquis advertere in amore sapientiae, vel in eo qui se amatorem profiteatur esse sapientiae? Nam si dixisset quia adamavit vel Isaac Rebeccam vel Iacob Rachel, passio utique aliqua indecora per haec verba erga sanctos Dei homines potuisset intelligi, apud eos praecipue qui nesciunt a littera conscendere ad spiritum.

24 Apertissime autem et in hoc ipso libello qui habetur in manibus, amoris nomen caritatis vocabulo permutatum est in eo ubi dicit : *Adiuravi vos, filiae Hierusalem, si inveneritis fratruelem meum, ut adnuntietis ei quia vulnerata caritatis ego sum*[al], pro eo utique ut diceret : Amoris eius telo percussa sum.

25 Nihil ergo interest, in scripturis divinis utrum amor dicatur an caritas an dilectio, nisi quod in tantum nomen caritatis extollitur ut etiam Deus ipse *caritas* appelletur, (69 sicut Iohannes dicit : *Carissimi, diligamus invicem, quia*

aj. Prov. 4,6.8 || ak. Sag. 8,2 || al. Cant. 5,8.

1. On trouve chez GRÉGOIRE DE NYSSE, *HomCant.* I (*GN*, p. 23, 6 s.) : « Puisque c'est la Sagesse qui te le dit, aime (ἀγάπησον) autant que tu le peux, de tout ton cœur, de toutes tes forces, désire autant que tu le pourras. Mais j'ajouterai audacieusement ces paroles : Aime passionnément (ἐράσθητι), car la passion est irrépréhensible et impassible, quand elle s'adresse à des êtres incorporels » : allusion, sans doute, à la synonymie des termes dans quelques emplois scripturaires qu'Origène a cités, avant d'établir la distinction de leurs sens, d'après l'objet que l'on aime.

nomme l'amour de son vocable propre, elle invite et exhorte les âmes à l'amour, comme lorsqu'elle dit de la Sagesse dans les Proverbes : « Aime-la passionnément, et elle te gardera ; étreins-la, et elle t'élèvera ; honore-la pour qu'elle t'embrasse [aj]. » De plus, dans ce petit livre dit Sagesse de Salomon [1], il est écrit au sujet de la Sagesse elle-même : « Je suis devenu un amant passionné de sa beauté [ak]. »

23 Or je pense que là où il semblait n'y avoir aucune occasion de faute, là seulement fut introduit le nom d'amour. En effet, quoi de passionnel ou quoi d'inconvenant pourrait-on trouver dans l'amour de la Sagesse ou chez qui s'avoue amoureux passionné de la Sagesse ? D'autre part, si on avait dit que sont devenus amoureux passionnés soit Isaac de Rebecca, soit Jacob de Rachel, à ces paroles au sujet des saints hommes de Dieu, on aurait pu entendre une passion à coup sûr indigne, en particulier chez ceux qui ne savent pas s'élever de la lettre à l'esprit.

B. La charité

Dieu est charité

24 Mais il est bien clair aussi, dans ce petit livre même qui est entre nos mains, que le nom d'amour est remplacé par le vocable de charité dans ce passage : « Je vous adjure, filles de Jérusalem, si vous trouvez mon Bien-Aimé [2], annoncez-lui que je suis blessée de charité [al] », bien sûr au lieu de dire : Je suis frappée du trait de son amour.

25 Il est donc sans importance que dans les divines Écritures on dise amour, ou charité, ou tendresse, si ce n'est que le nom de charité est d'une telle élévation que même Dieu lui-même est appelé Charité, au dire de Jean :

2. « Bien-Aimé » : *fratruelis* ici, *fraternus* ailleurs. Voir la note complémentaire 18 : « Le Bien-Aimé ».

caritas ex Deo est, et omnis qui diligit ex Deo natus est et cognoscit Deum; qui autem non diligit non cognoscit Deum, quia Deus caritas est[am]. Et quamvis alterius temporis sit de his aliquid dicere quae exempli causa ex Iohannis epistula protulimus, tamen breviter aliqua etiam inde perstringere non videtur absurdum.

26 *Diligamus*, inquit, *invicem, quia caritas ex Deo est*[an], et post pauca : *Deus caritas est*[ao]. In quo ostendit et ipsum *Deum caritatem* esse, et iterum eum qui *ex Deo* est *caritatem* esse. Quis autem *ex Deo* est nisi ille qui dicit : *Ego ex Deo exivi et veni in hunc mundum*[ap] ? Quod si Deus Pater *caritas* est et Filius *caritas* est, *caritas* autem et *caritas* unum est et in nullo differt, consequenter ergo Pater et Filius unum est et in nullo differt.

27 Et ideo convenienter Christus, sicut *sapientia* et *virtus* et *iustitia* et *verbum* et *veritas*[aq], ita et *caritas* dicitur. Et ideo dicit Scriptura quia *si caritas manet in nobis, Deus in nobis manet*[ar]; *Deus* autem, id est Pater et Filius, qui et *veniunt ad eum* qui *perfectus est in caritate*[as], secundum
70 verbum Domini et Salvatoris dicentis : *Ego et Pater | meus veniemus ad eum et mansionem faciemus apud eum*[at].

28 Sciendum ergo est quod haec caritas quae Deus est, in quo fuerit, nihil terrenum, nihil materiale, nihil

am. I Jn 4,7-8 || an. Cf. I Jn 4,7 || ao. I Jn 4,8 || ap. Jn 16,28 || aq. Cf. I Cor. 1,24.30 || ar. I Jn 4,12 || as. I Jn 4,18 || at. Jn 14,23.

---

1. Traduction, comme d'habitude, par «aimer», bien que le verbe latin soit *diligere* (plutôt «chérir»).

2. Une classe de mss *(B)*, suivis par Delarue, a pour texte : *Caritas autem (Patris) et caritas (Filii) unum est.* Glose peut-être, mais pour expliciter le sens. Que le Père et le Fils sont une seule charité, est une des expressions qui manifestent, sous un mode dynamique plus qu'ontologique, l'identité de substance entre le Père et le Fils ; identité qui ne pouvait être exprimée chez Origène par le terme ὁμοούσιος — comme plus tard au concile de Nicée — à cause de l'ambiguïté du mot

« Mes bien-aimés, aimons-nous[1] les uns les autres, car la charité est de Dieu, et quiconque aime est né de Dieu et connaît Dieu. Mais celui qui n'aime pas ne connaît pas Dieu, car Dieu est Charité[am]. » Et bien qu'il soit réservé à une autre occasion de dire quelque chose sur ces paroles qu'à titre d'exemple nous avons citées de l'Épître de Jean, il ne semble toutefois point déplacé même à partir de là, d'en toucher brièvement quelques points.

26 « Aimons-nous les uns les autres, car la charité est de Dieu[an] », est-il dit ; et peu après : « Car Dieu est Charité[ao]. » Par là on montre à la fois que « Dieu » lui-même « est Charité », et que celui qui est « de Dieu » est « Charité ». Or, qui est « de Dieu » sinon celui qui dit : « Moi, je suis sorti de Dieu et je suis venu dans ce monde[ap] » ? Si Dieu le Père est Charité, le Fils aussi est Charité ; or Charité et Charité[2] ne font qu'un et ne diffèrent en rien ; il s'ensuit donc que le Père et le Fils sont un et ne diffèrent en rien.

27 Voilà pourquoi c'est à bon droit que le Christ, au même titre que Sagesse, Puissance, Justice, Verbe, Vérité[aq], est encore dit Charité[3]. Voilà pourquoi l'Écriture dit que « si la charité demeure en nous, Dieu demeure en nous[ar] ». Or Dieu c'est le Père et le Fils, qui viennent aussi à celui qui « est parfait dans la charité[as] », selon la parole du Seigneur et Sauveur : « Moi et le Père, nous viendrons à lui et nous ferons chez lui notre demeure[at]. »

Aimer Dieu

28 Il faut donc savoir que cette Charité qui est Dieu n'aime[4], chez qui elle se trouve, rien de terrestre, rien de matériel, rien de

οὐσία à son époque. Mais celui-ci affirme l'identité de substance sous des formes équivalentes, que l'on trouve dans les œuvres conservées en grec comme dans les traductions latines.

3. Sur cette énumération de titres, voir *infra*, I, 6, 13, avec la note complémentaire 14 : « Les aspects du Christ ».

4. *Diligere* : cf. *supra*, § 25, la note *ad loc.*

corruptibile diligit ; contra naturam namque est ei corruptibile aliquid diligere, cum ipsa sit incorruptionis fons. Ipsa est enim sola quae habet immortalitatem, siquidem *Deus est caritas*[au], *qui solus habet immortalitatem lucem habitans inaccessibilem*[av]. Quid autem aliud immortalitas nisi *vita aeterna* est, quam daturum se promittit Deus credentibus in ipsum *solum verum Deum, et quem misit, Iesum Christum*[aw], Filium eius ?

29 Propterea ergo in primis et ante omnia hoc amabile et placitum esse dicitur Deo ut *diligat* quis *Dominum Deum suum ex toto corde suo et ex tota anima sua et ex totis viribus suis*[ax]. Et quia *Deus caritas est*, et Filius qui *ex Deo* est, *caritas* est, sui simile aliquid requirit in nobis, ut per hanc caritatem quae est in Christo Iesu, *Deo* qui est *caritas*, velut cognata quadam per caritatis nomen affinitate sociemur, sicut et ille qui iam coniunctus ei dicebat : *Quis nos separabit a caritate Dei*[ay] *quae est in Christo Iesu Domino nostro*[az] ?

30 Haec autem *caritas* omnem hominem proximum ducit. Ob hoc enim arguit Salvator quendam qui opinabatur quod iusta anima, erga eam quae in iniquitatibus involuta est, propinquitatis iura non servet, et ista de causa texit illam parabolam quae dicit quod *in latrones incidit quidam*, dum *descendit ab Hierusalem in Hiericho*, (70) et culpat quidem *sacerdotem* ac *levitam*, qui *videntes seminecem praeterierunt*[ba], amplectitur autem *Samaritanum, qui misericordiam fecerit*, et hunc fuisse ei *proximum* ipsius qui proposuerat responsione firmavit et ait ei : *Vade, et tu fac similiter*[bb].

au. I Jn 4, 8 || av. I Tim. 6, 16 || aw. Jn 17, 3 || ax. Lc 10, 27 || ay. Rom. 8, 35 || az. Rom. 8, 39 || ba. Lc 10, 30 || bb. Lc 10, 37.

corruptible ; il est en effet contre nature pour elle d'aimer quelque chose de corruptible, puisqu'elle est elle-même source d'incorruptibilité. Car elle est la seule qui possède l'immortalité, puisque « Dieu est Charité [au] », « qui seul possède l'immortalité, habitant une lumière inaccessible [av] ». Or qu'est-ce autre chose que l'immortalité, sinon « la vie éternelle » que Dieu a promis de donner à ceux qui croient en lui « le seul vrai Dieu, et en celui qu'il a envoyé, Jésus-Christ [aw] », son Fils ?

29 Voilà pourquoi, dit-on, ce qui d'abord et avant tout est agréable à Dieu et lui plaît, c'est quand « on aime le Seigneur son Dieu de tout son cœur, de toute son âme et de toutes ses forces [ax] ». Et parce que « Dieu est Charité », et que le Fils qui est « de Dieu » est « Charité », il exige en nous quelque chose de semblable à lui : en sorte que, par cette charité qui est dans le Christ Jésus, à « Dieu » qui est « Charité » nous soyons unis comme par une sorte de lien de parenté grâce au nom de Charité, comme disait encore celui qui lui était déjà uni : « Qui nous séparera de la Charité de Dieu [ay] qui est dans le Christ Jésus notre Seigneur [az] ? »

Aimer le prochain

30 Or cette « Charité » estime prochain tout homme. Car, pour cette raison, le Sauveur reprit un homme qui croyait que l'âme juste n'observe pas les lois de la condition de prochain envers celle qui est couverte d'iniquités ; et pour ce motif il composa cette parabole qui dit : « Un homme tomba entre les mains de brigands » quand « il descendit de Jérusalem à Jéricho ». Et il blâme « le prêtre » et « le lévite », qui, « le voyant à demi-mort, passèrent outre [ba] », mais il rend hommage au « Samaritain qui pratiqua la miséricorde » ; et que ce dernier ait été le prochain de l'homme, il le fit confirmer par la réponse de celui même qui avait posé la question et il lui dit : « Va, et fais de même [bb]. »

31 Etenim natura omnes nobis invicem proximi sumus; operibus vero caritatis fit proximus ille qui potest benefacere ei qui non potest. Unde et Salvator noster factus est proximus nobis nec *pertransivit* nos, cum *semineces* ex *latronum vulneribus* iaceremus.

32 Igitur sciendum est Dei caritatem semper ad Deum tendere, a quo et originem ducit, et ad proximum respicere, cum quo participium gerit, utpote similiter creatum in incorruptione.

33 Sic ergo quaecumque de caritate scripta sunt, quasi de amore dicta suscipe nihil de nominibus curans; eadem
71 namque | in utroque virtus ostenditur. Quod si quis dicat quia et pecuniam et meretricem et alia similiter mala eodem vocabulo quod a caritate duci videtur, diligere appellamur, sciendum est in his non proprie, sed abusive caritatem nominari.

34 Sicut, verbi gratia, et Deus nomen principaliter in eo est *ex quo omnia et per quem omnia et in quo omnia*[bc], quod utique aperte virtutem et naturam trinae singularitatis enuntiat. Secundo vero in loco et, ut ita dixerim, abusive *deos* dicit Scriptura etiam *illos ad quos sermo Dei fit*[bd], sicut confirmat Salvator in evangeliis. Sed et caelestes virtutes

bc. Cf. Rom. 11,36 || bd. Jn 10,35.

---

1. Cf. *HomJos.* VI, 4; *ComMatth.* XVI, 9; et surtout *HomLc* XXXIV. Le Samaritain est la figure du Christ. Cette interprétation, qu'Origène déclare tenir d'un «presbytre», c'est-à-dire d'un disciple immédiat des apôtres, va passer dans toute la tradition (*SC* 87, p. 402, n. 1). Voir G. Sfameni Gasparro, «Variazioni esegetische sulla parabola del Buon Samaritano : dal 'presbytero' di Origene ai dualisti medievali», dans *Studi in onore di Anthos Ardizzoni*, Rome 1979, p. 951-1012.

2. Ce passage, très profond puisqu'il sous-tend l'idée, reprise plus tard par Maxime le Confesseur (cf. J.-M. Garrigues, *Maxime le Confesseur. La charité avenir divin de l'homme*, Paris 1976), de la divinisation de l'homme, commencée ici-bas par la participation à la cha-

31 Par nature en effet, nous sommes tous pour nous le prochain les uns des autres ; mais par les œuvres de charité, qui peut faire du bien se fait le prochain de qui ne peut pas. C'est pourquoi aussi notre Sauveur s'est fait notre prochain [1] et n'est point « passé outre » devant nous, quand nous gisions « à demi-morts » par suite « des blessures dues aux brigands ».

32 Il faut donc savoir que la charité de Dieu tend toujours vers Dieu, dont elle tire aussi son origine, et regarde vers le prochain avec lequel elle participe, comme pareillement créé dans l'incorruptibilité [2].

Acceptions diverses

33 Ainsi donc, tout ce qui est écrit de la charité reçois-le comme dit de l'amour sans te soucier des noms ; car en l'un et l'autre se montre le même sens. Dirait-on que l'argent, la courtisane, et d'autres choses pareillement mauvaises — nous disons du même terme qui semble venir de charité —, nous les chérissons [3], il faut savoir qu'on emploie ici le nom de charité non pas au sens propre, mais au sens impropre.

34 Comme par exemple le nom de Dieu aussi concerne principalement celui « de qui est tout, par qui est tout, en qui est tout [bc] », assurément parce qu'il exprime clairement la puissance et la nature de la triple unité [4]. Mais en second lieu, et pour ainsi dire au sens impropre, l'Écriture appelle encore dieux « ceux à qui la Parole de Dieu s'adresse [bd] », comme le confirme le Sauveur dans les Évangiles. De plus, les puissances célestes semblent être appelées de ce nom

rité de Dieu, a fait difficulté aux copistes. Plusieurs mss suivis par Delarue, portent *inierit* au lieu de *gerit*, et *in corruptione* au lieu de *in incorruptione*. S'il en était ainsi, la traduction serait-elle justifiable grammaticalement, le sujet passant de « la charité de Dieu » à « l'homme » sous-entendu ?

3. « Chérir » *(diligere)* se rapporte à l'ἀγάπη.

4. *Trina singularitas* : expression intéressante pour exprimer à la fois l'unité et la Trinité. Mais c'est du Rufin ; et qu'y avait-il chez Origène, antérieur au concile de Nicée ?

sub hoc nomine appellari videntur, cum dicitur : *Deus stetit in congregatione deorum, in medio autem deos discernit*[be]. Tertio vero in loco non iam abusive, sed falso dii gentium daemones appellantur, cum dicit Scriptura : *Omnes dii gentium daemonia*[bf].

35 Ita ergo et primum caritatis nomen in Deo est, propter quod iubemur *diligere Deum ex toto corde nostro et ex tota anima nostra et ex totis viribus nostris*[bg], utpote eum a quo habemus hoc ipsum ut diligere possimus. In ipso iam sine dubio continetur ut et sapientiam et iustitiam et pietatem et veritatem omnesque virtutes pariter diligamus ; unum enim atque idem est *diligere Deum* et diligere bona. Secundo in loco, quasi abusivo et inde derivativo nomine etiam *proximum diligere* iubemur *tamquam nos ipsos*[bg]. Tertium vero est, quod falso sub caritatis titulo nominatur, diligere vel pecuniam vel voluptates vel omne quidquid ad corruptelam pertinet et errorem.

36 Non ergo interest utrum amari dicatur Deus aut diligi, nec puto quod culpari possit, si quis Deum, sicut Iohannes *caritatem*, ita ipse amorem nominet. Denique memini aliquem sanctorum dixisse, Ignatium nomine, de Christo : « Meus autem amor crucifixus est », nec repre-
72 hendi eum pro | hoc dignum iudico.

37 Sciendum tamen est quod omnis qui vel pecuniam diligit vel ea quae in mundo sunt materiae corruptibilis, virtutem *caritatis*, quae *ex Deo est*[bh], ad terrena et ad caduca deducit, et rebus Dei abutitur ad ea quae non vult

be. Ps. 81, 1 || bf. Ps. 95, 5 || bg. Cf. Matth. 22, 39 || bh. Cf. I Jn 4, 7.

1. Ces 2 textes sont constamment cités en ce sens par Origène.
2. Cf. *HomEx.* VI, 5 (et les références de la n. 1, *SC* 321, p. 182) ; *HomÉz.* IV, 7 (et la note complémentaire 10 : « Le nom de Dieu », *SC* 352, p. 466).

quand il est dit : « Dieu se trouve dans l'assemblée des dieux, et au milieu il juge les dieux [be] [1]. » Mais en troisième lieu, d'une manière non plus impropre mais fausse, les démons sont appelés dieux des nations [2], comme dit l'Écriture : « Tous les dieux des nations sont des démons [bf]. »

35 Ainsi donc et en premier, le nom de charité est pour Dieu, c'est pourquoi nous avons l'ordre « d'aimer Dieu de tout notre cœur, de toute notre âme et de toutes nos forces [bg] », comme celui de qui nous tenons cela même : de pouvoir aimer. En lui dès lors sans nul doute est inclus l'ordre que nous aimions la sagesse, la justice, la piété, la vérité et pareillement toutes les vertus [3]. Car c'est une seule et même chose d'aimer Dieu et d'aimer les biens. En second lieu, pour ainsi dire d'un terme impropre et dérivé de là, nous avons l'ordre aussi « d'aimer le prochain comme nous-mêmes [bg] ». Mais la troisième acception est de nommer faussement sous le titre de charité le fait de chérir l'argent, les plaisirs et tout ce qui concerne la débauche et l'erreur.

36 Dès lors, il n'importe que l'on dise que Dieu est aimé ou qu'il est chéri [4], et je ne pense pas qu'on puisse être blâmé si on donne à Dieu le nom d'Amour, comme Jean celui de « Charité ». Ainsi, je me rappelle qu'un des saints, du nom d'Ignace, a dit du Christ : « Mon Amour est crucifié [5] », et pour cela je ne le juge pas digne de blâme.

37 Il faut néanmoins savoir qu'aimer l'argent, ou ce qui dans le monde est fait d'une matière corruptible, c'est ravaler la vertu de « la charité » qui « est de Dieu [bh] » à ce qui est terrestre et à ce qui est périssable, et faire des créatures de Dieu un usage que Dieu ne veut pas ; car Dieu les a

3. Voir *infra*, I, 6, 13.
4. « Aimé » se rapporte à ἔρως ; « chéri », à ἀγάπη.
5. Voir la note complémentaire 3 : « Mon amour est crucifié ».

Deus; non enim dilectionem Deus horum, sed usum hominibus dedit.

38 Haec autem paulo latius discussimus volentes de natura caritatis et amoris apertius attentiusque distinguere, ne forte, quoniam Scriptura dicit : *Quia Deus caritas est*[bi], omne quod diligitur, etiam si corruptibile sit, *ex Deo* esse in hoc *caritas* et dilectio putaretur. Sed ostenditur res quidem Dei et munus eius esse caritas, non tamen semper ab hominibus, ad ea quae Dei sunt et quae Deus vult, opus eius adsumi.

39 Sed et hoc scire oportet quod impossibile est ut non semper humana natura aliquid amet. Omnis namque qui ad id aetatis venerit quam pubertatem vocant amat aliquid seu minus recte, cum amat quae non oportet, seu recte et utiliter, cum amat quae oportet. Verum nonnulli hunc amoris affectum, qui animae rationabili insitus est beneficio conditoris, aut ad amorem pecuniae trahunt et avaritiae studium aut erga gloriam captandam et fiunt inanis gloriae cupidi, aut erga scorta sectanda et inveniuntur impudicitiae libidinisque captivi, aut ad alia his similia virtutem tanti boni huius effundunt.

40 Sed et cum erga diversas artes amor iste ducitur quae manu ministrantur, aut per studia praesenti vitae solum necessaria, ut verbi gratia dixerim, erga artem palaestricam, vel cursus exercitia, aut etiam erga geometricam vel musicam vel arithmeticam confertur, atque ad alias huiuscemodi disciplinas, nec sic quidem videtur mihi usus eius probabiliter sumi. Si enim, quod bonum est, hoc et probabile est, bonum autem proprie non erga usus corporeos, sed in Deo primum et in virtutibus animi

bi. I Jn 4,8.

données aux hommes non pour qu'ils les aiment, mais pour qu'ils s'en servent.

38 Mais nous avons examiné cette question un peu trop longuement, voulant distinguer avec plus d'attention et de clarté la nature de la charité et celle de l'amour, afin qu'on n'aille point, parce que l'Écriture dit : « Dieu est charité [bi] », estimer que tout ce que l'on chérit, serait-ce une chose corruptible, est pour cela « charité » et tendresse « de Dieu ». Mais on démontre que la charité est le bien propre de Dieu et un don de lui, sans toutefois que son exercice soit toujours réservé par les hommes à ce qui est de Dieu et à ce que Dieu veut.

39 De plus, il faut savoir qu'il est impossible à la nature humaine de ne pas toujours aimer quelque objet. En effet, quiconque est arrivé à cet âge qu'on appelle la puberté aime quelque chose d'une façon soit peu correcte, quand il aime ce qu'il ne faut pas, soit correcte et utile, quand il aime ce qu'il faut. Mais cette disposition à l'amour, inscrite dans l'âme raisonnable par un bienfait du créateur, quelques-uns la tournent ou vers l'amour de l'argent et la passion de l'avarice, ou vers la conquête de la gloire et deviennent avides d'une vaine gloire, ou pour suivre les courtisanes et ils se trouvent captifs de l'impudicité et de la débauche, ou ils gaspillent pour d'autres choses pareilles à celles-ci la force de ce grand bien.

40 De plus, quand cet amour est dirigé vers les divers arts qui sont l'œuvre de la main de l'homme, ou parmi les études nécessaires seulement à la vie présente, que je dise, par exemple, il est orienté vers la palestre, les exercices de la course, ou même vers la géométrie, la musique, l'arithmétique, et vers les autres disciplines de cette espèce, dans ce cas non plus, me semble-t-il, son emploi ne mérite pas l'approbation. Car si ce qui est bon est aussi ce qui mérite l'approbation — ce qui est bon au sens propre est entendu non point à propos des usages corporels, mais par rapport à Dieu d'abord et aux vertus de l'âme —, il s'ensuit donc

intelligitur, consequenter ergo solus ille amor probabilis est | qui Deo et virtutibus animi coaptatur.

73

41 Et hoc ita se habere definitione ipsius Salvatoris ostenditur, ubi *interrogatus* a quodam, *quod esset mandatum maius omnium et primum in lege*[bj], respondit : *Diliges Dominum Deum tuum ex toto corde tuo et ex tota anima tua, et ex totis viribus tuis; secundum vero simile est illi : diliges proximum tuum sicut te ipsum*[bk], et adiecit : *In his duobus praeceptis omnis lex pendet et prophetae*[bl], ostendens erga haec duo iustum amorem legitimumque constare, atque *in his universam legem prophetasque pendere.*

42 Sed et quod ait : *Non adulterabis, non occides, non furtum facies, non falsum testimonium dices*[bm], et si quod est aliud *mandatum*, in hoc verbo *restauratur* in quo ait : *Diliges proximum tuum sicut te ipsum*[bn].

43 Quod hoc modo facilius explanabitur. Ponamus, verbi causa, mulierem amore viri alicuius ardentem cupientemque in consortium eius adscisci, nonne omnia ita aget et omnes motus suos ita temperabit ut scit illi placere quem diligit, ne forte, si in aliquo contra voluntatem illius egerit, consortia eius vir ille optimus refutet ac spernat? Poteritne haec mulier quae erga amorem viri illius *toto corde, tota anima, totisque viribus*[bo] fervet, aut adulterium committere quae eum noverit amare pudicitiam, aut homicidium quae eum noverit mitem, aut furtum quae ei sciat liberalitatem placere, aut concupiscet aliena quae omnes suas concupiscentias erga amorem viri illius habeat occupatas? Sic ergo in caritatis perfectione, et *omne mandatum restaurari dicitur*, et *legis virtus prophetarumque pendere*[bp].

(72)

bj. Cf. Matth. 22, 35 s. || bk. Matth. 22, 37-39 || bl. Matth. 22, 40 || bm. Matth. 19, 18 || bn. Matth. 22, 39 || bo. Lc 10, 27 || bp. Cf. Matth. 22, 40.

que seul est digne d'approbation cet amour qui s'attache à Dieu et aux vertus de l'âme.

La perfection de la charité

41 Qu'il en est ainsi, l'indication précise du Sauveur même le montre : quand on lui demanda «quel était le commandement le plus grand de tous et le premier dans la Loi[bj]» il répondit : «Tu aimeras le Seigneur ton Dieu de tout ton cœur, de toute ton âme, de toutes tes forces ; mais le second lui est semblable : tu aimeras ton prochain comme toi-même[bk].» Et il ajouta : «De ces deux commandements découlent toute la Loi et les prophètes[bl]», montrant que c'est par rapport à ces deux commandements qu'existe l'amour juste et légitime et que «d'eux découlent la Loi entière et les prophètes».

42 De plus ce qu'il déclare : «Tu ne commettras pas d'adultère, tu ne tueras pas, tu ne feras pas de vol, tu ne diras pas de faux témoignage[bm]», et tout autre commandement, se résume dans cette parole : «Tu aimeras ton prochain comme toi-même[bn].»

43 On l'expliquera plus facilement de cette manière. Prenons, par exemple, une femme qui brûle d'amour pour un homme et désire être admise à l'union avec lui. Ne fera-t-elle pas tout et ne réglera-t-elle pas tous ses mouvements de la manière qu'elle sait plaire à celui qu'elle aime, de crainte que peut-être, si elle agissait en quoi que ce soit contre sa volonté, cet excellent homme refuse et méprise sa compagnie ? Cette femme pourrait-elle, elle qui brûle pour l'amour de cet homme «de tout son cœur, de toute son âme, de toutes ses forces[bo]», ou commettre un adultère, sachant qu'il aime la pureté, ou un homicide, quand elle le sait doux, ou un vol, sachant que la générosité lui plaît, ou désirera-t-elle d'autres choses, quand elle a tous ses désirs absorbés dans l'amour de cet homme ? Ainsi donc, dans la perfection de la charité, il est dit que tout commandement est résumé, et que d'elle découle la valeur de la Loi et des prophètes[bp].

44 Propter istud caritatis vel amoris bonum, sancti nec *in tribulatione angustantur, nec aporiati exaporiantur, nec deiecti pereunt*[bq], sed *quod in praesenti est momentaneum et leve tribulationis eorum supra modum aeternum gloriae pondus operatur illis*[br]. Non enim omnibus, sed Paulo et his qui ei similes sunt, *praesens* haec *momentaria ac levis dicitur tribulatio*, *quia* perfectam *caritatem Dei* in Christo Iesu *habent per Spiritum sanctum in corde suo diffusam*[bs].

45 Sic denique et Iacob patriarcham amor Rachel per 74 *septem* continuos | *annos* in laboribus positum[bt] diurni aestus et nocturni frigoris ustionem sentire non sivit. Sic ipsum Paulum vi amoris huius incensum audio dicentem : *Caritas omnia patitur, omnia credit, omnia sperat, omnia tolerat, caritas numquam cadit*[bu]. Nihil ergo est quod non *toleret* qui perfecte diligit. Plura autem non toleramus, certum quod ob hoc quia *caritatem* quae *omnia tolerat* non habemus. Et si non ferimus aliqua patienter, idcirco quod *caritas* nobis quae *omnia patitur* deest. In luctamine quoque eo quod est nobis adversus diabolum frequenter cadimus, non dubium quin ob hoc quod non est in nobis *caritas* illa quae *numquam cadit*.

46 Hunc ergo amorem loquitur praesens scriptura, quo erga Verbum Dei anima beata uritur et inflammatur, et istud epithalamii carmen per Spiritum canit, quo ecclesia sponso caelesti Christo coniungitur ac sociatur, desiderans misceri ei per Verbum, ut concipiat ex eo, et *salvari* possit *per hanc* castam *filiorum generationem, cum permanserint in*

bq. Cf. II Cor. 4, 8-9 || br. Cf. II Cor. 4, 17 || bs. Rom. 5, 5 || bt. Cf. Gen. 29, 18 s || bu. I Cor. 13, 7-8.

---

1. La plupart du temps, Origène lit en *I Cor.* 13, 8 πίπτειν tomber : cf. *ComCant.* III, 7, 27 ; *HomLév.* XII, 2 ; XV, 3 ; *HomNombr.* IX, 4. Mais il n'ignore pas la leçon ἐκπίπτειν, *excedere*, cesser : *HomNombr.* XIV, 4 ; *SerMatth.* 114 (*GCS* 11, p. 239, 14).

44 A cause de ce bien de la charité ou de l'amour, les saints «dans l'épreuve ne sont pas angoissés, dans la détresse ne sont pas désespérés, terrassés ne périssent pas[bq]», mais «ce qui est à présent un léger fardeau momentané de leur épreuve leur prépare au-delà de toute mesure un poids éternel de gloire[br]». Ce n'est pas pour tous, mais pour Paul et ceux qui lui ressemblent que cette présente épreuve est dite passagère et légère, «car ils ont la charité de Dieu» parfaite dans le Christ Jésus, «répandue dans leur cœur par l'Esprit Saint[bs]».

45 Ainsi, par exemple, l'amour pour Rachel ne permit point que le patriarche Jacob, appliqué aux travaux sept années durant[bt], ressente la brûlure de la chaleur du jour et du froid de la nuit. Ainsi j'entends Paul lui-même, enflammé par la force de cet amour, déclarer : «La charité excuse tout, elle croit tout, elle espère tout, elle endure tout. La charité ne tombe jamais[bu].» Il n'est donc rien que n'endure celui qui aime à la perfection. Or il y a bien des choses que nous n'endurons pas, sûrement parce que nous n'avons pas la charité qui endure tout. Et si nous ne supportons pas avec patience quelques défauts, c'est bien que «la charité qui excuse tout» nous manque. Dans la lutte aussi que nous avons contre le diable, nous tombons souvent, sans nul doute parce que n'est pas en nous cette charité qui ne tombe jamais[1].

Cet amour et cette charité concernent le Père, le Fils, le Saint Esprit

46 Ainsi donc, l'Écriture présente parle de cet amour dont est enflammée et brûle pour le Verbe de Dieu l'âme bienheureuse ; et elle chante par l'Esprit cet épithalame par lequel l'Église est conjointe et associée au Christ, l'Époux céleste, désirant lui être unie par le Verbe pour concevoir de lui et pouvoir «être sauvée par cette» chaste «génération de

fide et sanctitate cum sobrietate[bv] utpote concepti ex semine quidem Verbi Dei, editi vero genitique vel ab immaculata ecclesia, vel ab anima nihil corporeum, nihil materiale requirente, sed solo Verbi Dei amore flagrante.

47 Haec interim nobis ad praesens de amore vel caritate, quae in epithalamio hoc Cantici Canticorum refertur, occurrere potuerunt. Sed sciendum est tam multa esse quae dici debeant de caritate hac, quanta et de Deo, siquidem ipse *est caritas*[bw]. Sicut enim *nemo novit Patrem nisi Filius et cui voluerit Filius revelare*[bx], ita *nemo novit* caritatem *nisi Filius*. Similiter autem etiam ipsum *Filium*, quoniam et ipse *caritas est*, *nemo scit nisi Pater*. (7:

48 Etiam secundum hoc quod *caritas* dicitur, solus autem sanctus Spiritus est qui *ex Patre procedit*, et ideo scit quae in Deo sunt, sicut *spiritus hominis scit quae in homine sunt*[by]. Hic ergo *Paracletus, Spiritus veritatis, qui de Patre procedit*[bz], circuit quaerens si quas inveniat dignas[ca] et capaces animas quibus revelet magnitudinem *caritatis* huius quae *ex Deo est*[cb]. Nunc ergo iam ipsum *Deum*
75 Patrem qui *caritas est*[cc], invocan|tes per eam quae *ex ipso est, caritatem*, etiam ad reliqua discutienda veniamus.

bv. Cf. I Tim. 2, 15 || bw. Cf. I Jn 4, 8 || bx. Matth. 11, 27 || by. Cf. I Cor. 2, 11 || bz. Jn 15, 26 || ca. Cf. Sag. 6, 16 || cb. Cf. I Jn 4, 7 || cc. Cf. I Jn 4, 8.

---

1. L'âme conçoit du Verbe (du Christ) et elle enfante le Verbe (le Christ) : grand thème spirituel origénien, de source paulinienne (cf. *Gal.* 4, 19), faisant suite à l'autre grand thème du mariage mystique. L'âme lui est unie : *HomGen.* X, 2 s. ; elle conçoit ; *HomEx.* X, 3, 26 s. (et la n. 2, *SC* 321, p. 314) ; XIII, 3, 15 et 66 ; ... et elle enfante : *HomNombr.* XX, 2 (et les notes *ad loc.*, *SC* 29, p. 395 s.). Cf. Crouzel, « Le thème du mariage mystique chez Origène ». — L'idée que l'âme

fils[1], quand ils auront persévéré dans la foi et la sainteté avec sobriété[bv] », eux qui ont bien été conçus de la semence du Verbe de Dieu, mais enfantés et mis au monde soit par l'Église immaculée, soit par l'âme qui ne recherche rien de corporel, rien de matériel, mais brûle du seul amour du Verbe de Dieu.

47 Voilà pour l'instant ce qui a pu se présenter momentanément à nous sur l'amour ou la charité, qui est le thème de cet épithalame du Cantique des cantiques. Mais il faut savoir qu'on doit en dire autant de cette charité que de Dieu aussi, puisque lui-même « est Charité[bw] ». Comme en effet « personne ne connaît le Père sinon le Fils, et celui à qui le Fils voudra le révéler[bx] », ainsi « personne ne connaît » la Charité « sinon le Fils ». Mais de même encore « le Fils » lui-même, parce que lui aussi « est Charité », « personne ne le connaît sinon le Père ».

48 En outre, comme il est dit « Charité », c'est le Saint Esprit seul qui « procède du Père » et pour cela sait ce qu'il y a en Dieu, comme « l'esprit de l'homme sait ce qu'il y a dans l'homme[by] ». Dès lors ce « Paraclet, Esprit de vérité qui procède du Père[bz] », rôde, cherchant s'il trouvera des âmes dignes[ca] et capables, à qui révéler la grandeur de cette « Charité qui est de Dieu[cb] ». Maintenant donc, invoquant « Dieu » le Père lui-même qui « est Charité[cc] », par cette « Charité » qui « est de lui », venons-en à expliquer la suite.

conçoit de Dieu et enfante vertus et bonnes œuvres se trouve chez Platon, Philon, Clément, puis, tout au long de l'histoire de la spiritualité : cf. P. Miquel, « La naissance de Dieu dans l'âme », dans *RevSR* 35 (1961), p. 378-406.

Chapitre 3

Parmi les livres de Salomon

1-7 : Ordre des trois livres de Salomon et des trois disciplines des Grecs qui s'en inspirent ; 8-13 : les Proverbes ; 14-15 : l'Ecclésiaste ; 16 : le Cantique ; 17-21 : les trois patriarches ; 21-23 : il faut procéder par étapes.

3

1 Et temptemus primum de eo requirere quid illud sit, quod cum tria volumina ecclesiae Dei a Solomone scripta susceperint, primus ex ipsis Proverbiorum liber positus sit, secundus is qui Ecclesiastes appellatur, tertio vero in loco Cantici Canticorum volumen habeatur. Quae ergo nobis occurrere possunt in hoc loco, ista sunt. Generales disciplinae quibus ad rerum scientiam pervenitur tres sunt, quas Graeci ethicam, physicam, epopticen appellarunt; has nos dicere possumus moralem, naturalem, inspectivam. Nonnulli sane apud Graecos etiam logicen, quam nos rationalem possumus dicere, quarto in numero posuere.

2 Alii non extrinsecus eam, sed per has tres, quas supra memoravimus, disciplinas innexam consertamque per omne corpus esse dixerunt. Est enim logice haec vel, ut nos

1. Voir la note complémentaire 4 : «L'époptique». — Des leçons des mss, *enopticen* (*tD*, Baehrens), *theoricen* (*Cb*, Delarue), *epopticen* (*A*), cette dernière semble la meilleure ; elle fut préférée par J. Kirchmeyer, dans une communication au congrès patristique d'Oxford 1967 (*Studia Patristica* X). La «division de la philosophie en éthique, physique, époptique, avait commencé à s'esquisser au premier siècle de notre ère chez Plutarque et ensuite Théon de Smyrne. On la voit se préciser ensuite chez Clément d'Alexandrie et apparaître clairement développée chez Origène», I. Hadot, «Les introductions aux commentaires exégétiques chez les auteurs néoplatoniciens et les auteurs chrétiens», dans *Les règles de l'interprétation* (éd. M. Tardieu), Paris 1987, p. 117. — «Les parallèles avec Plutarque, Théon, Clément d'Alexandrie sont suffisamment clairs et évidents pour obliger à corriger dans ce texte d'Origène *enopticen* en *epopticen*», P. Hadot, «Théologie, exégèse, révélation, écriture dans la philosophie grecque», *ibid.*, p. 17, n. 14. Il y aurait donc lieu de rectifier dans Origène, *Traité des principes*, *SC* 252, p. 21, le texte de l'introduction comme suit : «La

3

Les trois disciplines des Grecs

1 Essayons d'abord de chercher pour quelle raison, alors que les Églises de Dieu ont reçu trois livres écrits par Salomon, le livre des Proverbes est placé le premier d'entre eux, le deuxième est celui qu'on appelle l'Ecclésiaste, et le livre du Cantique des cantiques est à la troisième place. Or ce qui peut nous venir à l'esprit en la matière, le voici. Il y a trois disciplines générales par lesquelles on parvient à la science des choses. Les Grecs les ont appelées éthique, physique, époptique[1] ; nous pouvons les dire, nous, morale, naturelle, inspective. Parmi les Grecs, quelques-uns ont en outre mis au quatrième rang la logique, que nous pouvons dire, nous, la discipline rationnelle[2].

2 D'autres ont dit qu'elle n'est pas à l'extérieur, mais entrelacée aux trois autres disciplines que nous avons rappelées plus haut, et incorporée à tout l'ensemble. En effet,

première série de traités, d'ordre plus philosophique et spéculatif, expose ce qui correspond chez Origène à ' l'époptique ' et à ' la physique ' (puisqu'il s'agit de Dieu, des natures raisonnables et du monde) des Grecs, ' époptique ' et ' physique ' qui se retrouvent dans le plan de ' la divine philosophie ' du *Commentaire sur le Cantique*», P. Hadot, *ibid.* ; et déjà, ajouterons-nous, dans Crouzel, *Philosophie*, de corriger «énoptique» en «époptique», p. 23 s. (du reste lecture proposée à la n. 26).

2. Ailleurs, la logique est la première partie de la philosophie grecque, l'époptique n'est pas nommée, *HomGen*. XIV, 3, 39 s. ; cf. Crouzel, *Philosophie*, p. 22 s. — « Ici encore Origène se fait l'écho des discussions scolaires propres aux écoles aristotéliciennes et platoniciennes sur la place de la logique dans la division des parties de la philosophie», I. Hadot, *loc. cit.*, p. 117.

dicimus, rationalis, quae verborum dictorumque videtur continere rationes proprietatesque et improprietates, generaque et species, et figuras singulorum quorumque edocere dictorum, quam utique disciplinam non tam separari quam inseri ceteris convenit et intexi.

3 Moralis autem dicitur, per quam mos vivendi honestus aptatur, et instituta ad virtutem tendentia praeparantur. Naturalis dicitur, ubi uniuscuiusque rei natura discutitur, quo nihil contra naturam geratur in vita, sed unumquodque his usibus deputetur, in quos a creatore productum est. Inspectiva dicitur, qua supergressi visibilia de divinis aliquid et caelestibus contemplamur, eaque mente sola intuemur, quoniam corporeum supergrediuntur adspectum.

4 Haec ergo, ut mihi videtur, sapientes quique Graecorum sumpta a Solomone, utpote qui aetate et tempore longe ante ipsos prior ea per Dei Spiritum didicisset, tamquam propria inventa protulerunt, et institutionum suarum voluminibus comprehensa posteris quoque tradenda reliquere. Sed haec, ut diximus, Solomon ante omnes invenit, et docuit per sapientiam quam accepit a Deo, sicut scriptum est : *Et dedit Deus* | *prudentiam Solomoni et sapientiam multam valde et latitudinem cordis sicut arenam quae est ad oram maris. Et multiplicata est in eo sapientia super omnes antiquos filios hominum et super omnes sapientes Aegypti*[a].

76

a. III Rois 4,29-30.

1. Sur la manière dont Origène enseignait soit les sciences de la nature, soit la morale, cf. Grégoire le Thaumaturge, *RemOr.* VIII-XII (109-149).

2. Peut-être en écho de l'Évangile où le terme désigne le mauvais pasteur (*Jn* 10,10), les Grecs furent accusés d'être des « voleurs de la philosophie barbare », par Clément d'Alexandrie, *Strom.* II, 1,1. Et

cette discipline logique, ou comme nous disons, nous, rationnelle, est celle qui semble concerner les définitions des paroles et des mots, leurs emplois propres et impropres, les genres et les espèces, et enseigner les figures de chaque sorte de sentences : discipline à qui il convient certes moins d'être séparée que d'être intégrée aux autres et à leur texture.

3 Est dite morale celle grâce à laquelle on organise une manière de vivre honnête et on prépare des habitudes inclinant à la vertu. Est dite naturelle celle où l'on examine la nature de chaque chose, afin que dans la vie rien ne soit fait contre la nature, mais que chaque chose soit réservée à ces usages pour lesquels elle fut produite par le Créateur[1]. Est dite inspective celle par laquelle, dépassant les choses visibles, nous contemplons les réalités divines et célestes et les considérons par l'intelligence seule, puisqu'elles dépassent la portée du regard corporel.

Emprunts à Salomon

4 Voilà donc, à mon avis, ce que tous les sages des Grecs ont emprunté à Salomon[2], attendu que lui, bien avant eux par l'âge et le temps, l'avait appris le premier de l'Esprit de Dieu. Ils l'ont présenté comme leur propre trouvaille, et l'ont laissé inséré dans les livres sur leurs enseignements pour être aussi légué à la postérité. Mais cela, comme nous avons dit, Salomon l'a trouvé avant tous, et il l'a enseigné grâce à la sagesse qu'il a reçue de Dieu, comme il est écrit : « Et Dieu a donné à Salomon une prudence et une sagesse très grandes, et une largeur de cœur vaste comme le sable qui est sur le rivage de la mer. Et la sagesse s'est multipliée en lui, surpassant tous les anciens fils des hommes, surpassant tous les sages de l'Égypte[a]. »

cette conviction dura des siècles. Sur le thème du « larcin des Grecs », voir Daniélou, *Message évangélique*, p. 46-72. Cf. la note complémentaire 5 : « Les Grecs ' voleurs de la philosophie barbare ' ».

5 Solomon ergo tres istas quas supra diximus generales esse disciplinas, id est moralem, naturalem, inspectivam, distinguere ab invicem ac secernere volens, tribus eas libellis edidit suo quoque ordine singulis consequenter aptatis.

6 Primo ergo in Proverbiis moralem docuit locum succinctis, ut decuit, brevibusque sententiis vitae instituta componens. Secundum vero, qui naturalis appellatur, comprehendit in Ecclesiaste, in quo multa de rebus naturalibus disserens, et inania ac vana ab utilibus necessariisque secernens, relinquendum vanitatem monet et utilia rectaque sectanda.

7 Inspectivum quoque locum in hoc libello tradidit qui habetur in manibus, id est in Cantico Canticorum, in quo amorem caelestium divinorumque desiderium incutit animae sub specie sponsae ac sponsi, caritatis et amoris viis perveniendum docens ad consortium Dei.

8 Haec vero eum verae philosophiae fundamenta ponentem, et ordinem disciplinarum institutionumque condentem, quod non latuerit, neque ab eo abiectus sit etiam rationalis locus, evidenter ostendit in principio statim Proverbiorum suorum, primo omnium per hoc ipsum quod Proverbia attitulavit libellum suum, quod utique nomen significat aliud quidem palam dici, aliud vero intrinsecus indicari. Hoc enim et communis usus proverbiorum docet, et Iohannes in Evangelio Salvatorem ita scribit dicentem : *Haec in proverbiis locutus sum vobis; veniet hora, cum iam non in proverbiis loquar vobis, sed manifeste de Patre adnuntiem vobis*[b]. Haec interim in ipsa tituli inscriptione.

b. Jn 16,25.

---

1. Voir la note complémentaire 6 : «La vraie philosophie».

2. La logique origénienne est donc en partie la science ou la méthode de l'interprétation allégorique.

Les trois livres de Salomon

5 Donc Salomon, voulant séparer les unes des autres et distinguer ces trois disciplines que nous venons de dire générales : morale, naturelle, inspective, en fit le sujet de trois petits livres disposés successivement chacun dans son ordre.

6 D'abord, dans les Proverbes, il enseigna la morale, proposant par des sentences courtes et concises, comme il se doit, des règles de vie. Mais il enferma la seconde, qu'on appelle naturelle, dans l'Ecclésiaste ; là, traitant de nombreux sujets concernant les choses de la nature, distinguant ce qui est inutile et vain de ce qui est utile et nécessaire, il exhorte à laisser la vanité et à rechercher ce qui est utile et honnête.

7 Il a aussi enseigné l'inspective dans ce petit livre qui est entre nos mains, à savoir le Cantique des cantiques ; là, il inspire à l'âme l'amour des réalités célestes et le désir des biens divins, sous la figure de l'Épouse et de l'Époux, enseignant à parvenir par les voies de la charité et de l'amour à la communion avec Dieu.

Les Proverbes

8 Mais en posant ces fondements de la vraie philosophie [1], et en établissant l'ordre des disciplines et des enseignements, qu'il n'ait point omis ni rejeté la doctrine rationnelle, Salomon à l'évidence le manifeste d'emblée au début de ses Proverbes : avant tout par ce fait même qu'il a intitulé son petit livre Proverbes, nom qui signifie à coup sûr qu'une chose est dite à découvert, mais une autre signifiée à l'intérieur [2]. C'est ce qu'enseigne l'emploi ordinaire des proverbes, et Jean dans l'Évangile écrit que le Sauveur déclare : « Je vous ai dit cela en proverbes ; l'heure vient où je ne vous parlerai plus en proverbes, mais vous entretiendrai ouvertement du Père [b]. » Voilà pour l'instant sur l'inscription même du titre.

9 In sequenti vero statim subiungit discretiones verborum, et distinguit *scientiam* a *sapientia*, et a *scientia disciplinam*, et *intellectum verborum* aliud ponit, et prudentiam dicit in eo esse ut excipere possit quis *versutiam verborum*. Distinguit etiam *iustitiam veram* a *directione iudicii*, sed et *astutiam* quandam nominat his quos imbuit necessariam, illam, credo, per quam sophismatum intelligi ac declinari possit argutia. Et ideo dicit *innocentibus* per sapientiam dari *astutiam*, sine dubio ne in Verbo Dei
77 decipiantur fraude sophi|stica[c]

10 Sed et in hoc videtur mihi rationalis disciplinae meminisse, per quam doctrina verborum dictorumque significantiae discernuntur, et uniuscuiusque sermonis proprietas certa cum ratione distinguitur. In qua praecipue erudiri convenit pueros ; hoc enim hortatur, cum dicit : *Ut det puero iuniori sensum et cogitationem*[d]. Et quia, qui in his eruditur, necessario rationabiliter per ea quae didicit semet ipsum gubernat, et vitam suam moderatius librat, propterera dicit : *Intelligens autem gubernationem acquiret*[e].

11 Post haec vero cognoscens in verbis divinis, quibus per prophetas humano generi traditus est ordo vivendi, diversos esse eloquii tropos et varias dicendi species, ac sciens haberi in iis aliquam figuram quae *parabola* appelletur, et aliam quae *obscura dictio* dicatur, aliasque quae *aenigmata* nominentur, et alias quae *dicta sapientium* dicantur, scribit : *Intelliges quoque parabolam et obscurum sermonem dictaque sapientium et aenigmata*[f]. Per haec ergo

c. Cf. Prov. 1, 1 s. || d. Prov. 1,4 || e. Prov. 1,5 || f. Prov. 1,6.

1. Au début du programme académique d'Origène se trouve un entraînement critique et dialectique *more socratico*, d'après Grégoire le Thaumaturge, *RemOr.* VII, 95-103. Et la suite montre l'importance de la philologie pour l'exégèse.

2. Dans la Septante : αἴσθησίν τε καὶ ἔννοιαν ; opposition du symbole à la réalité, de la lettre à l'esprit.

9 Mais dans la suite Salomon ajoute aussitôt des distinctions de mots ; il fait le départ entre «science et sagesse», «instruction et science», il expose «le sens des mots» comme une chose différente, et dit que la prudence consiste en ceci : que l'on puisse saisir «l'artifice des mots». Il distingue encore «la vraie justice» de «la droiture du jugement» ; de plus, il mentionne une certaine «finesse» nécessaire à ceux qu'il forme, celle, je crois, grâce à laquelle on peut comprendre et éviter les arguties des sophismes. Et c'est pourquoi il dit que «la finesse» est donnée «aux innocents» par la Sagesse, sans doute afin que dans la Parole de Dieu ils ne soient point abusés par la fourberie sophistique[c 1].

10 De plus, en ce point, il me semble avoir à l'esprit la discipline rationnelle, grâce à laquelle on discerne ce qu'enseignent les mots et ce que signifient les sentences et on distingue le sens propre de chaque expression avec une explication sûre. Il convient particulièrement d'en instruire les enfants ; c'est bien à quoi il exhorte quand il dit : «Pour donner au jeune enfant le sens et la pensée[d 2].» Et comme celui qui est instruit en ces matières se gouverne forcément lui même d'une façon raisonnable grâce à ce qu'il a appris, et qu'il tient sa vie dans un équilibre plus harmonieux, il ajoute : «Mais l'intelligent acquerra l'art de se diriger[e].»

11 Ensuite, connaissant que dans les paroles divines, par lesquelles grâce aux prophètes une règle de vie fut transmise au genre humain, il y a des manières de parler diverses et des formes variées d'expression, et sachant qu'il y a parmi elles une figure appelée «parabole», une autre dite «discours obscur», d'autres nommées «énigmes», d'autres appelées «dits des sages», il écrit : «Tu comprendras aussi la parabole et le discours obscur, les dits des sages et les énigmes[f].» Donc, par chacun de ces termes, il

singula rationalem locum manifeste et evidenter exponit, ac more veterum succinctis brevibusque sententiis ingentes et perfectos explicat sensus.

12 Quae, si quis est qui *in lege Domini meditetur die ac nocte*[g] et si quis est sicut os *iusti* quod *meditatur sapientiam*[h], investigare diligentius poterit et invenire, si tamen recte quaesierit, et quaerens pulsaverit *ostium sapientiae*, petens a *Deo* ut *aperiatur* ei[i] et mereatur accipere per Spiritum sanctum verbum sapientiae et verbum scientiae[j] fierique particeps illius Sapientiae quae dicebat : *Extendebam enim verba mea et non audiebatis*[k].

13 Et merito extendere se dicit verba in eius corde cui dederat Deus, sicut supra diximus, *latitudinem cordis*. Dilatatur namque illius cor qui potest ea quae breviter in mysteriis dicta sunt, latiore doctrina sumptis ex voluminibus divinis assertionibus explanare.

14 Oportet igitur, secundum hanc eandem sapientissimi Solomonis doctrinam, eum qui sapientiam scire desiderat incipere ab eruditione morali, et intelligere illud quod scriptum est : *Concupisti sapientiam, custodi mandata, et Dominus dabit eam tibi*[l]. Ob hoc ergo magister hic qui primus homines divinam philosophiam docet, operis sui exordium Proverbiorum posuit libellum in quo, ut diximus, | moralis traditur locus, ut, cum intellectu quis

78

g. Ps. 1,2 || h. Cf. Ps. 36,30 || i. Cf. Col. 4,3 || j. Cf. I Cor. 12,8 || k. Prov. 1,24 || l. Sir. 1,26.

1. Cf. *supra*, § 4.
2. Cf. *infra*, II, 8, 38.41.
3. On trouve à plusieurs reprises une idée analogue dans les *Homélies sur les Psaumes* de Basile. Mais les différences sont importantes et dépeignent les deux hommes. Chez Origène, le maître de l'intelligence spirituelle de l'Écriture, l'habileté dans l'exégèse est la preuve d'un cœur dilaté. Chez BASILE, le maître de la contemplation insérée dans le concret de la vie, le regard admiratif sur la création, mais aussi le

expose d'une manière claire et évidente la science rationnelle et, à la manière des anciens, par des sentences concises et brèves, il expose des pensées vastes et parfaites.

12 Or cela, s'il est quelqu'un qui «médite jour et nuit sur la Loi du Seigneur[g]», si quelqu'un est «comme la bouche du juste» parce qu'il «médite la sagesse[h]», il pourra le rechercher plus attentivement et le découvrir, si toutefois il cherche avec droiture, et en cherchant frappe à la porte de la Sagesse demandant à Dieu de lui ouvrir[i], et de le rendre digne de recevoir par l'Esprit Saint une parole de sagesse et une parole de science[j], et de devenir participant à cette Sagesse qui disait : «Je déployais mes paroles et vous n'entendiez pas[k].»

13 Et c'est à juste titre qu'elle dit avoir déployé ses paroles dans le cœur de celui à qui Dieu avait donné, comme nous l'avons dit plus haut[1], «la largeur du cœur[2]». Il est dilaté en effet le cœur de celui qui peut commenter par une vaste doctrine, grâce aux démonstrations tirées des livres divins, ce qui est dit brièvement dans des sens mystérieux[3].

L'Ecclésiaste

14 Il faut donc, selon cette même doctrine du très sage Salomon, que celui qui désire connaître la Sagesse commence par l'instruction morale et comprenne ce qui est écrit : «Tu as désiré la Sagesse : garde les commandements et le Seigneur te la donnera[l].» C'est pour cette raison que ce maître qui le premier enseigne aux hommes la divine philosophie a placé en tête de son œuvre le petit livre des Proverbes dans lequel, comme nous avons dit, est présentée la morale : de

support des épreuves sont la marque d'un «intelligence spacieuse», *HomPs.* 33, 3 ; même idée dans *HomPs.* 28, 4. Auparavant, Basile affirmait qu'apporte «gloire à Dieu celui qui fait briller ses bonnes actions devant les hommes», mais aussi, comme dit Origène, «celui qui parle avec ordre et goût des choses de Dieu», *HomPs.* 28, 2.

moribusque profecerit, veniat etiam ad naturalis intelligentiae disciplinam, atque ibi rerum causas naturasque distinguens agnoscat *vanitatem vanitatum*[m] reliquendam, ad aeterna autem et perpetua properandum.

15 Et ideo post Proverbia ad Ecclesiasten venitur, qui docet, ut diximus, visibilia omnia et corporea caduca esse ac fragilia, quae utique cum ita esse deprehenderit is qui sapientiae studet, sine dubio contemnet ea ac despiciet, et universo, ut ita dicam, saeculo renuntians tendet ad invisibilia et aeterna, quae spiritalibus quidem sensibus, sed adopertis amorum quibusdam figuris docentur in Cantico Canticorum.

16 Ideo enim novissimum locum tenet hic liber, ut tunc ad eum veniatur, cum et moribus quis fuerit defaecatus, et rerum corruptibilium atque incorruptibilium scientiam distinctionemque didicerit, quo in nullo possit ex his figuris, quibus sponsae ad sponsum caelestem, id est animae perfectae amor ad Verbum Dei, describitur ac formatur, offendi. Praemissis namque his quibus purificatur anima per actus et mores, et in rerum discretionem naturalium perducitur, competenter ad dogmatica venitur et ad mystica atque ad divinitatis contemplationem sincero et spiritali amore conscenditur.

17 Hanc ergo triplicem divinae philosophiae formam etiam in illis sanctis ac beatis viris arbitror praesignatam,

m. Cf. Eccl. 1, 2.

1. La physique origénienne n'enseigne pas seulement le mépris des biens terrestres. Elle préconise leur utilisation selon la volonté de Dieu : cf. *supra*, Prol. 3, 3. Elle voit dans les êtres sensibles des images des mystères divins, cf. *infra*, III, 13, 10 : « Et peut-être Dieu, comme 'il a fait l'homme à son image et ressemblance', a-t-il aussi créé toutes les autres créatures à la ressemblance de certaines autres

sorte que, lorsqu'une personne a progressé dans l'intelligence et les mœurs, elle en vient encore à la discipline de la connaissance naturelle et là, distinguant les causes et les natures des choses, elle reconnaît qu'il faut laisser «la vanité des vanités[m]», et se hâter au contraire vers les biens durables et éternels.

15 Et c'est pourquoi, après les Proverbes on en vient à l'Ecclésiaste qui enseigne, comme nous avons dit, que tout ce qui est corporel et visible est fragile et périssable; et certes, après avoir saisi qu'il en est ainsi, celui qui s'applique à la sagesse sans nul doute le méprise et le dédaigne[1]; et renonçant pour ainsi dire au siècle tout entier, il tendra vers les biens éternels et invisibles qui sont enseignés par des sens spirituels, mais voilés sous certaines figures des amours, dans le Cantique des cantiques.

Le Cantique

16 Ce livre en effet tient la dernière place pour qu'on vienne à lui, alors qu'on s'est déjà purifié dans ses mœurs et qu'on a appris la science et la distinction des choses corruptibles et des réalités incorruptibles : afin de ne pouvoir être en rien choqué de ces figures par lesquelles est décrit et dépeint l'amour de l'Épouse pour l'Époux céleste, c'est-à-dire de l'âme parfaite pour le Verbe de Dieu. Car une fois dépassé ce par quoi l'âme est purifiée grâce à ses actes et ses mœurs, et conduite au discernement des choses naturelles, on en vient avec compétence aux réalités doctrinales et mystiques, et par un amour authentique et spirituel on s'élève à la contemplation de la divinité.

Les trois patriarches

17 Alors je pense que ce triple aspect de la divine philosophie a aussi été préfiguré par ces hommes saints et bienheureux dont, à

images célestes.» Ce monde a une valeur positive, mais en tant qu'il reflète le monde céleste et qu'il a pour but d'y conduire. Le prendre pour but, c'est le péché.

pro quorum sanctissimis institutionibus Deus summus dici voluit *Deus Abraham, Deus Isaac et Deus Iacob*[n].

18 Abraham namque moralem declarat philosophiam per oboedientiam ; tanta enim fuit eius oboedientia et tanta observatio mandatorum, ut, cum audiret : *Exi de terra tua et de cognatione tua et de domo patris tui*[o], non sit cunctatus, sed statim fecerit. Immo et horum amplius aliquid fecit : audiens ut immolaret filium suum, nec inde quidem dubitat, sed obtemperat praecepto[p] et ad exemplum oboedientiae, quae est moralis philosophia, posteris dandum, *nec filio suo unico pepercit*[q].

19 Isaac quoque naturalem philosophiam tenet, cum puteos fodit et rerum profunda rimatur[r]. Sed et Iacob inspectivum obtinet locum, quippe qui et Istrahel ob
79 divinorum contemplationem nomi|natus sit[s], et qui *castra caeli* viderit[t] et *domum Dei*[u] atque *angelorum* vias, *scalas* a terris *in caelum* porrectas prospexerit[v].

20 Unde et merito invenimus tres istos beatos viros altaria fixisse Deo[w], hoc est philosophiae suae consecrasse profectus, quo scilicet edocerent non haec ad artes humanas, sed ad Dei gratiam referenda. Sed et *in tabernaculis degunt*[x], ut per haec ostendant neque in terris habendum esse aliquid proprium huic qui divinae philoso-

n. Cf. Ex. 3, 6 || o. Gen. 12, 1 || p. Cf. Gen. 22, 1 s. || q. Cf. Gen. 22, 16 || r. Cf. Gen. 26, 15 s. || s. Cf. Gen. 32, 29 || t. Cf. Gen. 32, 3 || u. Cf. Gen. 28, 17 || v. Cf. Gen. 28, 12 || w. Cf. Gen. 12, 7-8 ; 22, 9 ; 26, 25 ; 33, 20 ; 35, 7 || x. Cf. Hébr. 11, 9.

---

1. Voir la belle homélie VIII sur la Genèse, où le prédicateur expose à la fois les trois sens : littéral, moral, spirituel. Abraham sacrifiant son fils, c'est Dieu le Père sacrifiant le sien. Finalement, ce n'est pas Isaac qui a été sacrifié, mais le bélier : ce n'est pas le Verbe de Dieu qui a subi la passion, mais l'humanité qu'il a assumée.

2. Sur Isaac foreur de puits, voir *HomGen*. XIII et XIV, 2. Pour

cause de leurs très saints enseignements, le Dieu suprême voulut porter le nom : «Dieu d'Abraham, Dieu d'Isaac, Dieu de Jacob[n]».

18 Abraham en effet illustre la philosophie morale par son obéissance ; car si grande fut son obéissance et si grande son observation des commandements que, lorsqu'il entendit : «Sors de ta terre, de ta parenté, de la maison de ton père[o]», il ne tarda point mais le fit aussitôt. Bien mieux, il fit encore quelque chose de plus que cela : apprenant qu'il devait immoler son fils, il n'hésite même pas, mais obéit à l'ordre[p], et pour donner à la postérité l'exemple de l'obéissance, qui est la philosophie morale[1], «il n'a pas épargné son fils unique[q]».

19 Isaac, d'autre part, occupe le rang de la philosophie naturelle, quand il creuse des puits[2] et sonde les profondeurs des choses[r]. En outre, Jacob tient la place de l'inspective, lui qui fut nommé encore Israël[s] pour sa contemplation des réalités divines[3], et qui a vu «le camp» du ciel[t] et «la maison de Dieu[u]», et aperçu les voies des anges, des «échelles» dressées de la terre au ciel[v].

20 Aussi trouvons-nous que c'est encore avec raison que ces trois hommes bienheureux bâtirent des autels à Dieu[w], c'est-à-dire lui consacrèrent les progrès de leur philosophie, afin d'enseigner évidemment par là qu'il faut les rapporter non point aux arts humains mais à la grâce de Dieu. De plus, «ils vivent sous des tentes[x]»; pour montrer par là que rien sur la terre ne doit être en propre à qui s'adonne à la divine philosophie et qu'il faut sans cesse aller de

AMBROISE, qui reprend le thème des puits forés par Isaac, les trois livres de Salomon sont trois puits, *Isaac* 4, 22 s.

3. «Israël est le nom de la perfection, car ce nom signifie la vision de Dieu», PHILON, *Ebr*. 82. «Israël, c'est-à-dire celui qui voit en esprit la vraie vie qui est le Christ, vrai Dieu», *HomGen*. XV, 3.

phiae studet, et semper promovendum, non tam de loco ad locum quam de scientia inferiorum ad scientiam perfectorum.

21 Sed et alia multa in scripturis divinis invenies, quae ordinem hunc quem in libellis Solomonis contineri diximus, secundum hanc eandem formam designant, sed ea nunc nobis prosequi aliud in manu habentibus longum est.

22 Si qui ergo primum locum in emendandis moribus mandatisque servandis, qui per Proverbia designatur, implevit, post haec autem etiam deprehensa vanitate mundi et rerum caducarum fragilitate perspecta, venit in hoc ut renuntiet mundo et omnibus quae in mundo sunt, consequenter veniet etiam ad contemplanda et desideranda ea *quae non videntur et aeterna sunt*[y].

23 Ad quae tamen ut pervenire possimus, indigemus divina misericordia, si forte valeamus, perspecta pulchritudine Verbi Dei, salutari in eum amore succendi, ut et ipse dignetur huiusmodi animam diligere quam desiderium sui (77) habere perspexerit.

y. Cf. II Cor. 4, 18.

l'avant, moins de lieu en lieu que de la science des choses inférieures à la science des réalités parfaites[1].

Plusieurs étapes

21 De plus, on trouvera dans les divines Écritures bien d'autres passages qui désignent d'après cette même forme, cet ordre que nous avons dit contenu dans les petits livres de Salomon ; mais ici, pour nous qui avons autre chose entre les mains, il serait long d'en poursuivre l'examen.

22 Dès lors si, amendant ses mœurs et gardant les commandements, on a parcouru la première étape désignée par les Proverbes, et puis encore, une fois saisie la vanité du monde et reconnue la fragilité des choses périssables, on est venu au point de renoncer au monde et à tout ce qui est dans le monde, logiquement on en viendra aussi à contempler et à désirer ces biens «qui ne se voient pas et sont éternels[y]».

23 Toutefois, pour que nous puissions y parvenir, nous avons besoin de la divine miséricorde : afin que, si jamais nous étions capables, une fois perçue la beauté du Verbe de Dieu, d'être enflammés pour lui d'un amour salutaire, il daigne aussi lui-même aimer une âme de cette qualité, ayant reconnu le désir qu'elle a de lui.

1. Voir la note complémentaire 7 : «Les tentes».

Chapitre 4
Le titre de ce Cantique

Cant. 1,1 :
Cantique des cantiques, qui est de Salomon lui-même

1-2 : *Cantique des cantiques* : tournure semblable à d'autres ; 3-4 : le Cantique et les cantiques ; 5-12 : l'échelle des cantiques ; 13-14 : autres cantiques ; 15-16 : *qui est de Salomon lui-même* : titre plus concis que pour les autres, pourquoi ? 17-20 : le type du Christ est Salomon le Pacifique ; 21-22 : le titre unique convient quand il s'agit de réalités non charnelles ; 23-24 : plus grandes que Jérusalem ; 25-26 : plus grandes qu'Israël ; 27-28 : titre approprié ; non pas Cantique, mais «Cantique des cantiques, qui est de Salomon lui-même».

4

1 Post haec exigit nos consequentia sermonis dicere etiam de superscriptione ipsa Cantici Canticorum. Simile enim est hoc illis quae in tabernaculo testimonii appellantur *sancta sanctorum*[a], et illis quae in Numerorum libro memorantur *opera operum*[b] quaeque apud Paulum dicuntur *saecula saeculorum*[c].

2 Sed quo differant a sanctis *sancta sanctorum* in Exodo, 80 et quo differant opera | ab *operibus operum* in Numerorum libro, tractatibus, prout potuimus, dictum a nobis est. Sed et *saecula saeculorum* in locis quibus occurrit non omisimus et, ne eadem repetamus, illa sufficiant.

3 Nunc autem requiramus primo quae sint cantica quorum *canticorum* hoc esse *canticum* dicitur. Puto ergo

a. Cf. Ex. 30,29 || b. Cf. Nombr. 4,47 || c. Cf. Rom. 16,27 ; etc.

---

1. Cf. *HomEx.* IX, 4, 114-117 ; *HomNombr.* V, 2. — Or, cette mention expresse des Homélies *(tractatibus)* sur l'Exode et sur les Nombres fait problème. Car EUSÈBE désigne pour la rédaction du Commentaire (*H.E.* VI, 32, 2) une date antérieure au moment où Origène permit la sténographie de ses homélies (*H.E.* VI, 36, 1). Ou l'indication viendrait-elle de Rufin qui traduisit les *HomEx.* en 403-404, puis les *HomNombr.* et le Commentaire en 410 ? A moins qu'il ne faille douter de l'information d'Eusèbe ? — Ajoutons : c'est en tout cas, on ne l'ignore pas, ce que fait systématiquement P. Nautin (cf. éd. de *HomÉz.*, *SC* 352, p. 445-448, ma note complém. 1 : « Autres points de repère »). Sans doute, la question reste encore ouverte. De toute façon, elle ne peut être traitée ici. Mais c'est un devoir de mettre en évidence une caractéristique du Commentaire sans égale dans la production d'Origène, qu'une seule œuvre contienne autant de références à d'autres œuvres d'un même genre et d'une même époque antérieure ; voir ma note complémentaire 8 : « Références ». (M. B.)

4

A. Cantique des cantiques

Des expressions semblables

1 Cela dit, la suite du propos exige que nous parlions encore du titre même de Cantique des cantiques. L'expression ressemble à d'autres : ce que, dans la tente du témoignage, on appelle «Saint des saints[a]»; ce que, au livre des Nombres, on nomme «les œuvres des œuvres[b]»; et chez Paul, ce qui est dit «les siècles des siècles[c]».

2 Mais en quoi, dans l'Exode, «le Saint des saints» diffère du «Saint», et en quoi les «œuvres» diffèrent des «œuvres des œuvres» dans le livre des Nombres, nous l'avons dit de notre mieux dans nos homélies[1]. De plus, nous n'avons pas omis de parler «des siècles des siècles» dans les passages où il en est question[2] : que cela suffise, pour éviter les répétitions.

Le Cantique et les cantiques

3 Maintenant, cherchons d'abord quels sont les cantiques dont celui-ci est dit Cantique des cantiques[3]. Ce sont, à mon avis, ces cantiques qui étaient chantés jadis

2. Cf. *ComRom.* X, 43 (*PG* 14, col. 1292 B), à propos de *Rom.* 16, 27.

3. Le titre «Cantique des cantiques» est mis en parallèle avec «Saint des saints» (*Ex.* 26, 34), et «Sabbat des sabbats» (*Lév.* 16, 31) dans *HomCant.* I, 1. Ce sont des hébraïsmes «exprimant l'idée de superlatif», Joüon, p. 125. Le sens est : cantique par excellence. Plus loin dans le Commentaire (III, 12, 11), sur l'expression attestée «Roi des rois» (*I Tim.* 6, 15), d'autres sont calquées : «Pontife des pontifes» et «Mont des monts», pour mettre en valeur l'excellence du Christ. (M. B.)

quod cantica sint illa quae dudum per prophetas vel per angelos canebantur. *Lex* enim dicitur *per angelos ministrata in manu mediatoris*[d]. Illa ergo omnia quae per illos adnuntiabantur cantica erant per amicos sponsi praecedentia; istud vero unum canticum est, quod ipsi iam sponso sponsam suam suscepturo epithalamii specie erat canendum, in quo sponsa non adhuc per amicos sponsi cantari sibi vult, sed ipsius iam sponsi praesentis audire verba desiderat dicens : *Osculetur me ab osculis oris sui*[e].

4 Unde et omnibus canticis merito praefertur; videntur enim cetera cantica, quae *lex et prophetae*[f] cecinerunt, parvulae adhuc sponsae et quae nondum vestibula maturae aetatis ingressa sit decantata, hoc vero canticum adultae iam et valde robustae et quae capax iam sit virilis potentiae perfectique mysterii decantari. Secundum quòd dicitur de ipsa quia *una sit perfecta columba*[g]. Quasi perfecta ergo perfecti viri sponsa perfectae suscepit verba doctrinae.

5 Primum igitur *canticum cecinit Deo Moyses et filii Istrahel*[h], quando *viderunt Aegyptios mortuos ad litus maris*[i] et quando *viderunt manum fortem et bracchium excelsum*[j] Domini et *crediderunt Deo et famulo eius Moysi*[k]. Tunc ergo *cantaverunt dicentes : Cantemus Domino; gloriose enim glorificatus est*[l]. Ego autem arbitror quod non possit ad istud perfectum quis et mysticum canticum pervenire, et ad istam perfectionem sponsae quae in hac scriptura

d. Gal. 3, 19 || e. Cant. 1, 2 || f. Cf. Matth. 7, 12 || g. Cant. 6, 9 || h. Ex. 15, 1 || i. Ex. 14, 30 || j. Cf. Deut. 4, 34; 5, 15; etc. || k. Ex. 14, 31 || l. Ex. 15, 1.

---

1. Origène rejoint la tradition rabbinique. Rabbi Akiba : «Toutes les Écritures sont saintes, mais le Cantique des cantiques est Saint des saints», d'après Joüon, n° 66. *Cantique Rabba* 1, 1, § 11 : «Cantique des cantiques, c'est-à-dire le plus noble des cantiques, le plus sublime des cantiques, le plus excellent des cantiques.» *Targum Cant.* 1, 1 : «Dix cantiques ont été donnés en ce monde, mais ce cantique est le plus glorieux de tous.»

par des prophètes ou par des anges. Car il est dit : «La Loi a été promulguée par les anges dans la main d'un médiateur[d].» Dès lors, tout ce qui était annoncé par eux était des cantiques préliminaires chantés par les amis de l'Époux. Mais ce cantique est le seul qui devait être chanté en guise d'épithalame par l'Époux lui-même alors sur le point d'accueillir son Épouse; dans ce cantique l'Épouse ne veut plus être chantée par les amis de l'Époux, mais désire entendre désormais les paroles de l'Époux présent en personne, et elle dit : «Qu'il me baise des baisers de sa bouche[e].»

4 C'est pourquoi il est à juste titre préféré à tous les cantiques[1]; car il semble que les autres cantiques que chantèrent «la Loi et les prophètes[f]» furent chantés à une Épouse encore toute jeune et qui n'avait pas encore franchi le seuil de l'âge mûr, tandis que ce Cantique est chanté à une Épouse désormais adulte et dans toute sa force, apte à être en puissance de mari et apte au mystère parfait. En vertu de quoi on dit d'elle : «Une seule est la colombe parfaite[g].» C'est alors comme l'Épouse parfaite du mari parfait, qu'elle a reçu les paroles de la doctrine parfaite.

L'échelle des cantiques

5 «Moïse et les fils d'Israël chantèrent» donc «à Dieu» le premier[2] «cantique[h]» quand «ils virent les Égyptiens morts sur le rivage de la mer[i]», et quand «ils virent la main forte et le bras puissant[j]» du Seigneur et «crurent en Dieu et en son serviteur Moïse[k]». C'est alors qu'ils chantèrent : «Chantons au Seigneur : car il s'est avec éclat couvert de gloire[l].» Or moi je pense que quelqu'un ne peut parvenir à ce cantique parfait et mystique et à cette perfection de l'Épouse, qui est le thème de ce livre de

2. Sur «l'échelle des cantiques», cf. éd. des *HomCant.*, *SC* 37 *bis*, p. 31-37 de l'Introd.; Brésard, «Un texte d'Origène : L'Échelle des cantiques».

continetur, nisi prius *ambulet per siccum in medio mari et fiat ei aqua murus dextra laevaque*[m] et sic evadat de manibus Aegyptiorum, ita ut *videat* eos *mortuos ad litus* 81 *maris*[n], atque *intuens ma|num fortem*[o] Domini quam fecit in Aegyptios, *credat Domino ac famulo eius Moysi*[p]. Moysi autem dico legi atque evangeliis omnibusque divinis scripturis; tunc enim merito cantabit et dicet : *Cantemus* (78 *Domino; gloriose enim glorificatus est*[q]. Sed istud canticum canet quis cum primum liberatus fuerit a servitute Aegyptiorum.

6. Post hoc autem, cum transierit per illa omnia quae in Exodo et quae in Levitico scripta sunt, et venerit ad hoc ut in divinos numeros adsumatur, tunc iterum secundum canticum canet, cum exierit de *valle Zareth*[r], quod interpretatur aliena descensio, et venerit ad *puteum* de quo scriptum est : *Et dixit Dominus ad Moysen : congrega populum, et dabo iis aquam bibere de puteo*[s]. Ibi enim cantabit et dicet : *Initiate ei puteum; foderunt illum principes, excuderunt eum reges gentium in regno suo, cum dominantur eorum*[t].

7 Sed de his plenius in Numerorum libro, secundum quod dedit nobis Dominus, dictum est. Oportet ergo venire ad puteum qui a principibus fossus est et a regibus excussus, in quo opere nemo plebeius operatur, sed omnes principes, omnes reges, regales scilicet et principales animae quae altitudinem putei aquam vivam continentis inquirunt.

m. Cf. Ex. 14,29 || n. Ex. 14,30 || o. Cf. Deut. 4,34; 5,15; etc. || p. Ex. 14,31 || q. Ex. 15,1 || r. Cf. Nombr. 21,12 || s. Nombr. 21,16 || t. Nombr. 21,17-18.

1. «Tout le monde n'est pas digne d'accéder aux Nombres divins», il faut avoir mérité d'être «compté devant Dieu dans le nombre saint et consacré», *HomNombr.* I, 1.

2. La Septante : «ravin»; la Vulgate : «torrent».

l'Écriture, si d'abord il ne «marche à sec au milieu de la mer et si l'eau ne s'est faite pour lui un mur à droite et à gauche [m]» et s'il n'échappe ainsi aux mains des Égyptiens, en sorte qu'il les «voit morts sur le rivage de la mer [n]», et «considérant la main forte [o]» du Seigneur qu'il a étendue contre les Égyptiens, «il croit au Seigneur et à son serviteur Moïse [p]». A Moïse, je veux dire à la Loi, aux Évangiles et à toutes les divines Écritures ; c'est alors qu'il chantera avec raison : «Chantons au Seigneur ; car il s'est avec éclat couvert de gloire [q].» Mais ce cantique, le chantera celui qui aura été d'abord délivré de la servitude des Égyptiens.

6 Mais ensuite, après avoir passé par toutes ces épreuves décrites dans l'Exode et dans le Lévitique et en être venu à être compté dans les divins Nombres [1], alors il chantera de nouveau un second cantique, quand il sera sorti «du ravin [2] de Zareth [r]», qui veut dire descente étrangère [3], et qu'il sera parvenu au «puits», dont il est écrit : «Le Seigneur dit à Moïse : Rassemble le peuple, et je leur donnerai à boire de l'eau du puits [s].» Car là il chantera : «Entonnez pour lui le cantique du puits. Les princes l'ont creusé, les rois des nations l'ont foré dans leur royaume, tandis qu'ils dominaient sur elles [t].»

7 Mais de cela il fut traité plus complètement à propos du livre des Nombres, dans la mesure où le Seigneur nous a donné de le faire [4]. Il faut donc venir au puits creusé par des princes, foré par les rois, puits où ne travaille aucun homme de la plèbe, mais où tous les princes, tous les rois, c'est-à-dire les âmes royales et princières, sondent la profondeur du puits qui contient de l'eau vive.

3. Cf. Jérôme, *Liber de nominibus hebraicis*, *PL* 23, col. 797-798.

4. Cf. *HomNombr.* XII, 1 et 2. — Pour la question des dates, cf. *supra*, Prol. 4, 2, et la note. — Le thème des puits et de leur symbolisme est largement développé. Voir *HomGen.* XIII, et la note 1, *SC* 7 *bis*, p. 310-311, à compléter par la note 1 *ad HomNombr.*, *SC* 29, p. 235. (M. B.)

8 Post istud canticum venitur ad Deuteronomii canticum de quo dicit Dominus : *Et nunc scribite vobis verba cantici huius, et docete illud filios Istrahel, et inicite illud in os eorum, ut fiat mihi canticum istud ad testimonium in filiis Istrahel*[u]. Et vide quantum et quale sit istud canticum, cui ad audiendum terra non sufficit, sed convocatur et caelum ; ait enim : *Attende caelum et loquar ; et audiat terra verba ex ore meo*[v]. Vide quam magna sint, quam ingentia, quae dicuntur. *Exspectetur* ait *sicut pluvia eloquium meum, et descendat sicut ros super gramen, et sicut nix super fenum, quia nomen Domini invocavi*[w] et reliqua.

9 Quartum canticum est in libro Iudicum de quo scriptum est : *Et cantavit Debbora et Barac filius Abinoem in die illa dicens : in incipiendo principes in Istrahel, in proposito populi benedicite Dominum. Audite reges, auribus percipite satrapae*[x] et reliqua. Haec autem qui canit apis
82 esse debet, cuius opus tale est | quo reges et mediocres utantur ad sanitatem. Debbora namque apis interpretatur, quae istud canticum canit ; sed et Barac cum ipsa ; interpretatur autem Barac coruscatio. Et canitur istud canticum post victoriam, quia nec ante quis potest quae perfecta sunt canere, nisi adversarios vicerit. Sic denique et in ipso cantico dicitur : *Exsurge, exsurge, Debbora, exsuscita milia populi. Exsurge, exsurge, cane canticum ; exsurge Barac*[y]. Verum et de his plenius in illis oratiunculis quas de libello Iudicum edidimus disserta reperies.

u. Deut. 31, 19 || v. Deut. 32, 1 || w. Deut. 32, 2-3 || x. Jug. 5, 1-3 || y. Jug. 5, 12.

1. «L'abeille est un animal digne d'éloges : de ses produits rois et gens du peuple se servent pour se maintenir en bonne santé», *HomNombr.* XXVII, 13.

2. Pour la signification des noms de Débora et de Barac, voir *HomJug.* V, 2-5.

3. D'après *HomJug.* VI, 1, les biens parfaits sont les biens eschatologiques, et l'ennemi vaincu est la mort. Est-ce une allusion à la résurrection finale soulignée par les mots : «Lève-toi, lève-toi»?

8 Après ce cantique, on en vient au cantique du Deutéronome, dont le Seigneur dit : «Et maintenant, écrivez pour vous les paroles de ce cantique ; enseignez-le aux fils d'Israël, mettez-le dans leur bouche, afin que ce cantique me serve de témoignage contre les fils d'Israël[u].» Et vois de quelle grandeur et de quelle qualité est ce cantique : la terre ne lui suffit pas pour qu'on l'entende, mais le ciel aussi est convoqué, car il dit : «Ciel, prête l'oreille et je vais parler ; et que la terre écoute les paroles de ma bouche[v].» Vois quelle noblesse, quelle force est dans l'expression : «Que ma parole soit attendue comme la pluie, et qu'elle descende comme la rosée sur le gazon, comme la neige sur l'herbe sèche, car j'ai invoqué le nom du Seigneur[w]», etc.

9 Le quatrième cantique est dans le livre des Juges ; à son sujet il est écrit : «En ce jour-là, Débora chanta, ainsi que Barac, fils d'Abinoem : Pour commencer, princes d'Israël, bénissez le Seigneur en faveur du peuple. Écoutez, rois, gouverneurs, prêtez l'oreille[x]», etc. Mais celle qui le chante doit être une abeille, dont le produit est tel que rois et humbles gens l'emploient pour être en bonne santé[1]. Car Débora veut dire abeille, elle qui chante ce cantique ; de plus, Barac est avec elle, et Barac veut dire éclair[2]. Et on chante ce cantique après une victoire, car personne ne peut chanter ce qui est parfait[3] avant d'avoir vaincu ses adversaires. Ainsi par exemple il est encore dit dans le cantique même : «Lève-toi, lève-toi, Débora, réveille les peuples par milliers. Lève-toi, lève-toi, chante un cantique. Lève-toi, Barac[y].» Mais on trouvera encore sur ce point des développements plus complets dans ces petites homélies que nous avons données sur le petit livre des Juges[4].

4. «L'homélie à laquelle il renvoie et qui traitait de *Juges* 5, 12 ne se trouve pas parmi celles qui ont été conservées», note P. NAUTIN, *Origène*, p. 404, n. 112. Mais y en avait-il une consacrée au verset ? L'homélie V présente Débora et Barac (5, 1-4) ; l'homélie VI, sur le Cantique de Débora, cite le v. 12 (6, 6). (M. B.)

10 Quintum post haec canticum est in secundo libro Regnorum, cum *locutus est David ad Dominum verba cantici* (79 *huius in die qua liberavit eum Dominus de manu omnium inimicorum eius et de manu Saul et dixit : Dominus mihi petra et munitio mea, liberator meus, Deus meus custos erit mihi*[z]. Si ergo et tu potueris considerare qui sunt inimici David, quos in primo et secundo Regnorum libro superat ac prosternit, et quomodo dignus factus est ut Domini adiutorium mereretur et liberaretur ab huiusmodi inimicis, tunc poteris et tu quintum istud canticum canere.

11 Sextum est canticum in primo Paralipomenon libro, ubi constituit David in principio ad laudandum Dominum Asaph et fratres eius, et est initium cantici illius tale : *Laudate Dominum et confitemini et invocate eum in nomine eius, notas facite in populis voluntates eius. Canite ei et hymnum dicite, narrate omnes adinventiones eius quas fecit Dominus*[aa] et cetera.

12 Sciendum tamen est quod canticum quidem quod est in secundo Regnorum libro valde simile est psalmo decimo septimo[ab]. Quod autem est in primo libro Paralipomenon in initiis quidem usque ad eum locum ubi dicit : *Et in prophetas meos nolite malignari*[ac], simile est centesimo quarto psalmo[ad]. Posteriora vero ab hoc loco similitudinem gerunt primarum partium nonagesimi et quinti psalmi ubi dicitur : *Cantate Domino, omnis terra*, usque ad 83 eum locum ubi ait : *Quia | venit iudicare terram*[ae]. Igitur si in his concludendus est numerus canticorum, septimo in loco ponendus videbitur liber hic Cantici Canticorum.

13 Si quis vero etiam Esaiae canticum cum ceteris numerandum putet — licet non valde convenire videatur ut praecessisse putetur Esaiae canticum, quod longe

z. II Sam. 22, 1-3 || aa. I Chr. 16, 8-9 || ab. Cf. Ps. 17, 3 || ac. I Chr. 16, 22 || ad. Cf. Ps. 104, 1-15 || ae. Ps. 95, 1-13.

10 Ensuite le cinquième cantique est dans le second livre des Rois, quand « David dit au Seigneur les paroles de ce cantique le jour où le Seigneur le délivra de la main de tous ses ennemis et de la main de Saül, et il dit : 'Le Seigneur est pour moi un roc et ma forteresse, mon libérateur, mon Dieu sera pour moi un gardien' [z]. » Si donc, toi aussi, tu peux examiner quels sont ces ennemis de David qu'au premier et au second livre des Rois il domine et il terrasse, et comment il s'est rendu digne de mériter l'aide du Seigneur et d'être délivré des ennemis de cette sorte, alors tu pourras toi aussi chanter ce cinquième cantique.

11 Le sixième cantique est dans le premier livre des Paralipomènes quand David établit tout d'abord Asaph et ses frères pour louer le Seigneur, et voici le début de ce cantique : « Louez le Seigneur, rendez-lui gloire, invoquez-le par son nom, faites connaître ses volontés parmi les peuples. Chantez en son honneur et chantez un hymne, racontez toutes ses merveilles, celles qu'a faites le Seigneur [aa] », etc.

12 Toutefois, il faut savoir que le cantique qui est dans le second livre des Rois est fort semblable au psaume dix-sept [ab]. Quant à celui qui est dans le premier livre des Paralipomènes, du moins au début jusqu'au passage où il dit : « Et à mes prophètes ne faites pas de mal [ac] », il ressemble au psaume cent quatre [ad]. Mais ce qui vient ensuite à partir de ce passage a une ressemblance avec les premiers versets du psaume quatre-vingt-quinze, où il est dit : « Chantez au Seigneur, toute la terre », jusqu'au passage où il déclare : « Car il vient juger la terre [ae]. » Donc s'il faut borner là le nombre des cantiques, c'est à la septième place, semblera-t-il, qu'on doit mettre ce livre du Cantique des cantiques.

Autres cantiques

13 Mais si l'on estime qu'on doit aussi compter le cantique d'Isaïe avec les autres — bien qu'il ne semble guère logique de supposer qu'ait été antérieur le cantique d'Isaïe, qu'Isaïe écrivait

posterioribus temporibus Esaias scripserit —, tamen, si quis putet quod prophetica dicta non temporibus, sed ratione pensanda sunt, adiunget etiam istud canticum, et dicet hoc quod Solomon cecinit Canticum esse Canticorum non tantum eorum quae prius, sed et quae postmodum canenda videbantur.

14 Si quis vero putet etiam ex libro Psalmorum debere adsumi, sicubi in eo vel canticum scribitur vel canticum psalmi, multitudinem congregabit praecedentium canticorum. Iunget enim ceteris etiam quindecim simul graduum cantica[af], et requirens singulorum virtutes canticorum, atque ex his proficientis animae gradus colligens ac spiritali intelligentia ordinem rerum consequentiamque componens, ostendere poterit quam magnificis gressibus incedens sponsa per haec omnia perveniat usque ad thalamum sponsi, digrediens *in locum tabernaculi admirabilis usque ad domum Dei, in voce exsultationis et confessionis, sonus epulantis*[ag] et perveniens usque ad ipsum, ut diximus, thalamum sponsi, ut audiat et loquatur cuncta haec quae continentur in Cantico Canticorum.

15 Adhuc autem possumus et haec requirere, priusquam ad ipsum corpus libelli veniamus, cur Solomon, qui videtur in istis tribus libellis ministrasse voluntati Spiritus sancti, (8 in Proverbiis quidem dicitur *Solomon filius David, qui regnavit in Istrahel*[ah], in secundo vero libello non Solomon scribitur, sed *verba* inquit *Ecclesiastae filii David regis Istrahel in Hierusalem*[ai], et *filium* quidem sese *David*, similiter ut in primo, et *regem Istrahel* scribit, sed ibi *proverbia*, hic *verba* posuit, et se ipsum, quem ibi

af. Cf. Ps. 119, 1 s. || ag. Ps. 41, 5 || ah. Prov. 1, 1 || ai. Eccl. 1, 1.

1. Précisément, dans les *Homélies sur le Cantique*, le cantique d'Isaïe est le sixième cantique. Si d'autres indices ne montraient pas que ces homélies ont été écrites après le Commentaire, on pourrait croire à une sorte de rétractation, fruit d'une réflexion postérieure.

2. Ce qu'allait faire, entre autres, Apponius, *In Canticum* I, 15 s.

longtemps après —, néanmoins, si l'on estime que les paroles prophétiques doivent être appréciées d'après, non point les dates, mais la raison, on ajoutera encore ce cantique et on dira : ce que Salomon chanta est le Cantique des cantiques, non seulement de ceux qui l'ont précédé, mais aussi de ceux qui semblaient devoir être chantés par la suite[1].

14 Mais si on estime qu'on doit aussi en tirer du livre des Psaumes, s'il y est quelque part écrit soit cantique, soit cantique du psaume, on réunira une foule de cantiques qui précèdent[2]. Car on joindra aux autres encore l'ensemble des quinze cantiques des degrés[af]; et recherchant les caractéristiques de chacun des cantiques, réunissant à partir d'eux les degrés de l'âme qui progresse, rapprochant par l'intelligence spirituelle l'ordre et l'enchaînement des thèmes, on pourra montrer que l'Épouse, avançant à quels pas de noble allure, par tous ces degrés parvient jusqu'à la chambre nuptiale de l'Époux : elle s'en va «au lieu de la tente admirable jusqu'à la maison de Dieu aux accents d'allégresse et de louange, chant de qui prend part à un festin[ag]»; et elle parvient, comme nous avons dit, jusqu'à la chambre nuptiale même de l'Époux, afin d'entendre et dire tout ce qui est contenu dans le Cantique des cantiques.

B. qui est de Salomon lui-même

Concision du titre

15 Mais avant d'en venir au corps même du petit livre, nous pouvons encore chercher ceci : pourquoi Salomon, qui semble dans ces trois petits livres avoir servi l'intention de l'Esprit Saint, est-il dit dans les Proverbes «Salomon, fils de David, qui régna en Israël[ah]», tandis que dans le second petit livre, il n'y a pas le nom de Salomon, mais «paroles de l'Ecclésiaste, fils de David, roi d'Israël à Jérusalem[ai]»; il écrit qu'il est «fils de David», comme dans le premier livre, et «roi d'Israël», mais il a noté là Proverbes, ici Paroles, et

Solomonem, hic *Ecclesiasten* nominavit. Et cum ibi gentem solam in qua regnaverat posuisset, hic et gentem ponit et locum regni *Hierusalem* designat.

16 In Cantico vero Canticorum neque gentis nomen, neque locum in quo regnet, neque omnino quod rex sit, neque quod patrem David habeat scribit, sed tantummodo *Canticum* ait *Canticorum, quod est ipsi Solomoni*[aj]. Et quamvis difficile mihi videatur aut perscrutari et attingere posse horum differentias, aut utcumque investigatas palam pro|ferre et chartulis credere, tamen, in quantum capere vel sensus noster vel auditus legentium potest, paucis aperire temptabimus.

84

17 In plurimis Solomonem typum Christi ferre, vel secundum hoc quod pacificus dicitur, vel secundum quod *regina austri venit a finibus terrae audire sapientiam Solomonis*[ak], non puto dubitandum.

18 Hic ergo et secundum quod *Filius David*[al] dicitur, *regnat in Istrahel*[am], et secundum quod supra eos reges, pro quibus ipse *rex regum*[an] dicitur, regnat. Et rursus verus *Ecclesiastes* ipse est *qui cum in forma Dei esset, semet ipsum exinanivit, formam servi accipiens*[ao], ut congregaret ecclesiam ; a congregando enim ecclesiam Ecclesiastes appellatur. Tum vero quis ita Solomon, id est pacificus, ut Dominus noster Iesus Christus, qui *factus est nobis sapientia a Deo et iustitia et pax*[ap] ?

aj. Cant. 1, 1 || ak. Matth. 12, 42 || al. Cf. Matth. 1, 1 ; etc. || am. Cf. Prov. 1, 1 || an. I Tim. 6, 15 || ao. Phil. 2, 6-7 || ap. Cf. I Cor. 1, 30.

1. Ces distinctions sont de la Septante. Le titre de l'Ecclésiaste du texte massorétique n'est pas : « Roi d'Israël à Jérusalem », mais simplement « Roi dans Jérusalem » ; ni, pour celui du Cantique, « qui est de Salomon lui-même », mais simplement « qui est de Salomon ».

2. « ... un des disciples de Moïse, nommé le Pacifique, Salomon dans le langage de nos Pères », PHILON, *Congr.* 77.

il s'est nommé lui-même là Salomon, ici Ecclésiaste. Et tandis que là il avait mentionné la seule nation sur laquelle il avait régné, ici, et il mentionne la nation et il désigne le lieu du trône, Jérusalem[1].

16 Mais dans le Cantique des cantiques il n'écrit ni le nom de la nation ni le lieu où il règne, ni même simplement qu'il est roi, ni qu'il a David pour père, mais il dit seulement : «Cantique des cantiques, qui est de Salomon lui-même[aj]». Et bien qu'il me semble difficile soit de pouvoir atteindre et scruter leurs différences, soit de produire au grand jour d'une façon ou de l'autre et de confier au papier celles qu'on a cherché à comprendre, néanmoins, dans la mesure où peuvent le saisir soit notre pensée, soit l'entendement des lecteurs, nous tenterons une mise au jour en peu de mots.

Salomon le Pacifique

17 Qu'à plusieurs points de vue Salomon est le type du Christ, soit du fait qu'il est dit «Pacifique»[2], soit du fait que «la reine du Midi vint depuis les confins de la terre entendre la sagesse[3] de Salomon[ak]», je crois qu'on ne peut en douter.

18 Donc le Christ, selon qu'il est dit «Fils de David[al]», «règne sur Israël[am]», selon qu'il règne au-dessus des rois, est lui-même dit pour eux «Roi des rois[an]». Et de nouveau, le véritable Ecclésiaste est en personne «celui qui, alors qu'il était dans la condition de Dieu, s'est anéanti lui-même, prenant la condition de serviteur[ao]», pour rassembler l'Église ; c'est parce qu'il rassemble l'Église qu'il est nommé Ecclésiaste. Dès lors, qui est Salomon, c'est-à-dire Pacifique, comme notre Seigneur Jésus-Christ qui «de par Dieu est devenu pour nous Sagesse, Justice et Paix[ap]»?

3. «Elle vint des extrémités de la terre entendre la sagesse, non du Salomon qui est nommé dans l'Ancien Testament, mais de celui qui, dans l'Évangile, est plus grand que Salomon», *HomCant.* I, 6. Voir plus loin le long développement de notre Commentaire, en II, 1, 26-41.

19 Igitur in primo Proverbiorum libro, cum nos moralibus instituit disciplinis, *rex* esse dicitur in *Istrahel*[aq] necdum in Hierusalem[ar], quia, etsi *Istrahel*[as] dicamur propter fidem, nondum tamen in hoc perventum est ut ad *Hierusalem caelestem*[at] pervenisse videamur; ubi vero profecerimus, et in hoc ventum fuerit ut *ecclesiae primitivorum quae in caelis est*[au] sociemur, atque *Hierusalem caelestem* discussis diligentius priscis et naturalibus causis *matrem* nostram esse noscamus *caelestem*[av], tunc iam nobis etiam ipse Christus *Ecclesiastes* efficitur, et non solum *in Istrahel*[aw], sed et *in Hierusalem regnare*[ax] dicitur.

20 Cum vero ad perfectionem omnium ventum fuerit et sponsa ei perfecta, omnis dumtaxat rationalis creatura, iungetur, quia *pacificavit per sanguinem suum non solum quae in terris sunt, sed et quae in caelis*[ay], tunc Solomon tantummodo dicitur, *cum tradiderit regnum Deo et Patri, cum evacuaverit omnem principatum et potestatem. Oportet enim eum regnare, donec ponat inimicos suos sub pedibus suis et novissimus inimicus destruatur mors*[az]. Et ita pacificatis omnibus Patrique subiectis, cum erit iam Deus
85 *omnia in omni|bus*[ba], Solomon tantummodo, id est solum pacificus, nominabitur.

21 Competenter ergo in hoc libello, qui de amore sponsi et sponsae erat scribendus, etiam pro hoc neque *filius David* neque *rex* neque aliud horum quod ad corporeum pertinere possit intellectum scribitur, ut merito de eo

aq. Prov. 1, 1 || ar. Cf. Eccl. 1, 1 || as. Cf. Gal. 6, 16 || at. Cf. Hébr. 12, 22 || au. Hébr. 12, 23 || av. Cf. Gal. 4, 26 || aw. Cf. Prov. 1, 1 || ax. Cf. Eccl. 1, 1 || ay. Cf. Col. 1, 20 || az. I Cor. 15, 24-26 || ba. I Cor. 15, 28.

---

1. Israël : « qui voit Dieu » ; une idée souvent reprise est que la foi permet de voir Dieu.

2. *Priscis et naturalibus causis* : le premier terme a paru étrange à Baehrens qui conjecture *physicis*. Il semble qu'il s'agit des réalités

19 Ainsi donc, dans le premier livre des Proverbes, quand il nous forme par les disciplines morales, on dit qu'il est «roi» sur «Israël [aq]», mais pas encore sur «Jérusalem [ar]», car même si nous sommes appelés «Israël [as]» en raison de notre foi [1], on n'en est pas encore venu au point de sembler être parvenus à «la Jérusalem céleste [at]». Mais quand nous aurons progressé et qu'on en sera venu à être associé à l'«Église des premiers-nés qui est dans les cieux [au]» et — une fois écartées avec plus de soin les choses anciennes et naturelles [2] — à connaître que «la Jérusalem céleste est notre mère [av]» céleste, alors désormais pour nous aussi le Christ lui-même est devenu l'Ecclésiaste, et on dit qu'il règne non seulement «sur Israël [aw]», mais encore «sur Jérusalem [ax]».

20 Mais, quand il sera venu pour la perfection de toutes choses, et que s'unira à lui l'Épouse parfaite, c'est-à-dire toute créature raisonnable, car «il a pacifié par son sang non seulement ce qui est sur la terre, mais encore ce qui est au ciel [ay]», alors il est dit Salomon seulement, «quand il remettra la royauté au Dieu et Père après avoir anéanti toute principauté et puissance. Car il faut qu'il règne jusqu'à ce qu'il ait mis tous ses ennemis sous ses pieds, et que soit détruit le dernier ennemi, la mort [az]». Et ainsi, une fois tout pacifié et soumis au Père, quand Dieu sera désormais «tout en tous [ba]», il sera nommé Salomon uniquement, c'est-à-dire Pacifique seulement.

Des réalités non charnelles

21 C'est donc avec à propos que dans ce petit livre, qui devait être écrit sur l'amour de l'Époux et de l'Épouse, ne figure plus à l'en-tête ni «Fils de David», ni «Roi», ni un autre de ces titres qui pourrait concerner un sens corporel, comme dit avec raison de lui l'Épouse main-

sensibles de notre monde, anciennes quand nous serons dans la Jérusalem céleste. Et le terme de *causis* a déjà, semble-t-il, le sens de «choses», que lui ont donné les langues issues du latin.

perfecta iam sponsa dicat quia : *Etsi cognovimus aliquando Christum secundum carnem, sed nunc iam non novimus*[bb], ne quis eam putet corporeum aliquid amare aut in carne positum, et macula aliqua amori eius credatur induci. Propterea ergo *Canticum Canticorum Solomoni* tantummodo *est*[bc], et neque *filio David* neque *regi Istrahel*, neque aliqua prorsus in his miscetur carnalis nominis intelligentia.

22 Et ne mireris quod, cum unus atque idem sit Dominus et Salvator noster, dicamus eum velut minorem primo in Proverbiis et inde proficientem in Ecclesiaste et post haec perfectiorem in Cantico Canticorum, cum haec etiam in Evangeliis videas scripta, ubi propter nos et in nobis ipse dicitur proficere ; sic enim refertur quia : *Iesus proficiebat aetate et sapientia apud Deum et homines*[bd].

23 Puto ergo quod pro his omnibus neque *filius David* neque *rex Istrahel* scribitur, sed et pro eo adhuc quod in Cantico Canticorum sponsa iam in tantum profecerat ut maius aliquid esset quam est regnum Hierusalem. Nam *Hierusalem caelestem*[be] dicit Apostolus esse atque ad eam memorat credentes *accedere* ; hunc vero sponsum, ad quem nunc sponsa festinat, idem Paulus cum *pontificem maximum* dicit, ita de eo scribit, quasi qui non in caelis sit, sed *penetrarit et pertransierit omnes caelos*[bf], et illuc quoque eum haec sua *perfecta*[bg] sponsa sectetur, immo illuc *adhaerens* ei[bh] et coniuncta conscenderit ; est enim facta cum eo *unus spiritus*[bi].

bb. II Cor. 5, 16 || bc. Cant. 1, 1 || bd. Lc 2, 52 || be. Cf. Hébr. 12, 22 || bf. Cf. Hébr. 4, 14 || bg. Cf. Cant. 6, 9 || bh. Cf. Cant. 8, 5 || bi. I Cor. 6, 17.

---

1. L'opposition « résider-parcourir » n'est pas chez Paul qui dit simplement : *qui penetravit caelos*. Par ailleurs, le Grand Prêtre n'est pas pour Origène le Verbe dans sa seule divinité, semble-t-il, mais dans son humanité, car c'est le Verbe Incarné, le Christ, qui est l'Époux de l'Église. D'autre part, « les cieux » désignent seulement les sphères pla-

tenant parfaite : « Même si nous avons jadis connu le Christ selon la chair, maintenant nous ne le connaissons plus ainsi[bb] », cela, pour qu'on ne suppose pas qu'elle aime quelque chose de corporel ou qui existe dans la chair, et qu'on ne soupçonne pas quelque faute qui entacherait son amour. Voilà pourquoi il y a seulement « Cantique des cantiques qui est de Salomon[bc] » et non pas « du Fils de David », ni « du Roi d'Israël », et n'est mêlé à ces mots absolument aucun sens charnel d'un nom.

22 Et ne t'étonne pas de voir, bien que notre Seigneur et Sauveur soit une seule et même personne, que nous disions qu'il est comme plus petit d'abord dans les Proverbes, puis progressant dans l'Ecclésiaste, enfin plus parfait dans le Cantique des cantiques, puisque tu le vois écrit aussi dans les Évangiles, où on dit qu'il progresse pour nous et en nous : « Jésus progressait en âge et en sagesse devant Dieu et devant les hommes[bd]. »

— plus grandes que Jérusalem

23 C'est donc pour tous ces motifs, je pense, qu'on n'a écrit ni « Fils de David », ni « Roi d'Israël » ; mais aussi pour cette raison encore que dans le Cantique des cantiques l'Épouse avait déjà tellement progressé qu'elle était quelque chose de plus grand que le royaume de Jérusalem. Car l'Apôtre dit qu'il y a « la Jérusalem céleste[be] » et rappelle que les croyants y ont accès ; mais cet Époux vers lequel se hâte maintenant l'Épouse, le même Paul, comme il le dit « le Grand Prêtre », de même écrit de lui comme de quelqu'un qui n'est pas dans les cieux[1], mais « a passé à l'intérieur et au-delà de tous les cieux[bf] », et là également le suit cette Épouse « parfaite[bg] » qui est sienne, bien mieux, là elle monte avec lui[2], adhérente et unie à lui[bh] : car elle est devenue avec lui « un seul esprit[bi] ».

nétaires. — La traversée des cieux par le Christ est un thème judéo-chrétien, cf. Daniélou, *Théologie du judéo-christianisme*, p. 56.

2. Cf. *HomCant.* I, 7, fin.

24 Unde videtur mihi et ad Petrum, qui non poterat eum primo sequi, cum diceret : *Quo ego vado, vos non potestis venire modo*, dixisse : *Sequeris autem postea*[bj].

25 Quod autem sit aliquid maius et ab Istrahel, inde colligimus quod in Numerorum libro omnis quidem 86 Istrahel numeratur et in duodecim | tribubus Istrahel certo sub numero censetur, tribus vero levitica, utpote ceteris eminentior, supra hunc numerum habetur et nequaquam in Istrahelitico numero deputatur[bk]; dicit enim ita : *Haec est visitatio, in qua recensiti sunt filii Istrahel secundum domus familiarum suarum; omnis visitatio eorum cum virtute sua sescenta tria milia quingenti quinquaginta. Levitae autem non sunt numerati cum iis, sicut praecepit Dominus Moysi*[bl]. Vides quomodo ut eminentiores a filiis Istrahel sequestrantur levitae nec in eorum numero sociantur.

26 Et rursum levitis eminentiores scribuntur sacerdotes ; sic enim in eadem scriptura continetur : *Et locutus est* inquit *Dominus ad Moysen dicens : accipe summam levitarum, et statues eos in conspectu Aaron sacerdotis, et ministrent ei*[bm]. Vides et in hoc quomodo superiores levitis nominat sacerdotes et rursus levitas eminentiores ponit filiis Istrahel ?

27 Haec autem visi sumus discutere paulo curiosius, volentes etiam per haec ostendere rationem qua in ipsis quoque attitulationibus librorum suorum Solomon differentiis usu est necessariis, et aliud in Proverbiis, aliud in

bj. Jn 13, 36 || bk. Cf. Nombr. 1, 49 || bl. Nombr. 2, 32-33 || bm. Nombr. 3, 5-6.

1. Origène distingue ailleurs différents degrés de connaissance du mystère : dogmes très secrets réservés aux prêtres, autres dogmes auxquels ont accès les lévites ; et d'autres, auxquels peuvent accéder les fils d'Israël, c'est-à-dire les laïcs, mais non les étrangers qui ne sont pas encore inscrits dans l'Église du Seigneur. Cf. *HomLév.* V, 3, 75-101.

24 De là vient, me semble-t-il, qu'à Pierre aussi qui ne pouvait d'abord le suivre, puisqu'il avait dit : «Là où moi je vais, vous ne pouvez venir maintenant», Jésus ajouta : «Mais tu me suivras plus tard[bj].»

— plus grandes qu'Israël

25 D'autre part, qu'il y ait quelque chose de plus grand même qu'Israël, nous le déduisons du livre des Nombres : de ce fait que tout Israël certes est dénombré et Israël est recensé au nombre précis de douze tribus, mais que la tribu lévitique, comme supérieure aux autres, est au-dessus de ce nombre et n'est nullement comptée au nombre des Israélites[bk]. On dit en effet : «Tel est le recensement par lequel furent dénombrés les fils d'Israël selon les maisons de leurs familles ; le total qu'on en recensa avec leur armée fut de six cent trois mille cinq cent cinquante. Mais les lévites ne furent pas recensés avec eux, comme le Seigneur l'a commandé à Moïse[bl].» Tu vois que les lévites, comme plus excellents, sont mis à part des fils d'Israël et ne sont point associés à leur nombre.

26 En revanche, les prêtres sont notés comme plus excellents que les lévites : car dans le même texte de l'Écriture il est consigné : «Et le Seigneur dit à Moïse : Prends l'ensemble des lévites, tu les mettras à la disposition d'Aaron le prêtre pour qu'ils l'assistent[bm].» Tu vois également ici que l'on désigne les prêtres comme supérieurs aux lévites et en retour on présente les lévites comme plus excellents que les fils d'Israël[1].

Différents titres

27 Mais nous paraissons avoir examiné cela avec un peu trop de soin, voulant par là encore montrer pour quelle raison, dans les titres mêmes de ses livres, Salomon a employé des distinctions indispensables et a désigné par l'inscription même du titre autre chose dans les Proverbes, autre chose dans

Ecclesiaste, aliud etiam in Canticorum Cantico ex ipsa inscriptione tituli designavit.

28 Et adhuc quod in Cantico Canticorum, ubi iam perfectio ostenditur, neque *filius David* neque *rex* scribitur, potest etiam hoc dici quia, cum factus fuerit *servus* sicut *Dominus* et *discipulus* sicut *magister*[bn], videtur iam neque *servus* esse *servus*, factus videlicet sicut *Dominus*, neque *discipulus* esse *discipulus*, quippe qui sicut *magister* effectus est, sed fuisse quidem aliquando *discipulus*, nunc vero esse sicut *magister* et fuisse quidem *servus* aliquando, nunc vero esse sicut *Dominus*. Simili igitur ratione etiam de rege et his in quos regnat, adverti posse videbitur, *cum regnum iam tradetur Deo et Patri*[bo].

29 Sed et hoc non lateat nonnullos attitulationem libelli huius *Cantica Canticorum* scribere, quod non recte scribitur; non enim pluraliter, sed singulariter *Canticum* hic dicitur *Canticorum*. | Haec quasi in praefatione dicta sint a nobis de superscriptione ipsa libelli vel attitulatione.

87

30 Nunc iam Domino nostro nos adiuvante ipsius operis adoriamur exordia ; et tamen ne illud quidem remaneat nobis omissum, quod quibusdam requirendum visum est adhuc de ipsa attitulatione ac superscriptione libri quae ita habetur : *Canticum Canticorum, quod est ipsi Solomoni*[bp].

31 Sic enim accipiunt quasi Canticum hoc esse dixerit Canticorum Solomonis, ut ex pluribus suis canticis hoc

bn. Cf. Matth. 10,24 || bo. Cf. I Cor. 15,24 || bp. Cant. 1,1.

1. *Cantica canticorum* : Ἄισματα ᾀσμάτων. Telle sera la leçon du codex *Alexandrinus*, ms. datant du milieu du ve s. Telle, la lecture de PHILON, évêque de Carpase, *PG* 40, col. 29. BERNARD intitule ses *Sermons* : *Super cantica canticorum*. Et RUPERT DE DEUTZ explique ce pluriel par le fait que l'on voit, dans le Cantique, quatre chants séparés par le triple refrain : « Je vous en conjure, filles de Jérusalem, par les gazelles et les biches des champs, ne faites pas se lever, ne réveillez

l'Ecclésiaste, autre chose encore dans le Cantique des cantiques.

28 Et encore, sur le fait que dans le Cantique des cantiques où est maintenant révélée la perfection, il n'est écrit ni « Fils de David », ni « Roi », on peut dire aussi : une fois le serviteur devenu comme le Seigneur, et le disciple comme le Maître [bn], alors, semble-t-il, ni le serviteur n'est plus serviteur, devenu évidemment comme le Seigneur, ni le disciple n'est disciple, lui qui est en effet devenu comme le Maître ; mais plutôt, il fut bien disciple autrefois, mais il est maintenant comme le Maître, et il fut bien serviteur autrefois, mais il est maintenant comme le Seigneur. Il semblera donc possible d'appliquer un argument semblable encore au sujet du Roi et de ceux sur lesquels il règne, « lorsque la royauté sera remise au Dieu et Père [bo] ».

— Non pas : Cantiques des cantiques

29 De plus, qu'on ne l'ignore pas : quelques-uns écrivent le titre de ce petit livre : « Cantiques des cantiques »[1], ce qui n'est pas l'écrire correctement ; car ce n'est pas au pluriel, mais au singulier qu'il est appelé ici « Cantique des cantiques ». Voilà nos remarques en guise de prologue, à propos du frontispice même ou titre du petit livre.

— mais : « Cantique des cantiques, qui est de Salomon lui-même »

30 Maintenant, avec l'aide de notre Seigneur, abordons les débuts de l'ouvrage même ; et cependant n'omettons pas un point que certains ont cru devoir être pris en considération encore au sujet du titre même et du frontispice du livre, que voici : « Cantique des cantiques, qui est de Salomon lui-même [bp]. »

31 En effet, ils comprennent comme si on avait dit que ce Cantique est des Cantiques de Salomon, dans la pensée

pas la Bien-Aimée avant qu'elle ne le veuille », *ComCant.*, Prol. (*CCCM* 26, p. 8).

unum esse signaverit. Sed nos quomodo recipiemus huiusmodi intelligentiam, cum neque ecclesia Dei ulla extrinsecus Solomonis cantica legenda susceperit, neque apud Hebraeos, a quibus eloquia Dei ad nos videntur esse translata, aliquid praeter hos tres libellos Solomonis qui et apud nos sunt, amplius habeatur in canone?

32 Volunt tamen, qui haec asserunt, inde confirmare sententiam suam, quod in Regnorum tertio libro scriptum est multa fuisse cantica Solomonis, ut unum ex multis hoc esse confirment. Ibi ergo refertur ita : *Et dedit Dominus prudentiam Solomoni et sapientiam multam valde et latitudinem cordis sicut arenam quae est ad oram maris. Et sapiens factus est Solomon valde super sapientiam omnium antiquorum et super omnes sapientes Aegypti, et super Gethan Zariten et Henan et Chalcat et Darala, et locutus est Solomon tria milia parabolarum, et erant cantica eius quinque milia*[bq]. Ex his ergo quinque milibus canticis volunt videri hoc unum canticum quod habemus in manibus, sed ista

bq. III Rois 4,29-32.

1. L'emploi du terme de «canon» a suscité des questions. Qu'Origène ait usé du mot κανών, les textes grecs l'attestent, *HomJér.* V, 14,23, *SerMatth.* 46 (*GCS* 11, p. 94,27). Mais les emplois de *canon* dans les textes latins sont-ils toujours une traduction fidèle, ou parfois une addition de Rufin? Cf. Lawson, p. 317 s., n. 65. Sur la variété de sens, l'interprétation n'est point partout unanime, cf. *PArch.* IV, 2,2 (9), 55, et 4,6 (33), 204, avec les notes : *SC* 269, p. 174 s., n. 11 (indiquant trois solutions), et p. 259, n. 46. — D'après notre passage, comme le canon hébreu, celui de l'Église ne comprenait que 3 livres attribués à Salomon, *Prov.*, *Eccl.*, *Cant.* N'en faisait point partie le livre de la Sagesse, et Origène le sait : «La Sagesse, dite de Salomon, livre dont l'autorité n'est pas reconnue de tous», *PArch.* IV, 6 (33), 211 s. Mais il en admet pleinement l'inspiration divine, comme l'indiquent les expressions qui le désignent : *Quod ille scriptor divinae Sapientiae dicit* répète-t-il, intercalant : *ex his Scripturae sermonibus*, III, 13,15.16. Et ailleurs : «Le prophète a prédit», *HomEx.* VI, 1,34; «Jésus qui jadis avait dit par Salomon», *HomLév.* XII, 4, 18. «Comme le définit la parole divine», *CCels.* III, 72,6. — Pour la question clas-

que parmi ses nombreux cantiques ce soit le seul qu'il ait marqué de son sceau. Mais nous, comment admettrons-nous un sens de ce genre, alors que l'Église de Dieu n'a reçu à lire aucun cantique de Salomon venant du dehors, et que chez les Hébreux, par qui les paroles de Dieu semblent nous avoir été transmises, il n'y a dans le canon[1] rien de plus que ces trois petits livres de Salomon qui sont également chez nous ?

32 Ceux qui l'assurent veulent toutefois soutenir leur avis du fait qu'il est écrit au troisième livre des Rois qu'il y eut beaucoup de livres de Salomon, si bien qu'ils soutiennent que celui-ci en est un parmi beaucoup. Là donc il est rapporté : « Et le Seigneur donna à Salomon une prudence et une sagesse extrêmement grandes, et une largesse de cœur vaste comme le sable qui est sur le rivage de la mer. Et Salomon devint sage d'une sagesse bien plus grande que celle de tous les anciens, et sage plus que tous les sages d'Égypte[2], et plus que Gétan l'Ezrahite, et Hénan, et Chalcat, et Darala ; et Salomon prononça trois milliers de proverbes, et ses cantiques étaient cinq mille[bq]. » Donc parmi ces cinq mille cantiques ils veulent qu'on reconnaisse cet unique cantique que nous avons entre les mains[3] ; mais quand et où ces cantiques furent-ils

sique de la canonicité du livre, cf. L. PIROT et A. CLAMER, *La Sainte Bible* VI, Paris 1943, p. 378-380. (M. B.)

2. La citation, plus haut (Prol. 3, 4), est un peu différente et plus brève : « Et dedit Deus... maris. Et multiplicata est in eo sapientia super omnes antiquos filios hominum et super omnes sapientes Aegypti. »

3. Par exemple, HIPPOLYTE : pour lui, le Cantique figurait parmi les mille proverbes et les cinq mille odes ou cantiques dont il est question en *III Rois*, 5, 12-13. Des sages, amis d'Ézéchias, l'auraient choisi, vu son intérêt, sous l'action de l'Esprit, *De Cantico* I, 13 (*CSCO* 264).

quando vel ubi sint cantata, non solum ad usum, sed ne ad notitiam quidem pervenit ecclesiarum Dei.

33 Operosum est autem et procul ab opere proposito, si velimus nunc requirere quam multorum librorum commemoratio fiat in scripturis divinis, quorum lectio nobis nulla omnino est tradita. Sed neque apud Iudaeos quidem haberi usum huiusmodi reperimus lectionum, quas sive pro eo quod aliqua supra humanam intelligentiam continebant, placuit sancto Spiritui auferri de medio, sive quod scripturis his, quae appellantur apocryphae pro eo quod multa in iis corrupta et contra fidem veram inveniuntur, 88 dari maioribus non placuit locum nec | admitti ad auctoritatem. Supra nos est pronuntiare de talibus.

34 Illud tamen palam est multa vel ab Apostolis vel ab evangelistis exempla esse prolata et Novo Testamento inserta, quae in his scripturis quas canonicas habemus numquam legimus, in apocryphis tamen inveniuntur et evidenter ex ipsis ostenduntur assumpta. Sed nec sic quidem locus apocryphis dandus est ; *Non* enim *transferendi sunt termini aeterni, quos statuerunt patres*[br] nostri. Potuit enim fieri ut Apostoli vel evangelistae, sancto Spiritu repleti, sciverint quid adsumendum esset ex illis scripturis, quid vero refutandum ; nobis autem non est absque periculo aliquid tale praesumere, quibus non est tanta Spiritus abundantia.

35 Et ideo de praesenti versiculo nos eam tenemus editionem quam supra exposuimus, maxime cum evidens

br. Prov. 22, 28.

---

1. Allusion à une enquête d'Origène auprès des rabbins juifs ? — Plus tard, dans le judaïsme médiéval, Ibn Ezra, de peu postérieur à Rashi, dira : « Parmi tous les cantiques de Salomon, qui furent plus de quinze mille, il n'en est pas un qui puisse être comparé à celui-ci, et c'est pourquoi il est intitulé 'Cantique des cantiques de Salomon' », dans Genébrard, p. 119.

chantés, cela n'est point parvenu non seulement à l'usage, mais pas même à la connaissance des Églises de Dieu.

33 Mais il serait ardu et hors du travail projeté, de vouloir maintenant rechercher de quel grand nombre de livres il est fait mention dans les divines Écritures, dont ne nous a été transmis absolument aucun texte. Mais pas même chez les Juifs nous n'avons découvert qu'il y ait eu un usage des textes de ce genre[1] : soit que, du fait qu'ils contenaient des sujets qui dépassent l'intelligence humaine, il a plu au Saint Esprit qu'ils disparaissent; soit que, à ces écrits qu'on nomme apocryphes[2] parce qu'il se trouve en eux bien des passages altérés et contraires à la vraie foi, il n'a pas semblé bon aux anciens qu'on leur donne une place, ni qu'on les admette parmi ceux qui font autorité. Se prononcer en de tels sujets nous dépasse.

34 C'est néanmoins un fait notoire que soit les apôtres soit les évangélistes ont présenté et inséré dans le Nouveau Testament bien des citations que nous n'avons jamais lues dans ces Écritures que nous tenons pour canoniques; elles se trouvent cependant dans les apocryphes et en apparaissent évidemment tirées. Il n'en résulte pas que l'on doive donner une place aux apocryphes; car «on ne doit pas déplacer les bornes de toujours qu'ont fixées nos pères[br]». Il a pu se faire en effet que des apôtres ou des évangélistes, remplis du Saint Esprit, aient su ce qu'il fallait extraire de ces écrits, ce qu'il fallait au contraire rejeter; mais pour nous à qui n'est pas donnée une telle abondance de l'Esprit, il n'est pas sans péril de nous permettre un tel choix.

35 Et c'est pourquoi, au sujet du verset présent, nous maintenons cette leçon que nous avons présentée plus

2. Origène mentionne « les apocryphes»; on sait combien ils furent nombreux, soit pour l'A.T. soit le N.T. : voir les art. de J.-B. Frey et É. Amann, *Dict. Bible, Suppl.* 1 (1928), col. 460-533.

habeatur in eo distinctio, ubi ait : *Canticum Canticorum, quod est ipsi Solomoni*[bs]. Si enim voluisset intelligi Canticorum Solomonis hoc esse Canticum, dixisset utique : Canticum Canticorum, quae sunt Solomonis, vel : Canticum ex Canticis Solomonis ; nunc autem, quia dixit : *quod est Solomoni*, ostendit istud Canticum, quod est in manibus et quod erat ei canendum, hoc esse Solomonis et de hoc attitulationem, quam proposuit continere. Videamus ergo iam etiam quae sequuntur.

bs. Cant. 1, 1.

haut, d'autant plus qu'il y a chez lui une distinction évidente : « Cantique des cantiques, qui est de Salomon lui-même[bs] ». Car si le texte avait voulu faire comprendre que c'est un cantique des cantiques de Salomon, il aurait dit à coup sûr : Cantique des cantiques qui sont de Salomon ; ou : Cantique tiré des cantiques de Salomon. Mais en réalité, parce qu'il a dit : « qui est de Salomon », il a fait voir que ce Cantique, qui est entre nos mains et qui devait être chanté par lui, est bien de Salomon, et de ce fait porte le titre qu'il a proposé. Maintenant donc, voyons encore la suite.

LIVRE PREMIER

(*Cant.* 1, 2-4)

Chapitre premier

Les baisers du Verbe

Cant. 1, 2 a : *Qu'il me baise des baisers de sa bouche*

1-4 : Ce livre est un épithalame écrit à la façon d'un drame : exposé historique. Pour l'intelligence spirituelle ou le sens intérieur : 5-8 : c'est *l'Église* qui désire être unie au Christ ; Église assemblée de tous les saints, considérée comme un unique personnage formé de la réunion de tous, déjà comblée de dons reçus à titre de cadeaux de fiançailles ou de dot par les saints anges et les prophètes, et instruite de la venue du Fils de Dieu : elle supplie le Père de son Époux de le lui envoyer, afin qu'il répande dans sa bouche les paroles de sa bouche, ses baisers. 9-15 : ou c'est *l'âme*, dont tout le zèle est d'être unie et associée au Verbe de Dieu : déjà pourvue de cadeaux de dot, la loi naturelle, la pensée rationnelle et le libre arbitre, et d'une instruction élémentaire par les docteurs, elle prie pour que son esprit soit éclairé par les illuminations et les visites du Verbe lui-même ; ainsi devons-nous faire.

ORIGENIS

IN CANTICUM CANTICORUM

LIBER PRIMUS.

1

1 *Osculetur me ab osculis oris sui*[a]. Meminisse oportet illud quod in praefatione praemonuimus, quia libellus hic epithalamii habens speciem dramatis in modum conscribitur. Drama autem esse diximus, ubi certae personae introducuntur, quae loquuntur, et aliae interdum superveniunt, aliae recedunt aut accedunt, et sic totum in mutationibus agitur personarum.

2 Haec ergo erit totius libelli species, et secundum hanc pro viribus historica a nobis aptabitur expositio. Spiritalis vero intelligentia, secundum hoc nihilominus quod in praefatione signavimus, vel de ecclesia ad Christum sub sponsae vel sponsi titulo vel de animae cum Verbo Dei coniunctione dirigitur.

a. Cant. 1, 2.

---

1. Les études bibliques exposent les manières de diviser l'ensemble du Cantique : ce n'est pas notre propos. Elles mentionnent « la théorie dramatique » d'interprétation, « élaborée par Jacobi (1772) », et « le succès extraordinaire » qu'elle a connu au XIXe s. et dans la première moitié du XXe : voir, en bref, ROBERT-TOURNAY, p. 48-49 ; mais sans dire qu'Origène, ouvrant la voie à de nombreux imitateurs, l'esquisse et l'inaugure, cf. déjà Prol. 1, 1 et 3. Pour la partie limitée du livre que suit notre Commentaire (*Cant.* de 1, 1 à 2, 15) voir d'après les Homélies (*Cant.* de 1, 2 à 2, 14), le découpage du « scénario » fait par O. ROUSSEAU, *SC* 37 *bis*, Introd., p. 40-45. (M. B.)

ORIGÈNE

SUR LE CANTIQUE DES CANTIQUES

LIVRE PREMIER

1

1 «Qu'il me baise des baisers de sa bouche[a].» Il faut se rappeler ce que nous avons annoncé d'avance dans le prologue : ce petit livre ayant la forme d'un épithalame est écrit à la façon d'un drame. Or il y a drame, avons-nous dit, là où certains personnages sont mis en scène qui prennent la parole, et d'autres surviennent par intervalles, d'autres font leur entrée ou se retirent, et ainsi tout se passe avec des changements de personnages[1].

2 Telle sera la forme de tout le petit livre, et conformément à elle, selon nos forces, sera disposée par nous l'explication historique. Mais l'intelligence spirituelle, comme nous l'avons également signalé dans le prologue, s'interprète soit de l'Église par rapport au Christ sous la désignation de l'Épouse et de l'Époux, soit de l'union de l'âme avec le Verbe de Dieu[2].

2. L'auteur annonce d'emblée la marche qu'il va suivre pour chaque verset. D'abord expliquer ce qu'il nomme couramment «le sens historique» (en fait, le sens littéral : il ne s'agit pas d'une histoire réelle). Ensuite, développer une interprétation spirituelle, concernant la double relation, soit de l'Église au Christ, soit de l'âme au Verbe, ou inversement. Voir la note complémentaire 9 : «Les sens de l'Écriture». (M. B.)

3 Introducatur ergo nunc per historiae speciem sponsa quaedam, quae susceperit quaedam sponsaliorum et dotis titulo dignissima munera ab sponso nobilissimo, sed plurimo tempore moram faciente sponso, sollicitari eam desiderio amoris eius, et confici iacentem domi suae, et agentem omnia, quatenus possit aliquando videre sponsum suum atque osculis eius perfrui. Quae, quoniam differri amorem suum nec adipisci se posse quod desiderat, videt, convertat se ad orationem et supplicet Deo, sciens eum Patrem esse sponsi sui.

4 Consideremus ergo eam *levantem sanctas manus sine ira et disceptatione*[b] *in habitu ordinato cum verecundia et sobrietate*[c], ornatam dignissimis ornamentis quibus ornari decet nobilem sponsam, aestuantem vero desiderio sponsi et interno vulnere amoris agitatam, orationem, ut dixi-90 |mus, fundere ad Deum et dicere de sponso suo : *Osculetur me ab osculis oris sui*[d]. Haec sunt quae dramatis in modum composita historica continet explanatio.

5 Interior vero intellectus videamus si hoc modo poterit competenter aptari. Ecclesia sit desiderans Christo coniungi ; ecclesiam autem coetum omnium[e] adverte sanctorum. Haec ergo ecclesia sit quasi omnium una persona, quae loquatur et dicat : omnia habeo, repleta sum muneribus quae sponsaliorum vel dotis titulo ante nuptias sumpsi.

b. I Tim. 2,8 || c. I Tim. 2,9 || d. Cant. 1,2 || e. Cf. I Cor. 14,23.

---

1. Notre terme de «fiançailles» pour traduire *sponsalia* n'est pas tout à fait adéquat. Le mariage romain, d'après la traduction de Rufin, comprenait deux cérémonies : les *sponsalia* où l'accord était conclu, et peu après, la *deductio in domum mariti*, où l'épouse était conduite chez l'époux, et qui commençait la vie commune. Les *sponsalia* ne correspondent pas aux fiançailles actuelles, qui ne sont pas un accord définitif, mais elles étaient le mariage lui-même défini par la *pactio coniugalis*, le *pactum*, le *foedus*. Et c'est à elle que la lettre du pape Sirice à Himère de Tarragone (*Codex canonum ecclesiasticorum* XXIX, 4, *PL* 56, col. 556-557) attache l'indissolubilité.

Dans l'histoire

3 Soit donc mise en scène ici sous la forme d'une histoire une certaine Épouse, qui a reçu d'un Époux de très haute noblesse des présents de grand prix à titre de cadeaux de fiançailles[1] et de dot. Mais l'Époux se fait attendre bien longtemps : elle est tourmentée par le désir de son amour, elle est à bout, languissante dans sa maison, et fait tout son possible pour voir enfin son Époux et jouir de ses baisers. Parce qu'elle voit que son amour est remis à plus tard et qu'elle ne peut obtenir ce qu'elle désire, qu'elle se tourne alors vers la prière et supplie Dieu, sachant qu'il est le Père de son Époux.

4 Ainsi donc, regardons-la qui «lève des mains saintes[2], sans colère ni dispute[b]», «dans une tenue décente, avec pudeur et réserve[c]», parée d'ornements très précieux dont il convient qu'une Épouse noble soit parée, mais toute brûlante du désir de l'Époux et tourmentée par la blessure intime de l'amour, répandre comme nous avons dit, sa prière devant Dieu et dire au sujet de son Époux : «Qu'il me baise des baisers de sa bouche[d].» Tel est le contenu de l'exposé historique, composé à la manière d'un drame.

L'Église et le Christ

5 Mais examinons si le sens intérieur peut être appliqué de cette manière. Que ce soit l'Église désirant être unie au Christ ; or, note que l'Église est l'assemblée de tous les saints[e]. Que cette Église soit donc comme une seule personne formée de la réunion de tous, qui prenne la parole et dise : Je possède toutes choses, je suis comblée des présents que j'ai reçus à titre de cadeaux de fiançailles et de dot, avant mes noces.

2. Attitude de la prière chrétienne antique, cf. *PEuch.* 31,2; TERTULLIEN, *orat.* 14 et 17. Voir V. SAXER, «Le thème de l'orante», dans *Ecclesia orans. Mélanges Hamman, Augustinianum* 20 (1980), p. 335-365.

Dudum enim cum praepararer ad coniugium filii regis et *primogeniti omnis creaturae*[f], obsecuti sunt et ministraverunt mihi angeli sancti eius deferentes ad me legem sponsalis muneris loco ; *Lex* namque *disposita per angelos* dicitur *in manu mediatoris*[g].

6 Ministraverunt mihi etiam prophetae. Locuti sunt enim et ipsi omnia per quae non solum ostenderent et indicarent mihi de Filio Dei, cui me delatis his quae appellantur arrhis et muneribus dotalibus spondere cupiebant ; verum ut et in amorem me eius desideriumque succenderent, denuntiaverunt mihi propheticis vocibus de adventu eius, et de innumeris virtutibus operibusque eius immensis repleti sancto Spiritu praedicaverunt. Pulchritudinem quoque eius et speciem ac mansuetudinem descripserunt, ita ut ex omnibus his ad amorem eius intolerabiliter inflammarer.

7 Sed quoniam saeculum iam paene finitum est et ipsius quidem praesentia non datur mihi, solos autem ministros eius video adscendentes et descendentes ad me[h], propter hoc ad te Patrem sponsi mei precem fundo et obsecro, ut ★ tandem miseratus amorem meum mittas eum, ut iam non mihi per ministros suos angelos dumtaxat et prophetas loquatur, sed ipse per semet ipsum veniat et *osculetur me ab osculis oris sui*[i], verba scilicet in os meum sui oris

f. Cf. Col. 1, 15 || g. Gal. 3, 19 || h. Cf. Gen. 28, 12 || i. Cant. 1, 2.

1. On l'entrevoyait déjà, Prol. 4 : Origène conçoit l'Église comme progressant dans le temps. Il montre plus loin, II, 8, 4, qu'elle existe dès l'éternité. Ici, l'Église de l'A.T., encore petite, désire les baisers du Verbe.

2. Cf. *Ps.* 44, 4-7 ; 71, *passim* ; *Is.* 46, 4-13 ; 49, 1-9 ; etc.

3. Cf. *Ps.* 44, 2-5 ; *Is.* 42, 1-3 ; etc.

4. « Qu'il vienne lui-même, qu'il descende lui-même ! », *HomCant.* I, 2, début. Là, sont nommés Moïse (la Loi) et les prophètes ; ici, les anges et les prophètes ; mais Moïse est ce « médiateur » du ministère

Car depuis quelque temps[1], lorsque j'étais préparée au mariage du fils du roi et «du Premier-né de toute créature[f]», ses saints anges m'ont accompagnée et servie, me présentant la Loi pour tenir lieu de cadeau de fiançailles; car il est dit : «La Loi a été promulguée par les anges dans la main d'un médiateur[g].»

6 A mon service furent aussi les prophètes. Car ils ont proclamé eux aussi tous ces oracles par lesquels, non seulement ils me présentaient et me faisaient connaître des révélations au sujet du Fils de Dieu, auquel, après m'avoir apporté ce qu'on appelle les arrhes et cadeaux de dot, ils désiraient me promettre. Mais, afin de m'enflammer pour lui d'amour et de désir, de leurs voix prophétiques ils m'ont fait l'annonce de sa venue et, remplis du Saint Esprit, ils ont fait un grand étalage de ses innombrables vertus et de ses prodigieux exploits[2]. Ils m'ont encore décrit sa beauté, sa grâce, sa douceur[3], de sorte que, par tout cela, j'étais, à un degré insupportable, enflammée de son amour.

7 Mais parce que déjà le siècle touche à sa fin, et que sa présence certes ne m'est pas donnée, mais que je vois ses serviteurs seuls qui montent et descendent sur moi[h], pour cette raison, à toi, Père de mon Époux, j'adresse ma prière et je te supplie qu'enfin, prenant pitié de mon amour, tu ★ me l'envoies, pour que maintenant il ne me parle point par ses serviteurs, à savoir les anges et les prophètes, mais qu'il vienne lui-même en personne[4], et «qu'il me baise des baisers de sa bouche[i]», c'est-à-dire qu'il répande dans ma

des anges (§ 5, fin). — Dans la tradition rabbinique, constante est l'interprétation du baiser de l'Époux comme l'acte de Dieu qui parle (face à face) : «Le Cantique des cantiques fut donné au Sinaï. C'est pourquoi il est écrit : 'Qu'il me baise des baisers de sa bouche!'», *Cantique Rabba* 1, 2, § 1. «... Il nous a parlé face à face, comme par un baiser, dans la grandeur de son amour», *Targum Cant.* 1,2. Origène réserve l'expression «face à face» à la vision béatifique, mais chez lui aussi, les baisers de l'Époux sont ses paroles, des paroles d'amour.

infundat, ipsum audiam loquentem, ipsum videam docentem.

91 **8** Haec enim | sunt Christi oscula quae porrexit ecclesiae, cum in adventu suo ipse praesens in carne positus locutus est ei verba fidei et caritatis et pacis, secundum quod Esaias promiserat, praemissus ad sponsam et dixerat : non legatus neque angelus, sed *Ipse Dominus salvabit eos*[j].

9 Tertio vero expositionis loco introducamus animam, cuius omne studium sit coniungi et consociari Verbo Dei et intra mysteria sapientiae eius ac scientiae veluti sponsi caelestis thalamos intrare ; cuique animae praesentia etiam ipsius munera data sint, dotis scilicet nomine. Sicut enim ecclesiae dos fuit legis et prophetarum volumina, ita huic lex naturae et rationabilis sensus ac libertas arbitrii dotalia munera deputentur. Habens autem haec dotis suae munera, sit ei primae eruditionis doctrina a monitoribus doctoribusque descendens.

10 Sed quoniam in his non est ei plena et perfecta desiderii sui et amoris expletio, deprecetur ut mens eius pura et virginalis ipsius Verbi Dei illuminationibus ac visitationibus illustretur. Cum enim nullo hominis vel angeli ministerio divinis sensibus et intellectibus mens repletur, tunc oscula ipsius Verbi Dei suscepisse se credat. Propter haec ergo et huiusmodi oscula dicat anima orans ad Deum : *Osculetur me ab osculis oris sui*[k].

j. Is. 63, 9 || k. Cant. 1, 2.

---

1. Traduction littérale. Mais *sensus* et *intellectus* associés n'indiquent pas nécessairement une distinction «entre l'ordre de la sensation et celui de l'intelligence. Parfois *sensus* référera au domaine des sens spirituels de l'âme (ajoutons : ou de l'Écriture), mais souvent la différence entre les deux termes reste assez obscure», Chênevert, appendice C : le mot *sensus*, p. 292. La traduction ne pourra être uniforme : cf. I, 4, 5 ; II, 1, 39 ; IV, 1, 4.7. (M.B.)

bouche les paroles de sa bouche, que je l'entende lui-même parler, que je le voie lui-même enseigner.

8 Voilà en effet les baisers du Christ qu'il offrit à l'Église, quand à sa venue, en personne présent dans la chair, il lui adressa des paroles de foi, de charité et de paix, selon ce qu'Isaïe, envoyé d'avance à l'Épouse, avait promis ; il avait dit : non pas un messager ni un ange, mais « le Seigneur lui-même les sauvera[j] ».

L'âme et le Verbe

9 Mais dans une troisième partie de l'explication, mettons en scène une âme dont tout le zèle est d'être unie et associée au Verbe de Dieu, et de pénétrer à l'intérieur des mystères de sa Sagesse et de sa Science, comme dans une chambre nuptiale de l'Époux céleste. Qu'à cette âme soient aussi présents les cadeaux qu'il a donnés, évidemment à titre de dot. Car de même que la dot de l'Église fut les livres de la Loi et des prophètes, ainsi, pour cette âme, que l'on estime cadeaux de dot la loi de nature, la pensée rationnelle et le libre-arbitre. Or, avec ces cadeaux de sa dot, qu'il y ait pour elle la doctrine d'une première instruction provenant des conseillers et des docteurs.

10 Mais comme elle ne trouve pas chez eux la satisfaction totale et parfaite de son désir et de son amour, qu'elle prie pour que son intelligence pure et virginale soit éclairée par les illuminations et les visites du Verbe de Dieu lui-même. Car, lorsque, sans aucun ministère d'homme ou d'ange, son intelligence est remplie des divines significations et compréhensions[1], qu'elle estime alors avoir reçu les baisers du Verbe de Dieu lui-même. Donc en vue de ces dons et des baisers de cet ordre, que l'âme en prière dise à Dieu : « Qu'il me baise des baisers de sa bouche[k]. »

11 Dum enim incapax fuit ut ipsius Verbi Dei caperet meram solidamque doctrinam, necessario suscepit oscula, id est sensus, ab ore doctorum ; ubi vero sponte iam coeperit obscura cernere, enodare perplexa, involuta dissolvere, parabolas et aenigmata dictaque sapientium competentibus intelligentiae lineis explicare[l], tunc iam oscula ipsius sponsi sui, id est Verbi Dei, suscepisse se credat.

12 Ideo autem et pluraliter *oscula* posuit, ut intelligamus uniuscuiusque obscuri sensus illuminationem osculum esse Verbi Dei ad animam perfectam delatum. (86)

13 Et secundum hoc forte dicebat prophetica et perfecta mens : *Os meum aperui et attraxi Spiritum*[m]. Os autem sponsi intelligamus virtutem dici qua illuminat mentem, et velut sermone quodam amoris ad eam facto, si | tamen capere mereatur tantae virtutis praesentiam, incognita quaeque sibi et obscura manifestat, et hoc est verius propiusque et sanctius osculum, quod ab sponso Dei Verbo porrigi dicitur sponsae, purae scilicet animae ac perfectae. Cuius rei imago est illud osculum quod in ecclesia sub tempore mysteriorum nobis invicem damus. 92

★ **14** Quotiens ergo in corde nostro aliquid quod de divinis dogmatibus et sensibus quaeritur, absque monitoribus invenimus, totiens oscula nobis data esse ab sponso Dei Verbo credamus. Ubi vero quaerentes aliquid de divinis

l. Cf. Prov. 1,6 || m. Ps. 118,131.

1. Origène transpose. Le psalmiste dit avoir ouvert sa bouche et attiré «l'esprit» (la parole, les commandements, pour les mettre en pratique, affermir ses pas, etc.). Origène parle de «l'intelligence prophétique et parfaite». Or, dire prophète c'est faire penser à une parole proférée aux autres. Mais la prophétie suppose l'inspiration, et c'est le point où il s'arrête. L'Époux ouvre sa bouche, il communique sa puissance d'illumination par laquelle l'Épouse va comprendre ses secrets. Du Verbe de Dieu à l'âme parfaite : une parole d'amour, un baiser

11 Car, tant que l'âme fut incapable de saisir la doctrine pure et solide du Verbe de Dieu lui-même, il a bien fallu qu'elle reçoive des baisers, c'est-à-dire des significations, de la bouche des docteurs. Mais quand d'elle-même elle a déjà commencé à discerner ce qui est obscur, à débrouiller ce qui est enchevêtré, à dégager ce qui est enveloppé, à expliquer par des expressions appropriées à l'intelligence paraboles, énigmes et dits des sages[l], alors qu'elle croie avoir maintenant reçu les baisers de son Époux lui-même, c'est-à-dire du Verbe de Dieu.

12 Du reste, l'auteur a mis «baisers» au pluriel pour nous faire comprendre que l'illumination de chaque signification obscure est un baiser du Verbe de Dieu offert à l'âme parfaite.

13 Et c'est peut-être pour cela qu'une intelligence prophétique et parfaite disait : «J'ai ouvert ma bouche et j'ai attiré l'esprit[m].» Comprenons que par la bouche de l'Époux, on veut dire la puissance par laquelle il illumine l'intelligence[1]; et, comme par une parole d'amour qui lui est adressée, si du moins elle a mérité de recevoir la présence d'une si grande puissance, il dévoile ce qui lui restait obscur; et c'est un baiser plus vrai, plus intime et plus saint que l'on dit offert par l'Époux, le Verbe de Dieu, à l'Épouse, c'est-à-dire à l'âme pure et parfaite. De cette réalité une image est ce baiser que nous nous donnons les uns les autres à l'église, au temps des mystères[2].

★ **14** Donc toutes les fois que dans notre cœur nous découvrons sans conseillers un objet de recherche parmi les doctrines et les significations divines, croyons bien qu'autant de fois des baisers nous sont donnés par l'Époux, le Verbe de Dieu. Mais lorsque, dans la recherche, nous ne pouvons

très réel, très intime et très saint (§ 13), et que chacun doit solliciter de Dieu (§ 14). (M. B.)

2. Le baiser de paix, donné à la messe; «les mystères» désignent l'Eucharistie. Cf. JUSTIN, *I Apol.* 65, etc.

sensibus invenire non possumus, tunc affectu orationis huius assumpto petamus a Deo visitationem Verbi eius, et dicamus : *Osculetur me ab osculis oris sui*[n]. (87)

15 Scit autem Pater uniuscuiusque animae capacitatem, et novit in tempore cui animae quae oscula Verbi porrigere in intellectibus dumtaxat et sensibus debeat.

n. Cant. 1, 2.

découvrir telle ou telle des significations divines, faisant alors nôtre la disposition exprimée dans cette prière, sollicitons de Dieu la visite de son Verbe et supplions : «Qu'il me baise des baisers de sa bouche[n].»

15 Au reste, le Père connaît la capacité de chaque âme, et il sait à temps voulu à quelle âme et quels baisers du Verbe il doit offrir, à savoir par les compréhensions et les significations[1].

1. Voir la note *supra* (*ad* § 10).

Chapitre 2

Les seins de l'Époux : le cœur de Jésus

Cant. 1, 2b : *Car tes seins sont délectables plus que le vin*

1-7 : Entre autres vocables, les seins désignent le cœur de Jésus ; 8-9 : délectables, plus que le vin des anciens, les doctrines de la Loi et des prophètes ; 10-13 : auquel le Sauveur mêle le vin nouveau : dans le temple, sur la montagne, aux noces de Cana ; 14-15 : déjà la reine de Saba avait admiré les mets de la doctrine et le vin des enseignements de Salomon, inspiré par la divine Sagesse ; 16-18 : il y a de mauvais vins ; 19-22 : mais c'est au bon vin, goûté dans la Loi et les prophètes, que l'Épouse préfère la doctrine venant des seins de l'Époux ; lequel est comparable au trésor caché dans un champ où il peut y avoir des vignes : trésor meilleur que le vin produit ; sont délectables les seins de l'Époux, par les trésors de sagesse et de science cachés en lui, qui paraîtront bien supérieurs à ce que fut jadis ce vin de la Loi et de la doctrine prophétique ; 23-24 : on peut l'entendre de l'âme parfaite et du Verbe de Dieu.

2

1 *Quia bona sunt ubera tua super vinum, et odor unguentorum tuorum super omnia aromata*[a]. Intellige prius quasi in historiae dramate sponsam elevatis ad Deum manibus orationem fudisse ad Patrem, et orasse ut iam veniret ad eam sponsus et ipse eam osculis proprii oris infunderet. Dumque haec orat ad Patrem, in ipsa oratione qua dixit : *Osculetur me ab osculis oris sui*[b], parat etiam alia orationis verba subiungere ac dicere quia in hoc principio sermonis affuisse sponsus et oranti ei adstitisse ac revelasse ubera sua, ipsumque sponsum unguentis magnificis et quibus fraglare sponsum decebat constitisse delibutum.

2 Sponsa vero, ubi adesse vidit eum pro quo orabat ut adesset, et adhuc loquenti sibi praestitum quod orabat, ac data sibi ab ipso oscula quae poposcerat, laeta pro hoc reddita, et decore uberum ac fraglantiae ipsius odore permota, propositae orationis sermonem convertit ad praesentiam sponsi qui aderat, et cum dixisset : *Osculetur me ab osculis oris sui*, subiungit post haec ad praesentem iam sponsum loquens : *Bona ubera tua super vinum, et odor*

a. Cant. 1, 2-3 || b. Cant. 1, 2.

---

1. Voir la note complémentaire 10 : « Les seins de l'Époux, le cœur de Jésus ». — Un prédécesseur avait parlé du sein (μαστός) et du « lait » du Père : « Nous nous réfugions vers le sein du Père ' qui fait oublier les douleurs ' (*Iliade* 22, 83), le Logos. Lui seul, comme il est naturel, donne en abondance aux tout petits que nous sommes le lait de l'amour », Clément d'Alexandrie, *Péd.* VI, 43, 3 et 4. (M. B.)

2. Après quelques mots sur « l'histoire », le sens littéral, Origène

2

Voici l'Époux

1 «Car tes seins[1] sont délectables plus que le vin, et l'odeur de tes parfums surpasse tous les aromates[a].» Comprends d'abord, comme dans le drame de l'histoire[2], que l'Épouse, les mains levées vers Dieu, a répandu sa prière devant le Père et l'a supplié pour que maintenant l'Époux vienne à elle et lui-même la couvre de baisers de sa propre bouche. Et pendant qu'elle adresse cette prière au Père, la prière même où elle a dit : «Qu'il me baise des baisers de sa bouche[b]», elle se dispose à ajouter encore d'autres paroles de prière, et à dire que, à ce début de l'entretien, l'Époux s'est rendu présent, s'est tenu devant elle qui prie, et lui a dévoilé ses seins[3], et que l'Époux lui-même resta immobile, oint de parfums somptueux par lesquels il convenait que l'Époux exhale une odeur suave.

2 Mais l'Épouse, quand elle vit auprès d'elle celui dont elle implorait la présence et que, tandis qu'elle parlait encore, lui était accordé ce qu'elle implorait et lui étaient donnés par l'Époux les baisers qu'elle avait réclamés, en est rendue toute joyeuse ; émue par la grâce de ses seins et l'odeur de son parfum suave, elle orienta le cours de la prière qu'elle se proposait vers la présence de l'Époux qui était là. Alors qu'elle avait dit : «Qu'il me baise des baisers de sa bouche», elle ajoute ensuite à l'adresse de l'Époux désormais présent : «Tes seins sont délectables plus que le

développera le sens spirituel, «intérieur» : l'union du Christ et de l'Église, du Verbe et de l'âme.

3. Cf. AMBROISE, *Isaac* 3,9.

93 *un|guentorum tuorum super omnia aromata.* Haec interim secundum historicam intelligentiam, quam dramatis in modum praediximus textam. Nunc vero, quid intellectus interior habeat, requiramus.

3 Diversis vocabulis principale cordis appellari in scripturis divinis invenimus, quae vocabula pro causis et rebus, de quibus agitur aptari solent. Interdum enim cor dicitur, ut : *Beati mundo corde*[c] et : *Corde creditur ad iustitiam*[d].

4 Si vero convivii tempus sit, pro specie et ordine discumbentium vel sinus vel pectus appellatur; sicut Iohannes in evangelio refert de *quodam discipulo quem amabat Iesus*, quod *in sinu* eius[e] vel *super pectus* ipsius *recumberet*[f], ille profecto cui *innuens Simon Petrus dicebat : Interroga, quis est hic, de quo dicit*[g]. Post haec vero *recumbens super pectus Iesu, dicit ei : Domine, quis est*[h] ? In his enim certum est quod Iohannes in principali cordis Iesu atque in internis doctrinae eius sensibus requievisse dicatur ibi requirens et perscrutans *thesauros sapientiae et scientiae*, qui *reconditi erant*[i] in Christo Iesu. Sed et sinus Christi si in loco dogmatum sanctorum accipiatur, puto indecens non videri.

5 Diversis ergo modis, ut dicere coeperamus, principale cordis in scripturis sanctis designatur, sicut et in Levitico nihilominus, ubi de sacrificiis *pectusculum separationis* et

c. Matth. 5,8 || d. Rom. 10,10 || e. Jn 13,32 || f. Jn 13,25 || g. Jn 13,24 || h. Jn 13,25 || i. Cf. Col. 2,3.

1. Voir la note complémentaire 11 : «L'hégémonique».
2. Selon la coutume gréco-latine, les convives prenaient leur repas couchés sur le côté, appuyés sur un bras.

vin, et l'odeur de tes parfums surpasse tous les aromates.» Voilà provisoirement d'après le sens historique du récit que nous avons dit plus haut composé à la manière d'un drame. Mais recherchons maintenant ce que comporte le sens intérieur.

Les divers vocables

3 Que la faculté maîtresse du cœur[1] est désignée par divers vocables, nous le trouvons dans les divines Écritures. Ces vocables sont d'ordinaire appropriés aux motifs et aux réalités dont il s'agit. En effet, parfois on dit cœur : «Bienheureux les purs de cœur[c]»; «Croire dans son cœur conduit à la justice[d].»

4 Mais à l'occasion d'un banquet, vu la disposition et la place des convives étendus[2], on parle de sein et de poitrine. Jean, par exemple, raconte dans l'Évangile «d'un certain disciple que Jésus aimait», qu'il était couché «contre son sein[e]» ou «sur sa poitrine[f]»; celui, à coup sûr, auquel «Simon Pierre, lui faisant signe, disait : Demande-lui quel est celui dont il parle[g].» Alors, «se couchant sur la poitrine de Jésus, il lui dit : Seigneur, qui est-ce ?[h]» De fait, à cette occasion il est certain qu'on veut dire que Jean a reposé sur la faculté maîtresse du cœur de Jésus et dans les sens intérieurs de sa doctrine, y cherchant et scrutant «les trésors de sagesse et de science qui étaient cachés[i]» dans le Christ Jésus[3]. De plus, comprendre «le sein» du Christ pour le lieu des saintes doctrines, je pense, ne semble pas inconvenant.

5 Ainsi donc, de manières diverses, comme nous avions commencé à le dire, la faculté maîtresse du cœur est désignée dans les saintes Écritures, comme encore aussi dans le Lévitique : là, hors des sacrifices «la poitrine et l'épaule

3. Cf. *ComJn* I, 23; *HomÉz.* VI, 4, fin.

bracchium[j] sacerdotibus sequestratur ; et in hoc enim sequestratum ac separatum *pectusculum* et *bracchium* praecellens ceteros homines principale cordis et operum decus vult esse in sacerdotibus. De quo plenius in libro Levitici, prout Dominus dare dignatus est, exposuimus.

6 Secundum haec ergo etiam in praesenti loco, quoniamquidem amatorium videtur drama quod agitur, in *uberibus* principale cordis intelligamus, ut tale videatur esse quod dicitur : cor tuum, o sponse, et mens, id est dogmata quae intra te sunt, vel doctrinae gratia, superat omne *vinum* quod *cor hominis laetificare*[k] solet.

7 Sicut enim in his de quibus dicit : *Quia Deum* 94 *videbunt*[l], *cor* competenter dictum videtur | et inter discumbentes *sinus* ac *pectus* ponitur, pro habitu sine dubio discumbentium formaque convivii, et rursus, ut apud sacerdotes *pectusculum* et *bracchium* mysticis designatur eloquiis, ita arbitror etiam in praesenti loco, ubi amantium habitus et colloquia describuntur, gratissime hoc ipsum principale cordis in *uberibus* appellatum.

j. Cf. Lév. 10, 14 || k. Ps. 103, 15 || l. Cf. Matth. 5, 8.

1. Noter la variété des termes. « Poitrine » : *vel sinus vel pectus* (§ 4), *pectusculum* (§ 5), *ubera* (§ 6). En regard des termes grecs, a été précisé leur sens. *Pectus* désigne la poitrine de Jésus où reposa Jean. *Pectusculum* peut s'entendre du haut de la poitrine, mis à part pour les sacrifices. *Ubera* est identifié aux seins, par Origène : cf. *HomCant.* I, 3 (et n. 3 *ad loc.*, *SC* 37 *bis*, p. 76). — « Épaule » : le terme hébreu est traduit « cuisse », Crampon, *BJ*, Osty ; « gigot », Dhorme, *TOB* : termes impropres à figurer les œuvres. Le latin *bracchium* désigne plutôt l'avant-bras, ce qu'on ne peut dire des quadrupèdes offerts en sacrifice. Mais il traduit le terme grec de la Septante, βραχίων, qui peut signifier le haut du bras, l'épaule. Avec la traduction « épaule » s'harmonisent l'expression biblique que citent et le sens figuré qu'y voient les commentateurs : « Or l'épaule (βραχίων) est aussi le symbole de

séparées[j]» sont mises à part pour les prêtres[1]; car à la manière aussi de cette poitrine et cette épaule séparées et mises à part, on veut qu'il y ait chez les prêtres, l'emportant sur les autres hommes, la faculté maîtresse du cœur et la beauté des œuvres. Sur ce point, pour le livre du Lévitique, dans la mesure où le Seigneur a voulu l'accorder, notre explication fut plus complète[2].

6 En accord donc avec cela, dans le présent passage encore, puisqu'il s'agit bien, semble-t-il, d'un drame d'amour, comprenons pour «les seins» la faculté maîtresse du cœur, en sorte que la parole semble vouloir dire : Ton cœur, ô Époux, et ton intelligence, c'est-à-dire les dogmes qui sont à l'intérieur de toi, ou la grâce de ta doctrine, surpassent tout «vin» qui d'ordinaire «réjouit le cœur de l'homme[k]».

7 En effet, de même que pour ceux dont il est dit : «Car ils verront Dieu[l]», le terme de «cœur» semble dit avec pertinence, et que parmi les convives étendus on emploie celui de «sein» et de «poitrine», sans nul doute en raison de la position des convives et de l'ordonnance du banquet, et d'autre part, comme chez les prêtres, «poitrine» et «bras» sont employés comme expressions à sens mystique, ainsi, je pense, dans le présent passage aussi, où l'on décrit les attitudes et les entretiens des amants, c'est de la façon la plus heureuse que cette faculté maîtresse du cœur est appelée du nom de «seins».

l'effort et de la fatigue», PHILON, *Leg.* III, 135. «Or les épaules *(humeri)* signifient les œuvres et le travail», *HomLév.* VI, 3, 67 ; cf. la citation de Philon à la n. 2 *ad loc.*, *SC* 286, p. 283. (M. B.)

2. La liste des œuvres d'Origène, contenue dans la lettre 33 à Paula, de JÉRÔME, ne signale pas de Commentaire sur le Lévitique, mais *In Leviticum excerpta*, c'est-à-dire un recueil de scolies, et les Homélies. A quoi, ici, Origène se réfère-t-il ? Cf. *supra*, Prol. 4, 2, n. 1 *ad loc.* (M. B.)

8 Bona sunt ergo ubera sponsi, quoniamquidem *thesauri sunt* in iis *sapientiae et scientiae reconditi*[m]. Ubera autem haec vino comparat sponsa, sed ita comparat ut praeferat. Vinum autem illa intelligenda sunt dogmata et doctrinae, quae per *legem et prophetas*[n] ante adventum sponsi sumere sponsa consueverat. Sed nunc considerans hanc doctrinam quae ex uberibus profluit sponsi miratur et stupet videns eam longe praestantiorem quam illam ex qua ante adventum sponsi laetificata fuerat, tamquam ex vino spiritali, quod ministrabant sancti patres ac prophetae, qui etiam huius generis *plantaverant vineas*, ut Noe primus[o] et Esaias *in cornu in loco uberi*[p], et coluerant eas.

9 Videns ergo nunc multam esse eminentiam dogmatum et scientiae apud sponsum et longe ex eo perfectiorem quam fuit apud antiquos emanare doctrinam, dicit : *Bona sunt ubera tua super vinum*[q], super illam scilicet doctrinam in qua laetificabar ab antiquis.

10 De hoc enim antiquorum vino intelligendus est et Ecclesiastes dicere, ubi ait : *Dixi ego in corde meo : veni et tentabo te in laetitia, et vide in bono*[r]. Et iterum de iisdem vineis loquens idem Ecclesiastes dicit : *Magnificavi mihi opus meum, aedificavi mihi domos, plantavi mihi vineas, feci mihi hortos et paradisos*[s] et reliqua. Sunt autem huius vini mystici etiam ministri quidam, qui vini fusores appellantur ; sic enim idem dicit : *Et feci mihi cantores et cantatrices et in laetitia filiorum hominum, vini fusores et vini fusitrices*[t].

m. Col. 2, 3 || n. Matth. 7, 12 || o. Cf. Gen. 9, 20 || p. Is. 5, 1 || q. Cant. 1, 2 || r. Eccl. 2, 1 || s. Eccl. 2, 4-5 || t. Eccl. 2, 8.

1. La Septante a κέρας, corne. Il y a un rapport entre ce mot s'appliquant à un coteau et le mot *eminentiam*, supériorité, de la ligne suivante.

Seins délectables plus que le vin

8 Délectables donc sont les seins de l'Époux, puisqu'en eux «sont cachés les trésors de sagesse et de science[m]». Or ces seins, l'Épouse les compare au vin, mais les compare de sorte qu'elle les préfère. Par «vin» il faut comprendre ces dogmes et ces doctrines que l'Épouse, grâce «à la Loi et aux prophètes[n]», avant la venue de son Époux, avait l'habitude de recevoir. Mais maintenant, à contempler cette doctrine qui a coulé des seins de l'Époux, elle est dans l'admiration et la stupeur : elle voit qu'elle est de loin supérieure à la doctrine dont elle s'était réjouie avant la venue de l'Époux, comme d'un vin spirituel que servaient les saints pères et prophètes, eux qui «avaient» aussi «planté des vignes» de cette espèce, comme Noé le premier[o], et Isaïe «sur un coteau[1] dans une terre fertile[p]», et les avaient cultivées.

9 Voyant donc maintenant que la supériorité des dogmes et de la science est grande chez l'Époux, et qu'émane de lui une doctrine bien plus parfaite qu'elle fut chez les anciens, l'Épouse dit : «Tes seins sont délectables plus que le vin[q]», c'est-à-dire plus que cette doctrine par laquelle j'étais remplie d'allégresse grâce aux anciens.

Le vin nouveau du Christ

10 En effet, de ce vin des anciens il faut comprendre que parle aussi l'Ecclésiaste quand il déclare : «J'ai dit, moi, en mon cœur : Viens, je t'éprouverai par la joie, vois tout en beau[r].» Et de nouveau, parlant des mêmes vignes, le même Ecclésiaste dit : «J'ai multiplié mes œuvres, je me suis bâti des palais, je me suis planté des vignes, je me suis aménagé des jardins et des parcs[s]», etc. Et il y a aussi des serviteurs de ce vin mystique, qu'on appelle échansons ; car le même auteur dit : «Je me suis procuré chanteurs et chanteuses, et pour l'allégresse des fils des hommes, des échansons, hommes et femmes[t].»

11 Vide ergo, si possumus cum in ceteris, tum etiam in hoc intelligere Salvatorem veterum vino novella uberum suorum fluenta miscentem, cum Maria et Ioseph quaerentes *invenerunt eum in templo sedentem in medio doctorum et audientem atque interrogantem eos*, quando *et mirabantur omnes super responsis eius*[u].

95 **12** Sed et ibi for|tassis species formae huius expletur, ubi *adscendens in montem*[v] docebat populos et dicebat : *Dictum est antiquis : non occides. Ego autem dico vobis : omnis qui irascitur fratri suo sine causa, reus erit*[w] et *Dictum est antiquis : non adulterabis. Ego autem dico vobis : omnis qui viderit mulierem ad concupiscendum eam, iam moechatus est eam in corde suo*[x]. In quantum ergo doctrina haec eius illam praecellit antiquam, in tantum sponsa intelligit ac pronuntiat *bona esse ubera eius super vinum*[y].

13 Sed et quod *venit Filius hominis manducans et bibens et dicunt : ecce homo vorax et vinum bibens*[z], ad hoc nihilominus respicit. Tale et illud vinum puto fuisse *in Chana Galilaeae*[aa], quod bibebatur in convivio nuptiali, quo deficiente fecit ipse aliud vinum cui testimonium reddit architriclinus, quod sit valde bonum et illo vino quod expensum fuerat multo praestantius, cum dicit : *Omnis homo primum bonum vinum ponit et, cum inebriati fuerint, id quod inferius est; tu autem servasti vinum bonum usque nunc*[ab].

14 Sed et Solomonem, qui pro accepta Dei sapientia in admiratione fuit reginae Saba, quae *venerat tentare eum in quaestionibus*[ac], quae sint in quibus eum eadem regina miretur, audi Scripturam referentem : *Et vidit* inquit *regina Saba omnem sapientiam Solomonis, et domum quam* (8

u. Lc 2, 46-47 || v. Cf. Matth. 5, 1 || w. Matth. 5, 21-22 || x. Matth. 5, 27-28 || y. Cant. 1, 2 || z. Matth. 11, 19 || aa. Jn 2, 1 || ab. Jn 2, 10 || ac. III Rois 10, 1.

11 Vois donc si nous pouvons, non seulement aux autres passages, mais encore à celui-ci, l'entendre du Sauveur mêlant au vin des anciens le vin nouveau coulant de ses seins, quand Marie et Joseph, à sa recherche, « le trouvèrent dans le temple, assis au milieu des docteurs, les écoutant et les interrogeant », et que « tous s'étonnaient de ses réponses [u] ».

12 En outre, peut-être un aspect de cette figure s'accomplit-il lorsque, « montant sur la montagne [v] », Jésus enseignait les foules et disait : « Il a été dit aux anciens : Tu ne tueras pas. Mais moi je vous dis : Quiconque se met en colère sans motif contre son frère sera condamné [w] », et : « Il a été dit aux anciens : Tu ne commettras pas d'adultère. Mais moi je vous dis : Quiconque regarde une femme pour la convoiter a déjà commis l'adultère avec elle dans son cœur [x]. » Donc, dans la mesure où cette doctrine du Sauveur surpasse cette ancienne doctrine, dans cette mesure l'Épouse comprend et déclare que « ses seins sont délectables plus que le vin [y] ».

13 De plus, le fait que « le Fils de l'homme vint, mangeant et buvant, et que l'on dit : Voilà un glouton et un buveur de vin [z] », concerne également ce point. Tel fut aussi je pense, ce vin qu'on buvait au festin de noces « à Cana en Galilée [aa] » : comme il vint à manquer, il fit lui-même un autre vin, à qui le maître du festin rendit le témoignage qu'il était très bon et bien supérieur à ce vin qu'on avait acheté, quand il dit : « Tout homme sert d'abord le bon vin ; et quand les gens sont gris, le moins bon ; mais toi, tu as gardé le bon vin jusqu'à présent [ab]. »

Salomon

14 Quant à Salomon qui, pour avoir reçu la sagesse de Dieu, fit l'admiration de la reine de Saba « venue l'éprouver par des questions [ac] », quels sont les points sur lesquels la même reine l'admire, écoute l'Écriture le rapporter : « La reine de Saba vit toute la sagesse de Salomon, le palais qu'il avait

aedificavit, et apparatum convivii eius et sedem puerorum eius et ordinem ministrorum eius et vestes eius et vini fusores eius et holocaustomata eius, quae offerebat in domo Domini, et obstupefacta est[ad], et reliqua.

15 In his ergo adverte quomodo haec, quae *venit a finibus terrae audire sapientiam Solomonis*, inter cetera miratur et cibos convivii eius et vini fusores eius, et super his dicitur obstupuisse. Nescio autem si ita ineptam putemus fuisse reginam, quae ob hoc *venerat a finibus terrae, ut audiret sapientiam Solomonis*[ae], ut miretur cibos corporales et vinum commune istud ac pincernas vini in ministerio regis. Quid enim in his admiratione dignum reginae videretur quae communia | sunt omnibus paene hominibus ? Sed mihi videtur mirata esse cibos doctrinae eius et vinum dogmatum quae ab eo per divinam sapientiam praedicabantur.

96

16 Hoc erat nimirum et illud quod apud Hieremiam refertur de filiis *Ionadab filii Rechab*, qui tempore eo quo peccata populi invaluerant et pro iniquitatibus plebis captivitas imminebat, convocati sunt ut *biberent vinum, et dixerunt quia mandaverat iis pater suus Ionadab ne biberent vinum ipsi et filii sui in saeculum neque domos aedificarent neque seminarent semen neque plantarent vineas, sed in tabernaculis habitarent omnibus diebus vitae suae*[af].

17 Et amplectitur eos Deus, eo quod *custodierint praeceptum* patris sui et *noluerint bibere vinum*[ag]. Pro peccatis enim tunc populi et iniquitatibus eorum erat *vinea eorum ex vinea Sodomorum, et palmites eorum ex Gomorra; uva eorum uva fellis, et botrus amaritudinis; venenum aspidum et furor draconum erat vinum eorum*[ah]. Propter hoc ergo laudabiles habentur filii Ionadab, qui tale vinum,

ad. III Rois 10, 4-5 || ae. Matth. 12, 42 || af. Jér. 42 (35), 5 s. || ag. Cf. Jér. 42 (35), 14 || ah. Deut. 32, 32-33.

construit, les mets de sa table, les sièges de ses courtisans, l'ordre de ses serviteurs, ses vêtements, ses échansons, ses holocaustes qu'il offrait dans la maison de Dieu, et elle fut stupéfaite [ad] », etc.

15 Ici donc, observe que celle qui « vint des extrémités de la terre pour entendre la sagesse de Salomon », admire entre autres et les mets de sa table et ses échansons, et on dit qu'elle en fut stupéfaite. Mais je ne sais si nous estimons que cette reine qui « était venue des extrémités de la terre pour entendre la sagesse de Salomon [ae] » fut sotte au point d'admirer des nourritures corporelles, ce vin ordinaire, et des échansons au service du roi. Car qu'est-ce qui semblerait digne d'admiration de la reine dans ce qui est commun à presque tous les hommes ? Mais ce qui fit son admiration, me semble-t-il, ce sont les nourritures de sa doctrine et le vin des croyances prêchés par lui grâce à une sagesse divine.

Le mauvais vin

16 Tel était sûrement aussi le sens de ce qui est rapporté chez Jérémie au sujet des fils « de Jonadab, fils de Rechab » : en ce temps où les péchés du peuple s'étaient aggravés et où, par suite des iniquités de la populace, était imminente la captivité, ils furent invités « à boire du vin, mais dirent que leur père Jonadab leur avait ordonné de ne jamais boire de vin, ni eux, ni leur fils, et de ne pas construire de maisons, ni semer des semences, ni planter de vignes, mais d'habiter sous des tentes tous les jours de leur vie [af] ».

17 Et Dieu les entoura d'affection parce qu'ils avaient observé l'ordre de leur père et n'avaient pas voulu boire de vin [ag]. Car du fait des péchés du peuple d'alors et de leurs iniquités, « leur vigne venait de la vigne de Sodome, et leurs sarments, de Gomorrhe ; leurs raisins étaient des raisins pleins de fiel, et leurs grappes, d'amertume ; venin d'aspics et fureur de dragons, était leur vin [ah] ». Voilà donc pourquoi les fils de Jonadab furent dignes d'éloges, eux qui

venenata scilicet dogmata et aliena a fide Dei, bibere et suscipere recusarunt.

18 Propter hoc ergo fortassis *percussit* Deus Aegyptiorum vineas[ai], sicut in psalmo scriptum est, ne tale facerent vinum.

★ **19.** Igitur si intelleximus vini differentias easque pro diversitate dogmatum constare perspeximus, quod ait hic sponsa : *Quia bona sunt ubera tua super vinum*[aj], *super vinum* utique intelligamus bonum, non malum.

20 Bonis enim, non malis comparata dogmatibus sponsi dogmata praeferuntur. Bonum enim vinum gustaverat prius *in lege et prophetis*[ak], ex quo velut praemeditata fuerat sponsa laetitiam cordis accipere ac praeparare, ut capere posset etiam illam quae affutura erat per ubera ipsius sponsi, excellentiorem cunctis eminentioremque doctrinam, et ideo dicit : *Bona sunt ubera tua super vinum*[al].

97 | **21** Et vide si adhuc huic formae aptare possumus illam evangelii parabolam quae dicit : *Simile est regnum caelorum thesauro abscondito in agro, quem qui invenerit, abscondit, et prae gaudio eius vadit et vendit omnia quae habet, et emit agrum illum*[am]. Est ergo *thesaurus* hic non in deserto aliquo loco neque in silvis, sed *in agro absconditus*. Et possibile utique est agrum illum habere etiam vineas quae afferant vinum, habere etiam thesaurum propter quem distractis omnibus emit agrum illum is qui invenerat ibi thesaurum. Potest ergo dicere ille qui emit agrum, quia bonus est thesaurus, qui est in agro, magis quam vinum, quod est in eo.

ai. Cf. Ps. 104, 33 || aj. Cant. 1, 2 || ak. Cf. Matth. 7, 12 || al. Cant. 1, 2 || am. Matth. 13, 44.

1. Jésus était déjà le trésor caché dans le champ des Écritures pour Irénée, *Haer.* IV, 26, 1.

refusèrent d'accepter et de boire un tel vin, à savoir des doctrines vénéneuses, étrangères à la foi en Dieu.

18 Voilà donc peut-être pourquoi Dieu «frappa» les vignes des Égyptiens[ai] — comme il est écrit dans un psaume —, pour qu'ils ne produisent pas un tel vin.

★ **Le bon vin**

19 Dès lors, si nous avons compris les différences de vin, et observé qu'elles existent en raison de la diversité des doctrines, dans ce que déclare ici l'Épouse : «Car, tes seins sont délectables plus que le vin[aj]», comprenons, bien sûr, «plus que le bon vin», non le mauvais.

20 C'est en effet comparées à de bonnes doctrines et non à de mauvaises, que les doctrines de l'Époux sont préférées. Car c'est du bon vin que l'Épouse avait d'abord goûté dans «la Loi et les prophètes[ak]»; grâce à lui, elle s'était exercée d'avance à recevoir l'allégresse du cœur, et à se préparer pour qu'elle puisse recevoir aussi cette doctrine qui allait lui venir grâce aux seins de l'Époux lui-même, doctrine plus élevée, plus excellente que toutes les autres. Et c'est pourquoi elle dit : «Tes seins sont délectables plus que le vin[al].»

Un trésor caché

21 Et vois si nous pouvons adapter encore à cette figure cette parabole de l'Évangile : «Le royaume des cieux est semblable à un trésor caché dans un champ; celui qui l'a trouvé le cache, et dans sa joie il s'en va, vend tout ce qu'il a et achète ce champ[am].» Ce «trésor» est donc «caché», non dans quelque lieu désert ni dans les forêts, mais «dans un champ[1]». Et il est bien possible que ce champ ait aussi des vignes qui produisent du vin, ait aussi un trésor en vue duquel, après avoir tout vendu, celui qui y avait trouvé un trésor achète ce champ. Alors celui qui achète le champ peut dire que le trésor qui est dans le champ est délectable plus que le vin produit par lui.

22 Ita ergo et bonus est sponsus atque ubera sponsi, qui velut *thesaurus absconditus* est *in lege et prophetis*[an], magis quam vinum, quod est in iis, illa scilicet doctrina quae palam est et laetificat audientes. Bona sunt ergo ubera sponsi ; *thesauri* enim sunt *sapientiae et scientiae in eo absconditi*[ao], qui cum aperti et revelati fuerint oculis sponsae, multo praestantiores ei videbuntur quam fuit prius illud vinum legis et doctrina prophetica.

23 Sed et si tertia expositione de anima haec perfecta et Verbo Dei sentire debeamus, possumus dicere in his quia, donec quis *parvulus*[ap] est et nondum *semet ipsum ex integro obtulit Deo*[aq], bibit vinum quod affert *ager ille* qui habet intra se etiam *thesaurum absconditum*, et bibens laetificatur ex vino.

24 Cum autem *obtulerit et devoverit semet ipsum Deo* ac *Nazaraeus*[ar] fuerit effectus, atque *invenerit thesaurum absconditum* et ad ipsa ubera fontesque pervenerit Verbi Dei, *vinum et siceram iam non bibet*[as] dicens ad ipsum Dei Verbum de his *thesauris* qui *in ipso sapientiae et scientiae reconditi sunt*[at] : *Quia bona sunt ubera tua super vinum*[au].

an. Cf. Matth. 7, 12 || ao. Cf. Col. 2, 3 || ap. Cf. Hébr. 5, 13 || aq. Cf. Hébr. 9, 14 || ar. Cf. Nombr. 6, 2 s. || as. Cf. Lc. 1, 15 || at. Cf. Col. 2, 3 || au. Cant. 1, 2.

22 Dès lors, «délectables» sont aussi l'Époux et les seins de l'Époux, qui est comme «un trésor caché» dans «la Loi et les prophètes[an]», plus que le vin qu'ils contiennent, à savoir cette doctrine qui est manifeste et réjouit les auditeurs. Délectables alors sont les seins de l'Époux ; car il y a «des trésors de sagesse et de science cachés en lui[ao]», lesquels, une fois découverts et dévoilés aux yeux de l'Épouse, lui paraîtront bien supérieurs à ce que fut jadis ce vin de la Loi et la doctrine prophétique.

L'âme parfaite et le Verbe de Dieu

23 De plus, si dans une troisième explication, nous devons le comprendre de l'âme parfaite et du Verbe de Dieu, nous pouvons dire à ce sujet : tant qu'un homme est «tout petit[ap]» et ne s'est pas encore «offert lui-même complètement à Dieu[aq]», il boit le vin que produit «ce champ» qui recèle en lui encore «un trésor caché», et le buvant, il est rempli d'allégresse par ce vin.

24 Mais quand «il se sera offert et consacré lui-même à Dieu», quand il sera devenu «Nazir[ar]»[1], et qu'il «aura trouvé le trésor caché», et qu'il sera parvenu aux seins mêmes et aux sources du Verbe de Dieu, «il ne boira plus ni vin ni boisson fermentée[as]», disant au Verbe de Dieu en personne, de ces «trésors de sagesse et de science qui sont cachés en lui[at]» : «Tes seins sont délectables plus que le vin[au].»

1. Il ne s'agit pas de Nazaréen, habitant de Nazareth, mais du «Nazir», qui a fait le vœu de naziréat, celui que décrit *Nombr.* 6 : l'étymologie des mots est différente.

Chapitre 3

Les parfums de l'Époux

Cant. 1, 3a :
L'odeur de tes parfums surpasse tous les aromates

1-2 : Les aromates étaient la Loi et les prophètes par lesquels l'Épouse était formée au culte de Dieu ; quand, la plénitude des temps venue, le Père envoya son Fils, oint de l'Esprit Saint, l'Épouse sentit l'odeur suave de l'onguent divin et, en comparaison, jugea bien inférieurs les aromates ; 3-11 : le même Christ est dit à la fois Époux et Grand Prêtre : Grand Prêtre comme médiateur, et devenu propitiation ; Époux comme uni à l'Église ; peut-être le parfum destiné au Pontife n'est-il pas sans rapport avec ce parfum dont l'Épouse s'émerveille : parfum qui était composé de quatre ingrédients figurant l'incarnation du Verbe de Dieu, qui prit un corps formé de quatre éléments ; et chaque terme de l'Exode était un symbole ; 12-13 : l'âme, de son instruction jusqu'aux portes de la divine Sagesse ; 14 : une variante : « Tes paroles sont délectables plus que le vin. »

3

1 Sunt autem etiam unguenta quaedam sponsi, quorum fraglantia delectata est sponsa et dicit : *Odor unguentorum*
98 *tuorum* | *super omnia aromata*[a]. Aromata species sunt
★ pigmentorum. Sponsa ergo habuit quidem usum et notitiam aromatum, hoc est verborum *legis et prophetarum*[b], (9
quibus ante adventum sponsi, mediocriter licet, instrui tamen videbatur et exerceri ad cultum Dei, utpote *parvula* adhuc et *sub curatoribus et actoribus agens*[c] *et paedagogis*[d], *lex* enim inquit *paedagogus noster fuit ad Christum*[e]. Haec ergo omnia aromata fuerant, in quibus enutriri visa est et sponso suo praeparari.

2 Sed *ubi venit plenitudo temporum*[f] et adolevit atque *Unigenitum suum*[g] Pater *Spiritu sancto unctum*[h] *misit in hunc mundum*[g], odorata sponsa divini unguenti fraglantiam sentiensque quod illa omnia aromata, quibus prius usa videbatur, longe inferiora sunt ad comparationem suavitatis novi huius et caelestis unguenti ait : *Odor unguentorum tuorum super omnia aromata*[i].

3 Et quoniam Christus idem *sponsus* atque idem *pontifex*[j] dicitur, *pontifex* quidem secundum hoc quod *mediator est Dei et hominum*[k] omnisque creaturae, pro qua et *propitiatio*[l] factus est, *semet ipsum offerendo hostiam*[m] pro peccato mundi, *sponsus* vero secundum hoc quod *ecclesiae* iungitur *non habenti maculam aut rugam aut*

a. Cant. 1, 3 || b. Cf. Matth. 7, 12 || c. Cf. Gal. 4, 1-2 || d. Cf. Gal. 3, 25 || e. Gal. 3, 24 || f. Cf. Gal. 4, 4 || g. I Jn 4, 9 || h. Act. 10, 38 || i. Cant. 1, 3 || j. Cf. Hébr. 2, 17 || k. Cf. I Tim. 2, 5 || l. Cf. I Jn 2, 2 || m. Cf. Éphés. 5, 2.

3

1 Mais il y a aussi des parfums de l'Époux ; et l'Épouse, charmée de leur odeur, dit : « L'odeur de tes parfums surpasse tous les aromates[a]. » Les aromates sont des espèces ★ de parfums. L'Épouse eut donc la connaissance et l'usage d'aromates, c'est-à-dire de « la Loi et des prophètes[b] », par lesquels avant la venue de l'Époux, bien que dans une faible mesure, elle semblait néanmoins être exercée et formée au culte de Dieu, elle qui était encore « une petite enfant, vivant sous des curateurs et tuteurs[c], et des pédagogues[d] », car, dit l'Écriture, « la Loi fut notre pédagogue jusqu'au Christ[e] ». Tout cela donc avait été les aromates par lesquels elle sembla être élevée et préparée pour son Époux.

2 Mais « lorsqu'est venue la plénitude des temps[f] », que l'Épouse a grandi, et que le Père « envoya dans ce monde son Fils unique[g] », « oint de l'Esprit Saint[h] », l'Épouse, ayant senti l'odeur suave de l'onguent divin et comprenant que tous ces aromates dont elle semblait avoir usé d'abord sont d'une qualité bien inférieure en comparaison de la suavité de ce parfum nouveau et céleste, déclare : « L'odeur de tes parfums surpasse tous les aromates[i]. »

Le parfum du Grand Prêtre

3 Or le même Christ est dit à la fois « Époux » et « Grand Prêtre[j] » : Grand Prêtre, du fait qu'il est « médiateur entre Dieu et les hommes[k] », et toute la création, pour laquelle il s'est fait encore « propitiation[l] », s'offrant lui-même en victime[m] pour le péché du monde ; « Époux », du fait qu'il s'unit à « l'Église sans tache, ni ride, ni rien de

aliquid horum[n], **4** considera ne forte unguentum illud pontificale, quod in Exodo componi iubetur *arte pigmentarii*[o], istius unguenti, quod nunc odorata sponsa miratur, teneat rationem, et videns quod illa quidem aromata, quibus illud compositum videbatur quo *Aaron unctus est*, quoniam erant terrena et materiae corporalis, hoc autem unguentum quo nunc unctum vidit sponsum, spiritale est et caeleste, idcirco dicat quia : *Odor unguentorum tuorum super omnia aromata*[p].

5 Videamus ergo quomodo compositum sit illud unguentum : *Et locutus est* inquit *Dominus ad Moysen dicens : accipe tibi florem myrrhae electae quingentos siclos, et* 99 *cinamomum suave ducentos quinquaginta siclos, et* | *calamum suavem ducentos quinquaginta siclos, et ireos quingentos siclos secundum siclum sanctum, et oleum ex olivis Hin; et facies illud oleum chrismatis sancti unguentum arte pigmentarii*[q].

6 Haec ergo in lege quidem referri audierat sponsa, sed rationem eorum veritatemque nunc perspicit; videt enim quod istae quattuor species unguenti illius formam tenebant incarnationis Verbi Dei, quod ex quattuor elementis compaginatum corpus assumpsit.

7 In quo corpore *myrrha* illa mortis eius, quam sive ut *pontifex* pro populo sive ut sponsus pro sponsa suscepit, servat indicia. Quod vero non simpliciter myrrha, sed *flos myrrhae* et *myrrhae electae* scriptum est, non solum mortem

n. Éphés. 5,27 || o. Ex. 30,25 || p. Cant. 1,3 || q. Ex. 30,22-25.

1. La tradition rabbinique avait déjà mis en relation le parfum de l'Époux et le parfum du Grand Prêtre, *Targum Cant.* 1,3.

2. On sait l'extraordinaire diffusion de la théorie des quatre éléments : la terre, l'eau, l'air, le feu, pour l'explication de toutes choses. Origène la mentionne, l'utilise, et même en critique une application (cf. éd. des *HomÉz.*, *SC* 352, p. 450, ma note complém. 3 : « Les quatre éléments »). Avant de remonter aux philosophes, il pouvait s'inspirer

tel[n] » : **4** alors, examine si peut-être ce parfum destiné au Pontife, que dans l'Exode on prescrit de composer « selon l'art du parfumeur[o] », n'aurait pas de rapport avec ce parfum dont l'Épouse, qui en perçoit maintenant l'odeur, s'émerveille[1]. Et voyant que ces aromates dont semblait composé celui par lequel Aaron fut oint étaient terrestres et d'une matière corporelle, tandis que ce parfum dont maintenant elle voit oint l'Époux est spirituel et céleste, elle dit : « L'odeur de tes parfums surpasse tous les aromates[p]. »

5 Donc, voyons comment est composé ce parfum : « Et le Seigneur parla à Moïse, disant : Procure-toi de la fleur de myrrhe choisie, cinq cents sicles ; de la cinnamome suave, deux cent cinquante sicles ; du roseau suave, deux cent cinquante sicles ; de l'iris, cinq cents sicles selon le sicle du sanctuaire, et de l'huile des olives de Hin. Tu en feras l'huile du saint chrême, un parfum selon l'art du parfumeur[q]. »

6 Certes, l'Épouse avait bien entendu dire qu'on mentionnait ces produits dans la Loi, mais maintenant elle en reconnaît la raison et la vérité. Elle voit en effet que ces quatre ingrédients composant ce parfum offraient la figure de l'incarnation du Verbe de Dieu qui prit un corps composé des quatre éléments[2].

7 Dans ce corps, cette « myrrhe » porte les marques de la mort qu'il subit, soit comme Grand Prêtre pour le peuple, soit comme Époux pour son Épouse. Et le fait qu'il n'est pas écrit simplement « myrrhe », mais « fleur de myrrhe », et de « myrrhe choisie », n'indiquait pas seulement sa mort,

d'auteurs juifs. Pour PHILON, ces éléments constitutifs du monde étaient employés et symbolisés : « dans les matériaux des tentures du temple », *Mos.* II, 88 ; dans la confection de « la robe » du Grand Prêtre, *ibid.*, 117 s. ; *Spec.* 85 s. ; dans la composition « du parfum sacré », *Her.* 197. (M. B.)

eius, sed et *primogenitum* eum futurum *ex mortuis*[r] indicabat atque eos qui *complantati fuissent similitudini mortis eius*[s], non solum *vocatos* sed *electos* futuros.

8 *Cinamomum* vero immaculatum dicitur propter *ecclesiam* sine dubio quam *purificavit lavacro aquae et immaculatam fecit non habentem maculam aut rugam aut aliquid huiusmodi*[t]. Sed et *calamus* assumitur, quia *lingua* eius est ut *calamus scribae velociter scribentis*[u], doctrinae gratiam pigmenti suavitate designans: *Ireos* quoque species adhibetur calidissima, ut fertur, et ardentissima, in qua vel sancti Spiritus fervor vel futuri per ignem iudicii ostenditur forma. (9

9 Numerus vero *quingentorum* sive *ducentorum quinquaginta*, vel quinque sensuum in eo mysterium tenet centupliciter perfectorum, vel remissionem peccatorum per eum datam significat quinquagenarius veniabilis numerus quinquipliciter positus.

10 Sed haec omnia *oleo* puro colliguntur, per quod
100 | ostenditur vel misericordiae solius causa fuisse, quod is

r. Cf. Col. 1,18 || s. Rom. 6,5 || t. Cf. Éphés. 5,26-27 || u. Cf. Ps. 44,2.

1. S'agit-il d'une opposition? Cf. *Matth.* 22, 14. D'une gradation? Cf. *Lc* 6,13. D'une complémentarité? Cf. *Rom.* 8, 30 et 33; *Apoc.* 17,14.

2. «Cinnamone suave», aromatique, dit *Ex.* 30, 22, non «cinnamome immaculé»; et cet arbuste reste toujours vert. Mais il est proche du cannelier dont l'écorce, dépouillée de son épiderme, fournit «la cannelle blanche». Deux espèces, la blanche et la noire, sont distinguées par PLINE, *nat.* 12,92.

3. «Le vrai roseau, lorsqu'on le froisse, donne une odeur de rose», PLINE, *ibid.*, 21,120.

4. Cf. PLINE, *ibid.*, 21,141.

5. *Tenet*, leçon de 2 mss, que suit Delarue, n'est-elle pas préférable à *tenent*, autre leçon adoptée par Baehrens? Le premier *vel* renvoie à «cinq cents», et le second, à «deux cent cinquante». — Le symbolisme des nombres était cher aux anciens commentateurs de l'Écriture.

mais qu'il allait être aussi «le Premier-né d'entre les morts[r]», et que «ceux qui formeraient avec lui une même plante par la conformité avec sa mort[s]» allaient être non seulement «appelés», mais «choisis»[1].

8 Mais on dit «le cinnamome» immaculé[2] sans nul doute en relation avec «l'Église» que le Christ «a purifiée par le bain d'eau et qu'il a rendue immaculée, sans tache, ni ride, ni rien de tel[t]». De plus, on prend du «roseau», puisque sa «langue» est comme «le roseau d'un scribe écrivant rapidement[u]», signalant par la suavité du parfum[3] la grâce de la doctrine. On ajoute encore de «l'iris», produit très chaud, à ce qu'on rapporte[4], et très ardent, par lequel est représentée soit l'ardeur du Saint Esprit, soit la figure du jugement futur par le feu.

9 Quant au nombre «cinq cents», ou «deux cent cinquante», ou bien il contient[5] en lui le mystère des cinq sens multiplié par le centuple des parfaits, ou bien le nombre cinquante du pardon mis au quintuple signifie la rémission des péchés accordée par le Christ.

10 Mais tous ces ingrédients sont liés ensemble par «une huile» pure : on montre par là, ou bien que la seule miséricorde a été la raison pour laquelle «celui qui était de condi-

Citons, avant Origène, PHILON, *Migr.* 203.205 : le cinq «est le nombre des cinq sens»; *Plant.* 133 : «... le nombre de la sensation». Et *Mut.* 228, *Sacrif.* 122 : «le nombre cinquante symbolise la liberté». Pour CLÉMENT D'ALEXANDRIE, *Strom.* VI, 87, 2, cinquante est «le symbole de l'espérance et du pardon de la Pentecôte». Chez Origène encore : *HomGen.* XVI, 6 : «le nombre cinq désigne les cinq sens corporels, dont le peuple charnel (des Égyptiens) est l'esclave»; *HomNombr.* V, 2 : «Dans le nombre vingt-cinq est signifiée la perfection des cinq sens multipliés par cinq»; *ibid.* : «Le nombre cinquante renferme un symbole sacré de rémission et d'indulgence». Pour une vue d'ensemble de la patristique, cf. H. DE LUBAC, *Exégèse médiévale*, II, 2, p. 7-40 («les symboles numériques»). Sur l'emploi des nombres dans la Bible et leur interprétation ultérieure, cf. H. LESÈTRE, art. «Nombre», *Dict. Bible* 4,2 (1906), col. 1677-1697.

qui erat in forma Dei, formam servi susceperit[v], vel ea quae ex materiali substantia in Christo fuerant assumpta, per Spiritum sanctum redacta in unum fuisse, atque in unam speciem, quae est persona *mediatoris*[w] effecta.

11 Illud ergo oleum materiale nullo genere *oleum laetitiae*[x] appellari potuit. Istud autem oleum, id est sancti Spiritus unguentum, quo unctus est Christus[y], et cuius nunc odorem sponsa percipiens admirata est, *oleum laetitiae*, quia *fructus Spiritus gaudium*[z] est, merito appellatur, quo *Deus unxit eum* qui *dilexit iustitiam et odio habuit iniquitatem*[aa]. *Propterea* enim dicitur *unxit eum Dominus Deus suus oleo laetitiae prae participibus suis*[aa]. Et ideo *odor unguentorum* eius est *super omnia aromata*[ab].

12 Simili autem expositione utimur, etiam si ad unamquamque animam in amore et desiderio Verbi Dei positam transferatur hic sermo, cui fuerint omnes doctrinae per ordinem decursae, in quibus ante agnitionem Verbi Dei exercitata videtur et erudita, sive ex moralibus descendentes sive ex naturalibus scholis. Erant enim ei ista omnia aromata quaedam pro eo quod in his institutio probabilis et morum conquiritur emendatio, quod deprehenditur in his vanitas saeculi, et caducarum rerum respuuntur falsa miracula. Erant ergo haec omnia velut aromata et odoramenta quaedam animae pigmenta.

13 Sed ubi ad agnitionem mysteriorum et divinorum dogmatum scientiam ventum est, ubi ad ianuas ipsius sapientiae, et *sapientiae non huius mundi, neque principum*

v. Cf. Phil. 2,7 || w. Cf. I Tim. 2,5 || x. Cf. Ps. 44,8 || y. Cf. Act. 10,38 || z. Cf. Gal. 5,22 || aa. Cf. Ps. 44,8 || ab. Cant. 1,3.

tion de Dieu a pris la condition de serviteur[v]», ou bien que les éléments qui, dans le Christ, avaient été empruntés à la substance matérielle, furent, par l'Esprit Saint, ramenés à un seul être et à une seule espèce : la personne «du médiateur[w]».

11 Donc, cette huile-là, matérielle, n'aurait pu en aucune manière être appelée «huile d'allégresse[x]». Tandis que cette huile-ci, à savoir le parfum du Saint Esprit dont a été oint le Christ[y] et qui fait, maintenant qu'elle en perçoit l'odeur, l'admiration de l'Épouse, est nommée à juste titre «huile d'allégresse», car «la joie est un fruit de l'Esprit[z]»; et avec elle «Dieu a oint celui qui a aimé la justice et haï l'iniquité[aa]». Car il est dit : «Voilà pourquoi le Seigneur son Dieu l'a oint de l'huile d'allégresse de préférence à ses compagnons[aa].» Et pour cette raison, «l'odeur de ses parfums surpasse tous les aromates[ab]».

Aux portes de la Sagesse

12 Or c'est d'une semblable explication que nous usons, même si cette parole est rapportée à chaque âme ancrée dans l'amour et le désir du Verbe de Dieu : elle à qui furent exposées dans l'ordre toutes les doctrines par lesquelles, avant la connaissance du Verbe de Dieu, elle semble instruite et formée, qu'elles découlent des enseignements de la morale ou de la nature. Car pour elle, tout cela était des aromates, du fait que par eux on cherche une instruction de qualité et un amendement des mœurs, que par eux on saisit la vanité du monde et on méprise les trompeuses merveilles des choses périssables. Tout cela était donc comme des aromates, substances odoriférantes, parfums pour son âme.

13 Mais quand on est parvenu à la connaissance des mystères et à la science des doctrines divines, quand on est arrivé aux portes de la Sagesse elle-même, et d'une «Sagesse qui n'est pas de ce monde ni des princes de ce

huius mundi, qui destruuntur[ac] accessum est, sed ad ipsam Dei *sapientiam* quae *inter perfectos*[ac] disseritur, et ubi *mysterium quod prioribus generationibus non fuit notum filiis hominum revelatum est*[ad]; ubi, inquam, anima ad agnitionem tanti huius adscendit arcani, merito dicit : *Quia odor unguentorum tuorum* — spiritalis scilicet intelligentia et mystica — *super omnia aromata*[ae] moralis naturalisque philosophiae. (93

101 **14** Non autem lateat | nos quod in quibusdam exemplaribus pro eo quod nos legimus : *Quia bona sunt ubera tua super vinum*[af], invenimus scriptum : Quia bonae sunt loquelae tuae super vinum, quod quamvis evidentius significasse videatur ea ipsa quae a nobis spiritali interpretatione disserta sunt, tamen nos Septuaginta interpretum scripta per omnia custodimus, certi quod Spiritus sanctus mysteriorum formas obtectas esse voluit in scripturis divinis et non palam atque in propatulo haberi.

ac. I Cor. 2,6 || ad. Cf. Col. 1,26 || ae. Cant. 1,3 || af. Cant. 1,2.

1. Les Proverbes et l'Ecclésiaste : cf. Prol. 3,5-15.

2. Ce paragraphe montre que pour Origène, nos chapitres 3 et 4 forment un tout : de part et d'autre, une comparaison est faite entre la doctrine de la Loi et des prophètes et celle du Christ; de plus au commencement du chapitre 2 étaient annoncés à la suite la fin du verset 2 et le début du verset 3 du Cantique. Toutefois, on prend le parti d'en faire deux chapitres différents : parce qu'il s'agit de deux

monde vouées à disparaître[ac]», mais de la Sagesse même de Dieu dont on parle «parmi les parfaits[ac]», quand le mystère ignoré des générations passées est révélé aux enfants des hommes[ad], quand, dis-je, l'âme s'est élevée à la connaissance d'un si grand secret, elle dit avec raison : «L'odeur de tes parfums» — c'est-à-dire l'intelligence spirituelle et mystique — «surpasse tous les aromates[ae]» des philosophies morale et naturelle[1].

Une variante

14 Mais ne l'oublions pas, dans certaines copies, au lieu de ce que nous lisons : «Car tes seins sont délectables plus que le vin[af]», nous trouvons écrit : «Car tes paroles sont délectables plus que le vin.» Or, bien que cette lecture semble mieux mettre en évidence cela même que nous venons d'exposer par l'interprétation spirituelle[2], nous, nous gardons néanmoins en tout la traduction de la Septante, sûrs que l'Esprit Saint a voulu cacher les figures des mystères dans les divines Écritures, et non les étaler ouvertement et au grand jour[3].

versets distincts, que les objets mis en comparaison sont tout autres et qu'il vaut mieux aérer la présentation.

3. Origène semble bien croire à l'inspiration de la traduction des LXX. Cette conviction, appuyée sur la légende que rapporte la *Lettre d'Aristée à Philocrate*, a été celle des premières générations chrétiennes, jusqu'à Jérôme, qui, le premier, s'employa à la détrôner en Occident, cf. A. PELLETIER, Introduction à son éd., *SC* 89, p. 78-98. Voir cependant G. SGHERRI, «Sulla valutatione origeniana dei LXX», *Biblica* 58 (1977), p. 1-28 ; sur ce texte, p. 11-13.

Chapitre 4

A la suite du Verbe

Cant. 1, 3b-4a : *Ton nom est un parfum répandu. C'est pourquoi les jeunes filles l'ont aimé, elles l'ont attiré. A ta suite nous courrons à l'odeur de tes parfums*

1-4 : Même explication historique ; mais on peut voir là une sorte de prophétie : le nom du Sauveur serait diffusé par toute la terre, devenant «la bonne odeur du Christ» ; pour lors t'ont aimé des âmes en état de croissance et de jeunesse : celui qui était de condition de Dieu s'est vidé de lui-même pour que son nom devienne un parfum répandu : elles t'attirent ; et, entraînées, rendues pleines de vigueur et d'ardeur, elles courent à ta suite ; 5-9 : on peut l'entendre des églises, de l'Église, qui attirent le Christ par la foi ; ou de toute âme instruite et exercée qui attire le Verbe de Dieu ; 10-19 : si telle est l'action du seul nom, que sera celle de la personne ? Elles ne courront plus, mais adhéreront à lui ; et cela grâce au seul sens de l'odorat : que sera-ce quand le Verbe de Dieu aura investi l'ouïe, la vue, le toucher, le goût ? quand l'œil aura pu contempler sa gloire, quand les mains auront pu toucher au Verbe de vie, quand on aura savouré le pain qui descend du ciel ? On se délectera aux délices du Seigneur par tous les sens, non point corporels, mais spirituels ; 20-24 : mais cette odeur divine est de vie pour la vie, ou de mort pour la mort ; 25-26 : cette interprétation spirituelle est confirmée par d'autres passages de l'Écriture ; 27-30 : il s'agit du parfum du Fils unique.

4

1 *Unguentum exinanitum nomen tuum. Propterea adulescentulae dilexerunt te, traxerunt te; post te in odorem unguentorum tuorum curremus*[a]. Historica quidem expositio eadem quae in superioribus percurrit etiam in praesenti loco, donec fiat aliqua commutatio personarum ; ita quippe ordo dramatis qui in hac expositione a nobis receptus est, poscit.

★ **2** Potest sane in his prophetia quaedam videri ex persona sponsae prolata de Christo quod futurum esset, ut in adventu Domini et Salvatoris nostri nomen eius ita per orbem terrae et per universum mundum diffunderetur, ut fieret odor suavitatis in omni loco, sicut et Apostolus dicit : *Quia Christi bonus odor sumus in omni loco, aliis quidem odor ex morte in mortem, aliis autem odor de vita in vitam*[b].

3 Si enim omnibus fuisset odor vitae in vitam, dixisset utique et hic : omnes dilexerunt te et traxerunt te. Sed nunc ait : ubi *nomen tuum* factum est *unguentum exinanitum, dilexerunt te*, non illae vetulae ac *veterem hominem*[c] indutae animae neque *rugas habentes aut maculas*[d], sed *adulescentulae* in augmento scilicet aetatis et pulchritudinis 102 | positae animae, quae semper *innovantur* et *de die in diem renovantur*[e], *novum se induentes hominem qui secundum Deum creatus est*[f].

a. Cant. 1, 3-4 || b. II Cor. 2, 15-16 || c. Cf. Éphés. 4, 22 || d. Cf. Éphés. 5, 27 || e. Cf. II Cor. 4, 16 || f. Éphés. 4, 24.

4

1 « Ton nom est un parfum répandu[1]. C'est pourquoi les jeunes filles t'ont aimé, elles t'ont attiré. A ta suite nous courrons à l'odeur de tes parfums[a]. » La même explication historique que dans ce qui précède continue encore au passage présent, jusqu'à ce qu'intervienne un changement de personnages. Ainsi en effet l'exige l'ordre du drame que nous avons admis pour cette explication.

★

La bonne odeur du Christ

2 On peut avec raison voir là une sorte de prophétie exprimée par le personnage de l'Épouse concernant le Christ : car il arriverait qu'à la venue de notre Seigneur et Sauveur son nom serait diffusé par la surface de la terre et par le monde entier, au point qu'il deviendrait une odeur suave en tout lieu, comme le dit aussi l'Apôtre : « Car nous sommes la bonne odeur du Christ en tout lieu : aux uns, une odeur de mort pour la mort, aux autres, une odeur de vie pour la vie[b]. »

3 Car si pour tous elle avait été « une odeur de vie pour la vie », à coup sûr on aurait dit là aussi : toutes « t'ont aimé et t'ont attiré ». Mais en fait, on dit : lorsque « ton nom » est devenu « un parfum répandu, t'ont aimé » des âmes, non pas séniles et revêtues du « vieil homme[c] », ni « ayant taches et rides[d] », mais « toutes jeunes », c'est-à-dire des âmes en état de croissance en âge et en beauté, qui sans cesse rajeunissent et « de jour en jour se renouvellent[e] », « revêtant l'homme nouveau qui est créé selon Dieu[f] ».

1. Voir la note complémentaire 12 : « Ton nom est un parfum répandu ».

4 Propter istas ergo animas *adulescentulas* et in augmentis vitae ac profectibus positas *exinanivit se ille qui erat in forma Dei*[g], ut fieret *unguentum exinanitum nomen* eius, ut non iam *inaccessam lucem* tantummodo *habitaret*[h] et *in forma Dei* permaneret, sed *Verbum caro fieret*[i], quo possent istae *adulescentulae* et in augmento profectuum positae animae non solum diligere, sed et trahere eum ad se. Trahit enim unaquaeque anima et adsumit ad se Verbum Dei pro capacitatis et fidei suae mensura.

5 Cum autem traxerint ad se animae Verbum Dei et sensibus suis atque intellectibus inseruerint ac dulcedinis eius et odoris sumpserint suavitatem, ubi unguentorum eius fraglantiam ceperint, rationem dumtaxat adventus eius et redemptionis ac passionis causas caritatemque eius agnoverint, qua pro salute omnium *usque ad mortem crucis*[j] immortalis accessit, et his omnibus velut divini cuiusdam et ineffabilis unguenti odoribus invitatae *adulescentulae* istae, animae plenae vigoris atque alacritatis effectae, currunt post ipsum atque in odorem suavitatis eius non leni gradu nec tardis passibus, sed rapido cursu et tota properatione festinant, quemadmodum et ille qui dicebat : *Sic curro, ut comprehendam*[k].

6 Verum quod ait : *Unguentum exinanitum nomen tuum; propterea adulescentulae dilexerunt te, traxerunt te; post te in odorem unguentorum tuorum curremus*[l], trahunt ad se Christum adulescentulae, siquidem de ecclesiis intelligatur, quae una quidem est, cum perfecta est, multae vero sunt adulescentulae, cum adhuc instruuntur

g. Phil. 2, 7 || h. Cf. I Tim. 6, 16 || i. Cf. Jn 1, 14 || j. Cf. Phil. 2, 8 || k. Cf. I Cor. 9, 24 || l. Cant. 1, 3-4.

---

1. L'idée que chacun reçoit le Verbe selon ses capacités est souvent rappelée : voir le thème des nourritures spirituelles, ou celui des diverses formes que prenait le Christ, *infra*, I, 4, 13 (et n. *ad loc.*); II, 8, 40; III, 5, 7 (et n. *ad loc.*).

Parfum répandu

4 Donc, pour ces âmes «toutes jeunes», en croissance de vie et en progrès, «celui qui était de la condition de Dieu s'est vidé de lui-même[g]» : pour que son «nom» devienne «un parfum répandu», pour que désormais il «n'habite» plus seulement «une lumière inaccessible[h]» et ne reste pas «dans la condition de Dieu», mais que «le Verbe se fasse chair[i]», afin que ces âmes «toutes jeunes» et en progrès croissants, puissent non seulement l'aimer, mais encore l'attirer à elles. Chaque âme en effet attire et s'approprie le Verbe de Dieu à la mesure de sa capacité et de sa foi[1].

5 Or, quand les âmes auront attiré à elles le Verbe de Dieu, l'auront introduit dans leurs manières de sentir et de comprendre et auront reçu la suavité de sa douceur et de son odeur, lorsqu'elles auront saisi l'agréable odeur de ses parfums, je veux dire auront reconnu la raison de sa venue, les motifs de la Rédemption et de la Passion, et sa charité à cause de laquelle, pour le salut de tous, l'Immortel est allé «jusqu'à la mort de la croix[j]», alors, entraînées par tout cela comme par les odeurs de quelque parfum divin et ineffable, ces «jeunes filles», âmes rendues pleines de vigueur et d'ardeur, courent à sa suite, et à son odeur suave elles se pressent, non d'une marche nonchalante et à pas lourds, mais d'une course rapide et en toute hâte, comme celui qui disait : «Je cours de manière à remporter le prix[k].»

Le Christ, l'Église et les églises

6 Mais pour l'expression : «Ton nom est un parfum répandu. C'est pourquoi les jeunes filles t'ont aimé, elles t'ont attiré. A ta suite nous courrons à l'odeur de tes parfums[l]», les jeunes filles attirent à elles le Christ, si vraiment on l'entend des églises : unique certes est l'Église, quand elle est parfaite[2], mais nombreuses sont les jeunes

2. La liaison platonicienne entre l'unité et la perfection, la multiplicité et l'imperfection, est fréquente chez Origène.

et proficiunt. Istae ergo ad se trahunt Christum per fidem, quia Christus, ubi *congregatos* viderit *duos vel tres in fide nominis sui*, vadit illuc et *est in medio eorum*[m], fide eorum tractus et unanimitate provocatus.

7 Si vero tertia expositione de anima Verbum Dei sequente intelligi haec oportet, quaecumque anima fuerit erudita primo in moralibus, secundo etiam in naturalibus exercitata, per illa | omnia quae in his disciplinis edoceri supra ostendimus, ipsa morum emendatio et eruditio rerum ac probitas disciplinae trahit ad se Verbum Dei ; et libens trahitur, gratissime enim ad eruditas animas venit et trahi se ab his indulgenter accipit benigneque concedit.

103

8 Requiro sane, si solum *nomen* eius, quia *unguentum* factum est *exinanitum*, tantum operis egit et ita suscitavit adulescentulas ut primo cum traherent ad se et habentes eum apud se caperent unguentorum eius odorem et statim currerent post eum, si haec, inquam, omnia solo nomine eius effecta sunt, quid, putas, faciet ipsa eius substantia ? Quid ex illa adulescentulae istae virtutis, quid vigoris accipient, si quo pacto potuerint aliquando ad ipsam eius incomprehensibilem atque ineffabilem substantiam pervenire ?

9 Ego puto quod, si ad hoc aliquando pervenerint, iam non ambulent neque currant, sed vinculis quibusdam caritatis eius adstrictae adhaereant ei nec ultra mobilitatis alicuius ullus in iis resideat locus, sed sint cum eo *unus spiritus*[n] et compleatur in illis hoc quod scriptum est : *Sicut tu Pater in me et ego in te unum sumus, ita et isti in nobis unum sint*[o].

m. Cf. Matth. 18, 20 || n. I Cor. 6, 17 || o. Jn 17, 21.

1. Cf. Prol. 3, 5-15 ; I, 3, 12-13.

filles, puisqu'on les enseigne encore et qu'elles progressent. Elles attirent donc à elles le Christ par la foi, car le Christ, là où il en voit «deux ou trois réunis dans la foi en son nom», y va et «réside au milieu d'eux[m]», attiré par leur foi et invité par leur concorde.

Le Verbe et l'âme

7 Mais faut-il, dans une troisième explication, comprendre cela de l'âme à la suite du Verbe de Dieu ? Toute âme aura d'abord été instruite en philosophie morale, puis exercée en philosophie naturelle, grâce à tous ces enseignements dans ces disciplines comme nous l'avons montré plus haut[1]; l'amendement même des mœurs, la connaissance des réalités et la droiture de la doctrine attirent vers cette âme le Verbe de Dieu, lequel se laisse attirer de bon gré, car il vient avec un très grand plaisir vers les âmes instruites, accepte avec complaisance de se laisser attirer et le permet avec bienveillance.

8 Mais je le demande : si le seul «nom» de l'Époux, parce qu'il est devenu «un parfum répandu», opère tant d'effet et stimule les jeunes filles au point que, d'abord elles l'attirent à elles, puis, l'ayant auprès d'elles, aspirent l'odeur de ses parfums et aussitôt courent à sa suite, si tout cela, dis-je, est accompli par son seul nom, que fera, tu t'imagines, sa personne même ? Quelle puissance, quelle force recevront d'elle ces jeunes filles, si de quelque manière elles peuvent un jour parvenir jusqu'à sa personne incompréhensible et ineffable ?

9 Pour moi, je pense que si elles parvenaient un jour jusque-là, elles ne marcheraient plus et ne courraient plus, mais liées par des liens de sa charité, elles adhéreraient à lui, et il ne leur resterait plus aucune place pour se mouvoir, mais elles seraient avec lui «un seul esprit[n]», et s'accomplirait en elles ce qui est écrit : «Père, comme toi en moi et moi en toi nous sommes un, de même qu'eux aussi soient un en nous[o].»

10 Sed nunc interim, ut videtur, sponsa consociatis sibi (9 *adulescentulis* multis, *quarum* in posterioribus *nullus esse numerus*[p] dicitur, ab uno solo sensu, id est odoratu, tantummodo capta *currere* se *in odorem unguentorum* sponsi commemorat, sive quod et ipsa cursu indigeat adhuc et profectu, sive quod ipsa quidem perfecta sit, pro his autem adulescentulis, quae adhuc cursu et profectibus indigent, etiam ipsa currere se fatetur, sicut et ille qui, *cum sub lege non esset, fit tamen sub lege, ut eos qui sub lege sunt lucrifaciat* et iterum, *cum in lege sit Christi, his tamen qui sine lege sunt fit et ipse sine lege, ut eos qui sine lege sunt salvet*[q].

11 Et hoc fit, ut diximus, solo adhuc odoratu eius accepto. Quid, putas, agent, cum et auditum earum et visum et tactum gustumque occupaverit Verbum Dei et singulis quibusque sensibus virtutes ex se competentes naturae earum capacitatique praebuerit, ita ut oculus, si videre potuerit *gloriam eius, gloriam tamquam Unigeniti a Patre*[r] aliud videre ultra iam nolit neque auditus aliud quam *Verbum vitae*[s] et *salutis*[t] audire?

12 Sed et cuius *manus palpaverint de Verbo vitae*[s], nihil 104 | ultra materiale, nihil fragile caducumque palpabit neque gustus, cum *gustaverit bonum Dei Verbum*[u] carnesque eius et *panem qui de caelo descendit*[v], aliud quid post haec gustare patietur. Prae dulcedine namque ipsius et suavitate omnis ei reliquus sapor asper videbitur et amarus et ideo hoc solo vescetur. Omnem namque suavitatem quamcum-

p. Cf. Cant. 6, 8 || q. I Cor. 9, 20-21 || r. Jn 1, 14 || s. I Jn 1, 1 || t. Cf. Act. 13, 26 || u. Hébr. 6, 5 || v. Jn 6, 33.51.

1. Se déplacer est donc signe d'imperfection. Marthe qui va à la rencontre de Jésus (*Jn* 11, 18s.) est moins parfaite que Marie qui l'attend à la maison, *FragmJn* LXXX (*GCS* 4, p. 547).

Les sens de l'âme

10 Mais pour le moment, semble-t-il, aux nombreuses jeunes filles — on dit plus loin qu'elles «sont innombrables[p]» —, l'Épouse rappelle que, séduite uniquement par un seul sens, l'odorat, «elle court à l'odeur des parfums» de l'Époux : soit qu'elle-même aussi ait encore besoin de courir et de progresser, soit que, bien qu'elle soit elle-même parfaite, néanmoins dans l'intérêt de ces jeunes filles qui ont encore besoin de courir et de progresser[1], elle déclare qu'elle court elle aussi ; (elle fait) comme celui qui, «bien qu'il ne fût pas sujet de la Loi, néanmoins s'est fait sujet de la Loi, pour gagner les sujets de la Loi» et encore, «bien qu'il soit sous la loi du Christ, néanmoins pour les sans-loi, s'est aussi fait lui-même un sans-loi pour sauver les sans-loi[q]».

11 Et cela s'est fait, comme nous avons dit, alors que la seule odeur de l'Époux a été perçue. Que feront-elles, à ton avis, quand le Verbe de Dieu aura investi leur ouïe, leur vue, leur toucher, leur goût, et offert à chacun des sens des pouvoirs venant de lui, adaptés à leur nature et leur capacité, en sorte que l'œil, s'il a pu contempler «sa gloire, la gloire qu'il possède en tant que Fils unique venant du Père[r]», ne veuille désormais plus voir autre chose, ni son ouïe entendre autre chose que «le Verbe de vie[s]» et «de salut[t]»?

12 De plus, celui dont «les mains auront touché du Verbe de vie[s]» ne touchera plus rien de matériel, rien de fragile et de périssable ; et le goût, «quand il aura goûté le bon Verbe de Dieu[u]» et ses chairs[2], et «le pain qui descendit du ciel[v]», ne supportera pas ensuite de goûter autre chose. Car en comparaison de sa douceur et suavité, toute autre saveur lui semblera âpre et amère, et, pour cette raison, il se nourrira de ce seul pain. Il trouvera en lui

2. Sur l'expression répétée : «les chairs du Verbe», cf. CLÉMENT D'ALEXANDRIE, *Péd.* VI, 38, 2.

que concupierit in hoc inveniet ; ad omnia namque aptum se reddit et habilem.

13 Denique his qui *ex corruptibili semine regenerantur*[w], *rationabile et sine dolo* efficitur *lac*[x] ; his vero *qui infirmantur* in aliquo, *olera*[y] se praebet ad hospitalitatis amicitiam et gratiam ; *his* vero *qui pro possibilitate sumendi exercitatos habent sensus ad discretionem boni et mali*, *cibum* se *solidum*[z] tribuit. Si qui vero sunt qui *exierunt de Aegypto* et secuti *columnam ignis et nubis*[aa] *in eremum*[ab] veniunt, de caelo ad illos descendit *minutum et subtilem*[ac] praebens iis cibum angelico similem, ita ut *panem angelorum manducet homo*[ad].

14 Habet et alias multas in semet ipso atque innumeras ciborum differentias, quas interim *pelle* quis et *carne ossibusque* indutus et *nervis*[ae] capere non potest. Qui autem dignus fuerit redire et *esse cum Christo*[af] quique *in parvo fidelis* inventus *constituetur super multa*[ag], ille gustabit et capiet *voluptatem Domini*[ah], perductus ad locum quendam qui, pro huiusmodi ciborum copiis et varietatibus, *deliciarum*[ai] nominatur locus. Propter quod et *in Eden*[aj] positus dicitur, quod delicias indicat ; ibi enim dicetur ad eum : *Deliciare in Domino*[ak].

w. Cf. I Pierre 1,23 || x. Cf. I Pierre 2,2 || y. Cf. Rom. 14,2 || z. Cf. Hébr. 5,14 || aa. Cf. Ex. 13,21-22 || ab. Cf. Ex. 16,1 || ac. Cf. Ex. 16,14 || ad. Ps. 77,25 || ae. Cf. Job 10,11 || af. Cf. Phil. 1,23 || ag. Cf. Matth. 25,21 || ah. Cf. Ps. 26,4 || ai. Cf. Gen. 2,8 || aj. Cf. Éz. 28,13 || ak. Ps. 36,4.

---

1. « Hâtons-nous de recevoir la manne céleste : cette manne, en effet, prend dans la bouche de chacun la saveur qu'il désire », *HomEx.* VII, 8,61 s.
2. Sur le thème des « nourritures spirituelles », cf. *infra*, III, 5,7, la note *ad loc.*
3. Cette expression, qui a sans doute une attache biblique dans *Eccl.* 12,7, se rapporte néanmoins à l'hypothèse origénienne de la préexistence des âmes.

toute la suavité qu'il aura ardemment désirée ; car il s'adapte et se prête à tous les goûts[1].

13 Ainsi en effet, pour ceux qui sont « nouvellement nés d'une semence corruptible[w] », il devient « le pur lait spirituel[x] » ; mais à « ceux qui sont faibles » sur quelque point, il s'offre « comme légume[y] » pour l'amitié et la grâce de l'hospitalité ; et à ceux qui « par la capacité de la prendre ont les sens exercés au discernement du bien et du mal », il se donne comme « nourriture solide[z] ». Mais s'il en est qui sont sortis d'Égypte et, après avoir suivi « la colonne de feu et de nuée[aa], parviennent « au désert[ab] », il descend vers eux « menu et fin[ac] », leur offrant une nourriture semblable à celle des anges[2], en sorte que « l'homme mange le pain des anges[ad] ».

14 Il a en lui-même encore de nombreuses et même d'innombrables variétés de nourritures, que pour l'instant celui qui est vêtu « de peau, de chair, d'os et de nerfs[ae] » ne peut prendre. Mais celui qui aura été digne de revenir[3] et « d'être avec le Christ[af] » et qui, trouvé « fidèle en peu de choses, sera établi sur beaucoup[ag] », celui-là trouvera et goûtera « le plaisir du Seigneur[ah] », conduit à un lieu qui, pour l'abondance et les variétés des nourritures de cet ordre, est appelé lieu « des délices[ai] ». Pour cette raison, il est également dit situé « dans l'Éden[aj] », nom qui veut dire délices[4] ; là, on lui dira[5] : « Prends tes délices dans le Seigneur[ak]. »

4. « Éden (LXX : τρυφή) veut dire délices parce que, je suppose, la sagesse fait les délices de Dieu, et Dieu celles de la sagesse, puisqu'on chante aussi dans les cantiques : Mets tes délices en Dieu », PHILON, *Somn.* II, 242 ; *Plant.* 38-39 (même explication et même citation du *Ps.* 36) ; *Cher.* 12 ; *Leg.* I, 45 ; CLÉMENT D'ALEXANDRIE, *Strom.* II, 51, 4-5.

5. Plutôt *dicetur*, avec 2 mss et Delarue, que le présent *dicitur*, vu les futurs qui précèdent et qui suivent.

15 Deliciabitur autem non in uno solo edendi gustandique sensu, sed et auditu deliciabitur et visu et tactu odoratuque deliciabitur. *In odorem* namque *unguenti* eius

105 | *curret*[al]. Et ita omnibus sensibus suis deliciabitur in Verbo Dei is qui ad summam perfectionis ac beatitudinis venerit.

16 Unde et in his positi locis deprecamur auditores horum ut mortificent carnales sensus, ne quid ex his quae dicuntur secundum corporis motus excipiant, sed illos diviniores *interioris hominis*[am] ad haec capienda sensus adhibeant, sicut ipse Solomon edocet nos dicens : *Sensum autem divinum invenies*[an] et ut Paulus quoque ad Hebraeos scribit de *perfectis*, ut supra memoravimus, qui *exercitatos habent sensus ad discretionem boni vel mali*[ao], ostendens esse in homine praeter hos corporeos quinque sensus alios nihilominus, qui per exercitia quaeruntur et exercitati dicuntur, cum scilicet intelligentiam rerum acumine acriore discutiunt. Non enim perfunctorie et ut libet audiendum est quod Apostolus de *perfectis* dicit quia *exercitatos habent sensus ad discretionem boni vel mali*[ao].

17 Quod ut clarius elucescat, sumamus, si videtur, exemplum ab his corporalibus sensibus et ita demum ad illos divinos, quos Scriptura nominat sensus *interioris hominis*[ap], veniemus. Si ergo corporeus oculus exercitium visus habeat, nullo impediente obstaculo integre et absque ulla falsitate vel colores vel magnitudines qualitatesque deprehendet ; nam si aut caligine aut alia qualibet infirmitate impediatur adspectus et rubrum pro albo aut viride pro nigro aut rectum aliquid putet esse, cum

al. Cf. Cant. 1,4 || am. Cf. Rom. 7,22 || an. Prov. 2,5 || ao. Hébr. 5,14 || ap. Cf. Rom. 7,22.

1. Cf. *supra*, § 13, et aussi *infra*, § 19 et § 26 ; Prol. 1,4 ; 2,9-14, avec la note complémentaire 2 : «Le thème des sens spirituels de l'homme».

15 Or on prendra ses délices non par le seul sens qui nous sert à goûter et à manger, mais on prendra ses délices encore par l'ouïe, ses délices par la vue, par le toucher, par l'odorat. Car c'est «à l'odeur de son parfum que l'on courra[al]». Et ainsi par tous ses sens on prendra ses délices dans le Verbe de Dieu, quand on parviendra au sommet de la perfection et de la béatitude.

Sens corporels, sens spirituels

16 En conséquence, arrivé à ce point, nous conjurons les auditeurs de ces propos de mortifier leurs sens charnels : pour qu'ils ne tirent pas de ce qui est dit une explication d'après les activités du corps, mais que pour le comprendre ils aient recours à ces sens plus divins «de l'homme intérieur[am]», comme Salomon lui-même nous en instruit en disant : «Tu trouveras un sens divin[an]», et comme Paul aussi — nous l'avons rappelé plus haut[1] — écrit aux Hébreux, à propos «des parfaits qui ont les sens exercés au discernement du bien et du mal[ao]» : il montre que dans l'homme, outre ces cinq sens corporels, il y en a également d'autres que l'on cherche à obtenir grâce à des exercices et que l'on dit «exercés», quand ils examinent, il va sans dire avec une grande acuité, le sens des réalités. Ce n'est pas en effet à la légère et à sa guise qu'il faut entendre ce que dit l'Apôtre au sujet des parfaits : «Ils ont les sens exercés au discernement du bien et du mal[ao].»

17 Pour l'illustrer plus clairement, prenons un exemple, si l'on veut, à partir de ces sens corporels, et ensuite seulement nous en viendrons à ces sens divins que l'Écriture appelle les sens «de l'homme intérieur[ap]». Si donc l'œil corporel a la vue exercée et que nul obstacle ne le gêne, il saisira exactement sans aucune erreur soit les couleurs, soit les dimensions et les qualités des corps. Car s'il est gêné ou par un obscurcissement ou par n'importe quelle autre infirmité du sens de la vue, et croit qu'il y a du rouge à la place du blanc, ou du vert à la place du noir, ou un objet droit alors qu'il est tordu et courbe, sans nul doute sera brouillé

curvum sit et tortuosum, conturbabitur sine dubio iudicium mentis et aliud pro alio agetur.

18 Ita ergo et interior visus nisi eruditione et industria fuerit *exercitatus*, quo per multam peritiam *discretionem boni habeat ac mali*[aq], sed ignorantia ei et imperitia tamquam caligo oculis insederit aut etiam malitiae alicuius languor tamquam lippis accesserit, *discrimen boni aut mali* capere nullatenus possit et inde fit, ut mala pro bonis agat, bona vero pro malis spernat.

19 Secundum hanc vero formam, quam de visu corporis animaeque tractavimus, consequenter etiam de auditu et gustu et odoratu tactuque per singulas quasque sui generis virtutes sensuum corporalium referens ad animae sensus, quae in singulis adhiberi debeant exercitia quaeve emendatio parari, dilucide recognosces.

106 **20** Haec autem paulo latiori excessu | prosecuti sumus ostendere volentes odoratum sponsae et adulescentularum, quo odoratae sunt odorem unguentorum sponsi, non corporis sensus, sed divini odoris illius et *interioris* qui appellatur *hominis*[ar] dici.

21 Hic ergo odorationis sensus, in quo sanus est et integer, odore Christi accepto *ex vita* adducit *ad vitam* ; si vero non sit sanus, hoc odore suscepto *de morte in mortem* deicit, secundum illum qui dicebat : *Quoniam Christi bonus odor sumus, aliis quidem de vita in vitam, aliis autem odor de morte in mortem*[as].

aq. Cf. Hébr. 5,14 || ar. Cf. Rom. 7,22 || as. II Cor. 2,15-16.

le jugement de son intelligence et accomplie une action pour une autre.

18 Eh bien ! il en est de même pour la vue intérieure, si elle n'a pas été « exercée » par l'instruction et la pratique lui permettant, grâce à une longue expérience, « d'avoir le discernement du bien et du mal [aq] », mais que par ignorance et inexpérience une sorte de taie se soit déposée sur les yeux, ou encore que l'infection d'un mal l'ait pour ainsi dire affectée d'yeux chassieux, elle ne peut nullement acquérir « le discernement du bien et du mal » ; de là vient qu'elle fait le mal au lieu du bien, et dédaigne le bien au lieu du mal.

19 Mais selon cet exemple que nous avons développé au sujet de la vue du corps et de l'âme, par voie de conséquence au sujet encore de l'ouïe, du goût, de l'odorat et du toucher, rapportant successivement chacune des propriétés spécifiques des sens corporels aux sens de l'âme, on reconnaîtra clairement pour chacun d'eux quels exercices on doit pratiquer et quelle correction préparer.

Odeur de vie, odeur de mort

20 Mais nous avons fait cet exposé par une digression un peu trop longue, voulant montrer que l'odorat de l'Épouse et des jeunes filles, qui leur permit de respirer l'odeur des parfums de l'Époux, désigne un sens non pas du corps, mais de son odeur divine, et de ce qu'on appelle « l'homme intérieur [ar] ».

21 C'est donc ce sens de l'odorat qui, dans la mesure où il est sain et en bon état, une fois perçue l'odeur du Christ, conduit « de la vie à la vie » ; mais s'il n'est pas sain, cette odeur le fait tomber « de la mort à la mort », selon celui qui disait : « Car nous sommes la bonne odeur du Christ, aux uns une odeur de vie pour la vie, aux autres une odeur de mort pour la mort [as]. »

22 Denique et hi quibus intellectus herbarum pigmentorumque peritia est ferunt esse quaedam pigmenta, (1) quorum et si odorem ceperint, nonnulla animalia continuo intereunt, alia vero eodem odore recreantur vitamque recipiunt.

23 Et nunc ergo in his ipsis expositionibus et sermonibus, quos habemus in manibus, videtur esse *aliis vita ex vita*, *aliis* vero *mors ex morte*. Nam si haec ita exponi audiat *animalis* qui dicitur *homo*, qui *non* potest *percipere* et intelligere *quae sunt Spiritus Dei*[at], irridebit sine dubio atque inepta haec esse et inania pronuntiabit, somnia dicens potius quam rerum causas et dogmata divina tractari.

24 His ergo *odor* hic Cantici Canticorum efficitur *de morte in mortem*, de morte scilicet infidelitatis in mortem iudicii et condemnationis. Sequentibus vero spiritalem sensum et subtilem atque intelligentibus maiorem inesse veritatem in *his quae non videntur* quam in *his quae videntur* et viciniora haberi apud Deum invisibilia et spiritalia magis quam visibilia et corporea, amplectenda sine dubio huiusmodi intelligentia videbitur et sequenda ; agnoscunt enim tale esse intelligendae veritatis iter quo pervenitur ad Deum.

25 Sed si quidem alienus a fide sit is qui haec stulta iudicat et ridenda, nihil mirum. Si vero aliquis ex his sit qui videntur credere et scripturarum auctoritatem recipere, non tamen recipit expositionis huius spiritalis formam,

at. Cf. I Cor. 2, 14.

1. Par exemple : un parfum, qui, approché d'un scarabée ou d'une colombe, rendrait celle-ci plus vigoureuse, mais ferait périr celui-là ; cf. Grégoire de Nysse, *HomCant.* III (*GN*, p. 91-92). La source de cette croyance est dans Élien le Sophiste, *Nat. anim.* I, 38, et IV, 18.

22 Ainsi par exemple, ceux qui ont par expérience l'intelligence des plantes et des sucs végétaux rapportent qu'il y a certains sucs à l'odeur desquels, s'ils l'ont perçue, plusieurs animaux meurent sur-le-champ, tandis que d'autres par la même odeur sont rétablis et reprennent vie[1].

23 Et ici donc, dans ces explications et ces écrits que nous avons entre les mains, il semble qu'il y a «pour les uns une vie qui vient de la vie», mais «pour les autres, une mort qui vient de la mort». Car, à entendre une explication de cet ordre, celui qu'on appelle «l'homme animal», qui ne peut «saisir» et comprendre «ce qui est de l'Esprit de Dieu[at]», se moquera sans nul doute et proclamera que tout cela est inepte et vain, disant qu'on expose des rêveries plutôt que les raisons des choses et les doctrines divines[2].

24 Pour ces gens donc, cette odeur du Cantique des cantiques devient «une odeur venant de la mort pour la mort», c'est-à-dire de la mort de l'infidélité pour la mort du jugement et de la condamnation. Mais pour ceux qui suivent le sens spirituel et fin[3] et qui comprennent qu'il y a plus de vérité dans «ce qui ne se voit pas» que dans «ce qui se voit» et que les réalités invisibles et spirituelles sont plus proches de Dieu que les choses visibles et corporelles, un sens de cette nature semblera sans nul doute à retenir et à suivre. Car ils reconnaissent que tel est le chemin de la vérité à comprendre, par lequel on parvient à Dieu.

Autres témoignages des Écritures

25 Qu'il y ait un étranger à la foi qui juge cela sot et risible, il n'y a rien d'étonnant. Mais s'il y a quelqu'un de ceux qui semblent avoir la foi et admettre l'autorité des Écritures qui n'accepte cependant pas cette forme d'explication spirituelle, mais raille et critique, tâchons de l'ins-

2. «Penses-tu que ce sont là des fables et que l'Esprit Saint conte des histoires dans les Écritures?», *HomGen.* X, 2,8s.

3. *Subtilem* : le même mot qualifie la manne, cf. *supra*, § 13. Suit une allusion à *II Cor.* 4,18.

sed irridet ac derogat, temptemus ex aliis Scripturarum locis instruere eum ac suadere, si forte poterit sic resipiscere, et talia quaedam dicamus ad eum : scriptum | est : *Praeceptum Domini lucidum, illuminans oculos*[au]. Dicat ergo nobis qui sunt oculi qui illuminantur luce praecepti. Et iterum : *Qui habet aures audiendi, audiat*[av] ! Quae sunt aures istae quas qui habuerit ipse solus verba Christi audire dicatur ? Et iterum : *Quoniam Christi bonus odor sumus Deo*[aw] et in aliis : *Gustate et videte, quoniam suavis est Dominus*[ax]. Et quid alius ait ? *Et manus nostrae palpaverunt de Verbo vitae*[ay].

107

26 Putasne in his omnibus non movebitur ut advertat universa haec non de corporeis sensibus dicta, sed de his quos *secundum interiorem hominem*[az] inesse unicuique edocuimus, nisi si contentionis et iactantiae vitio agitur, qui eiusmodi est ? Quibus vitiis quoniam et visus ille interior excaecatur et odoratus obcluditur, et obturatur auditus, merito nec videre quae spiritalia sunt nec audire potest, sed nec odorem istum Christi capere, quo nunc percepto adulescentulae istae, in quibus bene sanus et vigens erat hic sensus, *in odorem unguentorum* eius *currunt post ipsum*[ba] nec currentes deficiunt aut laborant, quia suavitate *odoris* ipsius, qui est *de vita in vitam*[bb], refectae iugiter invalescunt.

27 Potest adhuc et hoc modo accipi quod ait : *Unguentum exinanitum nomen tuum; propterea adulescentulae dilexerunt te*[bc]. *Unigenitus Filius*[bd], *cum in forma Dei esset, exinanivit semet ipsum et formam servi accepit*[be]. Exinanivit autem de plenitudine sine dubio, in qua erat. Illi ergo qui dicunt : *Quia de plenitudine eius nos omnes accepimus*[bf],

au. Ps. 18, 9 || av. Matth. 11, 15 || aw. II Cor. 2, 15 || ax. Ps. 33, 9 || ay. I Jn 1, 1 || az. Rom. 7, 22 || ba. Cf. Cant. 1, 3 || bb. Cf. II Cor. 2, 16 || bc. Cant. 1, 3 || bd. Cf. Jn 3, 16 || be. Phil. 2, 6-7 || bf. Jn 1, 16.

1. Cf. *PArch.* I, 1, 9, fin.

truire et de le convaincre par d'autres passages des Écritures, si du moins il peut se reprendre, et disons-lui des propos de ce genre. Il est écrit : «Le commandement du Seigneur est limpide, illuminant les yeux[au].» Qu'il nous dise alors quels sont les yeux qui sont illuminés par la lumière du commandement. Et encore : «Qui a des oreilles pour entendre, qu'il entende[av].» Quelles sont ces oreilles dont le possesseur seul, dit-on, entend les paroles du Christ ? Et encore : «Car pour Dieu, nous sommes la bonne odeur du Christ[aw].» Et ailleurs : «Goûtez et voyez comme est doux le Seigneur[ax].» Et que dit un autre ? : «Nos mains ont touché du Verbe de vie[ay].»

26 Crois-tu qu'un homme de cette sorte, à moins d'être sous l'emprise du vice de la jalousie et de la vaine gloire, ne sera point poussé par tous ces exemples à reconnaître que tout cela est dit non pas des sens corporels[1], mais des sens dont nous avons enseigné l'existence dans chacun «selon l'homme intérieur[az]»? Puisque par ces vices, cette vue intérieure est aveuglée, l'odorat est fermé, l'ouïe est bouchée, logiquement il ne peut ni voir ni entendre ce qui est spirituel, ni non plus percevoir cette odeur du Christ grâce à laquelle, maintenant qu'elle est perçue, ces jeunes filles, chez qui ce sens était sain et en bon état, courent à la suite de l'Époux «à l'odeur de ses parfums[ba]», et courent sans défaillance et sans fatigue, car, revigorées par la suavité de «l'odeur» même qui est «de vie pour la vie[bb]», elles se fortifient sans cesse.

Le parfum du Fils

27 On peut encore interpréter de cette manière ce que dit l'Épouse : «Ton nom est un parfum répandu ; c'est pourquoi les jeunes filles t'ont aimé[bc].» Le «Fils unique[bd]», «alors qu'il était dans la condition de Dieu s'est dépouillé lui-même et a pris la condition de serviteur[be]». Or, sans nul doute «il s'est répandu» hors de la plénitude où il se trouvait. Donc les personnes qui disent : «Car de sa plénitude nous avons tous reçu[bf]», ce sont les jeunes filles

ipsi sunt *adulescentulae*, quae *de ea plenitudine* ex qua *se* ille *exinanivit* et factum est *unguentum exinanitum nomen* eius percipientes dicunt : *Post te in odorem unguentorum tuorum curremus*[bg].

28 Nisi enim *exinanisset unguentum*, hoc est plenitudi-
108 nem divini Spiritus, et *humiliasset se*[bh] | *usque ad formam servi*[bi], capere eum nullus in illa deitatis plenitudine potuisset, nisi sola fortassis sponsa pro eo quod videtur indicare quia unguentum istud exinanitum non sibi, sed adulescentulis dilectionis dederit causam.

29 Sic enim dicit : *Unguentum exinanitum nomen tuum; propterea adulescentulae dilexerunt te*[bj], ac si diceret : adulescentulae quidem propterea dilexerunt te, quia *exinanisti* te de *forma Dei*[bk] et factum est unguentum exinanitum nomen tuum ; ego autem non pro exinanito unguento, sed pro ipsa *plenitudine*[bl] unguentorum dilexi te. Hoc enim indicat in eo ubi dicit : *Odor unguentorum tuorum super omnia aromata*[bm].

30 Quod vero etiam ipsa cum adulescentulis currit post ipsum, hanc esse causam quod perfecti quique *omnibus omnia fiunt, ut omnes lucrifaciant*[bn], sicut iam superius exposuimus.

bg. Cant. 1, 4 || bh. Cf. Phil. 2, 8 || bi. Cf. Phil. 2, 7 || bj. Cant. 1, 3 || bk. Cf. Phil. 2, 6-7 || bl. Cf. Jn 1, 16 || bm. Cant. 1, 3 || bn. I Cor. 9, 22.

qui, recevant de cette plénitude hors de laquelle il s'est répandu et «son nom» est devenu «un parfum répandu», déclarent : «A ta suite nous courrons à l'odeur de tes parfums[bg].»

28 Car s'il n'avait pas «répandu le parfum», c'est-à-dire la plénitude de l'Esprit divin, et ne «s'était pas humilié[bh] jusqu'à la condition de serviteur[bi]», personne n'aurait pu le saisir dans cette plénitude de la divinité, sinon peut-être la seule Épouse en raison de ce qu'elle semble indiquer : ce n'est pas à elle, mais aux jeunes filles que ce parfum répandu a fourni un motif d'aimer.

29 Voici ce qu'elle déclare : «Ton nom est un parfum répandu : c'est pourquoi les jeunes filles t'ont aimé[bj]», comme pour dire : Certes les jeunes filles t'ont aimé, parce que tu t'es répandu hors de la condition de Dieu[bk], et que ton nom est devenu un parfum répandu ; mais moi je t'ai aimé à cause non du parfum répandu, mais de «la plénitude[bl]» même de tes parfums. C'est bien ce qu'elle indique lorsqu'elle dit : «L'odeur de tes parfums surpasse tous les aromates[bm].»

30 Et la raison pour laquelle elle aussi avec les jeunes filles court à la suite de l'Époux, c'est que tous les parfaits «se font tout à tous pour les gagner tous[bn]», comme nous l'avons déjà expliqué plus haut[1].

1. Cf. *supra*, § 10.

Chapitre 5

La chambre du Roi

Cant. 1, 4 b : *Le Roi m'a introduite dans sa chambre*

1-2 : L'Épouse est introduite dans la chambre du Roi pour en découvrir les mystères : tel est le sens historique ; 3-5 : mais, comme sont en cause soit l'Église qui vient au Christ, soit l'âme qui adhère au Verbe de Dieu, la chambre est «la pensée du Christ» secrète où sont cachés les trésors de sa sagesse et de sa science ; l'Épouse parle de «la chambre du Roi», comme d'une chambre royale remplie de trésors ; 6-7 : près de cette chambre semble avoir été celui qui dit avoir été ravi au troisième ciel, avoir entendu des paroles ineffables, d'une telle nature qu'elles l'exhortaient à un plus grand progrès ; 8-10 : c'est à quoi s'efforcent les jeunes filles, mais une seule est parfaite et parvient au but, est introduite dans la chambre du Roi, est devenue Reine ou Épouse ; et elle aussi a sa chambre.

5

★ **1** *Introduxit me rex in cubiculum suum; exsultemus et iucundemur in te*[a]. Cum indicasset sponso suo sponsa quod adulescentulae odore eius captae currerent post ipsum, cum quibus etiam ipsa cursura esset, ut eis *formam* praeberet in *omnibus*[b], nunc quasi laboris sui consecuta iam palmam, pro eo quod concurrerit currentibus, introductam se dicit ab sponso *rege in cubiculum* eius, ut ibi videret cunctas opes regias.

2 In quo utique merito iucundatur et exsultat, utpote quae secreta iam regis et arcana prospexerit. Hic est secundum propositi dramatis ordinem quasi historicus intellectus.

3 Sed quoniam, cui res agitur, ecclesia est ad Christum veniens vel anima Verbo Dei adhaerens, quod aliud *cubiculum* Christi et *promptuarium* Verbi Dei credendum est, in quo vel ecclesiam suam vel animam cohaerentem sibi *introducat*, nisi ipse Christi arcanus et reconditus sensus? De quo et Paulus dicebat : *Nos autem sensum Christi habemus*[c], *ut sciamus quae a Deo donata sunt nobis*[d].

a. Cant. 1, 4 || b. Cf. I Thess. 1, 6-7 || c. I Cor. 2, 16 || d. I Cor. 2, 12.

---

1. L'Apôtre cite la question d'*Is.* 40, 13 : « Qui a connu la pensée du Seigneur ... ? », et répond : « Nous avons, nous, la pensée du Christ », *I Cor.* 3, 16. Cette expression *sensus Christi* se trouve environ 25 fois dans les œuvres d'Origène. Comment comprend-il cette « pensée » ? — Comme « une grâce », « à demander dans la prière », cf. *PEuch.* 1 ; *CCels.* V, 1, 27 s. Orientée vers la connaissance de Dieu, la pensée du Christ

5

★ **1** « Le Roi m'a introduite dans sa chambre. Exultons et réjouissons-nous à cause de toi[a]. » L'Épouse a indiqué à son Époux que les jeunes filles, séduites par son odeur, courraient à sa suite, elles avec qui elle aussi allait courir pour leur offrir « un modèle en tout[b] ». Maintenant, comme si elle avait déjà obtenu la palme de son épreuve pour avoir couru avec celles qui couraient, elle déclare qu'elle est introduite par l'Époux, « le Roi, dans sa chambre », pour y contempler toutes les richesses royales.

2 De quoi, certes, elle a tout lieu de se réjouir et d'exulter, elle qui va découvrir alors les secrets du Roi et ses mystères. Voilà, selon l'ordre du drame en question, le sens historique en quelque sorte.

La pensée du Christ

3 Mais puisque sont en cause l'Église qui vient au Christ, ou l'âme qui adhère au Verbe de Dieu, quels autres « chambre » du Christ et « cellier » du Verbe de Dieu, où « il introduit » son Église ou l'âme qui adhère à lui, faut-il tenir pour vrais, sinon la pensée même du Christ[1] secrète et cachée ? D'elle Paul aussi disait : « Nous avons, nous, la pensée du Christ[c], pour connaître les dons que Dieu nous a faits[d]. » C'est ce

nous est donnée dans la méditation de l'Écriture, *HomGen.* I, 17, 62 s. Mais en retour, avoir la pensée du Christ est indispensable pour interpréter l'Écriture. De nombreux textes l'affirment, cf. *ComJn* I, 4, 24 ; X, 41, 286 ; *HomJos.* IX, 8. On voit que dans le sillage paulinien le terme de *sensus* a une signification spécifique, parmi d'autres qu'il peut revêtir dans de nombreux emplois, comme le montre Chênevert, appendice C : le mot *sensus*, p. 290-293.

109 Haec illa sunt quae *oculus non vidit nec auris audivit* | *nec in cor hominis adscendit, quae praeparavit Deus his qui diligunt eum*[e].

4 Cum igitur animam Christus in intelligentiam sui sensus inducit, *in cubiculum regis introducta*[f] dicitur, in quo *sunt thesauri sapientiae ac scientiae eius absconditi*[g].

5 Non mihi autem vacuum videtur quod, cum potuisset dicere : *Introduxit me* sponsus meus aut fraternus meus aut aliquid huiusmodi, ut ei moris est, nunc, quia cubiculum (9 dictura erat, *regis* dixerit *cubiculum* et non aliud nomen posuerit, in quo posset fortassis aliquis et mediocris intelligi. Sed propterea arbitror in his regem nominatum, ut ostenderetur per hoc nomen praedives cubiculum, utpote regium et multis atque immensis opibus repletum.

6 Prope hunc [anima] mihi videtur fuisse aut sequens eum ille qui dixit *raptum se esse usque ad tertium caelum et inde in paradisum et audisse verba ineffabilia, quae non licet homini loqui*[h]. Quid enim putas, illa verba quae audivit, nonne a rege audivit et in cubiculo aut prope cubiculum positus audivit ?

7 Et erant, credo, verba illa talia quaedam, quae hortarentur eum ad maiorem profectum et promitterent ei quod, si *perseveraret usque in finem*[i], et ipse posset regis intrare cubiculum, secundum illud quod per prophetam quoque promittitur : *Dabo tibi thesauros obscuros, occultos ; invisibiles aperiam tibi, ut cognoscas quia ego sum Dominus Deus tuus, qui vocavi nomen tuum Deus Istrahel*[j].

110 **8** *Currunt* ergo *adulescentulae post ipsum et in* | *odorem eius*[k], unaquaeque tamen pro viribus, alia quidem velo-

e. I Cor. 2, 9 || f. Cf. Cant. 1, 4 || g. Cf. Col. 2, 3 || h. II Cor. 12, 2-4 || i. Cf. Matth. 10, 22 || j. Is. 45, 3 || k. Cf. Cant. 1, 3-4.

que «l'œil n'a pas vu, ni l'oreille entendu, qui n'est pas monté au cœur de l'homme : ce que Dieu a préparé pour ceux qui l'aiment[e]».

4 Quand donc le Christ introduit l'âme dans l'intelligence de sa pensée, on la dit «introduite dans la chambre du Roi[f]», où «sont cachés les trésors de sa sagesse et de sa science[g]».

5 Or, il ne me semble pas vain que l'Épouse, alors qu'elle aurait pu dire : Mon Époux m'a introduite, mon Bien-Aimé, ou un nom de ce genre, à son habitude, ici, parce qu'elle allait parler de chambre, ait dit «chambre du Roi» et n'ait pas donné un autre nom, par lequel peut-être on aurait pu aussi entendre un individu ordinaire. Mais je pense qu'on a ici le nom de Roi pour montrer par ce nom que la chambre est très riche, parce que chambre royale et remplie de trésors innombrables et immenses.

Près du Roi

6 Près de lui ou dans sa suite me semble avoir été celui qui a dit «avoir été ravi jusqu'au troisième ciel et de là au paradis, et avoir entendu des paroles ineffables qu'il n'est pas permis à un homme de prononcer[h]». En effet, qu'en est-il, à ton avis : ces paroles qu'il a entendues, ne les a-t-il pas entendues du Roi, ou entendues une fois arrivé dans la chambre ou près de la chambre ?

7 Et ces paroles, je crois, étaient telles qu'elles l'exhortaient à un plus grand progrès, et lui promettaient que, «s'il persévérait jusqu'à la fin[i]», lui aussi pourait entrer dans la chambre du Roi, selon ce qui est aussi promis par le prophète : «Je te donnerai des trésors secrets, cachés ; je te découvrirai des biens invisibles, pour que tu saches que c'est moi le Seigneur ton Dieu, qui t'ai appelé par ton nom, le Dieu d'Israël[j].»

8 Donc, «les jeunes filles courent à la suite de l'Époux, à son odeur[k]», toutefois chacune selon ses forces, l'une plus

cius, alia paulo tardius, alia etiam inferius ceteris et ultimo aliquo in loco. Verumtamen currunt omnes, sed *una est perfecta*[l], quae sic *cucurrit* ut perveniret et sola *acciperet palmam*[l]. Sola enim est quae dicit : *Introduxit me rex in cubiculum suum*[m], cum prius non de se sola, sed de pluribus dixisset quia : *Post te in odorem unguentorum tuorum curremus*[m].

9 *Introducitur* ergo *in cubiculum regis* et efficitur regina et ipsa est, de qua dicitur : *Regina adstitit a dextris tuis, in vestitu deaurato circumamicta varietatibus*[n]. De his autem adulescentulis, quae post ipsam cucurrerant et procul ab ea in ipsis currendi spatiis remanserunt, dicitur : *Adducentur regi virgines post eam, proximae eius adducentur tibi; adducentur in laetitia et exsultatione, inducentur in templum regis*[o].

10 Sed et illud in hoc debemus advertere quod, sicut rex habet *cubiculum* quoddam in quod reginam sive sponsam suam introducit, ita habet et sponsa suum *cubiculum*, in quod monetur per Verbum Dei *ingressa claudere ostium* et ita conclusis illis omnibus divitiis suis intra illud *cubiculum orare Patrem qui videt in abscondito*[p] et perspicit quantas opes, animi scilicet virtutes, intra cubiculum suum sponsa condiderit, ut videns eius divitias det ei petitiones suas ; *Omni* enim *habenti dabitur*[q].

l. Cf. I Cor. 9, 24 || m. Cant. 1, 4 || n. Ps. 44, 10 || o. Ps. 44, 15-16 || p. Matth. 6, 6 || q. Cf. Matth. 25, 29.

vite, l'autre un peu plus lentement, une autre encore en arrière des autres et à la dernière place. Cependant toutes elles courent, mais «une seule est parfaite[l]», celle qui a couru de manière à parvenir au but et à «recevoir» seule «la palme[l]». Car elle est la seule à dire : «Le Roi m'a introduite dans sa chambre[m]», alors que d'abord elle avait dit, non pas d'elle seule, mais de plusieurs : «A ta suite, nous courrons à l'odeur de tes parfums[m].»

9 Voilà qu'elle «est introduite dans la chambre du Roi» et qu'elle est devenue Reine, et c'est d'elle qu'il est dit : «La Reine est debout à ta droite, en habits ornés d'or, couverte de broderies[n].» Mais de ces jeunes filles qui avaient couru à sa suite et qui sont restées loin d'elle sur le parcours de la course, il est dit : «On présentera au Roi des vierges à sa suite, on te présentera ses compagnes; on les présentera dans la joie et l'allégresse, on les introduira dans le sanctuaire du Roi[o].»

10 De plus, nous devons ici faire cette remarque : comme le Roi a une «chambre» où il introduit la Reine, son Épouse, de même l'Épouse aussi a sa «chambre[1]»; là, «une fois entrée», elle est invitée par le Verbe de Dieu à «fermer la porte» et, ainsi enfermées toutes ses richesses dans cette «chambre», invitée à «prier le Père qui voit dans le secret[p]», et qui regarde quels grands trésors, à savoir les vertus de l'âme, l'Épouse aura mis en réserve dans sa chambre, pour qu'à la vue de ses richesses il lui donne tout ce qu'elle demande; en effet, «à quiconque a, on donnera[q]».

1. Cf. *PEuch.* 20.

Chapitre 6

Réplique des jeunes filles

Cant. 1, 4 c-e : *Exultons et réjouissons-nous à cause de toi.*
Nous aimerons tes seins plus que le vin;
l'Équité t'a aimé

1-5 : *Exultons et réjouissons-nous à cause de toi* : Souhait ou prière des jeunes filles pour elles-mêmes ou félicitation et promesse à l'Épouse dont elles partagent l'allégresse? *Nous aimerons tes seins plus que le vin* : promesse qu'elles font en imitatrices de sa perfection, et désireuses de marcher sur les mêmes traces, en âmes déjà initiées qui commencent à comprendre ; 6-14 : *L'Équité t'a aimé* : l'équité est une condition de la charité ; elle chérit donc le Christ, constituant une sorte de règle ; elle aime le Christ comme font toutes les vertus ; le Christ lui-même est la personnification de toutes les vertus.

6

1 Quod autem ait : *Exsultemus et iucundemur in te*[a], videtur ex persona adulescentularum dici vel optantium et (10 precantium ab sponso, ut, quemadmodum sponsa consecuta est quae perfecta sunt et exsultat, ita etiam ipsae implere suum cursum et pervenire usque ad *regis cubiculum*[a] mereantur, ut perspectis et intuitis omnibus his de quibus gloriatur etiam ipsae *exsultent*, sicut et illa, et *iucundentur* in eo.

2 Vel etiam ad sponsam potest dictum videri ab adulescentulis congratulantibus ei et promittentibus, quod participes fiant exsultationis eius et laetitiae, *Diligemus ubera tua super vinum*[a].

3 Sponsa quidem, posteaquam oscula meruit ab ipso sponsi ore suscipere et uberibus eius perfrui, ait ad eum : *Bona sunt ubera tua super vinum*[b] ; adulescentulae vero, quae nondum in id beatitudinis venerant neque summam 111 perfectionis acceperant neque | usu et operibus fructus perfectae caritatis expleverant, ut quasi expertae pronuntiarent de uberibus eius quia *bona sunt*, videntes tamen sponsam delectari et refici ex uberibus sponsi, ex *fontibus* scilicet *sapientiae et scientiae*[c], quae de uberibus eius

a. Cant. 1,4 || b. Cant. 1,2 || c. Cf. Bar. 3,12 ; Col. 2,3.

1. Plus haut (I, 5, 1-2) ces paroles étaient prononcées par l'Épouse.
2. Le texte embarrasse les éditeurs. D'après Baehrens, la citation du § 2 termine une phrase où les jeunes filles parlent à l'Épouse de « ses seins » qu'elles promettent d'aimer. D'après Delarue (*PG* 13, col. 100 A-B), elle introduit une phrase où les jeunes filles associent leur louange à celle de l'Épouse pour « les seins de l'Époux ». Quoi qu'il

6

1 « Exultons et réjouissons-nous à cause de toi[a] » : cette parole est dite, semble-t-il, par le personnage des jeunes filles[1]. Ou bien elles expriment un souhait et une prière à l'Époux : de même que l'Épouse a obtenu les biens parfaits et qu'elle exulte, de même, qu'elles aussi méritent d'achever leur course et de parvenir jusqu'à « la chambre du Roi[a] », afin qu'après avoir attentivement regardé et considéré tous ces biens dont elle se glorifie, elles aussi exultent comme elle et se réjouissent grâce à lui.

2 Ou bien encore la parole peut sembler adressée à l'Épouse par les jeunes filles qui la félicitent et lui promettent, parce qu'elles partagent son exultation et son allégresse : « Nous aimerons tes seins plus que le vin[a]. »

3 L'Épouse, après avoir mérité de recevoir les baisers de la bouche même de l'Époux et de jouir de ses seins[2], lui déclare : « Tes seins sont délectables plus que le vin[b]. » Mais les jeunes filles, elles, n'avaient pas encore eu accès à ce degré de béatitude, ni atteint le sommet de la perfection, ni fait mûrir par la pratique et par les œuvres les fruits d'une charité parfaite, au point de déclarer, comme l'ayant éprouvé, des seins de l'Époux : « Ils sont délectables ». Toutefois, voyant l'Épouse trouver délices et réconfort aux seins de l'Époux, c'est-à-dire boire « aux sources de sagesse et de science[c] » qui coulent de ses seins, les coupes de

en soit de cette ponctuation moderne, Origène fut sans doute le premier embarrassé. Car son interprétation, ici, glisse du premier sens (§ 2) au second (§ 3 s.), et elle ne lève pas l'ambiguïté dans *HomCant.* I, 5, fin. (M. B.)

profluunt, pocula caelestis doctrinae sumentem, tamquam imitatrices perfectionis eius et desiderantes iisdem vestigiis ★ incedere promittunt et dicunt : *Diligemus ubera tua super vinum*[d], id est : Nos quidem nondum in id perfectionis adscendimus ut iam *diligamus ubera tua plus quam vinum* vel certe *ubera tua quae sunt super vinum* — utroque enim modo sensus stare videbitur —, gerimus tamen spem, utpote adulescentulae, in id aetatis proficere quo possimus non solum pasci et ali ex uberibus Verbi Dei, sed et diligere alentem.

4 Istae sunt autem adulescentulae, ut saepe iam diximus, animae quae primis et initia alentibus eruditionibus videntur imbutae et velut vino quodam laetificatae institutione dumtaxat *tutorum curatorumque et paedagogi*[e], utpote parvulae et quae haberent quidem in viribus amare vinum, non tamen haberent in aetate ut amore uberum sponsi moveri aut excitari possent.

5 Sed ubi *advenit* iam *plenitudo temporum*[f] et Christus in iis *profecit aetate et sapientia*[g] et iam sentire coeperunt quid sint ubera sponsi, quaeque in his perfectio Verbi Dei et doctrinae spiritalis plenitudo designetur, promittunt quia *plus quam vinum*, quod nunc tamquam parvulae diligunt, dilecturae sint ubera sponsi, id est propensiores futurae erga perfecta et in omni plenitudine decreta Christi dogmata, quam sive in communibus studiis sive in *legis et prophetarum*[h] visae sunt institutionibus exstitisse.

112 **6** *Aequitas dilexit te*[i]. Etiam hoc viden|tur mihi adulescentulae proloqui, velut satisfacientes pro eo quod (1(

d. Cant. 1, 4 || e. Cf. Gal. 4, 2 ; 3, 25 || f. Cf. Gal. 4, 4 || g. Cf. Lc 2, 52 || h. Cf. Matth. 7, 12 || i. Cant. 1, 4.

1. Voir la note complémentaire 13 : « Rectitude ».

céleste doctrine, comme imitatrices de sa perfection et désireuses de marcher sur les mêmes traces, elles font ★ cette promesse : « Nous aimerons tes seins plus que le vin[d] » ; ce qui veut dire : Certes, nous ne sommes pas encore élevées à ce degré de perfection, où déjà « nous aimions tes seins plus que le vin », ou du moins « tes seins qui sont plus délectables que le vin » — car des deux façons le sens paraîtra se tenir logiquement —, cependant nous nourrissons l'espoir, toutes jeunes filles que nous sommes, de progresser jusqu'à ce temps de la vie où nous puissions non seulement être alimentées et nourries par les seins du Verbe de Dieu, mais encore aimer celui qui alimente.

4 Or ces jeunes filles sont, comme nous l'avons déjà dit souvent, des âmes qui semblent initiées par des instructions élémentaires propres à nourrir les commencements, et remplies d'allégresse par cette sorte de vin qu'est l'instruction donnée seulement par « des tuteurs, curateurs, pédagogues[e] » ; comme « toutes jeunes », elles sont bien en état d'aimer le vin, mais pourtant pas en âge de pouvoir être émues ou éveillées par l'amour des seins de l'Époux.

5 Mais lorsque déjà « vint la plénitude des temps[f] », qu'en elles le Christ « a progressé en âge et en sagesse[g] » et qu'elles ont déjà commencé à comprendre ce que sont les seins de l'Époux, quelle perfection du Verbe de Dieu et quelle plénitude de doctrine spirituelle ils symbolisent, elles promettent que, plus que le vin qu'en toutes jeunes filles maintenant elles aiment, elles vont aimer les seins de l'Époux, c'est-à-dire qu'elles vont tendre vers les doctrines du Christ parfaites et fixées dans toute leur plénitude, davantage que vers celles qu'elles ont jugées présentes soit dans les études ordinaires, soit dans les enseignements « de la Loi et des prophètes[h] ».

L'Équité aime le Christ

6 « L'Équité[1] t'a aimé[i]. » C'est encore là, me semble-t-il, une parole que prononcent les jeunes filles, comme si elles s'excusaient d'avoir promis d'aimer plus

dilecturas se *super vinum* promiserant *ubera* sponsi et non in praesenti iam diligant neque integram vim caritatis ostendant.

7 Est ergo vox ista velut incusantium semet ipsas, quasi quae nondum abiecta omni iniquitate pervenerint ad *aequitatem*, ut possint iam *diligere super vinum ubera* sponsi, scientes inconveniens omnino esse ut aliquid adhuc resideat iniquitatis in eo qui ad perfectionem spiritalis et mysticae doctrinae pervenerit.

8 Quia ergo summa perfectionis in caritate[j] consistit, caritas autem nihil iniquitatis admittit — ubi autem nihil iniquitatis est, ibi sine dubio est aequitas —, merito ergo *aequitas* esse dicitur quae *diligit* sponsum.

9 Et vide si non ob hoc videtur etiam illud in Evangelio a Salvatore dictum : *Si diligitis me, mandata mea servate*[k]. Si ergo qui *diligit* Christum, *mandata* eius *custodit*, et qui *mandata* eius *custodit*, nulla est in eo iniquitas, sed aequitas in eo permanet, *aequitas* ergo est quae et *mandata custodit* et *diligit* Christum.

10 Et rursum : si is qui *mandata custodit*, ipse *diligit* Christum, *mandata* autem in *aequitate* servantur et *aequitas* est quae *diligit* Christum, qui iniquum aliquid gerit neque *mandata custodit* neque *diligit* Christum. Erit ergo, ut, quantum iniquitatis in nobis est, tantum longe simus a dilectione Christi et tantum mandatorum eius praevaricatio habetur in nobis.

11 Et ideo regulam quandam directam ponamus esse *aequitatem*, ut, si quid in nobis iniquitatis est, hanc

j. Cf. Col. 3, 14 || k. Jn 14, 15.

1. «La Droiture t'a aimé» : parole des jeunes filles à l'Époux et nom qu'elles donnent à l'Épouse, d'après *HomCant.* I, 5, fin. Autres interprétations : cette parole des jeunes filles est dite à l'Église pour

que le vin les seins de l'Époux, et pour l'instant de ne pas encore les aimer, ni manifester la pleine force de la charité.

7 C'est donc un aveu, comme si elles s'accusaient elles-mêmes de n'être pas encore, toute iniquité rejetée, parvenues à l'équité, pour qu'elles puissent déjà «aimer plus que le vin les seins» de l'Époux ; elles savent bien qu'il est absolument anormal qu'il reste encore quelque chose d'inique dans celui qui est parvenu à la perfection de la doctrine mystique et spirituelle[1].

8 Dès lors, parce que le sommet de la perfection consiste dans la charité[j], mais que la charité n'admet aucune iniquité — or là où il n'y a aucune iniquité, il y a sans nul doute l'équité —, on affirme avec raison que c'est l'équité qui aime l'Époux.

9 Et vois si ce n'est pour ce motif que semble dite encore cette parole dans l'Évangile : «Si vous m'aimez, gardez mes commandements[k].» Si donc celui qui «aime» le Christ «garde ses commandements» et si en celui qui garde ses commandements il n'y a aucune iniquité, mais l'équité demeure en lui, c'est donc l'équité qui, d'une part garde les commandements, de l'autre aime le Christ.

10 Inversement, si celui qui garde les commandements, celui-là aime le Christ, et si d'autre part les commandements sont gardés dans l'équité — et c'est l'équité qui aime le Christ —, (alors) celui qui commet quelque chose d'inique ni ne garde les commandements, ni n'aime le Christ. Il en résultera dès lors que plus il y a d'iniquité en nous, plus nous sommes éloignés de l'amour du Christ, et plus a lieu en nous la transgression de ses commandements.

11 Et c'est pourquoi, posons en principe que l'équité est une sorte de règle droite : afin que, s'il est en nous quelque

Grégoire d'Elvire, *InCant.* I, 22 ; à Jean l'Évangéliste pour Grégoire de Nysse, *HomCant.* II (*GN*, p. 42) ; et l'Équité, c'est le Christ.

adhibentes et superducentes directoriam mandatorum Dei, si quid in nobis curvum, si quid tortuosum est, ad huius regulae lineam resecetur, ut possit et de nobis dici : *Aequitas dilexit te*[l].

12 Possumus autem etiam sic accipere, ut videatur simile esse quod dixit : *Aequitas dilexit te*, ac si dixisset : iustitia dilexit te et veritas et sapientia et pudicitia et singulae quaeque virtutes.

13 Nec mireris sane, si dicimus virtutes esse quae diligunt Christum, cum in aliis ipsarum virtutum substantiam Christum soleamus accipere. Quod et frequenter invenies | in scripturis divinis pro locis et opportunitatibus aptari ; invenimus namque ipsum et *iustitiam* dici et *pacem* et *veritatem*[m]. Et rursus scriptum est in psalmis : *Iustitia et pax osculatae sunt*[n] et : *Veritas de terra orta est, et iustitia de caelo prospexit*[o].

113

14 Quae utique omnia et ipse esse et rursum ipsum dicuntur amplecti. Sed et *sponsus*[p] idem dicitur, idem etiam *sponsa* nominatur, ut in propheta scriptum est : *Sicut sponso imposuit mihi mitram, et sicut sponsam ornavit me ornamento*[q].

l. Cant. 1,4 || m. Cf. I Cor. 1,30; Éphés. 2,14; Jn 14,6 || n. Ps. 84,11 || o. Ps. 84,12 || p. Cf. Matth. 9,15 || q. Is. 61,10.

1. Sur «la règle», cf. *infra*, II, 2, 11, et la note complémentaire 13 : «Rectitude».

2. «Le Christ, c'est-à-dire le Logos, la Sagesse et toute vertu» (*CCels.* III, 81, 10s.). Voir la note complémentaire 14 : «Les aspects du Christ».

chose d'inique, en appliquant et superposant cette règle des commandements de Dieu, ce qu'il peut y avoir en nous de courbe, y avoir de tortueux, on le retranche d'après la ligne de cette règle[1], pour qu'on puise dire de nous aussi : «L'Équité t'a aimé[l]».

Le Christ et les vertus

12 Or nous pouvons aussi le comprendre de telle sorte que ce qu'il a dit : «L'Équité t'a aimé» semble être la même chose que s'il avait dit : La Justice t'a aimé, et la Vérité, et la Sagesse, et la Pureté, et chacune des vertus.

13 Et ne t'étonne absolument pas si nous disons que ce sont les vertus qui aiment le Christ, puisqu'en d'autres passages nous avons coutume de comprendre le Christ comme la personnification des vertus elles-mêmes[2]. Fréquemment aussi on en trouvera l'application dans les divines Écritures, suivant les passages et les circonstances. Car nous trouvons que le Christ en personne est dit : Justice, Paix, Vérité[m]. Et encore, il est écrit dans les Psaumes : «La Justice et la Paix se sont embrassées[n]», et : «La Vérité est sortie de la terre, et la Justice a regardé du haut du ciel[o].»

14 C'est dire assurément qu'il est en personne toutes ces vertus et qu'en retour elles l'embrassent. De plus, le même est dit «Époux[p]», le même nommé encore «Épouse», comme il est écrit chez le prophète : «Comme pour un Époux, il m'a coiffé d'un turban, et comme une Épouse, il m'a ornée d'une parure[q 3].»

3. «Comme Verbe de Dieu, il est appelé l'Époux, et comme Sagesse de Dieu, l'Épouse, ainsi que dit le prophète parlant en son nom : ' Il m'a mis un diadème sur la tête et m'a donné une parure comme à une épouse '» (*HomGen.* XIV, 1, 16 s.).

LIVRE II

(*Cant.* 1, 5-14)

Chapitre premier

« Je suis brune et belle ... »

Cant. 1, 5 : *Je suis brune et belle, filles de Jérusalem,*
comme les tentes de Cédar,
comme les tentures de peaux de Salomon

1-2 : L'Épouse, de nouveau introduite, s'adresse non plus aux jeunes filles qui l'accompagnent, mais aux filles de Jérusalem, répond à leurs reproches, distingue son aspect et ses traits intérieurs ; même le premier n'est pas sans beauté : tel est le drame historique. Mais venons-en à l'ordre mystique ; 3-7 : l'Épouse représente *l'Église* issue des nations ; les filles de la Jérusalem terrestre méprisent l'Église pour la bassesse de son origine ; bien à tort, car elle est belle par la pénitence et la foi, l'accueil du Fils de Dieu, Verbe fait chair ; 8-20 : c'est l'accomplissement de ce mystère ; 21-25 : l'Éthiopienne qu'épousa Moïse ; 26-41 : la reine de Saba qui vint admirer la sagesse de Salomon à Jérusalem ; 42 : l'Éthiopie qui se hâtera de tendre les mains vers Dieu ; 43-45 : ceux qui viennent d'au-delà des fleuves de l'Éthiopie ; 46-50 : l'éthiopien Abdimélech sauvant Jérémie ; 51-54 : les tentures de peaux de Salomon, du Christ Pacifique ; 55 : l'Église est une et plusieurs ; 56 : chaque *âme* aussi est noire à cause de ses péchés, mais belle du fait de sa pénitence ; 57 : de la même Épouse on dira : « Elle monte toute blanche. »

LIBER SECUNDUS.

1

1 *Fusca sum et formosa, filiae Hierusalem, ut tabernacula Cedar, ut pelles Solomonis*[a]. In aliis exemplaribus legimus : *Nigra sum et formosa*. Rursus in hoc persona sponsae loquentis introducitur, loquentis autem non ad illas adulescentulas, quae cum ipsa currere solent, sed *ad filias Hierusalem*, quibus, tamquam quae derogaverint foeditati eius, respondere videtur et dicere : *Fusca* quidem *sum* — vel *nigra* —, quantum ad colorem spectat, o *filiae Hierusalem*, *formosa* vero, si quis interna membrorum liniamenta perspiciat.

2 Nam et *tabernacula* inquit *Cedar*, quae est gens magna, nigra sunt et ipsa gens Cedar nigredo vel obscuritas interpretatur. Sed et pelles Solomonis nigrae sunt nec ob hoc tamen tanto regi *in omni gloria sua*[b] pellium visa est indecora nigredo. Non ergo mihi, o *filiae Hierusalem*, exprobretis culpam coloris, cum sive naturalis sive exercitio quaesita corpori pulchritudo non desit. Haec

a. Cant. 1,5 || b. Cf. Matth. 6,29.

1. Rashi (Rabbi Salomon ben Isaac) commente : « Je suis noire par suite de la chaleur et de l'ardeur du soleil, mais la conformation de mes membres est en tout point gracieuse », dans Genébrard, p. 116.

LIVRE DEUXIÈME

1

La scène

1 «Je suis brune et belle, filles de Jérusalem, comme les tentes de Cédar, comme les tentures de peaux de Salomon [a].» Dans d'autres copies, nous lisons : «Je suis noire et belle.» De nouveau ici est introduit le personnage de l'Épouse qui prend la parole. Toutefois elle s'adresse non point à ces jeunes filles qui d'ordinaire courent avec elle, mais aux «filles de Jérusalem» auxquelles, pour leurs reproches à sa laideur, elle semble répondre : Certes, «je suis brune» — ou «noire» — en ce qui concerne la couleur, ô «filles de Jérusalem», mais «belle», si l'on observe les traits intérieurs de mes membres [1].

2 Car, dit-elle, «les tentes de Cédar» aussi, qui est une grande nation, sont noires, et la nation même de Cédar veut dire noirceur ou obscurité. De plus, les tentures de peaux de Salomon sont noires ; néanmoins, à cause d'un si grand roi «dans toute sa gloire [b]» la noirceur des tentures de peaux n'a point semblé laide. Non, ô filles de Jérusalem, ne me reprochez donc pas ma couleur comme une tare, puisque, naturelle ou fruit de l'exercice, la beauté ne manque pas au corps. Voilà ce que contient le drame histo-

continet historicum drama et propositae fabulae species. Sed redeamus ad ordinem mysticum.

★ **3** Haec sponsa quae loquitur ecclesiae personam tenet *ex gentibus*[c] congregatae ; *filiae* vero *Hierusalem*, ad quas ei sermo est, illae sunt animae quae carissimae quidem dicuntur propter electionem patrum, inimicae autem (1) propter evangelium[d]. Istae ergo sunt *filiae Hierusalem* huius terrenae, | quae videntes ecclesiam *ex gentibus* — quamvis pro eo ignobilem quod generositatem sibi Abraham et Isaac et Iacob non possit adscribere, *obliviscentem* tamen *populum suum et domum patris*[e] sui atque ad Christum venientem — velut spernunt eam et pro ignobilitate generis offuscant.

114

4 Quod sponsa sentiens filias prioris populi imputare sibi et pro hoc etiam *nigram* se appellari, quasi quae paternae eruditionis non habeat claritatem, respondens ad haec dicit : *Nigra sum* quidem, o *filiae Hierusalem*, pro eo quod non descendo de stirpe clarorum virorum neque illuminationem Moysi legis accepi, habeo tamen pulchritudinem meam mecum. Namque et in me est illud primum, quod *ad imaginem Dei*[f] in me factum est ; et nunc accedens ad Verbum Dei recepi speciem meam.

c. Cf. Act. 15, 14 || d. Cf. Rom. 11, 28 || e. Ps. 44, 1 || f. Cf. Gen. 1, 27.

1. Commentateur, après ces 2 paragraphes qui rappellent le sens littéral de « l'histoire » mise en scène, Origène en développe « l'ordre mystique » ou le sens spirituel en plus de 50 paragraphes concernant l'Église, et 1 seul désignant l'âme. C'est l'Église rassemblée du milieu des nations. Église que préfigure l'Épouse noire mais belle ; milieu de peuples de couleur de la gentilité, que présentent 5 longs extraits de l'Écriture. Prédicateur, il va inverser les applications, traiter d'abord de l'âme, figurée par l'épouse éthiopienne de Moïse, puis de l'Église, représentée par la reine de Saba et les Éthiopiens, le tout, abrégé en deux pages, *HomCant*. I, 6. Ailleurs, il avait consacré 1 ligne à l'âme : « Nous ressemblons dans notre âme aux Éthiopiens », *HomJér*. XI,

rique et l'aspect extérieur de la pièce mise en scène. Mais venons-en à l'ordre mystique[1].

L'Église

3 Cette Épouse qui parle joue le personnage de l'Église rassemblée «du milieu des nations[c]». Mais «les filles de Jérusalem» auxquelles elle réplique sont ces âmes que l'on dit très aimées, à cause de l'élection de leurs pères, mais ennemies à cause de l'Évangile[d]. Dès lors ce sont les filles de cette Jérusalem terrestre qui, voyant l'Église «venue des nations» — laquelle, bien qu'elle soit d'obscure extraction du fait qu'elle ne peut s'attribuer la noble lignée d'Abraham, d'Isaac et de Jacob, néanmoins «oublie son peuple et la maison de son père[e]» et vient au Christ —, en quelque sorte la méprisent et la noircissent[2] pour l'obscurité de sa race.

4 L'Épouse, comprenant ce que les filles du premier peuple lui reprochent, et qu'on l'appelle «noire» sous prétexte qu'elle ne brille pas de la clarté de l'instruction ancestrale, déclare en réponse à cela : «Je suis noire», certes, ô «filles de Jérusalem», du fait que je ne descends pas de la souche d'hommes illustres[3], et que je n'ai pas reçu l'illumination de la Loi de Moïse, toutefois j'ai en moi ma beauté. En effet en moi aussi, il y a d'abord ce qui a été fait en moi «à l'image de Dieu[f]», et à présent, m'approchant du Verbe de Dieu, j'ai reçu ma grâce.

6,30; et 1 page à l'Église : «Moïse, c'est-à-dire la Loi de Dieu, a épousé cette Éthiopienne (Église) formée par le rassemblement des nations», *HomNombr.* VI, 4. (M. B.)

2. «Noircissent» : traduction de *offuscant*, pour tenter de rendre le jeu de mots, bien qu'en fait, ce n'est pas sur *nigra*, mais sur *fusca* qu'il porte.

3. Au contraire : «A la vérité, dit l'Assemblée d'Israël, noire je le suis par mes œuvres, mais je suis belle par les actions de mes Pères», Rashi *(ap. loc. cit.)*.

5 Quamvis enim pro coloris obscuritate comparetis me *tabernaculis Cedar* et *pellibus Solomonis*, tamen et Cedar ex Ismael descendit — secundo namque loco ex Ismael[g] natus est, qui Ismael non fuit expers divinae benedictionis[h]. Sed et pellibus Solomonis comparatis me, quae non aliae sunt quam *pelles tabernaculi*[i] Dei, et tamen miror vos, o filiae Hierusalem, coloris mihi exprobrare velle nigredinem.

6 Quomodo non meministis quod *in lege vestra scriptum est*[j] quid passa sit Maria, quae derogavit Moysi cur Aethiopissam nigram accepisset uxorem[k]? Quomodo ignoratis illius imaginis adumbrationem in me nunc veritate compleri? Ego sum illa Aethiopissa, *ego sum nigra* quidem pro ignobilitate generis, *formosa* vero propter paenitentiam et fidem. Suscepi enim in me Filium Dei, recepi *Verbum carnem factum*[l]. Accessi ad eum, *qui est imago Dei, primogenitus omnis creaturae*[m], et *qui est splendor gloriae et figura substantiae*[n] Dei, et facta sum *formosa*.

7 Tu ergo ut quid *improperas convertenti se a peccato*[o], quod utique lex fieri vetat? Et quomodo tu *gloriaris in lege praevaricans legem*[p]?

8 Verum quoniam in his locis sumus, ubi ecclesia quae
115 *ex gentibus*[q] venit *nigram* se esse dicit *et* | *formosam*, quamvis longum videatur esse et operosum colligere ex scripturis divinis, in quibus vel qualiter sacramenti huius

g. Cf. Gen. 25, 13 || h. Cf. Gen. 16, 11-12 || i. Cf. Ex. 25, 4 || j. Jn 8, 17; 10, 34 || k. Cf. Nombr. 12, 1 s. || l. Cf. Jn 1, 14 || m. Col. 1, 15 || n. Hébr. 1, 3 || o. Sir. 8, 5 || p. Rom. 2, 23 || q. Cf. Act. 15, 14.

1. « Il faut savoir que Cédar est aussi de la descendance de Céthura et d'Abraham. Dans les générations d'Israël, tu feras de semblables découvertes. A examiner ces généalogies avec soin, tu en tireras beaucoup d'observations qui ont échappé à d'autres », *HomGen.* XI, 2, 67 s.

2. De fait, en certaines des citations alléguées l'annonce de ce mys-

5 Car vous avez beau, pour ma couleur foncée, me comparer aux «tentes de Cédar» et aux «tentures de peaux de Salomon», néanmoins, Cédar aussi descend d'Ismaël[1], car il naquit en second d'Ismaël[g], Ismaël qui ne fut pas sans avoir sa part de la bénédiction divine[h]. De plus, vous me comparez aux tentures de peaux de Salomon, lesquelles ne sont autres que «les tentures de peaux du tabernacle[i]» de Dieu, et partant je m'étonne que vous, ô filles de Jérusalem, vous vouliez me reprocher ma couleur noire.

6 Comment ne vous rappelez-vous pas qu'est «écrit dans votre Loi[j]» ce qu'eut à souffrir Marie qui critiqua Moïse parce qu'il avait pris comme Épouse une Éthiopienne noire[k]? Comment ignorez-vous que l'ombre de cette image est maintenant accomplie en moi dans sa vérité? Moi, je suis cette Éthiopienne, «je suis noire», il est vrai, de par l'obscurité de la race, mais belle par la pénitence et la foi. Car j'ai accueilli en moi le Fils de Dieu, j'ai reçu «le Verbe fait chair[l]». J'ai eu accès auprès de lui, «qui est l'image de Dieu, le Premier-né de toute créature[m], la Splendeur de la gloire et l'Empreinte de la substance[n]» de Dieu, et je suis devenue «belle».

7 Alors toi, pourquoi «fais-tu des reproches à celle qui se détourne du péché[o]», ce qu'assurément la Loi interdit de faire? Et comment toi, «tu te glorifies de la Loi, en transgressant la Loi[p]»?

Figures de ce mystère

8 Eh bien! puisque nous en sommes à ces passages où l'Église qui est venue «des nations[q]» se dit «noire et belle», bien qu'il paraisse long et laborieux de rassembler les textes des divines Écritures où se trouve précéder, fût-ce en passant[2], la figure de ce mystère, pourtant on ne

tère se bornera au seul nom de l'Éthiopie, lequel s'applique en réalité à l'Afrique noire connue des anciens, pour qui «éthiopien» était synonyme de «nègre».

forma praecesserit, tamen non mihi penitus omittendum videtur, sed quam potuerit breviter memorandum.

9 Primo ergo in libro Numerorum de Aethiopissa ita scriptum est : *Et locuta est Maria et Aaron, et derogaverunt Moysi propter mulierem Aethiopissam quam accepit uxorem, et dixerunt : Numquid Moysi soli locutus est Dominus? Nonne et nobis locutus est*[r] ?

10 Et iterum in tertio Regnorum libro scriptum est de regina Saba, *quia venit a finibus terrae audire sapientiam Solomonis*[s], hoc modo : *Et regina Saba audivit nomen Solomonis et nomen Domini, et venit tentare eum in parabolis; et venit in Hierusalem in virtute magna valde, et cameli portantes odoramenta et aurum multum valde et lapidem pretiosum; et ingressa est ad Solomonem et locuta est ei omnia quaecumque erant in corde suo; et enuntiavit ei Solomon omnia verba eius, et non fuit verbum quod omiserit rex, et non enuntiaverit ei.*

11 *Et vidit regina Saba omnem prudentiam Solomonis et domum quam aedificavit, et cibos Solomonis et sedem puerorum eius et ordinem ministrorum eius et vestes eius et vini fusores eius et holocausta eius quae offerebat in domo Domini, et obstupuit. Et dixit ad regem Solomonem : Verus est sermo, quem ego audivi in terra mea de verbo tuo et prudentia tua; et non credidi his qui loquebantur mihi, usque quo venirem et viderent oculi mei, et ecce, nec media pars est quae nuntiabantur mihi; addidisti enim bona super omnem auditionem quam audivi in terra mea.*

12 *Beatae mulieres tuae, beati pueri isti qui assistunt in conspectu tuo semper et audiunt omnem prudentiam tuam! Sit Dominus Deus tuus benedictus, qui tibi dedit sedem Istrahel! Quoniam enim dilexit Dominus Istrahel et voluit*

r. Nombr. 12, 1-2 || s. Matth. 12, 42.

doit pas, me semble-t-il, complètement les omettre, mais les rappeler aussi brièvement que possible.

9 Donc, d'abord, au livre des Nombres, il est écrit au sujet de l'Éthiopienne : « Marie prit la parole ainsi qu'Aaron, et ils firent des reproches à Moïse à propos de la femme éthiopienne qu'il avait prise comme épouse. Ils dirent : Est-ce à Moïse seul qu'a parlé le Seigneur ? N'a-t-il point parlé à nous aussi[r] ? »

10 Et de nouveau, au troisième livre des Rois, au sujet de la Reine de Saba, « qui vint des extrémités de la terre entendre la sagesse de Salomon[s] », de cette façon : « Et la reine de Saba entendit parler du nom de Salomon et du nom du Seigneur, et vint l'éprouver par des énigmes ; elle vint à Jérusalem en très grand apparat, des chameaux portant des aromates, de l'or en abondance et des pierres précieuses. Elle se rendit auprès de Salomon et lui parla de tout ce qui était dans son cœur. Et Salomon répondit à toutes ses questions, et il n'y en eut aucune à laquelle le Roi omit de répondre.

11 Et la reine de Saba vit toute la prudence de Salomon, le palais qu'il avait construit, les mets de Salomon, le siège de ses ministres, l'ordre de ses serviteurs, ses vêtements, ses échansons, les holocaustes qu'il offrait dans la maison du Seigneur, et elle fut stupéfaite. Et elle dit au roi Salomon : C'est donc vrai ce que j'ai entendu dire dans mon pays de ta parole et de ta prudence ! Je n'ai pas cru à ceux qui m'en parlaient, avant de venir et de voir de mes yeux, et voici qu'on ne m'en avait pas raconté la moitié ! Car tu as mis biens sur biens, au-delà de tout ce que j'ai entendu dire dans mon pays.

12 Heureuses tes femmes, heureux tes serviteurs que voici, qui se tiennent sans cesse en ta présence. Béni soit le Seigneur ton Dieu qui t'a donné le trône d'Israël. Car c'est parce que le Seigneur a chéri Israël et qu'il a voulu le faire

eum permanere in aeternum, posuit te regem super eos, ut facias iudicium cum iustitia et iudices eos.

13 *Et dedit Solomoni centum viginti talenta auri et odoramenta multa valde et lapidem pretiosum; numquam venerant talia odoramenta nec in tanta multitudine quae dedit regina Saba regi Solomoni*[t]. (10

14 Hanc autem historiam paulo latius repetere voluimus et inserere huic expositioni nostrae, scientes in 116 tantum convenire haec ad personam | ecclesiae quae *ex gentibus*[u] venit ad Christum, ut ipse Dominus in evangeliis reginae huius faceret mentionem, dicens *eam venisse a finibus terrae, ut audiret sapientiam Solomonis*[v]. *Austri* autem *reginam* dicit eam pro eo quod Aethiopia in Austri partibus iaceat, et a finibus terrae, quasi in ultimo posita.

15 Invenimus autem huius ipsius reginae etiam Iosepum in historia sua facere mentionem addentem etiam hoc, quod, posteaquam regressa est, inquit, a Solomone, Cambyses rex miratus eius sapientiam, quam sine dubio ex Solomonis doctrina susceperat, cognominavit, inquit, nomen eius Meroen. Refert autem quod non solum Aethiopiae, sed et Aegypti regnum tenuerit.

16 Adhuc autem addemus et ea quae in sexagesimo septimo psalmo de hac eadem forma continentur. Ait ergo ibi : *Disperge gentes quae bella volunt, venient legati ex Aegypto, Aethiopia praeveniet manus eius Deo. Regna terrae, cantate Deo, psallite Domino*[w].

17 Est adhuc quarto in loco apud Sophoniam prophetam de hac eadem figura hoc modo scriptum : *Propterea*

t. III Rois 10,1-10 || u. Cf. Act. 15,14 || v. Matth. 12,42 || w. Ps. 67,31-33.

1. JOSÈPHE, *Ant. iud.* II, 249, nomme «la ville de Saba, capitale de l'Éthiopie, que plus tard Cambyse appela Méroé»; il mentionne la visite faite à Salomon par «la reine de l'Égypte et de l'Éthiopie», substituant ces noms à celui de reine de Saba, *ibid.*, VIII, 165 s.

demeurer à jamais qu'il t'a établi roi sur eux pour exercer le droit avec justice et pour les juger.

13 Et elle donna à Salomon cent vingt talents d'or, des aromates en abondance et des pierres précieuses ; jamais il n'était arrivé de tels aromates, ni dans une telle quantité que celle que donna la reine de Saba au roi Salomon [t].»

14 Nous avons voulu transcrire cette histoire un peu longuement et l'insérer en cet endroit de notre explication, sachant qu'elle convient au personnage de l'Église qui «des nations [u]» vint au Christ, au point que le Seigneur lui-même dans les Évangiles fit mention de cette reine, disant qu'elle «vint des extrémités de la terre pour entendre la sagesse de Salomon [v]». Or, il la dit «la reine du Midi», parce que l'Éthiopie se trouve dans les régions du Midi, et «des extrémités de la terre», comme située au bout du monde.

15 D'autre part, nous avons trouvé que Josèphe aussi dans son *Histoire* fait mention de cette reine [1]. Il ajoute même ceci : quand elle eut quitté Salomon, le roi Cambyse, étonné de sa sagesse, qu'elle avait sans nul doute reçue de la doctrine de Salomon, lui donna, dit-il, le surnom de Méroé. Par ailleurs il rapporte qu'elle détenait non seulement le royaume d'Éthiopie, mais encore celui d'Égypte.

16 Ajoutons encore ce que contient le psaume soixante-sept sur cette même figure. Il y est dit : «Disperse les peuples qui veulent la guerre, des envoyés viendront d'Égypte, l'Éthiopie s'empressera de tendre ses mains vers Dieu. Royaumes de la terre, chantez pour Dieu, jouez pour le Seigneur [w].»

17 En quatrième lieu, chez Sophonie le prophète, de cette même figure il est encore écrit : «C'est pourquoi,

sustine me, dicit Dominus, in die resurrectionis meae in martyrio, hoc est in testimonio, *quoniam iudicium meum est ad congregationes gentium, ut suscipiam reges et effundam super eos omnem iram indignationis meae; in igne enim zeli mei consumetur omnis terra. Quoniam tunc convertam in populis linguam in generationem eius, ut invocent omnes nomen Domini et serviant ei sub iugum unum. De ultra flumina Aethiopiae suscipiam eos qui dispersi sunt, et afferent sacrificium mihi. In die illa non confunderis, Saba, ab omnibus adinventionibus tuis in quibus impie egisti in me*[x].

18 Sed et in Hieremia scriptum est quod *Principes quidem populi Istrahel miserunt Hieremiam in lacum Melchiae filii regis, qui erat in domo carceris, et deposuerunt eum cum funibus, et in lacu non erat aqua, sed caenum, et erat in caeno. Audiens* | *autem Abdimelech, Aethiops vir eunuchus, qui erat in domo regis, quia miserunt Hieremiam in lacum, locutus est regi et dixit : Domine rex, male fecerunt viri isti omnia quae fecerunt in Hieremiam prophetam, quia miserunt eum in lacum et morietur ibi a facie famis, quoniam non sunt iam panes in civitate. Et praecepit rex ipsi Abdimelech Aethiopi dicens : Tolle hinc triginta homines et educ eum de lacu, ut non ibi moriatur*[y].

117

19 Et quid plura ? Abdimelech Aethiops fuit, qui Hieremiam eduxit de lacu. Et paulo post : *Factus est sermo Domini ad Hieremiam dicens : Vade et dic Abdimelech Aethiopi dicens : Sic dixit Dominus Deus Istrahel : Ecce ego adduco verba mea super civitatem istam in mala et non in bona, et salvabo te in die illa, et non te dabo in manus hominum quos tu times a facie eorum. Quia salvans salvabo te, et in gladio non cades, sed erit anima tua in salutem, quoniam confisus es in me, dicit Dominus*[z].

(10

x. Soph. 3, 8-11 || y. Jér. 45 (38), 6-10 || z. Jér. 46 (39), 15-18.

attends-moi, dit le Seigneur, pour le jour de ma résurrection pour le martyre», c'est-à-dire pour le témoignage; «car mon jugement est de réunir les nations, afin que je prenne les rois et déverse sur eux toute la fureur de mon indignation ; car toute la terre sera consumée dans le feu de mon courroux. C'est alors que je changerai chez les peuples la langue dans leur descendance, pour qu'ils invoquent tous le nom du Seigneur et le servent sous un joug unique. D'au-delà des fleuves de l'Éthiopie je prendrai ceux qui ont été dispersés, et ils m'apporteront une offrande. En ce jour-là, Saba, tu n'auras plus à rougir de tous tes méfaits par lesquels tu t'es conduite d'une manière impie à mon égard[x].»

18 De plus, dans Jérémie il est écrit que «les princes du peuple d'Israël jetèrent Jérémie dans la fosse de Melkias, le fils du roi, située dans le bâtiment de la prison; ils l'y descendirent avec des cordes, et dans la fosse il n'y avait point d'eau, mais de la vase, et Jérémie était dans la vase. Abdimélech, eunuque éthiopien de la maison du roi, apprenant qu'on avait jeté Jérémie dans la fosse, s'adressa au roi et dit : Monseigneur le roi, ces gens ont mal agi en tout ce qu'ils ont fait au prophète Jérémie ; ils l'ont jeté dans la fosse, et là il va mourir de faim car il n'y a plus de pain dans la ville. Alors le roi donna cet ordre à l'éthiopien Abdimélech lui-même : Prends ici trente hommes, et remonte-le de la fosse pour qu'il n'y meure pas[y].»

19 Et que dire de plus? Ce fut l'éthiopien Abdimélech qui tira Jérémie de la fosse. Et peu après, «la parole du Seigneur fut adressée à Jérémie : Va et dis à l'éthiopien Abdimélech : Ainsi a parlé le Seigneur Dieu d'Israël : Voici, je vais faire venir mes paroles sur cette ville pour le malheur et non pour le bonheur. Mais je te sauverai en ce jour-là, et je ne te livrerai pas aux mains des hommes dont tu crains la présence. Car certainement je te sauverai, et tu ne tomberas pas sous l'épée, mais tu auras la vie sauve, car tu as mis en moi ta confiance, dit le Seigneur[z].»

20 Haec interim ad praesens de scripturis sanctis occurrere potuerunt, quibus mihi videtur propositi de Canticis Canticorum versiculi mysterium comprobari, in quo dicit : *Fusca sum* — sive *nigra sum* —, *et formosa, filiae Hierusalem, sicut tabernacula Cedar et sicut pelles Solomonis*[aa].

21 Invenitur ergo et Moyses in Numeris accipere Aethiopissam uxorem, *fuscam* videlicet vel *nigram*, pro qua Maria et Aaron derogant ei et indignantes dicunt : *Numquid Moysi soli locutus est Dominus? Nonne et nobis*[ab]?

22 In quo, si diligenter consideres, nec consequentiam sermo habere invenitur historicus. Quid enim convenire ad rem videbitur, ut indignantes pro Aethiopissa dicant : *Numquid Moysi soli locutus est Dominus? Nonne et nobis locutus est?* Oportebat enim, si hoc erat in causa, dici ab iis : Non oportuit te, o Moyses, uxorem accipere Aethiopissam et de semine Cham, sed ex genere tuo et de domo Levi. Horum nihil dicunt, sed aiunt : *Numquid Moysi soli locutus est Dominus? Nonne et nobis locutus est?*

23 In quo mihi videtur secundum mysterium magis 118 in|tellexisse quod gestum est, et vidisse quod iam Moyses id est *spiritalis lex*[ac], in nuptias et coniugium congregatae *ex gentibus*[ad] migrat ecclesiae et Mariam, quae synagogae derelictae formam, et Aaron, qui sacerdotii carnalis tenebat imaginem, videntes *ablatum esse a semet ipsis regnum et datum esse genti facienti fructus eius*[ae] dicere :

aa. Cant. 1, 5 || ab. Nombr. 12, 2 || ac. Cf. Rom. 7, 14 || ad. Cf. Act. 15, 14 || ae. Matth. 21, 43.

---

1. L'identification est constante de Moïse avec la Loi, la Loi de Dieu, la Loi spirituelle. Cf. *HomEx.* II, 4, 31, et ma note *ad loc.*, avec sa douzaine de références ; y ajouter *HomNombr.* VI, 4, l'analogue de notre paragraphe. L'identification était déjà faite avant Origène. En tant que législateur, « Moïse était une loi vivante », CLÉMENT D'ALEXANDRIE, *Strom.* I, 167, 3. Comme le souverain ou le sage,

20 Voilà provisoirement pour l'instant les passages des saintes Écritures qui ont pu se présenter, par lesquels, me semble-t-il, peut être confirmé le sens mystérieux de ce petit verset du Cantique des cantiques : «Je suis brune — ou je suis noire —, filles de Jérusalem, comme les tentes de Cédar, comme les tentures de peaux de Salomon [aa].»

L'Éthiopienne qu'épousa Moïse

21 Ainsi donc, dans les Nombres, on trouve que Moïse prend comme épouse une Éthiopienne, évidemment «brune» ou «noire», au sujet de laquelle Marie et Aaron s'indignent et lui font ce reproche : «Est-ce à Moïse seul que le Seigneur a parlé? N'a-t-il point parlé à nous aussi [ab] ?»

22 A un examen attentif, on trouvera là un récit historique sans suite logique. Car en quoi semblera-t-il s'accorder au sujet le fait que, dans leur indignation à propos de l'Éthiopienne, ils disent : «Est-ce à Moïse seul que le Seigneur a parlé? N'a-t-il point parlé à nous aussi?» Car si ce mariage était en cause, ils auraient dû dire : Tu n'aurais pas dû, ô Moïse, prendre comme épouse une Éthiopienne, de la semence de Cham, mais une de ta race et de la maison de Lévi. De cela ils ne soufflent mot mais disent : «Est-ce à Moïse seul que le Seigneur a parlé? N'a-t-il point parlé à nous aussi?»

23 En ce passage il me semble qu'ils ont plutôt compris l'événement comme un mystère; ils ont vu que maintenant Moïse [1], c'est-à-dire «la Loi spirituelle [ac]», passe aux noces et à l'union de l'Église rassemblée «du milieu des nations [ad]»; et Marie qui était la figure de la Synagogue abandonnée, et Aaron, l'image du sacerdoce charnel, voyant que «le royaume leur a été enlevé et donné à un peuple qui en produira les fruits [ae]», disent : «Est-ce à

«peut-être ... est-il devenu lui-même ... une loi vivante», PHILON, *Mos.* I, 162; II, 4, avec les notes *ad loc.* (M. B.)

Numquid Moysi soli locutus est Deus? Nonne et nobis locutus est[af]*?*

24 Denique et Moyses ipse, cum tanta et tam magnifica eius opera fidei ac patientiae referantur, numquam tantis a Deo elatus est laudibus ut nunc, cum Aethiopissam accepit uxorem. Nunc de eo dicitur quia : *Moyses homo mansuetus valde super omnes homines qui sunt super terram*[ag]. Nunc et illud de eo dicit Dominus quia : *Si fuerit in vobis propheta, in visionibus loquar ei aut in somniis. Non ita, ut famulo meo Moysi, qui in omni domo mea fidelis est; os ad os loquar ad eum, in specie et non per aenigmata, et gloriam Domini vidit; et cur non timuistis detrahere famulo meo Moysi*[ah]*?* Haec omnia pro coniugio Aethiopissae Moyses audire meruit a Domino.

25 Verum de his plenius in libro Numerorum prosecuti sumus, quae si quis dignum iudicat noscere, illa perquirat. Nunc autem sufficiat approbare ex his quod ipsa est *nigra* haec et *formosa*, quae et Aethiopissa[ai], quam Moyses, id est *lex spiritalis*[aj], qui sine dubio Verbum Dei et Christus est, in coniugium sumit, licet obtrectent et derogent *filiae Hierusalem*, plebs scilicet illa cum sacerdotibus suis.

26 Videamus autem et ea quae ex tertio Regnorum libro protulimus de *regina Saba*, et ipsa nihilominus Aethiopissa, cui testimonium dat Dominus in evangeliis quod *in die* (1

af. Nombr. 12,2 || ag. Nombr. 12,3 || ah. Nombr. 12,6-8 || ai. Cf. Cant. 1,5 || aj. Cf. Rom. 7,14.

1. *In specie* (ἐν εἴδει) : «en se faisant voir», Crampon ; «dans l'évidence», *BJ* ; «en vision», Osty ; mais vision immédiate et directe. A la suite de Paul, le terme exprime la vision directe de la réalité, cf. Crouzel, *Connaissance*, p. 350 s. — «C'est dernièrement, quand Moïse est venu à nous et s'est uni à notre Éthiopienne [= qui nous représente], c'est alors que la Loi de Dieu ne se fait plus connaître sous forme de figures et d'images, mais dans l'évidence de la vérité» *(sed in ipsa specie veritatis agnoscitur)*, *HomNombr.* VII, 2.

Moïse seul que le Seigneur a parlé? N'a-t-il point parlé à nous aussi [af] ? »

24 Enfin Moïse lui-même, bien qu'on rapporte ses œuvres de foi et de patience si grandes et si magnifiques, ne fut jamais exalté de la part de Dieu par d'aussi grandes louanges que maintenant où il a pris pour femme l'Éthiopienne. Maintenant on dit de lui : « Moïse était un homme très doux, plus que tous les autres hommes qui sont sur la terre [ag]. » Maintenant, le Seigneur dit encore de lui : « S'il y a parmi vous un prophète, c'est dans des visions que je lui parlerai ou dans des songes. Il n'en va pas de même pour mon serviteur Moïse, qui est fidèle dans toute ma maison ; je lui parle bouche à bouche, en vision [1] et sans énigmes, et il a vu la gloire du Seigneur. Pourquoi donc n'avez-vous pas craint de critiquer mon serviteur Moïse [ah] ? » Tout cela, c'est au sujet de son union avec l'Éthiopienne que Moïse a mérité de l'entendre du Seigneur.

25 Mais nous en avons fait un exposé plus complet à propos du livre des Nombres [2] ; si on juge bon de le connaître, qu'on le recherche. Mais ici, qu'il suffise de prouver par ces textes qu'est elle-même noire et belle aussi cette Éthiopienne [ai], que Moïse, c'est-à-dire « la Loi spirituelle [aj] » — qui est sans nul doute le Verbe de Dieu et le Christ —, a prise en mariage, quoique le dénigrent et le critiquent « les filles de Jérusalem », à savoir ce peuple avec ses prêtres.

La reine de Saba et Salomon

26 Mais voyons encore ce que nous avons tiré du troisième livre des Rois, concernant « la reine de Saba », une Éthiopienne elle aussi, à qui le Seigneur rend témoignagne dans les Évangiles : « Au jour du jugement, elle viendra

2. Nouvelle référence aux Homélies? Cf. *supra*, Prol. 4, 2 et note 1. Voir *HomNombr*. VI, 4, une allusion, et VII, 1-2, un développement.

iudicii veniat cum viris generationis incredulae et condemnet eos, quia venit a finibus terrae audire sapientiam Solomonis, et addit quia *plus Solomone hic*[ak] docens per hoc *plus* esse veritatem quam veritatis figuras.

27 Venit ergo et haec, immo secundum figuram eius ecclesia *venit ex gentibus*[al] *audire sapientiam* veri *Solomonis* et veri pacifici Domini nostri Iesu | Christi. Venit et haec primo quidem *tentans eum per aenigmata et quaestiones*[am], quae ei prius insolubiles videbantur, atque ab ipso de agnitione veri Dei et de creaturis mundi vel de animae immortalitate et iudicio futuro, quod apud eam et apud doctores eius, gentiles dumtaxat philosophos, incertum semper ac dubium manebat, absolvitur.

119

28 Venit ergo *in Hierusalem*, ad visionem scilicet pacis, cum multitudine et *virtute multa*; non enim cum una sola gente, ut prius synagoga solos habuit Hebraeos, sed cum totius mundi gentibus venit deferens etiam munera digna Christo, *odoramentorum* inquit *suavitates*, opera scilicet bona, quae ad Deum per *odorem suavitatis*[an] adscendunt. Sed et *auro* venit repleta, sensibus sine dubio et rationabilibus disciplinis, quas ante fidem adhuc ex communi hac et scolari eruditione collegerat. Detulit etiam *lapidem pretiosum*, quae ornamenta morum possumus intelligere.

29 Cum hoc ergo apparatu intrat ad pacificum regem Christum et ipsi aperit cor suum, in confessione scilicet et paenitentia praecedentium delictorum, *et locuta est ei omnia quae erant in corde suo*, propter quod et Christus, qui *est pax nostra*[ao], *enuntiavit ei omnia verba eius, et non est verbum quod omiserit rex et non enuntiaverit ei*[ap].

ak. Matth. 12, 42 || al. Cf. Act. 15, 14 || am. Cf. III Rois 10, 1 s. || an. Cf. Lév. 2, 9.12 || ao. Cf. Éphés. 2, 14 || ap. III Rois 10, 2-3.

1. « La cité de Dieu est appelée Jérusalem, ce qui veut dire : Vision de paix », PHILON, *Somn.* II, 250. Cf. *HomJos.* XXI, 2.

avec les hommes de cette génération incrédule et les condamnera, parce qu'elle est venue des extrémités de la terre pour entendre la sagesse de Salomon» ; et il ajoute : «car il y a ici plus que Salomon[ak]», enseignant par là que la Vérité est plus que les figures de la Vérité.

27 Elle vient donc elle aussi, ou mieux, selon la figure qu'elle représente, l'Église vient «des nations[al]» pour entendre «la sagesse du Salomon» véritable et du Pacifique véritable, notre Seigneur Jésus-Christ. Elle vient elle aussi «l'éprouver» d'abord «par des énigmes et des questions[am]» qui lui semblaient auparavant insolubles ; et lui-même traite de la connaissance du vrai Dieu et des créatures du monde, ou de l'immortalité de l'âme et du jugement futur, choses qui pour elle et ses docteurs, à savoir les philosophes païens, demeuraient toujours incertaines et douteuses.

28 Elle vient donc «à Jérusalem», c'est-à-dire à la Vision de paix[1], avec une multitude et en «grand apparat» ; car elle ne vient pas avec une seule nation, comme jadis la Synagogue qui eut les seuls Hébreux, mais avec des nations du monde entier, apportant aussi des présents dignes du Christ, «les odeurs suaves des parfums», à savoir les bonnes œuvres qui montent vers Dieu «en agréable odeur[an]». De plus, elle vient chargée «d'or», sans nul doute les pensées et les enseignements rationnels que, n'ayant pas encore la foi, elle avait recueillis par une instruction scolaire commune. Elle offrit également «des pierres précieuses», que nous pouvons comprendre comme les parures des mœurs.

29 Donc, lorsqu'elle fait son entrée dans cet apparat auprès du Roi pacifique, le Christ, elle lui ouvre son cœur, assurément par l'aveu et le repentir des fautes passées ; «et elle lui parla de tout ce qui était dans son cœur», et c'est pourquoi le Christ aussi, qui «est notre paix[ao]», «répondit à toutes ses questions, et il n'en est pas une à laquelle le roi ait omis de répondre[ap]».

30 Denique cum iam tempus passionis appropinquaret, sic loquitur ad eam, id est ad electos discipulos suos : *Iam non dicam vos servos, sed amicos, quia servus nescit quid faciat dominus eius. Ego autem nota feci vobis omnia quaecumque audivi a Patre meo*[aq]. Sic ergo impletur quod dixit, quia *non fuit verbum quod non enuntiaverit* pacificus Dominus *reginae Saba*, ecclesiae *ex gentibus*[ar] congregatae.

31 Quodsi intuearis ecclesiae statum et dispensationes eius ordinationesque consideres, tunc advertes quomodo mirata sit regina *omnem prudentiam Solomonis*. Simul et require cur non dixerit omnem sapientiam, sed *omnem prudentiam Solomonis* : quoniamquidem eruditi viri pru-
120 dentiam de | humanis negotiis, sapientiam de divinis intellegi volunt. Idcirco fortassis et ecclesia nunc interim Christi prudentiam miratur, dum in terris est et inter homines conversatur. *Cum autem venerit quod perfectum est*[as] et de terris translata fuerit ad caelum, tunc videbit *omnem sapientiam* eius, cum iam non *per speciem et per aenigmata, sed facie ad faciem*[at] de singulis quibusque perspiciet.

32 *Vidit* autem *et domum quam aedificavit*, sine dubio incarnationis eius mysteria ; ipsa est enim *domus* quam *sibi* (1C *aedificavit Sapientia*[au]. Vidit et *cibos Solomonis*, illos puto,

aq. Jn 15, 15 || ar. Cf. Act. 15, 14 || as. Cf. I Cor. 13, 10 || at. I Cor. 13, 12 || au. Cf. Prov. 9, 1.

1. Voir la note complémentaire 19 : «L'Église».

2. «La première de toutes les vertus est la sagesse que les Grecs nomment σοφία. En effet la prudence, que les Grecs appellent φρόνησις, est tout autre chose : c'est la science des choses à rechercher et à fuir. Or cette sagesse que j'ai dite être la première est la science des choses divines et humaines», Cicéron, *off.* I, 43. — La distinction est courante chez Origène et son élève Grégoire le Thaumaturge. La sagesse est la vertu suprême qui donne à l'âme la connaissance par connaturalité des réalités divines. Cf. Crouzel, *Connaissance*, p. 443-

30 Enfin, comme approchait déjà le temps de la Passion, voici ce qu'il lui dit, à elle, c'est-à-dire à ses disciples choisis : « Désormais je ne vous appellerai plus serviteurs, mais amis, parce que le serviteur ignore ce que fait son maître. Mais moi, je vous ai fait connaître tout ce que j'ai appris de mon Père [aq]. » Ainsi donc se réalise la parole : « Il n'y eut rien que » le Seigneur Pacifique « n'expliquât point à la reine de Saba », c'est-à-dire à l'Église rassemblée « du milieu des nations [ar] ».

31 Que si tu fixes ton regard [1] sur la constitution de l'Église et considères son organisation et son administration, alors tu comprendras pourquoi la reine fut émerveillée « de toute la prudence de Salomon ». En même temps, cherche aussi pourquoi on n'a pas dit : de toute la sagesse, mais « de toute la prudence de Salomon ». C'est parce que les gens instruits veulent distinguer la prudence relative aux affaires humaines, et la sagesse relative aux réalités divines [2]. Voilà peut-être pourquoi l'Église aussi, pour le moment actuel, admire ici-bas la prudence du Christ, tant qu'elle est sur la terre et vit parmi les hommes ; « mais quand viendra ce qui est parfait [as] », et qu'elle sera transportée de la terre au ciel, alors elle contemplera « toute sa sagesse », puisqu'elle verra désormais clairement chacune des réalités divines, non « en apparence [3] et en énigmes, mais face à face [at] ».

32 Or, « elle vit aussi le palais qu'il avait construit » : sans nul doute, les mystères de son incarnation ; car c'est elle « la maison que la Sagesse s'est construite [au] ». « Elle vit

460. — Par la suite, on parlera de deux sortes de philosophies : la θεωρία et la πρᾶξις, rapportant la sagesse à la première, et la prudence à la seconde, SYNESIUS, *Ep.* 103 (*PG* 66, 1476 D).

3. *Species* est sans doute ici une erreur (de Rufin ou d'un copiste) pour *speculum*. Si le mot était justifié, il faudrait le prendre dans le sens vulgaire d'apparence, et non dans le sens habituel à Origène. Cf. *supra*, II, 1, 24, note *ad loc.*

de quibus dicebat : *Meus cibus est ut faciam voluntatem eius qui me misit, et perficiam opus eius*[av]. Vidit et *sedem puerorum eius*, ecclesiasticum, puto, ordinem dicat, qui in episcopatus vel presbyterii sedibus habetur. *Vidit et ordines* — sive stationes — *ministrorum eius*, diaconorum, ut mihi videtur, ordinem memorat adstantium divino ministerio.

33 Sed *et vestes eius* vidit, illas credo, quibus induit eos de quibus dicitur : *Quicumque autem in Christo baptizati estis, Christum induistis*[aw]. Sed et *vini fusores eius*; doctores arbitror dici, qui Verbum Dei et doctrinam quasi *vinum* populis miscent, quod auditorum *corda laetificet*[ax]. *Vidit et holocausta eius*, orationum sine dubio supplicationumque mysteria.

34 Haec ergo omnia ubi vidit in domo regis pacifici, immo Christi, *nigra* haec et *formosa*, *obstupuit*, et ait ad eum : *Verus est sermo quem audivi in terra mea de verbo tuo et de prudentia tua*[ay]. Propter verbum enim tuum, quod agnovi esse verum verbum, veni ad te. Omnia etenim verba, quae mihi dicebantur et quae audiebam, cum essem *in terra mea*, a doctoribus scilicet saeculi et philosophis, non erant vera. Istud est solum verum verbum quod est in te.

35 Sed fortassis quaerendum videbitur, quomodo dicat regi regina haec, quia : *Non credidi his qui dicebant mihi* de

av. Jn 4, 34 || aw. Gal. 3, 27 || ax. Cf. Ps. 103, 15 || ay. III Rois 10, 6.

---

1. Pour la nourriture spirituelle du Christ, «ceux qui croient en lui», les nations converties, cf. *HomNombr*. XVII, 5; pour celle de Jésus, de Paul, des disciples, de ceux qui sont appelés et élus, de l'homme, cf. *ComJn* XIII, 215-225.

2. Allusion à l'assemblée eucharistique, où évêques et prêtres sont assis et diacres debout.

3. La doctrine est comparée au vin à cause des effets affectifs de sa connaissance. Cf. Crouzel, *Connaissance*, p. 184-207.

aussi les mets de Salomon», ceux, je pense[1], dont il disait : «Ma nourriture est de faire la volonté de celui qui m'a envoyé, et d'accomplir son œuvre[av].» «Elle vit aussi le siège de ses ministres», ce qui indique, je pense, l'ordre ecclésiastique qu'il y a entre les sièges de l'évêque et du prêtre. «Elle vit encore les ordres — ou les places — de ses serviteurs» : on fait mention ici, me semble-t-il, de l'ordre des diacres qui assistent debout au service divin[2].

33 De plus, «elle vit ses vêtements», ceux, je crois, dont il revêt les personnes dont il est dit : «Vous tous qui avez été baptisés dans le Christ, vous avez revêtu le Christ[aw].» Et encore, «ses échansons» : cela est dit, je suppose, des docteurs qui préparent pour les peuples le Verbe de Dieu et la doctrine, comme «le vin qui réjouit les cœurs[ax]» des auditeurs[3]. «Elle vit encore ses holocaustes», sans nul doute les mystères des prières et des supplications[4].

34 Donc, dès qu'elle vit tout cela dans le palais du Roi pacifique, je veux dire du Christ, cette reine, «noire et belle», «fut stupéfaite» et lui dit : «C'est donc vrai ce que j'ai entendu dire dans mon pays de ta parole et de ta prudence[ay].» C'est bien à cause de ta parole, que j'ai reconnue comme la «parole vraie», que je suis venue à toi. Car toutes ces paroles qu'on me disait et que j'entendais quand j'étais «dans mon pays», c'est-à-dire venant des docteurs et des philosophes du siècle, n'étaient pas vraies. La seule parole vraie est celle qui est en toi[5].

35 Mais peut-être semblera-t-il qu'il faut chercher comment cette reine peut dire au roi : «Je n'ai pas cru à ceux qui me parlaient» de toi, puisque assurément elle ne

4. Cf. le beau développement : «Chacun de nous a son holocauste ...», *HomLév.* IX, 9, 38 s.

5. «En toi» : le Christ est lui-même la Parole, le Verbe en personne.

121 te, cum | utique nec venisset ad Christum, nisi credidisset. Sed vide si possumus hoc modo solvere quod proponitur. *Non* inquit *credidi his qui loquebantur mihi*[az]. Non enim fidem meam in illos qui locuti sunt de te, sed in te direxi, id est non hominibus, sed tibi credidi Deo. Et per illos quidem audivi, ad te autem veni, et tibi credidi, apud quem multo plura viderunt oculi mei quam annuntiabantur mihi.

36 Revera enim, cum pervenerit *nigra* haec et *formosa in Hierusalem caelestem*[ba] et ingressa fuerit visionem pacis, multo plura et magnificentiora quam nunc ei sunt annuntiata perspiciet. *Nunc enim tamquam in speculo et aenigmate, tunc autem videbit facie ad faciem*[bb], cum consequetur ea *quae oculus non vidit, nec auris audivit, nec in cor hominis adscendit*[bc]. Et tunc videbit quia nec medietas est eorum quae audivit *in* hac sua *terra* posita.

37 *Beatae* ergo sunt *mulieres* Solomonis, animae sine dubio quae Verbo Dei et paci eius participes fiunt ; *beati pueri* eius *qui assistunt in conspectu eius semper*[bd] ; non illi qui aliquando assistunt et aliquando non assistunt, sed qui *semper* et *sine intermissione* assistunt Verbo Dei, vere beati sunt. Talis erat et illa *Maria quae sedebat secus pedes Iesu audiens*[be] eum, cui et testimonium reddit ipse Dominus dicens ad Martham : *Maria optimam partem elegit, quae non auferetur ab ea*[bf].

az. III Rois 10, 7 || ba. Cf. Hébr. 12, 22 || bb. I Cor. 13, 12 || bc. I Cor. 2, 9 || bd. Cf. III Rois 10, 8 ; I Thess. 5, 16-17 || be. Cf. Lc 10, 39 || bf. Lc 10, 42.

---

1. Croire à Jésus par ouï-dire ou croire par expérience spirituelle, croire au nom de Jésus ou croire en Jésus, correspondent à la simple foi ou à la connaissance qui naît de la foi ; cf. CROUZEL, *Connaissance*, p. 445-447.

2. Origène ne confond pas, comme on le fera en Occident à partir de Grégoire le Grand, mais non en Orient, Marie de Béthanie avec

serait pas venue au Christ si elle n'avait pas cru. Mais vois si nous pouvons expliquer de cette manière ce propos : «Je n'ai pas cru à ceux qui me parlaient[az].» C'est dire que j'ai dirigé ma foi non pas vers ceux qui me parlaient de toi, mais vers toi, c'est-à-dire que j'ai cru non pas aux hommes, mais en toi, Dieu. Par eux certes j'ai entendu parler, mais c'est vers toi que je suis venue et j'ai cru en toi, auprès de qui mes yeux ont vu bien plus de choses que l'on ne m'annonçait[1].

36 Car en vérité, quand cette reine «noire et belle» parviendra à «la Jérusalem céleste[ba]» et entrera dans la Vision de paix, elle verra des choses bien plus nombreuses et plus merveilleuses que celles qu'on lui annonce maintenant. «Car maintenant elle voit, comme dans un miroir et en énigme, mais alors elle verra face à face[bb]», quand elle obtiendra «ce que l'œil n'a pas vu, ni l'oreille entendu, ce qui n'est pas monté au cœur de l'homme[bc]». Et alors, elle verra que ce qu'elle a entendu dire quand elle était dans ce «pays» qui est le sien n'en était pas même «la moitié».

37 Heureuses donc, «les femmes» de Salomon, sans nul doute les âmes qui ont part au Verbe de Dieu et à sa paix. «Heureux, ses ministres qui se tiennent toujours en sa présence[bd]» : non pas ceux qui parfois se tiennent et parfois ne se tiennent pas, mais ceux qui se tiennent «toujours» et «sans cesse» en présence du Verbe de Dieu sont véritablement heureux. Telle était encore cette «Marie qui était assise aux pieds de Jésus à l'écouter[be]», à qui le Seigneur lui-même rend témoignage[2], disant à Marthe : «Marie a choisi la meilleure part, elle ne lui sera pas enlevée[bf].»

Marie de Magdala (ni avec la pécheresse de Luc). Ainsi, à propos des onctions, est distinguée la pécheresse de Luc, de «la sainte» de Matthieu, Marc et Jean, dans *HomCant.* I, 4 (cf. note *ad loc.*, *SC* 37 *bis*, p. 81) et II, 2.

38 Adhuc *nigra* haec et *formosa* dicit : *Benedictus Dominus, qui voluit dare te super sedem Istrahel.* Vere *enim quia dilexit Dominus Istrahel, et voluit ut staret in aeternum, posuit te regem super eum*[bg]. Quem ? Pacificum sine dubio. (1) Christus est enim *pax nostra, qui fecit utraque unum et medium parietem saepis solvit*[bh].

39 Et post haec omnia *dedit* inquit *centum viginti talenta auri regi Solomoni regina Saba*[bi]. Numerus hic centum viginti consecratus est vitae hominum eorum qui fuerunt

122 *in diebus Noe*[bj], | quibus istud conceditur spatium vitae, quo invitantur ad paenitentiam. Ipse autem numerus annorum et Moysis vitae fuit[bk]. Offert ergo Christo ecclesia in auri specie et pondere non solum multitudinem sensuum suorum et intellectuum, sed et legi Dei consecratos indicat sensus suos per hunc qui Moysi annos vitae continet numerum.

40 Offert etiam *suavitates odoramentorum*, quales et quantae *numquam venerant.* Vel orationes in hoc vel opera misericordiae intellige. Numquam enim vel tam recte oraverat ut nunc cum accessit ad Christum, vel tam pie operata fuerat ut cum *cognovit iustitiam suam non facere coram hominibus, sed coram Patre qui videt in occulto et reddet palam*[bl].

41 Sed multum est alienis in locis simul universa persequi haec quae testimonii gratia videntur assumpta. Sufficiant ista de tertio Regnorum libro.

42 Videamus aliqua et ex his quae de sexagesimo septimo psalmo protulimus, ubi ait : *Aethiopia praeveniet manus eius Deo*[bm]. Si enim intuearis quomodo *ex delicto*

bg. III Rois 10, 9 || bh. Éphés. 2, 14 || bi. III Rois 10, 10 || bj. Cf. I Pierre 3, 20 ; Gen. 6, 3 || bk. Cf. Deut. 34, 7 || bl. Cf. Matth. 6, 1.4 || bm. Ps. 67, 32.

---

1. Cf. PHILON, *Quaest. Gen.* I, 91, fin.

38 Cette femme «noire et belle» dit encore : «Béni soit le Seigneur qui a voulu te placer sur le trône d'Israël.» C'est vraiment «parce que le Seigneur a chéri Israël et a voulu qu'il demeure à jamais qu'il t'a établi roi sur lui [bg]». Quel est ce roi ? Sans nul doute, le Pacifique. Car le Christ «est notre paix, lui qui des deux peuples en a fait un seul, et qui a détruit le mur de séparation [bh]».

39 Et après tout cela, «la reine de Saba donna au roi Salomon cent vingt talents d'or [bi]». Ce nombre de cent vingt est le chiffre sacré de la vie de ces hommes qui vécurent «aux jours de Noé [bj]» : il leur est accordé ce temps de vie [1] pendant lequel ils sont invités à la pénitence. Or, ce nombre d'années fut aussi celui de la vie de Moïse [bk]. L'Église offre donc au Christ sous l'apparence et le poids de l'or non seulement la multitude de ses façons de penser et de comprendre, mais elle montre aussi que ces pensées sont consacrées à la Loi de Dieu, par ce nombre qui inclut les années de la vie de Moïse.

40 Elle offre encore «les odeurs suaves des parfums», d'une qualité et d'une quantité telles qu'il «n'en était jamais venu». Comprends là soit les prières, soit les œuvres de miséricorde. Car jamais elle n'avait soit aussi bien prié que maintenant où elle s'est approchée du Christ, soit accompli tant d'actions pieuses que lorsqu'elle «eut appris à ne point pratiquer sa justice devant les hommes, mais devant le Père qui voit dans le secret, et le rendra au grand jour [bl]».

41 Mais il serait long d'exposer ensemble tout ce qui dans d'autres passages semble ajouté en faveur de ce témoignage. Que ces extraits du troisième livre des Rois suffisent.

L'Éthiopie

42 Voyons quelques points encore de ce que nous avons cité du psaume soixante-sept, où il est dit : «L'Éthiopie s'empressera de tendre ses mains vers Dieu [bm].» En effet, si tu considères

Istrahel *salus sit gentibus*[bn] et quod illorum lapsus introeundi viam nationibus dedit, advertes quomodo praevenit et praecedit Aethiopiae manus, hoc est gentium populus illos ad Deum, quibus primis data sunt eloquia Dei, et in hoc compleri : *Aethiopia praeveniet manus eius Deo*, et fit *nigra* ista *formosa*, etiam si nolunt, etiam si invident et obtrectant *filiae Hierusalem*.

43 Sed et prophetae testimonium quod posuimus, ubi suscepit Dominus etiam eos qui veniunt de locis quae sunt *ultra flumina Aethiopum*, et afferunt hostias[bo] Deo, simili sensu advertendum puto.

44 Videtur enim mihi quod *ultra flumina Aethiopiae* esse dicitur ille qui nimiis et superabundantibus peccatis infuscatus est et atro malitiae fuco infectus niger et tenebrosus est redditus ; et tamen ne hos quidem repellit Dominus, sed omnes qui *sacrificia contribulati spiritus et humiliati cordis*[bp] offerunt Deo, confessionis scilicet ac paenitentiae titulo ad eum conversi, non repelluntur ab eo. Sic enim pacificus dicit Dominus noster : *Ego venientem ad me non repello*[bq].

45 Potest autem et de illis dictum videri quod *ultra flumina Aethiopum* positi venient etiam ipsi ad Dominum
123 | hostias deferentes, qui, *posteaquam intraverit* omnis *plenitudo gentium*[br], quae *fluminibus Aethiopiae* comparatur, venient etiam ipsi, *et tunc omnis Istrahel salvabitur*[bs], et pro eo *ultra flumina Aethiopum* dicantur, quasi qui ulteriores et posteriores sint ab his spatiis in quibus currit et inundatur gentium salus. Et ita forte compleri videtur (1(hoc quod dicit quia : *In die illa non confunderis, omnis*

bn. Cf. Rom. 11, 11 s. || bo. Cf. Soph. 3, 10 || bp. Cf. Ps. 50, 19 || bq. Jn 6, 37 || br. Rom. 11, 25 || bs. Rom. 11, 26.

que, du fait «de la faute» d'Israël, «le salut est parvenu aux nations[bn]», et que la chute des Juifs a frayé la voie aux nations, tu remarqueras que la main de l'Éthiopie, c'est-à-dire ce peuple des nations, s'empresse et précède auprès de Dieu ceux à qui d'abord furent adressées les paroles de Dieu, et ici s'accomplit la parole : «L'Éthiopie s'empressera de tendre les mains vers Dieu», et celle qui est «noire» devient «belle», même si «les filles de Jérusalem» le dénient, même si elles la jalousent et la dénigrent.

Ceux d'au-delà des fleuves d'Éthiopie

43 De plus, le témoignage du prophète que nous avons rapporté, où le Seigneur a reçu même ceux qui viennent d'endroits qui sont «au-delà des fleuves d'Éthiopie» et apportent des offrandes à Dieu[bo], doit être compris, je crois, dans un sens analogue.

44 Car il me semble que l'on dit être «d'au-delà des fleuves d'Éthiopie» celui qui a été bruni par des péchés trop grands et surabondants et, imprégné de la teinture noire de la malice, a été rendu noir et ténébreux. Et pourtant le Seigneur ne repousse même pas ces gens : mais tous ceux qui offrent à Dieu «les sacrifices d'un esprit contrit et d'un cœur humilié[bp]», c'est-à-dire qui sont, grâce à la confession et la pénitence, convertis à lui, ne sont pas rejetés par lui. Car notre Seigneur, le Pacifique, déclare : «Moi, je ne repousse pas celui qui vient à moi[bq].»

45 Or, que ceux qui sont «d'au-delà des fleuves d'Éthiopie» viendront eux aussi vers le Seigneur «apportant des holocaustes» peut sembler dit encore de ceux qui, «lorsque sera entrée» toute «la totalité des nations[br]», laquelle est comparée «aux fleuves d'Éthiopie», viendront eux aussi, «et alors tout Israël sera sauvé[bs]» : voilà pourquoi on peut les dire «d'au-delà des fleuves d'Éthiopie», comme ayant plus d'éloignement et de distance de ces espaces où le salut des nations court et déborde. Et ainsi peut-être semble accomplie cette parole : «En ce jour-là, Israël tout entier,

Istrahel, ex omnibus adinventionibus tuis quibus impie egisti in me[bt].

46 Superest ut illud testimonium, quod de Hieremia ★ assumpsimus, explicetur, ubi *Abdimelech* nihilominus *Aethiops vir eunuchus, cum audisset quia Hieremias in lacum missus est a principibus populi, educit eum inde*[bu].

47 Et puto inconveniens non videri, si dicamus quod eum quem principes Istrahel condemnaverunt et in lacum mortis tradiderunt, iste alienigena et obscurae gentis homo et degeneris, id est populus gentium, educit eum de lacu mortis, resurrectionem scilicet eius a mortuis credens, et fide sua hunc quem illi in mortem tradiderant, iste de infernis revocat ac reducit.

48 Sed et *eunuchus* hic ipse *Aethiops*[bv] dicitur, credo, quia *castraverit semet ipsum propter regnum Dei*[bw] vel etiam quod semen malitiae in semet ipso non habebat.

49 Servus quoque est regis, quia *servus sapiens imperat dominis*[bx] stultis ; interpretatur enim Abdimelech servus regum. Et ideo Dominus relinquens populum Istrahel pro peccatis suis ad Aethiopem verba dirigit et ad ipsum mittit prophetam et ipsi dicit : *Ecce ego*, inquit, *adduco verba mea super civitatem istam in mala et non in bona, et salvabo te in die illa, et non te dabo in manus hominum, sed salvans salvabo te*[by]. Salutis autem causa haec est ei, quia eduxit

bt. Soph. 3, 11 || bu. Cf. Jér. 45 (38), 6 s. || bv. Cf. Jér. 45 (38), 7 || bw. Cf. Matth. 19, 12 || bx. Cf. Prov. 17, 2 || by. Cf. Jér. 46 (39), 16-18.

---

1. *De infernis*, ἐξ ᾅδου : l'Hadès, c'est-à-dire le Schéol, mystérieux séjour des morts dans l'A.T. A ne pas confondre avec «la géhenne», lieu de supplices, que nous appelons l'enfer.

2. Origène aurait employé cette solution radicale, selon Eusèbe, *H.E.* VI, 8, 1-3, par suite d'une interprétation littérale de *Matth.* 19, 12, que dans sa vieillesse, sans allusion à son cas personnel, il blâmera vigoureusement, *ComMatth.* XV, 1 s.

3. Cf. *Origenianum lexicon nominum hebraicorum, PL* 23, col. 1205-

tu n'auras point à rougir de tous tes méfaits par lesquels tu as eu une conduite impie contre moi [bt].»

Abdimélech

46 Reste à expliquer ce témoignage que nous avons emprunté à Jérémie, ★ au passage où Abdimélech, un eunuque, Éthiopien lui aussi, «ayant appris que Jérémie a été jeté dans une fosse par les chefs du peuple, l'en retire [bu]».

47 Et je pense qu'il ne semble point déplacé si nous disons que celui que les princes d'Israël ont condamné et abandonné dans la fosse de la mort, cet étranger, homme d'une nation obscure et abâtardie, c'est-à-dire le peuple des nations, le retire de la fosse de la mort, bien entendu en croyant à sa résurrection des morts ; et celui qu'ils avaient abandonné à la mort, par sa foi, il le rappelle et le retire des enfers [1].

48 De plus cet Éthiopien lui-même est dit eunuque [bv], je crois, parce qu'il «s'est châtré lui-même [2] à cause du royaume de Dieu [bw]», ou même qu'il n'avait pas en lui de semence de malice.

49 Il est aussi serviteur du roi, car «un sage serviteur commande à des maîtres [bx]» insensés ; en effet, Abdimélech veut dire : serviteur des rois [3]. Et c'est pourquoi le Seigneur, abandonnant le peuple d'Israël à cause de ses péchés, adresse des paroles à l'Éthiopien, lui envoie le prophète et lui dit : «Voici que moi je vais faire venir mes paroles sur cette ville pour le malheur et non pour le bonheur, et je te sauverai en ce jour-là ; je ne te livrerai pas aux mains des hommes, mais, sain et sauf, je te sauverai [by].» Or la raison du salut pour lui, c'est qu'il a sorti le

1206. L'étymologie est authentique ; ce n'est pas toujours le cas. Origène avait à sa disposition des sortes de dictionnaires. En a-t-il composé un, comme plus tard Jérôme ? La chose est discutée : cf. éd. des *HomEx.*, *SC* 321, p. 418-419, ma note complém. 10 : «Étymologies». (M.B.)

prophetam de lacu, id est quod fide sua, qua *Christum resurrexisse* credit *a mortuis*[bz], eduxisse eum videtur ex lacu.

50 Habet ergo plurima testimonia *fusca* haec — vel *nigra* — *et formosa*, in quibus libere agat et cum fiducia dicat ad *filias Hierusalem* quia *fusca* sum quidem — vel
124 *nigra* — *sicut tabernacula Cedar*, | *formosa* autem *sicut pelles Solomonis*[ca].

51 De pellibus Solomonis scriptum aliquid proprie non memini. Puto autem referri posse ad gloriam eius, de qua dicit Salvator : *Quia nec Solomon in omni gloria sua opertus est sicut unum horum*[cb].

52 Nomen tamen ipsum pellium in tabernaculo testimonii invenimus frequenter referri, sicut cum dicit : *Et facies pelles ex caprarum pilis operimentum super tabernaculum testimonii, undecim pelles facies; longitudo pellis unius triginta cubitorum, latitudo quattuor cubitorum. Eadem mensura erit undecim pellibus; et coniunges quinque pelles simul et alias sex simul; et replicabis sextam pellem a fronte tabernaculi; et facies quinquaginta ansulas per oram pellis unius et quinquaginta ansulas per oram pellis alterius, per quas coniungantur altera ad alteram; et facies circulos aereos quinquagenos, et coniunges ex ipsis pelles et erit unum totum; et replicabis, quod superest ex pellibus, medietatem pellis unius a fronte tabernaculi; et ex alia medietate quae superest, velabis posteriora tabernaculi; cubitum hinc et cubitum inde, ex eo quod abundat in longitudine pellium, et erit adopertum tabernaculum ex lateribus hinc et inde*[cc]. (11

bz. I Cor. 15, 12 || ca. Cant. 1, 5 || cb. Matth. 6, 29 || cc. Ex. 26, 7-13.

prophète de la fosse, c'est-à-dire que par sa foi, par laquelle il croit que «le Christ est ressuscité des morts [bz]», semble-t-il, il l'a tiré de la fosse.

50 Cette femme «brune» — ou «noire» — et «belle» a donc plusieurs témoignages qui lui permettent de se conduire en toute liberté et de dire avec assurance aux «filles de Jérusalem» : Certes, «je suis brune» — ou «noire» — «comme les tentes de Cédar», mais «je suis belle comme les tentures de peaux de Salomon [ca]».

Les tentures de peaux de Salomon

51 En ce qui concerne «les tentures de peaux de Salomon», je ne me rappelle pas d'écrit en particulier. Mais je pense qu'on peut les rapporter à sa gloire, dont le Sauveur dit : «Salomon, dans toute sa gloire, n'a pas été vêtu comme l'un d'eux [cb].»

52 Cependant, nous trouvons fréquemment rapporté ce nom des tentures de peaux au sujet de la tente du témoignage, comme lorsqu'il est dit : «Tu feras des tentures en poils de chèvres pour couvrir la tente du témoignage, tu feras onze tentures. La longueur d'une tenture sera de trente coudées, et la largeur de quatre coudées. La dimension sera la même pour les onze tentures. Tu assembleras cinq de ces tentures ensemble, et les six autres ensemble ; tu replieras la sixième tenture sur le devant de la tente. Tu feras cinquante brides sur le bord d'une tenture et cinquante brides sur le bord de l'autre, ce qui permettra de les unir l'une à l'autre. Et tu feras cinquante cercles de bronze, et avec eux tu uniras les tentures, et tout sera d'un seul tenant. Et tu replieras ce qui dépasse des tentures, la moitié d'une tenture sur le devant de la tente, et de l'autre moitié qui reste, tu voileras ce qui est derrière la tente : ici une coudée, et là une coudée de ce qui déborde sur la longueur des tentures, et la tente sera couverte sur les côtés, de part et d'autre [cc].»

53 Puto ergo quod harum pellium mentio fiat in Cantico Canticorum et istae dicantur esse *Solomonis*, qui accipitur in pacificum Christum. Ipsius ergo est tabernaculum et ea quae ad tabernaculum pertinent, et praecipue, si illud tabernaculum consideremus, quod dicitur *tabernaculum verum quod fixit Deus et non homo*[cd], et quod ait : *Non enim in manu facta sancta intravit Iesus, exemplaria verorum*[ce].

54 Si ergo pulchritudinem suam sponsa pellibus comparat Solomonis, illarum sine dubio pellium gloriam et pulchritudinem dicit, quae operiunt illud *tabernaculum, quod fixit Deus et non homo*. Si vero nigredinem suam quae exprobrari a filiabus Hierusalem videbatur, pellibus contulit Solomonis, huius tabernaculi, quod *exemplar veri tabernaculi* appellatur, accipiendae sunt *pelles*, quasi quod et ipsae *nigrae* sint quidem, utpote *caprarum pilis*[cf] textae, et tamen usum ornatumque exhibeant divino tabernaculo.

55 Quod autem, cum videatur una esse persona quae 125 | loquitur, pluribus se vel tabernaculis Cedar in nigredine vel Solomonis pellibus comparavit, ita accipiendum est, quia una quidem persona videtur, ecclesiae innumerae tamen sunt, quae per orbem terrae diffusae sunt, atque immensae congregationes ac multitudines populorum ; sicut et regnum caelorum unum quidem dicitur, sed *multae esse mansiones* memorantur *apud Patrem*[cg].

56 Potest autem et de unaquaque anima, quae post peccata plurima convertitur ad paenitentiam, dici quod

cd. Hébr. 8,2 || ce. Hébr. 9,24 || cf. Cf. Ex. 26,7 || cg. Cf. Jn 14,2.

---

1. Cf. *supra*, Prol. 4, 17, et note *ad loc.*
2. Sur la rapide diffusion du christianisme, cf. *infra*, III, 12, 3, et note *ad loc.*

53 Je pense donc que c'est de ces tentures de peaux qu'il est fait mention dans le Cantique des cantiques, et qu'elles sont dites «de Salomon», pris au sens du Christ Pacifique[1]. De lui donc est la tente et ce qui concerne la tente, surtout si nous avons en vue cette tente qui est dite «la tente véritable qu'a dressée Dieu et non pas l'homme[cd]», et ce qu'on dit : «Ce n'est pas dans un sanctuaire fait à la main, copie du véritable, que Jésus est entré[ce].»

54 Si donc l'Épouse compare sa beauté aux tentures de peaux de Salomon, elle parle sans nul doute de la beauté et de la gloire de ces tentures de peaux qui recouvrent cette «tente qu'a dressée Dieu, et non pas l'homme». Mais si c'est sa noirceur, qui semblait être reprochée par les filles de Jérusalem, qu'elle a comparée aux tentures de peaux de Salomon, on doit les entendre des tentures de peaux de cette tente qui est appelée «copie de la tente véritable» : comme pour dire que, d'une part elles sont bien noires, puisque tissées avec «des poils de chèvres[cf]», de l'autre néanmoins elles offrent un usage et une parure à la tente divine.

L'Église une et plusieurs

55 Par ailleurs si, alors qu'il semble y avoir un seul personnage à parler, elle s'est comparée pour sa noirceur à plusieurs, tentes de Cédar ou tentures de peaux de Salomon, il faut l'entendre ainsi : il semble bien y avoir une personne unique, innombrables toutefois sont les églises qui sont répandues à travers la surface de la terre, et immenses les assemblées et les multitudes de peuples[2] ; de même on dit que le royaume des cieux est unique, mais on rappelle : «Il y a beaucoup de demeures auprès du Père[cg].»

L'âme

56 Mais on peut dire aussi de chaque âme qui, après un très grand nombre de péchés, se tourne vers la pénitence : Elle est

nigra sit pro peccatis, *formosa* autem propter paenitentiam et *fructus paenitentiae*[ch].

57 Denique et de hac ipsa quae nunc dicit : *Nigra sum et formosa*[ci], quia non in finem in nigredine ista permansit, post haec dicunt de ea ipsa *filiae Hierusalem* : *Quae est ista, quae adscendit dealbata incumbens super fraternum suum*[cj].

ch. Cf. Lc 3,8 || ci. Cant. 1,5 || cj. Cant. 8,5.

«noire» à cause de ses péchés, mais «belle» du fait de sa pénitence et «des fruits de sa pénitence[ch]».

L'Épouse «blanche»

57 Enfin, de celle-là même qui dit à présent : «Je suis noire et belle[ci]», parce qu'elle n'est pas demeurée jusqu'à la fin dans cette noirceur, «les filles de Jérusalem disent ensuite : 'Quelle est celle-ci qui monte toute blanche, s'appuyant sur son Bien-Aimé[1] ?'[cj]».

1. «Bien-Aimé» : *fraternus* ici et ailleurs, *fratruelis* en Prol. 2, 24. Voir la note complémentaire 18 : «Le Bien-Aimé».

Chapitre 2

Le Soleil regarde

Cant. 1, 6 a : *Ne prenez point garde au fait que j'ai bruni : le soleil m'a regardée de côté*

1-4 : Il s'agit d'une noirceur qui n'est pas naturelle, mais accidentelle, non celle du corps qui paraît quand le soleil regarde en face, mais celle de l'âme due au regard du soleil, non en face, mais de côté, provoquée par la négligence ; l'âme, ici est dite «noire» parce qu'elle est descendue, mais ensuite «toute blanche» parce qu'elle monte, appuyée sur son Bien-Aimé ; 5-9 : au regard de côté du soleil est due la noirceur et «l'aveuglement partiel, ce qui t'arrive à toi aussi qui es dit Israël»; 10-15 : au zénith ou à l'horizon, Soleil visible et Soleil spirituel ont des actions inverses ; il faut donc se hâter sur des voies droites et se tenir verticalement sur les sentiers des vertus ; 16-22 : le soleil semble avoir une double puissance : l'une par laquelle il illumine, l'autre par laquelle il brûle ; le Soleil de justice, des mêmes rayons, brûle et endurcit le cœur de Pharaon, illumine le peuple d'Israël ; de même, il brûle les pécheurs, illumine les justes.

2

1 *Ne videatis me quoniam infuscata sum ego, quia despexit me sol*[a]. Si competenter nobis videtur aptata expositio quam in superioribus, vel de Aethiopissa quae a Moyse suscepta est in coniugium, vel de *regina* Aethiopum *Sabina* quae *sapientiam Solomonis venit audire*[b], texuimus, merito nunc haec quae *fusca* — vel *nigra* — est *et formosa*[c] satisfacere videtur pro nigredine vel infuscatione sua causasque reddere exprobrantibus, quasi quae non natura talis nec ita a conditore creata sit, sed ex accidentibus hoc passa sit. *Ex eo*, inquit, *quod sol despexit me.*

2 In quo ostendit non de nigredine corporis fieri sermonem, quod utique sol infuscare et denigrare solet, cum respicit magis quam cum despicit. Ita denique et apud omnem illam gentem Aethiopum ferunt, cui iam naturalis quaedam inest ex seminis carnalis successione nigredo, quod in illis locis sol radiis acrioribus ferveat et adusta iam semel atque infuscata corpora genuini vitii successione permaneant.

3 Contrarii vero ordinis est animae nigredo ; nam neque adspectu, sed despectu solis inuritur, neque nascendo, sed

a. Cant. 1,6 || b. Cf. Matth. 12,42 || c. Cf. Cant. 1,5.

---

1. Cf. la note complémentaire 15 : «Le Soleil regarde».

2. Pointe polémique contre «les hérétiques aux natures», les valentiniens, pour qui «le pneumatique» est sauvé, «l'hylique» perdu par nature, le «psychique» sauvé ou perdu (IRÉNÉE, *Haer.* I, 6, 1). Doctrine continuellement combattue par Origène, surtout dans *PArch.* et *ComJn* : cf. *PArch.* I, 5, 3, 76-84 et la note *ad loc.* (*SC* 253, p. 86).

2

1 « Ne prenez point garde au fait que j'ai bruni : le soleil m'a regardée[1] de côté[a] ». Si nous semble pertinemment appropriée l'explication que nous avons élaborée plus haut concernant soit l'Éthiopienne qui fut prise en mariage par Moïse, soit la Sabéenne, « reine » des Éthiopiens, qui « vint entendre la sagesse de Salomon[b] », c'est à bon droit que maintenant celle qui est « brune » — ou « noire » — « et belle[c] » paraît s'excuser de sa noirceur ou de son teint foncé et en révéler la cause à celles qui lui en font grief : ce n'est pas qu'elle soit telle par nature, ni qu'elle ait été faite ainsi par le Créateur, mais elle l'a subi par accident[2]. « C'est, dit-elle, que le soleil m'a regardée de côté. »

Il s'agit de l'âme

2 Elle nous montre là qu'il n'est pas question de la noirceur du corps, car évidemment d'habitude le soleil rend brun ou rend noir quand il regarde en face plutôt que lorsqu'il regarde de côté. Ainsi par exemple on rapporte aussi que chez toute cette race des Éthiopiens, à laquelle adhère une noirceur désormais naturelle par la transmission héréditaire de la semence charnelle, le soleil en ces lieux brille par des rayons trop vifs, et les corps, une fois brûlés et brunis, le restent désormais par l'héritage de ce défaut naturel.

3 Mais d'un ordre contraire est la noirceur de l'âme ; car l'âme est brûlée non par le regard droit du soleil, mais par son regard de côté ; on ne l'acquiert point par la naissance,

negligendo conquiritur ; et ideo sicut ignavia assumitur, ita industria repellitur et propulsatur.

126 **4** Denique, ut su|perius dixi, haec ipsa, quae nunc nigra dicitur, circa finem Cantici huius *dealbata* memoratur *adscendere incumbens super fraternum suum*[d]. Effecta est ergo nigra, quia descendit ; si autem coeperit adscendere et incumbere super fraternum suum et adhaerere ei nec omnino separari ab eo, erit *dealbata* et candida abiectaque omni nigredine *veri luminis*[e] circumfusa luce radiabit.

5 Dicit ergo nunc ad filias Hierusalem pro nigredine sua satisfaciens : Non putetis, o *filiae Hierusalem*, quod naturalis sit ista nigredo quam videtis in vultu meo, sed scitote quoniam despectu solis facta est. *Sol* enim *iustitiae*[f], quia me non invenit recte stantem, nec ipse rectos in me direxit lucis suae radios.

★ **6** Ego enim sum gentium populus, qui prius non adspexi ad *solem iustitiae*[f] nec *steti ante Dominum*[g] ; et ideo nec ille me adspexit, sed *despexit*, neque adstitit mihi, sed praeteriit.

7 Hoc autem ita esse etiam tu, qui Istrahel diceris, re ipsa expertus iam iamque cognosces et dices : Sicut enim me aliquando non credente tu assumptus es et misericordiam consecutus et te respexit *sol iustitiae*, me autem utpote inoboedientem et incredulum despexit et sprevit, ita et nunc ubi tu incredulus et inoboediens factus es ego spero respici a *sole iustitiae* et misericordiam consequi.

d. Cant. 8, 5 || e. Cf. Jn 1, 9 || f. Cf. Mal. 4, 2 (3, 20) || g. Cf. Lc 21, 36.

---

1. Cf. *supra*, II, 1, 57.
2. Cf. *HomGen*. XV, 2 et 3. « Notre esprit descend en Égypte quand il remue des pensées charnelles, mais il monte quand il désire les réalités invisibles », AMBROISE, *Abr*. 2, 4, 13.

mais par la négligence ; c'est pourquoi, comme elle est acquise par la paresse, ainsi elle est repoussée et chassée par l'activité.

4 Enfin, comme je l'ai dit plus haut[1], de celle-là même qui est ici qualifiée de noire, on rappelle vers la fin de ce Cantique : « Elle monte, toute blanche, s'appuyant sur son Bien-Aimé[d]. » Elle est donc devenue noire, parce qu'elle est descendue[2] ; mais si elle commence à « monter et à s'appuyer sur son Bien-Aimé », et à être attachée à lui sans être en rien séparée de lui, elle sera « toute blanche » et radieuse et, toute noirceur rejetée, elle rayonnera, baignée de l'éclat de « la véritable lumière[e] ».

Le Soleil de justice

5 Ici, l'Épouse parle donc aux filles de Jérusalem pour s'excuser de sa noirceur : Ne croyez pas, ô filles de Jérusalem, que cette noirceur que vous voyez sur mon visage soit naturelle, mais sachez qu'elle a été causée par un regard de côté du Soleil. Car « le Soleil de justice[f] », parce qu'il ne m'a pas trouvée me tenant droite debout, n'a pas non plus lui-même dirigé sur moi les droits rayons de sa lumière.

★ **6** Moi, en effet, je suis le peuple des nations qui d'abord n'ai pas regardé droit vers « le Soleil de justice[f] » et ne me suis pas « tenu droit devant le Seigneur[g] » ; dès lors lui non plus ne m'a pas regardé droit, mais « regardé de côté », il ne s'est point tenu près de moi, mais il a passé outre.

7 Or voilà bien ce qui arrive ; toi aussi, qui es dit Israël, tu en fais l'expérience maintenant, et maintenant tu sauras et diras : Tout comme en effet, quand moi, jadis, je ne croyais pas, toi, tu as été relevé, tu as obtenu miséricorde et « le Soleil de justice » t'a regardé en face, tandis que moi, le désobéissant et l'incrédule, « il m'a regardé de côté » et méprisé, « de même aussi maintenant » que tu es devenu incrédule et désobéissant, moi j'espère être regardé en face par « le Soleil de justice » et « obtenir miséricorde ».

8 Quod autem mutua nobis sit solis ista despectio et ego primo pro inoboedientia mea despectus sim, tu vero respectus, nunc autem etiam tibi non solum despectus solis, sed et caecitas quaedam licet ex parte contigerit[h], testem tibi producam magnificum et caelestis secreti conscium Paulum, qui ita dicit : *Sicut enim vos* — de gentibus sine dubio loquens — *aliquando non credidistis Deo, nunc autem misericordiam consecuti estis propter istorum incredulitatem, ita et isti nunc non crediderunt in vestra misericordia, ut et ipsi misericordiam consequantur*[i]. Et item in aliis dicit : *Quia caecitas ex parte contigit in Istrahel, donec plenitudo gentium subintraret*[j].

127 | **9** Hinc ergo est in me, quam exprobras, ista nigredo, *quia despexit me sol* propter incredulitatem et inoboedientiam meam. Cum vero recte stetero ante eum et non fuero obliquus in aliquo *nec declinavero ad dexteram neque ad sinistram*[k], sed *fecero rectas semitas pedibus meis*[l] contra *solem iustitiae*[m] *incedens in omnibus iustificationibus eius sine querela*[n], tunc et ipse rectus me respiciet et nulla erit obliquitas nec erit causa ulla despectus, et tunc reddetur mihi lux mea et splendor meus et in tantum propelletur a (112 me, quam nunc exprobratis, ista nigredo, ut etiam *lux mundi*[o] merear appellari.

10 Sic ergo sol quidem iste visibilis ea corpora quibus a libramine summo insederit infuscat et urit, ea vero quae procul sunt et ab ista collibratione longius posita conservat in candore suo nec omnino urit ea, sed illuminat ; sol vero

h. Cf. Rom 11,25 s. || i. Rom. 11,30-31 || j. Rom. 11,25 || k. Cf. Prov. 4,27 || l. Prov. 4,26 || m. Cf. Mal. 4,2 (3,20) || n. Cf. Lc 1,6 || o. Cf. Matth. 5,14.

8 Or que ce regard de côté du Soleil nous soit commun, et que moi, j'ai d'abord été regardé de côté à cause de ma désobéissance, et toi, regardé en face, mais que maintenant à toi aussi «est arrivé», non seulement le regard de côté du Soleil, mais encore «un aveuglement bien que partiel[h]», je te produirai comme témoin le glorieux Paul, confident du secret céleste, qui déclare : «De même que vous» — il parle sans nul doute des nations —, «jadis, vous n'avez pas cru en Dieu, mais maintenant vous avez obtenu miséricorde par suite de leur incrédulité, de même eux aussi maintenant n'ont pas cru à la miséricorde exercée à votre égard, pour obtenir eux aussi miséricorde[i].» Et de même il dit ailleurs : «C'est un aveuglement partiel qui est arrivé à Israël, jusqu'à ce que soit entrée la totalité des nations[j].»

9 Donc, cette noirceur que tu me reproches est sur moi, «parce que le soleil m'a regardée de côté», par suite de mon incrédulité et de ma désobéissance. Mais quand je me serai tenue droit devant lui, et que je n'aurai plus été oblique pour quoi que ce soit, et que «je n'aurai dévié ni à droite ni à gauche[k]», mais que «j'aurai frayé pour mes pas des sentiers droits[l]», «m'avançant» au-devant du «Soleil de justice[m]» «en toutes ses prescriptions d'une manière irréprochable[n]», alors lui aussi tout droit me regardera en face, et il n'y aura plus aucune direction oblique, ni aucune raison d'un regard de côté, et me seront alors rendues ma lumière et ma splendeur, et sera si bien chassée de moi cette noirceur dont vous me faites grief à présent, que je mériterai même d'être appelée «lumière du monde[o]».

Au zénith ou à l'horizon

10 Ainsi donc, ce soleil visible certes brunit et brûle les corps qu'il domine de son apogée, tandis que ceux qui sont au loin et à une plus longue distance de ce rayonnement vertical, il les garde dans leur blancheur, ne les brûle pas du tout mais les illumine. Mais pour le Soleil spirituel, qui est «le Soleil de justice», dont on dit qu'il

spiritalis, qui est *sol iustitiae, in* cuius *pennis sanitas*[p] esse dicitur, e contrario eos quidem quos recti cordis invenerit et ad libram splendoris sui consistentes illuminat et omni fulgore circumdat, eos autem qui *obliqui incedunt cum*[q] eo, necessario etiam ipse oblique non tam respicit quam despicit, hoc iis praestante inconstantia sua et instabilitate.

11 Quomodo enim qui perversi sunt possunt suscipere quod rectum est ? Velut si curvo ligno adhibeas aequissimam regulam, videbitur quidem per regulam argui materiae pravitas, non tamen regula est quae ligno causam perversitatis imposuit.

12 Et ideo festinandum est ad vias rectas et standum in semitis virtutum, ne forte *sol iustitiae* rectus incedens, si nos obliquos stare inveniat et perversos, despiciat nos et efficiamur denigrati. In quantum enim incapaces fuerimus lucis eius, in tantum tenebris et nigredini dabimus locum.

13 Hic enim est ipse sol qui et *lux vera illuminans omnem hominem venientem in hunc mundum*, et qui *in hoc mundo erat, et mundus per ipsum factus est*[r]. Non enim per istud visibile lumen *mundus factus est*, cum et ipsum portio sit mundi, sed per illud *verum lumen*, a quo lumine, si nos perversi incesserimus, despici dicimur.

14 Et ipsum enim nobis perverse incedentibus perversum quodammodo incedit, sicut scriptum est in maledictionibus Levitici : *Et si incesseritis*, inquit, *me|cum perversi et nolueritis oboedire mihi, adiciam vobis plagas septem*[s] et post pauca : *Et si non fueritis*, inquit, *emendati,*

128

p. Mal. 4,2 (3,20) || q. Cf. Lév. 26,21 s. || r. Jn 1,9 || s. Lév. 26,21.

porte «la guérison sur ses ailes[p]», c'est le contraire : ceux qu'il a trouvés hommes au cœur droit et qui se tiennent sous le rayonnement de sa splendeur, il les illumine et les entoure de tout son éclat ; tandis que ceux qui «marchent en oblique avec[q]» lui, forcément lui aussi en oblique les regarde moins de face que de côté, leur offrant cet aspect pour leur instabilité et leur inconstance.

11 En effet, comment ceux qui sont tournés de travers peuvent-ils accueillir ce qui est droit ? Par exemple, si on applique une règle parfaitement droite sur un bois courbe, la déviation du matériau paraîtra certes prouvée par la règle[1] et pourtant ce n'est pas la règle qui impose au bois le défaut de la déviation.

12 Aussi doit-on se hâter vers les voies droites et se tenir droit dans les sentiers des vertus, de crainte que peut-être «le Soleil de justice» qui s'avance droit, s'il trouvait que nous nous tenons en oblique et de travers, ne nous regarde de côté et que nous devenions noircis. Car plus nous serons incapables de recevoir sa lumière, plus nous donnerons place aux ténèbres et à la noirceur.

13 Ce soleil est en effet lui-même et «la véritable lumière illuminant tout homme venant en ce monde», et celui qui «était dans ce monde, et le monde a été fait par lui[r]». Car «le monde a été fait», non par cette lumière visible, puisqu'elle aussi est une partie du monde, mais par cette «véritable lumière», lumière par laquelle, si nous marchons de travers, on dit que nous sommes regardés de côté.

14 Elle-même en effet, si nous marchons de travers, marche en quelque sorte de travers, comme il est écrit dans les malédictions du Lévitique : «Si vous marchez de travers avec moi et ne voulez pas m'obéir, je vous infligerai sept coups[s].» Et peu après : «Si vous ne vous corrigez pas,

1. Cf. *supra*, I, 6, 11, et la note.

sed incesseritis mecum perversi, incedam et ego vobiscum perversus[t] sive, ut in aliis exemplaribus legimus : *Si incesseritis mecum obliqui, et ego incedam vobiscum obliquus.* Et post aliquanta iterum dicit ad ultimum : *Et quoniam ambulaverunt in conspectu meo obliqui, et ego ambulabo cum iis in furore obliquus*[u].

15 Haec autem assumpsimus, ex quibus probaremus, qualiter *despicere*, hoc est oblique adspicere, *sol* dicatur. Et evidenter claruit quod hos despiciat et cum his oblique incedat ac perverse, qui oblique incedunt cum eo.

16 Sed et hoc, quod admonuit praesens locus, indiscussum non omittamus, quia sol duplicis videtur esse virtutis, unius, qua illuminat, alterius, qua adurit, sed pro rebus et (1 materiis subiacentibus aut illuminat aliquid luce aut infuscat et obdurat ardore.

17 Secundum haec ergo fortassis et *indurasse* dicitur *Deus cor Pharaonis*[v], quod scilicet talis fuerat materia

t. Lév. 26,23-24 || u. Lév. 26,40-41 || v. Cf. Ex. 9,12.

1. «Le feu a une double propriété : il illumine et il brûle. Tel est le sens littéral. Venons-en au sens spirituel. A cet égard aussi, le feu est double : il y en a un dans ce siècle et un dans le siècle à venir», *HomEx.* XIII, 4, 11 s. Comparaison analogue, toujours à propos de l'endurcissement de Pharaon : le soleil liquéfie la cire et sèche la boue

---

Fragment grec transmis par la *Philocalie* 27,13. — Il conserve le texte grec correspondant à la traduction de Rufin depuis *sed et hoc* (II, 2, 16) jusqu'à *ad dominum* (2,19). Baehrens le reproduit (*GCS* 8, p. 128-129); voir aussi l'éd. de la *Philocalie, SC* 226, p. 310-314, avec les notes.

16 Πρόσχες δὲ καὶ τούτοις εἰς τὸν τόπον, ὅτι ὁ ἥλιος λευκὸς καὶ λαμπρὸς ὢν δοκεῖ τὴν αἰτίαν ἔχειν τοῦ μελανοῦν, οὐ παρ' ἑαυτόν, ἀλλὰ παρὰ τόν, ὡς ἀποδεδώκαμεν, μελανούμενον.

17 Οὕτω δὲ μήποτε καὶ *σκληρύνει Κύριος τὴν καρδίαν Φαραώ*[v], τῆς αἰτίας τούτου οὔσης περὶ αὐτὸν *κατοδυνῶντα τὴν τῶν Ἑβραίων*

mais marchez de travers avec moi, je marcherai moi aussi de travers avec vous[t].» Ou, comme on lit dans d'autres copies : «Si vous marchez en oblique avec moi, je marcherai moi aussi en oblique avec vous.» Et un peu plus loin il dit encore pour finir : «Parce qu'ils ont marché en oblique avec moi, moi aussi dans ma colère je marcherai en oblique avec eux[u].»

15 Nous avons ajouté ces textes pour prouver dans quel sens on dit que le soleil regarde de côté, c'est-à-dire regarde en oblique. Et il fut d'une évidente clarté que ceux qu'il regarde de côté, et ceux avec lesquels il marche en oblique et de travers, sont ceux qui marchent en oblique avec lui.

Il illumine ou il brûle

16 De plus, ne laissons pas sans un examen approfondi ce point que nous rappelle le présent passage. Le soleil semble avoir une double puissance, l'une par laquelle il illumine, l'autre par laquelle il brûle[1], mais selon les objets ou matériaux exposés à son action, ou il illumine un objet de sa lumière, ou il le brunit par son ardeur.

17 C'est peut-être justement pour cela que l'on dit : «Dieu endurcit le cœur de Pharaon[v]» : car telle était la

(*PArch.* III, 1, 11, début) ; et déjà, à propos de la pluie qui fait pousser les fruits sur la bonne terre, des ronces sur la terre négligée. C'est le substrat (ὑποκείμενον) qui explique ces actions contraires (*PArch.* III, 10, fin).

---

16 Fais attention encore à ceci pour ce passage : le soleil, bien qu'éclatant et brillant, semble être la cause que l'on ait une couleur noire : non par lui-même, mais, comme nous l'avons expliqué[1], à cause de celui qui s'est rendu de couleur noire.

17 Ainsi peut-être également «le Seigneur endurcit le cœur de Pharaon[v]» : la cause en est chez celui qui «affligeait l'existence des

1. Cf. *supra*, *ComCant*, II, 2, 3.9.12.

cordis ipsius, quae praesentiam *solis iustitiae*[w], non ea parte qua illuminat, sed ea qua urit et indurat, exceperit ; propter hoc sine dubio quod et ipse *affligebat Hebraeorum vitam in operibus duris* et quod *luto et latere conficiebat eos*[x]. Et erat utique cor eius secundum ea quae cogitabat, luteum et limosum.

18 Et sicut materiam luti sol iste visibilis stringit et indurat, | ita *sol iustitiae* his iisdem radiis quibus illuminabat populum Istrahel *Pharaonis cor*, cui inerant luteae cogitationes, pro ipsis motuum suorum qualitatibus *indurabat*.

129

19 Haec autem quod ita se habeant et non communem, ut videtur hominibus, historiam famulus Dei per Spiritum sanctum scribat, ostenditur etiam inde, quod, ubi refert *ingemuisse filios Istrahel*[y], non dicit a luto neque a latere neque a *paleis*[z] ingemuisse eos, sed *ab operibus* inquit

w. Cf. Mal. 4, 2 (3, 20) || x. Cf. Ex. 1, 14 || y. Cf. Ex. 2, 23 || z. Cf. Ex. 5, 7.

1. Ποιότης («qualité») est un terme technique de la philosophie grecque très utilisé par Origène dans sa conception de la matière.

2. Moïse, qui passait pour l'auteur non seulement de la Genèse, mais du Pentateuque (*Ex.* 2, 23, etc.).

ζωὴν ἐν τοῖς ἔργοις τοῖς σκληροῖς, τῷ πηλῷ καὶ τῇ πλινθείᾳ καὶ πᾶσι τοῖς ἔργοις[x], οὐχὶ τοῖς ἐν ὄρεσι καὶ βουνοῖς, ἀλλὰ *τοῖς ἐν τοῖς πεδίοις*[x] · ὑλικὸς γάρ τις ἀπὸ τῆς ἑαυτοῦ κακίας γεγενημένος καὶ κατὰ σάρκα κατὰ πάντα ζῶν, πηλῷ φίλος τυγχάνων βούλεται καὶ τοὺς Ἑβραίους πηλοποιεῖν τὸ ἡγεμονικὸν ἔχων οὐ καθαρὸν πηλοῦ, **18** ὅπερ ὡς πηλὸς ὑπὸ ἡλίου σκληρύνεται, οὕτως ὑπὸ τῶν αὐγῶν τοῦ Θεοῦ ἐπισκοπουσῶν τὸν Ἰσραὴλ ἐσκληρύνθη.

19 Ὅτι δὲ τοιαῦτά ἐστιν ἐν τοῖς κατὰ τὸν τόπον καὶ οὐχ ἱστορίαν ψιλὴν πρόκειται ἀναγράφειν τῷ θεράποντι, δῆλον ἔσται τῷ συνορῶντι ὅτι, ἡνίκα *κατεστέναξαν οἱ υἱοὶ Ἰσραὴλ*[y], οὔτε ἀπὸ τῆς πλινθείας οὔτε ἀπὸ τοῦ πηλοῦ οὔτε ἀπὸ τῶν *ἀχύρων*[z] κατεστέναξαν, ἀλλ' *ἀπὸ τῶν*

matière de son cœur qu'elle reçut la présence du «Soleil de justice[w]» non sous l'aspect où il illumine, mais celui où il brûle et endurcit ; c'est sans nul doute pour cela que lui-même «affligeait la vie des Hébreux par de durs travaux» et qu'il «les épuisait par la boue et la brique[x]». A coup sûr, son cœur était conforme à ce qu'il pensait : boueux et fangeux.

18 Et comme ce soleil visible comprime et durcit la matière de la boue, ainsi «le Soleil de justice», de ces mêmes rayons par lesquels il illuminait le peuple d'Israël, «endurcissait le cœur de Pharaon» en qui se trouvaient des pensées boueuses, en raison des qualités de ses mouvements[1].

19 Or qu'il en soit ainsi, et que le serviteur de Dieu[2], sous l'action de l'Esprit Saint, n'écrive pas une histoire ordinaire, comme il semble aux hommes, nous est prouvé encore par le fait que là où il rapporte que «les fils d'Israël ont gémi[y]», il ne déclare pas qu'ils aient gémi à propos de la boue, de la brique, ou de «la paille[z]», mais il dit : «à

Hébreux par de durs travaux, par la boue et la brique, et par toutes sortes de travaux[x]», ceux que l'on fait non pas dans les montagnes et les collines, mais «dans les plaines[x 1]». Devenu, en effet, un être matériel par suite de son propre vice et vivant en tout selon la chair, Pharaon, l'ami de la boue, désire que les Hébreux aussi travaillent la boue, lui dont la faculté maîtresse[2] n'est pas pure de boue, **18** faculté qui, comme la boue devient dure sous l'action du soleil, a été de même endurcie par les rayons de Dieu, qui visitent Israël.

19 Or qu'il en soit ainsi dans ce qu'on lit suivant ce passage, et que le serviteur[3] ne se soit point proposé d'écrire une simple histoire sera clair pour qui observe que, lorsqu'ils «ont gémi, les fils d'Israël[y]» n'ont pas gémi à propos de la brique, ni de la boue, ni de la paille[z],

1. Cf. *infra*, *ComCant.* III, 12, 5, et la note. «Les montagnes et les collines» : cf. *Cant.* 2, 8 ; 4, 6.

2. Cf. *supra*, *ComCant.* I, 2, 3, et la note complémentaire 11 : «L'hégémonique».

3. Moïse.

suis[y]. Et rursus, *Et adscendit*, inquit, *clamor eorum ad Deum*[y] ; non dixit : a luto et latere, sed iterum : *ab operibus suis*. Propter quod et subiungit quia : *Exaudivit Dominus gemitum ipsorum*[aa], cum utique non exaudiat eorum gemitum, qui non *ex operibus suis* clamant ad Dominum. (114

20 Haec quamvis per excessum dicta videantur, tamen locorum opportunitate commoniti nequaquam iudicavimus omittenda, maxime cum habeant aliquid similitudinis ad hoc quod dicit haec, quae infuscata est, quia despexerit eam sol, quod utique ostenditur ibi accidere, ubi peccatorum causa praecedit, et ibi infuscari vel aduri aliquem sole, ubi peccati materia subsistit. Ubi vero non est peccatum, sol neque adurere dicitur neque infuscare, sicut de iusto refertur in psalmis : *Per diem sol non uret te, neque luna per noctem*[ab]. Vides ergo quia sanctos, in quibus peccatorum causa nulla est, sol numquam adurit.

21 Ut enim diximus, duplicis virtutis est sol ; iustos quidem illuminat, peccatores vero non illuminat, sed

aa. Cf. Ex. 2, 24 || ab. Ps. 120, 6.

1. Sans doute Origène joue-t-il sur le sens du mot ἔργα ; que Rufin a rendu par *opera*. Aussi le traduit-on plus haut (§ 17) par « travaux », ici par « œuvres ». Voir la note d'É. Junod à *Philoc.* 27, 13, 20, *SC* 226, p. 314-315.

ἔργων[y] · καὶ ἀνέβη αὐτῶν ἡ βοὴ πρὸς Θεόν[y], οὐκ ἀπὸ πηλοῦ, ἀλλὰ πάλιν *ἀπὸ τῶν ἔργων*. Διὸ καὶ *εἰσήκουσεν ὁ Θεὸς τῶν στεναγμῶν αὐτῶν*[aa] · οὐκ εἰσακούων στεναγμοῦ τῶν οὐκ *ἀπὸ ἔργων* βοώντων πρὸς αὐτόν, ἀλλ' ἀπὸ πηλοῦ καὶ τῶν γηίνων πράξεων.

propos de leurs œuvres [y] [1]». Et encore : «Et leur cri monta jusqu'à Dieu [y]» ; il n'a pas dit : à propos de la boue et de la brique, mais de nouveau «à propos de leurs œuvres». C'est pourquoi il ajoute encore : «Le Seigneur exauça leur gémissement [aa]», puisque assurément il n'exauce pas le gémissement de ceux qui ne crient pas vers le Seigneur «à propos de leurs œuvres [2]».

20 Bien que ces propos paraissent tenus par digression, avertis néanmoins par l'occurrence des passages, nous avons jugé devoir n'en rien omettre, surtout qu'ils ont quelque ressemblance avec ce que dit celle qui est brunie, parce que le Soleil l'a regardée de côté : on montre à coup sûr que cette mésaventure arrive là où précède la cause que sont les péchés, et que l'on est bruni là où la matière du péché demeure. Mais là où il n'y a pas de péché, on dit que le Soleil ne brûle pas ou ne brunit pas, comme on le mentionne dans les psaumes à propos du juste : «De jour le Soleil ne te brûlera pas, ni la lune durant la nuit [ab].» On le voit donc : le Soleil ne brûle jamais les saints en qui il n'y a pas la cause que sont les péchés.

21 En effet, comme nous avons dit, le Soleil a une double puissance : il illumine les justes, mais il n'illumine

2. Les «œuvres» reçoivent une terre en héritage. Et elles sont, avec les vertus, «les seules offrandes dignes d'être présentées à Dieu par les hommes, et les seules par lesquelles il convienne que Dieu soit rendu propice aux hommes», *HomNombr.* XXII, 1 et XXVI, 2-3.

---

mais à propos des œuvres [y]. «Et leur cri monta jusqu'à Dieu [y]», non à propos de la boue, mais de nouveau «à propos des œuvres». Et c'est aussi pourquoi «Dieu entendit leurs gémissements [aa]», lui qui n'entend pas le gémissement de ceux qui crient vers lui, non «à propos des œuvres», mais à propos de la boue et des activités terrestres.

adurit, quoniam et ipsi *oderunt lucem, quia male agunt*[ac]. Denique ob hoc et Deus noster *ignis* dicitur esse
130 *consumens*[ad] et ni|hilominus *lux*, in quo *tenebrae non sunt*[ae]. *Lux* sine dubio iustis et *ignis* efficitur peccatoribus, ut consumat in iis omne quod in anima eorum corruptibilitatis aut fragilitatis invenerit.

22 Quod autem in multis Scripturae locis et sol et ignis non iste visibilis, sed ille invisibilis et spiritalis dicatur, etiam ipse si recenseas, abundanter invenies.

ac. Cf. Jn 3,20 || ad. Cf. Deut. 4,24 || ae. I Jn 1,5.

---

1. Ce texte de *Deut.* 4, 24, joue un rôle important dans l'exégèse qu'Origène donne souvent de *I Cor.* 3, 12-15, laquelle fait de lui un des premiers théologiens du purgatoire. Le feu qui consume les péchés en purifiant l'âme, c'est Dieu lui-même. Cf. H. Crouzel, « L'exégèse ori-

pas les pécheurs, il les brûle, parce qu'eux-mêmes «haïssent la lumière, puisqu'ils se conduisent mal[ac]». Bref, pour cette raison notre Dieu aussi est déclaré «Feu consumant[ad]», et également «Lumière» dans laquelle «il n'est point de ténèbres[ae]». Lumière sans nul doute pour les justes, il devient aussi Feu pour les pécheurs, afin de consumer en eux tout ce qu'il aura trouvé dans leur âme de corruption et de faiblesse[1].

22 Au reste, qu'en de nombreux passages de l'Écriture on appelle Soleil et Feu, non pas celui-ci qui est visible, mais celui-là qui est invisible et spirituel, même toi, si tu les relis, tu le découvriras à maintes reprises.

génienne de *I Cor.* 3, 11-15, et la purification eschatologique», dans *Épektasis. Mélanges Daniélou*, Paris 1972, p. 273-283.

Chapitre 3

Bataille intérieure : gardienne de vignes

Cant. 1, 6 b : *Les fils de ma mère ont combattu en moi ;*
ils m'ont placée gardienne dans les vignes ;
ma vigne, je ne l'ai pas gardée

1 : Le récit ; l'interprétation ; 2-4 : la mère de l'Épouse, la Jérusalem céleste ; 5-8 : ses enfants, l'Épouse et les apôtres du Christ ; ceux-ci ont combattu pour vaincre en elle les pensées contraires à la foi et l'obéissance qu'elle avait eues d'abord, et ils lui attribuent pour travail la garde des vignes ; 9-10 : les apôtres et l'Église ; les vignes du Seigneur, livres de la Loi et des prophètes, écrits évangéliques et lettres des apôtres ; 11-14 : sa propre vigne, elle ne l'a pas gardée : l'observance de la tradition juive, vraie vigne plantée par Dieu, mais changée en l'amertume d'une vigne étrangère ; ainsi en fut-il de l'Église rassemblée du milieu des nations : le type, Adam et Ève ; la réalité, le Christ et l'Église ; 15-18 : application à l'âme : chaque âme est en butte aux combats des pensées et des attaques des démons, mais la Providence lui donne comme protecteurs des anges célestes, qu'elle appelle «fils de sa mère», la Jérusalem céleste ; elle n'a pas gardé sa vigne, ses mœurs et habitudes anciennes ; les anges l'ont établie gardienne des vignes, des doctrines divines.

3

★ **1** *Filii matris meae dimicaverunt in me, posuerunt me custodem in vineis; vineam meam non custodivi*[a]. Adhuc ipsa, quae fusca quidem pro delictis prioribus, formosa vero est pro fide et conversione, etiam haec dicit asseverans quod filii matris suae dimicaverunt non contra eam, sed in ea, et post hoc bellum quod in ea gesserunt, constituerint eam vinearum custodem, non unius vineae, sed multarum. Adstruit autem haec eadem quod praeter illas vineas quas a filiis matris suae custodire posita est, habuerit aliam propriam vineam, quam non custodierit. Haec est propositi dramatis fabula. (11

2 Sed nunc requiramus quae sit mater sponsae huius quae haec allegat, qui sint etiam alii filii eius qui *dimicaverunt in* ea et confecto bello tradiderunt ei vineas quas custodiret, quasi quae non potuisset eas servare, nisi ab illis dimicatum fuisset, illa vero suscepta aliarum custodia vinearum propriam vineam vel noluisse vel non potuisse servare.

3 Ad Galatas scribens Paulus ait : *Dicite mihi, qui sub lege vultis esse, legem non audistis? Scriptum est enim quia Abraham duos filios habuit, unum ex ancilla et unum de libera. Sed is quidem, qui de ancilla, secundum carnem natus est; qui vero ex libera, secundum repromissionem. Quae sunt allegorica. Haec enim sunt duo testamenta, unum quidem a monte Sina in servitutem generans, quae est Agar. Sina enim*

a. Cant. 1,6.

3

★ **1** « Les fils de ma mère ont combattu en moi ; ils m'ont placée gardienne des vignes ; ma vigne, je ne l'ai pas gardée [a]. » C'est encore celle qui était « brune » par suite de ses fautes antérieures, mais « belle » à cause de sa foi et de sa conversion, qui dit également ces paroles ; elle assure que les fils de sa mère ont combattu, non pas contre elle, mais en elle, et qu'après cette guerre qu'ils ont faite en elle, ils l'ont établie gardienne de vignes, non d'une seule vigne mais de plusieurs. La même ajoute qu'en plus de ces vignes, à la garde desquelles elle a été placée par les fils de sa mère, elle a eu en propre une autre « vigne qu'elle n'a pas gardée ». Tel est le récit du drame en question.

La mère et les fils

2 Mais à présent cherchons quelle est la mère de cette Épouse qui tient ces propos, quels sont aussi ses autres fils qui ont combattu en elle et, la guerre achevée, lui ont donné des vignes à garder, comme si elle n'avait pu les garder s'ils n'avaient pas combattu ; mais, une fois reçue cette garde d'autres vignes, elle n'a pas voulu ou n'a pas pu garder sa propre vigne.

3 Paul, écrivant aux Galates, déclare : « Dites-moi, vous qui voulez être sous la Loi, n'entendez-vous pas la Loi ? Car il est écrit qu'Abraham eut deux fils, l'un de la servante, l'autre de la femme libre. Mais celui qui est de la servante est né selon la chair, tandis que celui qui est de la femme libre est né en vertu de la promesse. Il s'agit d'une allégorie. Ces femmes en effet sont deux alliances ; l'une du mont Sinaï, enfante pour la servitude : c'est Agar. Car le

131 *mons est in | Arabia, qui confertur huic quae nunc est Hierusalem et servit cum filiis suis. Quae autem sursum est Hierusalem, libera est, quae est mater omnium nostrum*[b].

4 Hanc ergo *Hierusalem caelestem*[c] dicit esse Paulus et suam et *omnium* credentium *matrem*. Denique addit in posterioribus et dicit : *Propter quod, fratres, non sumus filii ancillae, sed liberae, qua libertate liberavit nos Christus*[d]. Evidenter igitur Paulus pronuntiat quod omnis qui per fidem a Christo consequitur *libertatem*, *filius* sit *liberae* et hanc dicit *sursum Hierusalem liberam, quae est mater omnium nostrum*.

5 Huius ergo matris et ipsa haec sponsa filia esse intelligitur et hii qui *dimicaverunt in ea et constituerunt eam vinearum custodem*. Unde videntur isti qui tantum potestatis habuerint ut et bellum gererent in ea et ordinarent eam vinearum custodem, non cuiuscumque humilis aut contemnendi loci fuisse. Possumus ergo Apostolos Christi accipere *filios matris* sponsae, hoc est filios *Hierusalem caelestis*, qui pugnaverunt prius in ista quae *ex gentibus*[e] congregatur.

6 Pugnaverunt autem, ut vincerent in ea illos quos prius habuit infidelitatis et inoboedientiae sensus, et omnem elationem extollentem se adversus scientiam Christi, sicut et Paulus dicit : *Cogitationes destruentes et omnem altitudinem extollentem se adversus scientiam Christi*[f]. Pugnaverunt ergo non adversus eam, sed in ea, hoc est

b. Gal. 4, 21-26 || c. Cf. Hébr. 12, 22 || d. Gal. 4, 31 - 5, 1 || e. Cf. Act. 15, 14 || f. II Cor. 10, 4-5.

1. L'Arabie est, pour les anciens, une contrée aussi vague et large que l'Éthiopie ou l'Inde.

2. La «Jérusalem céleste» n'est pas identique à l'Église, même céleste, laquelle ici est dite sa fille. De même, le Christ, dans son humanité, est dit son fils : *HomJér.* X, 7 ; *ComMatth.* XIV, 17. C'est en quelque sorte le lieu spirituel qu'habitent les anges, celui où se trouvaient les intelligences préexistantes avant la chute — donc,

Sinaï est une montagne d'Arabie[1] qui correspond à la Jérusalem actuelle, laquelle est esclave avec ses fils. Mais la Jérusalem d'en haut est libre : c'est notre mère à tous[b].»

4 Cette «Jérusalem céleste[c]», au dire de Paul, est donc sa «mère» et celle «de tous» les croyants. Enfin il ajoute plus loin : «Voilà pourquoi, frères, nous ne sommes pas fils de la servante, mais de la femme libre, de la liberté par laquelle le Christ nous a libérés[d].» Sans ambages donc, Paul déclare que tout homme qui par la foi obtient du Christ «la liberté» est «fils de la femme libre»; et il dit que cette femme «libre est la Jérusalem d'en haut, qui est notre mère à tous».

5 De cette mère donc[2], on comprend que les enfants sont et cette Épouse elle-même, et ceux qui «ont combattu en elle et l'ont établie gardienne de vignes». De ce fait, ceux qui ont eu une telle puissance qu'ils ont mené la guerre en elle, et l'ont placée gardienne de vignes, semblent n'avoir pas été d'une condition quelconque, humble ou méprisable. Dès lors, nous pouvons regarder les apôtres du Christ comme «les fils de la mère» de l'Épouse, c'est-à-dire les fils de la «Jérusalem céleste», qui ont d'abord combattu en celle qui a été rassemblée «du milieu des nations[e]».

Les apôtres et l'Église

6 Or ils ont livré combat pour vaincre en elle ces pensées qu'elle eut d'abord d'infidélité et de désobéissance, et toute puissance altière qui se dresse contre la connaissance du Christ, comme dit aussi Paul : «Détruisant les pensées et toute puissance altière qui se dresse contre la connaissance du Christ[f].» Ils ont alors combattu

l'âme préexistante de Jésus unie au Verbe dès sa création —, celui où elles reviendront après la résurrection. L'Église de la préexistence, c'est-à-dire l'assemblée des intelligences, s'y trouvait, unie à son Époux ; elle s'y retrouvera de même à la résurrection. La Jérusalem céleste se confond avec «le sein du Père». Voir CHÊNEVERT, p. 63-71.

in sensibus et corde eius, ut destruerent et depellerent omnem infidelitatem, omne vitium omnesque doctrinas quae ei inter gentes positae falsis sophistarum assertionibus inoleverant.

7 Fuit ergo Apostolis Christi grande bellum, donec omnes ex ea mendacii turres et muros perversae doctrinae subruerent, donec iniquitatis argumenta prosternerent et operantes haec ac succendentes in corde eius daemones 132 | debellarent.

8 Ubi ergo effugarunt ab ea omnes sensus infidelitatis antiquae, non eam relinquunt otiosam, ne forte per otium rursus antiqua subripiant et redeant quae depulsa sunt, sed dant ei opus quod agat et consignant ei custodiam vinearum.

9 Vineas accipiamus singula quaeque volumina legis ac prophetarum; erat enim unusquisque eorum *sicut ager plenus quem benedixit Dominus*[g]. Haec ergo isti viri fortes post victoriam belli servanda ei et custodienda consignant; non enim relinquunt eam, ut diximus, otiosam.

10 Sed et evangelica scripta atque ipsorum Apostolorum litteras possumus similiter vineas accipere, quas huic quae ex gentibus congregatur, pro qua etiam dimicaverunt, custodiendas colendasque tradiderunt.

11 Quod vero ait quia *suam propriam vineam non custodierit*[h], illam possumus eruditionem dicere, qua unusquisque exercebatur ante fidem, quam sine dubio credens

g. Cf. Gen. 27,27 || h. Cant. 1,6.

non pas contre elle mais en elle, c'est-à-dire dans ses pensées et dans son cœur, afin d'anéantir et d'extirper toute infidélité, tout vice et toutes les doctrines que les démonstrations fausses des sophistes avaient implantées en elle qui vivait parmi les nations.

7 Ce fut donc pour les apôtres du Christ une guerre longue jusqu'à ce qu'ils aient renversé chez elle toutes les tours du mensonge et les murs d'une doctrine perverse, jusqu'à ce qu'ils aient mis par terre les arguments de l'iniquité et remporté la victoire sur les démons qui, dans son cœur, occasionnaient ces désordres et mettaient tout à feu et à sang.

8 Aussi, quand ils ont chassé loin d'elle toutes les pensées de son ancienne infidélité, ils ne la laissent pas oisive, de peur que d'aventure, à la faveur de l'oisiveté, ses anciennes dispositions ne reviennent et ne la surprennent, mais ils lui donnent du travail à faire et lui attribuent la garde des vignes.

Les vignes

9 Comprenons par vignes l'ensemble des livres de la Loi et des prophètes. Chacun d'eux, en effet, était «comme un champ fertile qu'a béni le Seigneur[g]». Voilà donc ce que ces hommes puissants, après la victoire qui couronna leur guerre, remettent à l'Épouse pour qu'elle les garde et les protège ; car, comme nous avons dit, ils ne la laissent pas oisive.

10 De plus, nous pouvons comprendre par ces vignes également les écrits évangéliques et les lettres des apôtres eux-mêmes qui les confièrent à celle qui est rassemblée du milieu des nations, pour laquelle ils ont aussi combattu, afin qu'elle les garde et les honore.

11 Mais ce qu'elle dit, que «sa propre vigne, elle ne l'a pas gardée[h]», nous pouvons le dire de cette instruction par laquelle chacun était formé avant sa foi et que, sans nul

Christo relinquit ac deserit, et *ea quae sibi lucra videbantur ducit propter Christum detrimenta*[i]. Sicut et Paulus gloriatur legis observantias et omnem Iudaicae institutionis gloriam fuisse sibi *ut stercora tantum, ut in Christo inveniretur non habens suam iustitiam quae ex lege est, sed iustitiam quae ex Deo est*[j].

12 Sicut ergo Paulus accepta Christi fide *non custodivit vineam suam*, iudaicae scilicet traditionis obsequia, et idcirco fortasse non custodivit quia, *cum plantata esset a Deo vitis vera, conversa est in amaritudinem vitis alienae*[k] et erat iam *vinea Sodomorum vitis eorum, et palmes eorum ex Gomorra, et botrus amaritudinis in iis, et furor draconum vinum eorum, et furor aspidum insanabilis*[l], ita et apud gentes erant plurimae huiusmodi doctrinae, quas post illa bella quibus pro fide et agnitione Christi a doctoribus dimicatum est, puto quod iam criminis loco ducatur, si custodiat aliquis huiusmodi vineas et agrum colat ultra venenatis et noxiis consitum disciplinis.

13 Nec mireris si his culpis aliquando fuisse videatur obnoxia haec quae ex nationum dispersione colligitur[m] et (1)

133 | Christo sponsa praeparatur. Recordare quomodo prima *mulier seducta est et in praevaricatione facta*, quae non aliter *salva fieri* dicitur nisi *per filiorum generationem*, illorum dumtaxat qui *permanent in fide et caritate cum sanctitate*[n].

14 Hoc ergo, quod de Adam et Eva scribitur, sic asseverat Apostolus : *Mysterium magnum est in Christo et in ecclesia*[o], qui eam ita dilexit ut semet ipsum traderet pro ea, cum esset adhuc haec ipsa impia, sicut ipse dixit : *Cum*

i. Cf. Phil. 3, 7 || j. Phil. 3, 8-9 || k. Jér. 2, 21 || l. Deut. 32, 32-33 || m. Cf. Ps. 105, 47 ; Éz. 11, 17 || n. Cf. I Tim. 2, 14-15 || o. Cf. Éphés. 5, 32.

---

1. C'est là une solution négative apportée au problème des rapports de la culture et de la foi ; mais elle ne présente qu'un aspect de la pensée d'Origène qui a su utiliser sa culture profane pour amener les païens à la foi et penser le christianisme.

doute, croyant au Christ, il abandonne et laisse de côté[1]; et « ce qu'il pensait être pour lui un gain, il le tient comme un préjudice à cause du Christ[i] ». Et de même Paul se glorifie de ce que les observances de la Loi et toute la gloire de l'institution juive n'ont été pour lui « qu'ordures, pour qu'il soit trouvé dans le Christ, n'ayant plus sa propre justice, qui vient de la Loi, mais la justice qui vient de Dieu[j] ».

12 Donc, de même aussi Paul, après avoir reçu la foi au Christ, « n'a pas gardé sa vigne », à savoir l'observance de la tradition juive — et peut-être ne l'a-t-il point gardée parce que, « bien qu'elle eût été une vraie vigne plantée par Dieu, elle s'était changée en l'amertume d'une vigne étrangère[k] » et que maintenant « leur vigne était du vignoble de Sodome, leurs sarments venaient de Gomorrhe, en eux était une grappe d'amertume, leur vin était de la fureur de dragons, de la fureur d'aspics dont on ne peut guérir[l] » —, de même, il y avait aussi parmi les nations bien des doctrines de cette nature; après cette guerre menée par les docteurs pour la foi et la connaissance du Christ, je pense qu'à présent on serait convaincu de faute si on gardait les vignes de cette espèce et continuait à cultiver un champ planté de doctrines vénéneuses et nocives.

13 Et ne t'étonne pas qu'elle semble avoir jadis été coupable de ces fautes, celle qui est rassemblée de la dispersion des nations[m] et préparée comme Épouse pour le Christ. Rappelle-toi comment la première « femme fut séduite et en vint à la transgression », elle qui, au dire de l'Écriture, ne peut « être sauvée » autrement que par l'« enfantement des fils », à savoir ceux qui « persévèrent dans la foi et la charité, accompagnées de sainteté[n] ».

14 Or ce qui est écrit d'Adam et Ève, l'Apôtre l'explicite : « Ce mystère est grand, par rapport au Christ et à l'Église[o] », lui qui l'a aimée au point de se livrer lui-même pour elle, alors qu'elle était encore impie, comme l'Apôtre l'a dit : « Même au temps où nous étions encore impies, le

enim adhuc secundum tempus impii essemus, Christus pro nobis mortuus est[p], et iterum : *Quia cum adhuc peccatores essemus, Christus pro nobis mortuus est*[q]. Non ergo mirum est, si haec quae *seducta et in praevaricatione facta est*[r], quae *impia secundum tempus fuit* et *peccatrix*, talem dicatur vineam coluisse eo tempore quo adhuc impia erat, quam relinquere debuerit et nequaquam omnino servare.

15 Quod si etiam tertium explanationis locum placet exsequi, referamus haec ad unamquamque animam, quae conversa ad Deum et ad fidem veniens patitur sine dubio cogitationum pugnas et obluctationes daemonum revocare eam nitentium ad prioris vitae illecebras vel infidelitatis errores.

16 Sed ne hoc fiat neve rursum daemonibus in ea tantum liceat, prospexit divina providentia, ut *parvulis*[s] quibusque et his qui pro semet ipsis *adversus astutias diaboli*[t] et daemonum pugnas dimicare non possunt, utpote *infantes* adhuc *et lactantes*[u] in Christo, daret angelos propugnatores et defensores, qui velut *tutores et procuratores*[v] constituti sunt a Deo eorum qui infra aetatem positi pro semet ipsis, ut diximus, pugnare non possunt. Et ut hoc maiore cum fiducia agant, conceditur iis *semper videre faciem Patris qui in caelis est*[w], et istos puto esse parvulos quos venire ad se Iesus iussit et non sinit prohiberi[x] et quos *semper videre* dicit *faciem Patris*.

17 Nec tibi contrarium videatur si eos haec anima quae ad Deum tendit *matris* suae *filios*[y] appellat. Si enim

p. Cf. Rom. 5, 6 || q. Rom. 5, 8 || r. I Tim. 2, 14 || s. Cf. I Cor. 3, 1 ; etc. || t. Cf. Éphés. 6, 11 || u. Cf. Matth. 21, 16 || v. Cf. Gal. 4, 2 || w. Matth. 18, 10 || x. Cf. Matth. 19, 14 || y. Cf. Cant. 1, 6.

1. Cf. *supra*, Prol. 1, 4, et la note.

2. En *Matth.* 18, 10, ce ne sont pas les petits enfants, mais leurs anges qui voient toujours la face du Père ; cf. d'ailleurs II, 8, 34, etc.

Christ est mort pour nous[p].» Et de nouveau : «Alors que nous étions encore pécheurs, le Christ est mort pour nous[q].» Il n'est donc pas étonnant que l'on dise que celle qui fut «séduite et en vint à la transgression[r]», qui «fut pendant un temps impie» et «pécheresse», a cultivé, au temps où elle était encore impie, une vigne telle qu'elle dut l'abandonner et ne jamais plus la garder.

L'âme et les anges

15 Si l'on juge bon d'exposer encore un troisième genre d'explication, appliquons ce qui précède à chaque âme. S'étant tournée vers Dieu et venant à la foi, elle supporte sans nul doute les luttes des pensées et les combats des démons qui s'efforcent de la ramener aux séductions de sa vie antérieure et aux erreurs de son infidélité.

16 Mais pour éviter que cela n'arrive et ne soit de nouveau seulement permis aux démons dans l'âme, la divine providence a prévu de donner aux «tout-petits[s]» et à ceux qui ne peuvent lutter pour eux-mêmes «contre les ruses du diable[t]» et les combats des démons, parce qu'ils sont encore dans le Christ des enfants[1] nourris au lait[u], des anges combattants et défenseurs, qui sont établis par Dieu comme «tuteurs et curateurs[v]» de ceux qui, dans l'infériorité de l'âge, ne peuvent, comme nous avons dit, combattre pour eux-mêmes. Et pour qu'ils le fassent avec plus d'assurance, il leur est accordé de «voir toujours la face du Père qui est aux cieux[w]». Ce sont là, je pense, ces petits enfants que Jésus a invités à venir à lui, sans permettre qu'on les empêche[x], et dont[2] il dit : «Ils voient toujours la face du Père.»

17 Qu'il ne te semble pas contradictoire si cette âme qui tend vers Dieu les appelle «les fils de sa mère[y]». En effet si

— Pour «l'ange gardien» chez Origène et dans la patristique, voir J. Daniélou, *Les Anges et leur mission*, Paris 1952, p. 93-112.

animarum *mater Hierusalem caelestis*[z] est et angeli nihilominus caelestes nominantur, nihil dissonans videbitur, si hi qui similiter ut ipsa caelestes sunt filii ab ea matris 134 appellantur. Super omnia | autem congruum videbitur et conveniens ut, quibus *unus est Deus Pater*[aa], una sit et *Hierusalem mater*[ab].

18 Quod vero ait : *Vineam meam non custodivi*[ac], instituta illa ac mores et propositum, in quo exercebatur secundum *veterem hominem* vivens, indicare videtur laudabiliter a se non esse servata, ex quo adiutorio angelorum dimicavit et vicit ac penitus a se fugavit *veterem hominem cum actibus suis*[ad], constituta ab iis *vinearum custos*, (1 sensuum scilicet ac dogmatum divinorum, ex quibus possit *vinum* bibere, quod *laetificet cor*[ae] eius.

z. Cf. Hébr. 12, 22 ; Gal. 4, 26 || aa. Cf. I Cor. 8, 6 || ab. Cf. Gal. 4, 26 || ac. Cant. 1, 6 || ad. Col. 3, 9 || ae. Cf. Ps. 103, 15.

la mère des âmes est « la Jérusalem céleste [z] » et si les anges sont de même appelés célestes, il ne paraîtra en rien incohérent qu'elle les appelle, eux qui comme elle sont célestes, « fils de sa mère »[1]. Mais surtout il paraîtra opportun et convenable qu'à ceux pour qui il y a « un seul Père, Dieu [aa] », il y ait aussi une seule « mère, Jérusalem [ab] ».

18 Par ailleurs, ce que dit l'Épouse : « Ma vigne, je ne l'ai pas gardée [ac] » semble indiquer à son honneur qu'elle n'a pas conservé ces habitudes, mœurs et règle de conduite où elle s'exerçait quand elle vivait selon « le vieil homme » ; c'est qu'avec l'aide des anges, elle a combattu, vaincu et totalement chassé loin d'elle « le vieil homme et ses pratiques [ad] », établie par eux « gardienne des vignes », à savoir des pensées et des doctrines divines, grâce auxquelles elle peut boire « un vin » qui « réjouisse son cœur [ae] ».

1. Sur Jérusalem, voir *supra*, p. 318, n. 2. « Les fils de sa mère », au début les apôtres, sont ici les anges.

Chapitre 4

Le désir de la lumière de midi

Cant. 1, 7 : *Indique-moi, toi qu'a chéri mon âme,*
où tu fais paître, où tu as ta couche à midi,
de peur que d'aventure
je ne devienne comme celle qui est couverte d'un voile
parmi les troupeaux de tes compagnons

1-3 : Assez clair est l'ordre historique du drame ; 4-7 : pour l'intelligence mystique, il faut anticiper : il y a soixante reines, mais une seule est parfaite, quatre-vingts concubines, d'un rang inférieur ; puis des jeunes filles sans nombre ; ainsi sont représentés les différents membres du Corps du Christ, ou les différents degrés de l'amour ; d'autres sont appelées brebis ; d'autres sont comptées parmi les troupeaux de ses compagnons ; 8-15 : au milieu de ces troupeaux ne veut pas tomber l'Épouse, comme l'indique un retour au sens historique ; ces compagnons sont-ils les anges pasteurs sous la garde desquels sont placées les nations, et le troupeau de l'Époux est-il ce qu'il appelle ses brebis dans l'Évangile ? l'Épouse a voulu laisser entendre que le troupeau de chacun des compagnons est son épouse ; elle l'a dite couverte d'un voile, persuadée qu'elle est supérieure à toutes ; et elle a raison de s'informer, non auprès des compagnons, mais auprès de l'Époux. 16 : *« Toi qu'a chéri mon âme »*, dit-elle : comme si elle lui donnait un nom nouveau, parce qu'il est « le Fils de la charité », ou mieux, « la Charité qui vient de Dieu » ; 17-23 : le berger et sa brebis ; d'après le psaume 22 ; 24-26 : l'heure de midi ; 27-31 : Abraham au chêne de Mambré ; 32-35 : midi et la sixième heure ; 36-37 : la demande de l'Épouse concerne la plénitude de la science.

4

1 *Annuntia mihi, quem dilexit anima mea, ubi pascis, ubi cubile habes in meridie, ne forte efficiar sicut adoperta super greges sodalium tuorum*[a]. Adhuc sponsa loquitur etiam haec, sed ad sponsum, et non iam ad filias Hierusalem. Igitur ab initio, ubi ait : *Osculetur me*[b] usque ad hunc locum : *Super greges sodalium*, cuncta quae dicta sunt verba sponsae sunt. Sed primo sermo eius ad Deum factus est, secundo ad sponsum, tertio ad adulescentulas, inter quas et sponsum media quaedam et, ut se dramatis huius species habet, quasi mesochorus effecta nunc ad illas, nunc ad ipsum, nunc etiam ad filias Hierusalem respondens dirigit verba.

2 Hos ergo nunc ultimos sermones suos facit ad sponsum requirens ab eo ubi pascat in meridie, ubi collocet gregem, verens ne, dum requirit eum, incurrat in ea loca ubi sodales sponsi collocatos habent per meridiem greges.

3 Ostenditur autem per haec quia sponsus hic etiam pastor sit. In superioribus autem didiceramus eum esse et regem, pro eo sine dubio quod homines regat, pastor est vero pro eo quod oves pascat, sponsus autem pro eo quod habeat sponsam quae cum eo regnet, secundum quod scriptum est : *Adstitit regina a dextris tuis, in vestitu deaurato*[c]. Haec interim continet dramatis ipsius qui est quasi historicus ordo.

a. Cant. 1,7 || b. Cf. Cant. 1,2 || c. Ps. 44,10.

1. Cf. *supra*, I, 5, 5.

4

Le sens historique

1 « Indique-moi, toi qu'a chéri mon âme, où tu fais paître, où tu as ta couche à midi, de peur que d'aventure je ne devienne comme celle qui est couverte d'un voile parmi les troupeaux de tes compagnons[a]. » C'est encore l'Épouse qui dit cela, mais à l'Époux, et non plus aux filles de Jérusalem. Par conséquent, depuis le début où elle disait : « Qu'il me baise[b] » jusqu'à ce passage : « Parmi les troupeaux de tes compagnons », tout ce qui est dit est paroles de l'Épouse. Mais sa parole fut adressée d'abord à Dieu, en second lieu à l'Époux, en troisième aux jeunes filles ; entre celles-ci et l'Époux, sorte d'intermédiaire, et, comme le demande la forme de ce drame, devenue pour ainsi dire le coryphée, maintenant, pour répondre elle adresse ses paroles tantôt à ces jeunes filles, tantôt à l'Époux, tantôt même aux filles de Jérusalem.

2 A présent donc elle adresse ses dernières paroles à l'Époux, lui demandant où il fait paître à midi, où il parque le troupeau, craignant qu'à sa recherche elle ne tombe à l'improviste en ces lieux où les compagnons de l'Époux ont leurs troupeaux parqués à midi.

3 Mais on montre par là que cet Époux est aussi un Berger. Or, nous avions appris plus haut qu'il était encore un Roi[1], sans nul doute parce qu'il règne sur les hommes ; mais il est Berger parce qu'il mène des brebis paître, et d'autre part Époux, parce qu'il a une Épouse qui règne avec lui, comme il est écrit : « La Reine se tient à sa droite, en vêtement paré d'or[c]. » Voilà pour l'instant le contenu de ce qui est pour ainsi dire l'ordre historique du drame lui-même.

4 Nunc autem requiramus intelligentiam mysticam et, si oportet praevenire paululum ea quae in posterioribus referenda sunt, quo quis sit affectus horum sodalium pateat, memoremus illud quod scriptum est, quia *reginae*
135 *sunt* | *sexaginta*, sed ex his omnibus *una sit columba* et *una perfecta*[d] ac particeps regni, ceterae vero iam inferiores sunt, quae *octoginta* appellantur *concubinae*; *adulescentulae* autem *quarum numerus nullus est*[e], post ordinem *concubinarum* ponuntur.

5 Istae autem omnes differentiae eorum sunt qui in Christo credentes diversis ei affectibus sociantur, ut, verbi gratia, dicamus omnem ecclesiam per aliam figuram *corpus* esse *Christi*[f], sicut Apostolus dicit, in quo *corpore diversa membra* pronuntiat et alios esse *oculos*, alios vero *manus*, alios etiam *pedes* et singulos pro operum suorum studiorumque meritis in *membra corporis* huius[g] aptari.

6 Secundum hanc ergo speciem etiam haec intelligenda sunt et alias quidem animas putandum est in hoc sponsali dramate, quae magnificentiore affectu sponso atque illustriore sociantur, apud eum *reginarum* loco et affectu haberi, alias, quarum inferior sine dubio in profectibus et virtutibus honor est, *concubinarum* loco duci et alias (1 *adulescentularum*, quae videntur extra aulam quidem positae, non tamen extra urbem regiam, posteriores vero et post omnes quae supra memoratae sunt, esse eas animas quae *oves*[h] appellantur.

7 Si vero perspiciamus attentius, adhuc fortasse etiam harum omnium inveniemus inferiores alias et ultimas

d. Cant. 6,8-9 || e. Cant. 6,8 || f. Cf. I Cor. 12,27 || g. Cf. I Cor. 12,12s. || h. Cf. Matth. 9,36.

L'intelligence mystique

4 Mais recherchons maintenant l'intelligence mystique ; et s'il faut anticiper un peu sur ce qu'on doit reporter à plus tard pour que soit claire la disposition de ces compagnons, rappelons ce qui est écrit : « Il y a soixante reines », mais d'elles toutes « une seule est colombe », « une seule parfaite[d] » et partage la royauté ; mais il y en a d'autres déjà, d'un rang inférieur, les « quatre-vingts » qu'on appelle « concubines » ; en outre, « des jeunes filles sans nombre[e] » sont placées après le rang des « concubines ».

Les degrés d'amour

5 Or elles toutes, elles sont les différentes classes de ceux qui, croyant au Christ, lui sont unis en dispositions diverses au point que, prenant une autre image, nous disons par exemple : toute l'Église est « le Corps du Christ[f] », suivant l'Apôtre ; en ce corps, déclare-t-il, « il y a divers membres » : les uns sont « les yeux », les autres les mains, d'autres encore « les pieds », et chacun en raison des mérites de ses fonctions et de ses œuvres fait partie des « membres de ce corps[g] ».

6 C'est donc sous cet aspect qu'on doit encore comprendre ces passages : il faut penser que dans ce drame nuptial, des âmes qui sont unies à l'Époux d'un sentiment plus noble et plus clair jouissent auprès de lui du rang et de l'affection des « reines » ; d'autres, qui ont sans nul doute moins d'éclat dans leurs progrès et leurs vertus, sont mises au rang de « concubines », et d'autres à celui de « jeunes filles », dont la place semble bien être hors de la cour, non toutefois hors de la ville royale ; enfin, bonnes dernières, et après toutes celles qu'on a mentionnées plus haut, sont ces âmes qu'on appelle « brebis[h] ».

7 Mais si nous regardons avec plus d'attention, nous en trouverons peut-être encore d'autres inférieures même à

omnium, illas scilicet quae in *sodalium* eius *gregibus* numerantur.

8 Et ipsi enim habere greges quosdam dicuntur, in quos non vult sponsa incurrere ; et ob hoc petit ab sponso ut *annuntiet sibi ubi pascat, ubi meridiem faciat, ne forte*, inquit, *efficiar sicut adoperta super greges sodalium tuorum*[i].

9 Quaeritur ergo, *sodales* isti, qui habere quosdam greges dicuntur, utrum sponso operam dantes et sub ipso velut *pastorum principe*[j] agentes hoc faciant, quoniamqui-
136 dem *sodales* eius nominantur, an proprium | aliquid et sequestratum habere cupientes et quod non sit cum animo sponsi, quoniamquidem refugit sponsa et veretur, ne forte incurrat sodalium greges, dum sponsum suum requirit.

10 Sed et quod dixit : *Ne forte efficiar* non adoperta, sed *sicut adoperta*, require ne forte ostendat per haec esse aliquam vel aliquas sodalium quasi sponsas habentes etiam ipsas habitum sponsalem et esse adopertas et, sicut Apostolus dicit, *velamen habentes super caput*[k].

11 Et ut manifestior sermonis huius species fiat, iterum quasi dramatis ordine quod dicitur exsequamur. Exposcit ab sponso suo sponsa ut ei locum secreti sui indicet et quietis, quoniamquidem amoris impatiens etiam per meridiem cupit adire sponsum, eo praecipue tempore quo clarior lux et splendor diei perfectus et purus est, ut assistat ei oves pascenti vel refrigeranti ; et studiose vult

i. Cant. 1,7 || j. Cf. I Pierre 5,4 || k. Cf. I Cor. 11,10.

1. Origène se plaît à ce genre de gradation, surtout d'après les énumérations bibliques. Voir, entre autres, la distinction, parmi les chrétiens, des hommes de Dieu, des brebis de Dieu, des animaux purs et des animaux impurs, *HomLév.* III, 3, 75, fin.

celles-là et les dernières de toutes[1], celles qui sont comptées parmi « les troupeaux de ses compagnons ».

Les compagnons de l'Époux

8 Car eux-mêmes aussi ont des troupeaux, dit-on, sur lesquels l'Épouse ne veut pas tomber à l'improviste ; c'est pourquoi elle demande à l'Époux de lui « indiquer où il fait paître, où il fait la pause de midi, de peur, dit-elle, que d'aventure je ne devienne comme celle qui est couverte d'un voile, parmi les troupeaux de tes compagnons[i] ».

9 On cherche donc si ces « compagnons », que l'on dit possesseurs de « troupeaux », font ce travail en donnant leurs services à l'Époux et en agissant sous ses ordres, comme il est « le Chef des bergers[j] », puisqu'on les appelle ses « compagnons » ; ou s'ils le font dans le désir d'avoir quelque chose en propre et à part et qui ne soit pas conforme à la volonté de l'Époux, puisque l'Épouse les fuit et craint de tomber à l'improviste sur les troupeaux des compagnons, pendant qu'elle recherche son Époux.

10 De plus, quant à dire : « Pour que d'aventure je ne devienne », non pas celle qui est couverte d'un voile, mais « comme celle qui est couverte d'un voile », demande-toi si par hasard elle ne montre point par là qu'il y a une ou plusieurs soi-disant épouses des compagnons qui ont aussi elles-mêmes une mise d'épouse et sont « couvertes d'un voile » et, comme dit l'Apôtre, « ayant un voile sur la tête[k] ».

Retour au sens historique

11 Et pour rendre plus clair ce que fait voir cette parole, exposons de nouveau ce qui est dit, suivant l'ordre de cette manière de drame. L'Épouse demande à son Époux de lui indiquer le lieu de sa retraite et de son repos : parce qu'elle est incapable de résister à son amour, elle désire aller vers l'Époux même à midi, juste au moment où la lumière du jour est plus brillante et la splendeur du jour parfaite et pure, pour être près de lui quand il fait paître

viam discere qua ire ad eum debeat, ne forte, si non fuerit edocta itineris huius anfractus, incurrat in greges sodalium et videatur similis esse alicui illarum quae adopertae veniunt ad sodales eius nec pudoris curam gerunt aut verentur passim discurrere et multis apparere. Ego autem, quae a nullo, inquit, alio videri volo, nisi a te solo, scire desidero quo ad te itinere veniam, ut secretum sit, ut nemo sit medius, ut nullus arbiter peregrinus et alienus occurrat.

12 Et forte ob hoc requirit loca ista in quibus pascit sponsus oves suas et ostendit ei verecundiam suam, pro qua non vult incurrere greges sodalium, ut ille segreget oves suas a sodalibus et seorsum pascat, ut non solum sponsa non videatur ab aliis, sed et arcanis et ineffabilibus mysteriis sponsi secretius perfruatur.

13 Nunc ergo iam videamus per singula. Et primo quidem vide si possumus dicere quod Dominus, cuius *portio erat Iacob et funiculus hereditatis eius Istrahel*[l], ipse intelligendus sit sponsus, sodales vero eius angeli illi ad quorum numerum, *Cum divideret Excelsus gentes et dispergeret filios Adam, statuit terminos gentium secundum numerum*, ut ait, *angelorum Dei*[m], et isti sint fortassis *greges sodalium* sponsi, gentes scilicet cunctae, quae velut pecora sub angelis pastoribus constitutae | sunt, grex vero sponsi illae dicantur, de quibus ipse in evangelio dicit : (12 137

l. Deut. 32, 9 || m. Deut. 32, 8.

1. Le *funiculus* est le cordeau dont se sert l'arpenteur pour délimiter une propriété. Il s'agit donc ici de la part d'héritage délimitée par le cordeau.

2. Ce passage de *Deut.* 32, 8-9 est le point de départ du thème bien connu des anges des nations. Notons seulement ici une hésitation d'Origène à caractériser ces anges. Tantôt ce sont de bons anges, bien qu'ils aient des difficultés à imposer leur volonté à leurs peuples ; ils sont figurés par les bergers de Noël, heureux de voir naître celui qui leur rendra leur autorité, *HomLc* XII, 3 et 5. Tantôt ce sont de mauvais anges, les princes de ce monde que Paul accuse d'avoir crucifié le

ses brebis ou se repose. Elle veut ardemment savoir la route par où elle doit aller vers lui, de peur que d'aventure, faute d'être renseignée sur les détours de ce chemin, elle ne tombe à l'improviste sur les troupeaux des compagnons et ne paraisse semblable à l'une de celles qui viennent couvertes d'un voile vers ses compagnons, sans souci de la pudeur, ou sans crainte de courir çà et là et de se produire à tout venant. Mais moi, dit-elle, qui ne veux être vue par nul autre que toi seul, je désire savoir par quel chemin venir à toi, pour que cela reste secret, qu'il n'y ait personne entre nous, qu'il ne survienne aucun témoin vagabond et étranger.

12 Et peut-être s'enquiert-elle de ces lieux où l'Époux fait paître ses brebis, et lui manifeste-t-elle sa pudeur qui l'empêche de vouloir tomber à l'improviste sur les troupeaux de ses compagnons, pour qu'il sépare ses brebis de celles de ses compagnons et les fasse paître à l'écart, afin que l'Épouse non seulement échappe aux regards des autres, mais encore jouisse d'une manière plus intime des mystères cachés et ineffables de l'Époux.

Troupeau de l'Époux, troupeaux des compagnons

13 Ici donc, maintenant, voyons dans le détail. Et d'abord, vois si nous pouvons dire que le Seigneur, dont « le lot était Jacob, et la part[1] de son héritage Israël[l] », est à comprendre lui-même comme l'Époux ; et ses compagnons, comme ces anges selon le nombre desquels le Très Haut, « quand il divisa les nations et dispersa les fils d'Adam, fixa les frontières des nations » — comme il est dit, « d'après le nombre des anges de Dieu[m] » — ; et qu'ils sont peut-être « les troupeaux des compagnons » de l'Époux, à savoir toutes les nations qui ont été placées comme des troupeaux sous la garde des anges bergers[2], tandis qu'on appelle le troupeau de l'Époux ceux dont lui-même dit dans l'Évan-

Seigneur de majesté, *PArch.* III, 3, 2 (citant *I Cor.* 2, 6.8) ; voir la note 15 *ad loc.*, *SC* 269, p. 75.

Oves meae vocem meam audiunt[n]. Vide enim et observanter intende, quoniam dicit : *Oves meae*, quasi sint et aliae oves, quae non sint eius, sicut et ipse in aliis dicit : *Vos non estis de ovibus meis*[o]. Quae singula utique huic occulto mysterio convenienter videbantur aptari.

14 Quod si haec ita se habent, competenter et sponsa uniuscuiusque sodalium gregem sponsam eius intelligi voluit, quam *adopertam*[p] nominavit. Sed quoniam certa erat quod super omnes illas ipsa esset, non vult similis videri alicui illarum, utpote quae sciret tantum se debere praecellere illas sodalium sponsas, vel, ut sponsa nominat, adopertas, quantum eminentiae sponsus suus habeat ad sodales.

15 Sed et pro hoc adhuc videbitur percontandi causas habuisse, quoniamquidem boni pastoris scit esse studium, ut optima ovibus pascua requirat et ut viridantia atque opaca quaeque nemora ad requiem meridiani aestus inveniat, quod sodales sponsi facere nesciant nec in eligendis pascuis aut scientiae tantum aut sollicitudinis gerant ; et ob hoc dicit : *Annuntia mihi, ubi pascis, ubi cubile habes in meridie*, cupiens scilicet tempus illud quo copiosius mundo lumen infunditur, quo merus est dies et purior ac florulentior lux.

16 *Tunc*, inquit, *enuntia mihi, o tu, quem dilexit anima mea, ubi pascis, ubi cubile habes in meridie, ne forte efficiar sicut adoperta super greges sodalium tuorum*[q]. Novo nunc nomine sponsa appellavit sponsum. Sciens enim ipsum esse Filium caritatis, immo ipsum esse *caritatem, quae ex Deo est*[r], quasi vocabulum ei istud posuit : *quem dilexit anima*

n. Jn 10,27 || o. Jn 10,26 || p. Cf. Cant. 1,7 || q. Cant. 1,7 || r. Cf. I Jn 4,7.

1. «Je cherche ce temps-là où, dans la splendeur du jour, tu te trouves en pleine lumière dans l'éclat de ta majesté», *HomCant.* I, 8.
2. Cf. *supra*, Prol. 2, 30 et 48 ; *infra*, III, 10, 7.

gile : « Mes brebis écoutent ma voix [n]. » Vois en effet et note avec attention qu'il dit « mes brebis », comme s'il y avait aussi d'autres brebis qui ne sont pas à lui, ainsi que lui encore le dit ailleurs : « Vous n'êtes pas de mes brebis [o]. » Chacun de ces traits semblait bien s'appliquer harmonieusement à ce mystère caché.

14 S'il en est ainsi, c'est avec raison que l'Épouse a voulu laisser entendre que le troupeau de chacun des compagnons est pour lui une épouse qu'elle a décrite « couverte d'un voile [p] ». Mais, comme elle était persuadée d'être supérieure à elles toutes, elle ne veut pas avoir l'air de ressembler à l'une d'elles : car elle sait qu'elle doit dépasser ces épouses des compagnons, ou, comme dit l'Épouse, celles qui sont couvertes d'un voile, dans la mesure de la supériorité qu'a son Époux sur ses compagnons.

15 De plus, il semblera qu'elle ait encore à ce sujet des raisons de s'informer. Car elle sait que le zèle d'un bon berger est de chercher pour ses brebis les meilleurs pâturages et de leur trouver chaque fois les forêts vertes et ombragées pour le repos de la chaleur de midi ; les compagnons de l'Époux ne savent pas le faire et, dans le choix des pâturages, ne font pas preuve d'autant de savoir ou de sollicitude ; et c'est pourquoi elle dit : « Indique-moi où tu fais paître, où tu as ta couche à midi », désirant bien sûr cette heure où la lumière se répand à flots sur le monde, où le jour est pur, et la lumière plus limpide et plus radieuse [1].

« Toi qu'a chéri mon âme »

16 « Alors, dit-elle, indique-moi, ô toi qu'a chéri mon âme, où tu fais paître, où tu as ta couche à midi, de peur que d'aventure je ne devienne comme celle qui est couverte d'un voile parmi les troupeaux de tes compagnons [q]. » Ici, l'Épouse appela l'Époux d'un nom nouveau. Car, sachant qu'il est lui-même le Fils de la Charité, bien mieux [2], qu'il est lui-même « la Charité qui est de Dieu [r] », elle lui a donné cette sorte d'appellation : « celui qu'a chéri

mea. Et tamen non dixit : quem dilexi, sed *quem dilexit anima mea*, sciens non qualicumque dilectione, sed *ex tota* 138 *anima et ex totis viribus et ex toto corde*[s] ha|bendam esse dilectionem sponsi.

17 *Ubi*, inquit, *pascis et ubi cubile habes*[t]. Puto autem quod et propheta, de hoc loco quem nunc sponsa discere ab sponso desiderat et audire, etiam ipse sub eodem positus pastore dicat : *Dominus regit me* — sive ut in aliis legimus : *Dominus pascit me — et nihil mihi deerit*[u].

18 Et quoniam sciebat alios pastores vel ignavia vel imperitia faciente greges in locis aridioribus collocare, de hoc optimo pastore Domino dicit : *In loco viridi, ibi me collocavit; super aquam refectionis educavit me*[v], ostendens pastorem hunc non solum abundantes aquas ovibus suis, sed et salubres ac puras, et quae per omnia reficiant, providere.

19 Sed quoniam ab hoc statu quo ut ovis sub pastore deguerat conversus ad rationabilia et celsiora profecit (121 idque adeptus est per conversionem, subiungit et dicit : *Animam meam convertit; deduxit me super semitas iustitiae propter nomen suum*[w].

20 Hinc vero quoniamquidem in hoc profecerat, ut *iustitiae* incederet *vias*, iustitia autem habet sine dubio impugnantem se iniustitiam et necesse est eum qui iustitiae iter incedit habere pugnas adversantium, fide

s. Cf. Lc 10, 27 || t. Cant. 1, 7 || u. Ps. 22, 1 || v. Ps. 22, 2 || w. Ps. 22, 3.

---

1. L'auteur du psaume 22 ; lequel a tenu, aux premiers siècles, une grande place dans la catéchèse baptismale et la cérémonie du baptême, cf. J. Daniélou, « Le psaume XXII et l'initiation chrétienne », dans *Maison-Dieu* 23 (1950), p. 54-69.

2. Le terme ὁδήγησε (« me guide ») figure dans certaines éditions de la Septante : la Vulgate traduit par *regit me*. L'autre terme, ποιμαίνει (« me fait paître »), s'y trouve également (codex *Alexandrinus*).

mon âme». Toutefois, elle n'a pas dit : «celui que j'ai chéri», mais «celui qu'a chéri mon âme», persuadée qu'elle doit chérir son Époux, non pas d'une tendresse quelconque, mais «de toute son âme, de toutes ses forces, de tout son cœur[s]».

Le Berger et sa brebis

17 «Où fais-tu paître, dit-elle, et où as-tu ta couche[t]?» Or je pense, que c'est à propos de ce lieu dont maintenant l'Épouse désire entendre parler et être informée par l'Époux, que le prophète aussi[1], placé sous la garde du même berger, déclare lui-même : «Le Seigneur me guide» — ou comme nous lisons chez d'autres : «Le Seigneur me fait paître[2] — et rien ne me manquera[u]».

18 Et parce qu'il savait que les autres bergers, sous l'effet de la paresse ou de l'inexpérience, parquaient leurs troupeaux dans des lieux plus arides, il dit du Seigneur, ce berger parfait : «Dans un lieu verdoyant il m'a parqué ; il m'a conduit vers une eau qui réconforte[v]», montrant que ce berger pourvoit ses brebis d'eaux non seulement abondantes, mais encore saines et pures, qui les restaurent entièrement.

19 Mais, parce qu'il s'est détourné de cet état où il vivait comme une brebis sous un berger et a fait des progrès vers les biens spirituels et plus élevés, et parce qu'il a obtenu cela par la conversion, il ajoute : «Il a converti mon âme ; il m'a conduit sur les sentiers de la justice, à cause de son nom[w].»

20 Mais puisqu'il avait progressé de là au point de marcher sur «les sentiers de la justice», et que la justice a sans nul doute l'injustice comme adversaire — et qu'il est nécessaire que celui qui marche par le sentier de la justice ait à combattre des adversaires —, confiant dans la foi et

confisus et spe dicit de iis : *Nam et si ambulem in medio umbrae mortis, non timebo mala, quoniam tu mecum es*[x].

21 Post haec vero, quasi gratias referens ei qui se pastoralibus imbuerat disciplinis : *Virga*, inquit, *tua et baculus tuus* — quibus institutus videor ad pastoris officium — *ipsa me consolata sunt*[x].

22 Hinc vero, ubi se a pastoralibus videt pascuis ad rationabiles cibos et mystica secreta translatum, addit et dicit : *Parasti in conspectu meo mensam adversus eos qui tribulant me; impinguasti in oleo caput meum, et poculum tuum inebrians quam praeclarum est. Et misericordia tua subsequetur me omnibus diebus vitae meae, ut inhabitem in domo Domini in longitudinem dierum*[y].

23 Illa ergo prima, id est pastoralis, institutio initiorum fuit, ut *in loco viridi collocatus super aquam refectionis educaretur*[z]. Haec vero quae sequuntur de profectibus et perfectione referuntur.

24 Et quoniam de pascuis et viriditate proposuimus, 139 conveniens | videtur etiam de evangeliis confirmare quae dicimus. Inveni etiam ibi pastorem hunc bonum de pascuis ovium disserentem, ubi ad hoc quod pastorem se profitetur[aa] etiam ostium se commemorat et dicit : *Ego sum ostium; per me si quis introierit, salvabitur, et ingredietur et egredietur, et pascua inveniet*[ab].

25 Hunc ergo etiam nunc sponsa percontatur, ut ab eo audiat et discat in quibus pascuis oves agat, vel in quibus amoenitatibus meridianos procuret aestus, *meridiem* appellans illa scilicet cordis secreta, quibus clariorem scientiae lucem a Verbo Dei anima consequitur; hoc enim tempus est quo sol celsiorem circuitus sui verticem tenet. Si

x. Ps. 22,4 || y. Ps. 22,5-6 || z. Cf. Ps. 22,2 || aa. Cf. Jn 10,11 || ab. Jn 10,9.

l'espérance, il dit à leur propos : « Et même si je marche au milieu de l'ombre de la mort, je ne craindrai aucun mal, car tu es avec moi[x]. »

21 Ensuite, comme s'il témoignait sa reconnaissance à celui qui l'avait formé aux pratiques de bergers, il dit : « Ton bâton et ta houlette » — par lesquels je parais formé à la charge de berger —, « voilà mon réconfort[x] ».

22 Puis, quand il se voit conduit des pâturages de bergers aux nourritures spirituelles et aux secrets mystiques, il ajoute : « Tu as dressé devant moi une table face à ceux qui m'oppressent ; tu as oint d'huile ma tête ; et ta coupe enivrante, comme elle est splendide ! Oui, ta miséricorde m'accompagnera tous les jours de ma vie, pour que j'habite dans la maison du Seigneur à longueur de jours[y] ».

23 Cette formation première, à savoir pastorale, fut celle des commencements, afin que, « parqué dans un lieu verdoyant, il soit conduit vers des eaux qui réconfortent[z] ». Mais la suite concerne les progrès et la perfection.

L'heure de midi

24 Et puisque nous avons évoqué les prairies et la verdure, il semble opportun de confirmer encore nos propos par les Évangiles. J'y ai trouvé ce bon Berger parlant des pâturages des brebis : quand, à sa déclaration qu'il est le Berger[aa], il rappelle aussi qu'il est la Porte et dit : « Je suis la Porte. Par moi, si quelqu'un entre, il sera sauvé, et il entrera et il sortira, et il trouvera des pâturages[ab]. »

25 C'est donc bien lui que l'Épouse questionne à présent pour entendre et apprendre de lui dans quels pâturages il mène ses brebis ; ou dans quels endroits agréables il tempère les chaleurs de midi, appelant « midi », bien sûr, ces lieux secrets du cœur où l'âme obtient du Verbe de Dieu une plus brillante lumière de science ; c'est en effet l'heure où le soleil atteint le point le plus haut de son cours. Et

quando ergo et *sol iustitiae*[ac] Christus ecclesiae suae excelsa et ardua virtutum suarum secreta manifestat, amoena eam pascua cubiliaque meridiana videbitur edocere.

26 Nam cum adhuc initia habet discendi et prima, ut ita dicam, ab eo scientiae suscipit rudimenta, tunc dicit propheta : *Et adiuvabit eam Deus mane diluculo*[ad]. Nunc ergo quia perfectiora iam quaerit et celsiora desiderat, meridianum scientiae lumen exposcit.

27 Hinc puto et Abrahae post multas eruditiones, quibus apparens ei Deus imbuit eum de singulis et edocuit, post haec refertur quia *visus sit ei Deus ad quercum Mambre sedenti ad ostium tabernaculi sui meridie. Et respiciens*, inquit, *oculis suis vidit; et ecce, tres viri stabant super eum*[ae].

28 Quod si credimus haec per Spiritum sanctum scripta, non puto frustra placuisse divino Spiritui ut etiam tempus (122) et hora visionis Scripturae paginis mandaretur, nisi et horae istius et temporis ratio aliquid conferret ad scientiam *filiis Abrahae*, quibus utique sicut *opera Abrahae facienda*[af], ita et visitationes istae sperandae sunt. Qui enim potest dicere : *Nox praecessit, dies autem appropinquavit; sicut in die honeste ambulemus, non in comessationibus et ebrietatibus, non in cubilibus et impudicitiis, non in contentione et aemulatione*[ag], cum haec omnia transierit, 140 supergressus vi|debitur tempus hoc, quod *nox praecessit et*

ac. Cf. Mal. 4, 2 (3, 20) || ad. Ps. 45, 6 || ae. Cf. Gen. 18, 1-2 || af. Cf. Jn 8, 39 || ag. Rom. 13, 12-13.

1. « Trois hommes viennent auprès d'Abraham à midi, deux auprès de Lot le soir, car Lot ne recevait pas la grande lumière de midi, mais Abraham fut capable de recevoir le plein éclat de la lumière », *HomGen.* IV, 1. Cf. déjà PHILON, *Quaest. Gen.* IV, 30.

donc, si parfois le Christ, «Soleil de justice[ac]», manifeste à son Église les éminents et sublimes secrets de ses vertus, il semblera lui découvrir d'agréables pâturages et des lieux où on se couche à midi.

26 Car lorsqu'elle en est encore aux commencements de son instruction et qu'elle reçoit de lui, pour ainsi dire, les premiers rudiments de la science, le prophète dit alors : «Et Dieu la secourra le matin, au lever du jour[ad].» Mais parce qu'elle recherche à présent des biens plus parfaits et désire des réalités supérieures, elle demande la lumière de midi de la science.

Abraham au chêne de Mambré

27 De là vient, je suppose, que c'est après plusieurs instructions à Abraham, par lesquelles Dieu, lui apparaissant, l'initia et le forma dans le détail, qu'ensuite, rapporte-t-on, «Dieu lui apparut au chêne de Mambré, comme il était assis à l'entrée de sa tente, à midi. Et, tournant la tête, il vit de ses yeux ; et voici : trois hommes se tenaient debout près de lui[ae]».

28 Si nous croyons ce texte écrit par l'Esprit Saint, ce n'est pas en vain, je pense, qu'il a plu au divin Esprit de confier aux pages de l'Écriture même le temps et l'heure de la vision, si la signification de cette heure et de ce temps n'apportait quelque chose à la science des «fils d'Abraham» : lesquels, certes, de même qu'ils «doivent accomplir les œuvres d'Abraham[af]», de même aussi doivent espérer ces visites[1]. Car celui qui peut dire : «La nuit est avancée, le jour est tout proche ; comme en plein jour, conduisons-nous dignement, sans ripailles ni orgies, sans coucheries ni débauches,. sans querelle ni jalousie[ag]», celui-là, puisque tout cela aura pris fin, semblera avoir franchi ce temps où «la nuit est avancée et le jour est tout

dies appropinquavit, et festinare non ad initium diei, sed ad meridiem, ut et ipse ad gratiam perveniat Abrahae.

29 Si enim lux, quae in ipso est, mentis et puritas cordis clara fuerit et splendida, iste meridianum tempus in semet ipso habere videbitur ; et per hanc puritatem cordis quasi in meridie positus Deum videbit *sedens ad quercum Mambre*[ah], quod interpretatur a visione. Apud visionem ergo *sedet in meridie*, qui vacat ad videndum Deum.

30 Inde denique non dicitur intra tabernaculum, sed foris *ad ostium sedere tabernaculi*. Foris enim est et extra corpus posita mens eius qui longe est a corporalibus cogitationibus, longe a carnalibus desideriis, et ideo ab his omnibus foris positum visitat Deus.

31 Eiusdem quoque mysterii est, quod et Joseph, fratres suos cum suscepisset in Aegypto, *meridie* eos pascit et *in meridie adorant eum cum muneribus*[ai].

32 Propterea denique puto et de his quae Iudaei in Salvatorem commiserunt nullum evangelistarum voluisse scribere, quia meridie haec gesta sint ; cum utique *sexta hora* non aliud quam meridianum tempus ostendat, nullus tamen meridiem nominavit. Sed Matthaeus quidem ita dicit : *Ab hora autem sexta tenebrae factae sunt super omnem terram usque in horam nonam*[aj] ; Lucas vero : *Erat iam quasi hora sexta et tenebrae factae sunt super omnem terram usque in horam nonam deficiente sole*[ak] ; sed et Marcus : *Cum autem esset facta hora sexta, tenebrae factae sunt super omnem terram usque in horam nonam*[al].

ah. Cf. Gen. 18, 1 s. || ai. Cf. Gen. 43, 16.25 || aj. Matth. 27, 45 || ak. Lc 23, 44 || al. Mc 15, 33.

1. Cf. *SelGen*. 25, 1 ; *HomGen*. IV, 3 ; et aussi PHILON, *Migr*. 165.
2. On divisait le jour, sans y comprendre la nuit, en douze heures ; la sixième était donc midi.

proche», et se hâter, non vers le commencement du jour, mais vers midi, afin de parvenir lui aussi à la grâce d'Abraham.

29 Car si la lumière — qui est en lui — de son intelligence et la pureté de son cœur sont claires et radieuses, il semblera avoir en lui le temps de midi ; et grâce à cette pureté de cœur, comme situé à l'heure de midi, il verra Dieu, étant lui-même «assis au chêne de Mambré[ah]», mot qui veut dire : venant de la vision[1]. Donc, près de la vision est assis à midi celui qui consacre du temps à voir Dieu.

30 C'est au fond pour cela que l'on dit qu'il est assis, non point dans la tente, mais au-dehors, «à l'entrée de la tente». Elle est en effet dehors, et située hors de son corps, l'intelligence de celui qui se tient loin des pensées corporelles, loin des désirs charnels, et c'est parce qu'il est situé hors de tout cela que Dieu le visite.

31 Se rapporte encore au même mystère le fait que Joseph aussi, après avoir reçu ses frères en Égypte, les nourrit «à midi», et qu'«à midi, ils se prosternent devant lui avec des présents[ai]».

Midi et la sixième heure

32 Enfin c'est pour cette raison, je pense, qu'au sujet encore des méfaits que les Juifs ont commis contre le Sauveur, aucun des évangélistes n'a voulu écrire qu'ils eurent lieu à midi. Bien que la sixième heure ne signifie évidemment pas autre chose que midi[2], aucun pourtant n'a écrit le nom de midi. Matthieu s'exprime ainsi : «Or dès la sixième heure, il y eut des ténèbres sur toute la terre jusqu'à la neuvième heure[aj].» Et Luc : «C'était déjà environ la sixième heure, et il y eut des ténèbres sur toute la terre jusqu'à la neuvième heure, le soleil ayant disparu[ak].» Enfin Marc : «Or comme c'était la sixième heure, il y eut des ténèbres sur toute la terre jusqu'à la neuvième heure[al].»

33 Unde apparet quoniam in visitatione quidem Abrahae et in convivio patriarcharum apud Ioseph non indigebat ut tempus istud sub nomine sexti numeri signaretur, sed ut meridies diceretur. Volebat enim sponsa, quae iam tunc in illis adumbrabatur, discere *ubi pasceret* sponsus et *ubi haberet cubile*, et ideo *meridiem* nominat.

34 Evangelistae vero in his quae narrabant non meridianum tempus, sed *horae sextae* numerum requirebant, ad enarrandum scilicet sacrificium | hostiae eius quae oblata est in die Paschae pro redemptione hominis, qui in *die sexta*[am] formatus est a Deo, posteaquam *produxit terra animam vivam secundum genus, quadrupedia et repentia et bestias terrae*[an].

141

35 Ob hoc igitur in praesenti loco illuminari sponsa desiderat pleno scientiae lumine, ne per imperitiam errans in aliquo similis efficiatur illis doctorum scholis, quae non per ipsam Dei Sapientiam, sed per sapientiam mundi vel *principum huius mundi* exercentur.

(12

36 Hoc enim et Apostolus dicere videtur in eo ubi ait quia : *Loquimur Dei Sapientiam in mysterio absconditam, quam nemo principum huius saeculi cognovit*[ao]. Et iterum haec eadem significat, cum dicit : *Non enim spiritum huius mundi accepimus, sed Spiritum qui ex Deo est, ut sciamus quae a Deo donata sunt nobis*[ap].

am. Cf. Gen. 1, 26-31 || an. Cf. Gen. 1, 24 || ao. Cf. I Cor. 2, 7-8 || ap. I Cor. 2, 12.

1. Pâque, époque du triduum pascal, de la Passion du Christ, du vendredi saint. Le terme évoquait plutôt la Passion, selon la fausse étymologie rattachant le mot à πάσχειν.

33 D'où il ressort que dans la visite à Abraham et dans le banquet des patriarches chez Joseph, il n'y avait pas besoin que ce temps fût indiqué par l'appellation du nombre six, mais qu'on l'appelle midi. Car l'Épouse, qui en eux était déjà préfigurée alors en ombre, voulait savoir où l'Époux «faisait paître» et «où il avait sa couche», et c'est pourquoi elle emploie le nom de «midi».

34 Mais les évangélistes, dans leur récit, ne s'occupaient pas du temps de midi, mais du nombre de «la sixième heure», évidemment pour rappeler le sacrifice de cette victime qui fut offerte au jour de Pâques[1] pour la rédemption de l'homme, qui fut formé par Dieu «le sixième jour[am]», après que «la terre eut produit des êtres vivants selon leur espèce : quadrupèdes, reptiles et bêtes de la terre[an]».

La demande de l'Épouse

35 Voilà donc pourquoi, dans le présent passage, l'Épouse désire être illuminée de la pleine lumière de la science, de peur qu'errant par ignorance, elle ne devienne semblable en quelque point à ces écoles de docteurs où l'on se forme non par la sagesse même de Dieu, mais par la sagesse du monde[2] ou «des princes de ce monde».

36 C'est en effet ce que semble déclarer aussi l'Apôtre quand il dit : «Nous parlons d'une sagesse de Dieu, cachée dans le mystère, que nul des princes de ce siècle n'a connue[ao].» Et de nouveau il donne la même indication quand il dit : «Car nous n'avons pas reçu l'esprit de ce monde, mais l'Esprit qui vient de Dieu, pour connaître ce que Dieu nous a donné[ap].»

2. Sur «la sagesse de ce monde» et «la sagesse des princes de ce monde», qui recouvre entre autres choses la philosophie grecque, voir surtout *«De triplici sapientia», PArch.* III, 3, 1.

37 Ob hoc ergo requirit sponsa Christi meridiana cubilia et plenitudinem scientiae poscit a Deo, ne videatur esse sicut una ex philosophorum scholis, quae *adoperta* nominatur pro eo quod plenitudo veritatis apud eos tecta est et adoperta. Sponsa autem Christi dicit : *Nos autem revelata facie gloriam Dei speculamur*[aq].

aq. II Cor. 3, 18.

37 Voilà donc pourquoi l'Épouse du Christ recherche les endroits où l'on a sa couche à midi et demande à Dieu la plénitude de la science, afin de ne pas sembler être comme l'une des écoles de philosophie qui est dite «couverte d'un voile», du fait que chez eux la plénitude de la vérité est cachée et couverte d'un voile. Mais l'Épouse du Christ dit : «Nous au contraire, le visage dévoilé, nous contemplons la gloire de Dieu [aq].»

Chapitre 5

Se connaître soi-même

Cant. 1, 8 : *Si tu ne te connais pas,*
ô bonne — ou belle — entre les femmes,
sors sur les traces des troupeaux
et fais paître tes boucs près des tentes des bergers

1-5 : Avertissement sévère ; 6 : application au Christ et à l'Église, c'est-à-dire aux âmes des croyants ; 7 : l'âme doit se connaître de deux manières ; 8-15 : soit dans ses dispositions et ses passions ; 16-17 : sinon plane sur elle la menace d'expulsion et règne pour elle l'agitation ; 18-35 : soit d'une connaissance plus profonde et plus difficile, celle de la Trinité, en second lieu celle d'elle-même dans sa substance, son origine, sa relation à son corps et aux esprits, ses progrès impérativement exigés ; 36-40 : ce que confirme l'Écriture.

5

★ **1** *Nisi cognoveris te, o bona* — sive *pulchra* — *inter mulieres, egredere tu in vestigiis gregum, et pasce haedos tuos in tabernaculis pastorum*[a]. Unius ex septem, quos apud Graecos singulares in sapientia fuisse fama concelebrat, haec inter cetera mirabilis fertur esse sententia, qua ait : Scito te ipsum, vel Cognosce te ipsum.

2 Quod tamen Solomon, quem praecessisse omnes hos tempore et sapientia ac rerum scientia in praefatione nostra docuimus, ad animam quasi ad mulierem sub comminatione quadam loquens dicit : *Nisi cognoveris temet ipsam, o pulchra inter mulieres*, et agnoveris pulchritudinis tuae causas inde descendere, quod *ad imaginem Dei facta es*[b], per quod inest tibi plurimum naturalis decoris, et 142 agnoveris quam pulchra eras ex initio, | quamvis et nunc iam praecellas ceteras mulieres et *pulchra inter* eas sola dicaris, tamen *nisi te ipsam cognoveris* quae sis — non enim ex comparatione inferiorum volo bonam videri pulchritudinem tuam, sed ex eo ut tibi ipsi et decori tuo collata atque exaequata respondeas —, quod nisi feceris, iubeo te exire et in ultimis gregum vestigiis collocari et non iam

a. Cant. 1,8 || b. Cf. Gen. 1,27.

---

1. La traduction de l'hébreu est moins simple. Elle donnerait : «Puisque tu l'ignores (*quoniam* non nosti)». Encore est-ce omettre l'emploi d'un *dativus commodi*, selon Joüon, p. 138. Ce datif, le seul à le traduire est Chouraqui : «Si *pour toi* tu ne le sais.» Origène lit la Septante, influencée par la culture hellénique dont les traducteurs alexandrins étaient pénétrés. Il note l'analogie avec la formule extra-biblique. Outre les pages où il le commente ici, on a de lui une brève glose du verset *Cant.* 1, 8 dans *HomCant.* I, 9. Et on a l'écho de son commentaire de la sentence, sur la contemplation de l'âme par elle-

5

★ **1** « Si tu ne te connais pas[1], ô bonne — ou belle — entre les femmes, sors sur les traces des troupeaux et fais paître tes boucs parmi les tentes des bergers[a]. » A l'un des Sept[2] que, chez les Grecs, la renommée célèbre pour avoir été remarquables en sagesse est attribuée parmi d'autres cette admirable sentence : « Apprends qui tu es », ou « Connais-toi toi-même ».

Avertissement

2 Or cela, Salomon qui les a tous devancés par le temps, la sagesse et la science des choses, comme nous l'avons montré dans notre prologue[3], le dit à l'âme, lui parlant comme à une femme avec un ton de menace : « Si tu ne te connais pas toi-même, ô belle entre les femmes », si tu ne discernes pas d'où découlent les causes de ta beauté — car « tu es faite à l'image de Dieu[b] », ce qui met en toi beaucoup de charme naturel —, si tu ignores comme tu étais belle dès le commencement, bien que même encore maintenant tu surpasses les autres femmes et seule es dite « belle entre » elles, toutefois, « si tu ne connais pas qui tu es toi-même — car je ne veux pas que ta beauté paraisse excellente par comparaison avec celles qui sont inférieures, mais par le fait que tu réponds ce qui s'accorde et s'harmonise avec toi-même et ton charme —, si donc tu ne le fais pas, je t'ordonne de sortir et de te mettre aux dernières traces des troupeaux,

même et ses effets, et sur le soin qu'elle doit prendre d'elle-même, chez un de ses élèves, Grégoire le Thaumaturge, *RemOr.* IX, 119-122 et 140-142. (M. B.)

2. Voir la note complémentaire 16 : « Se connaître soi-même ».

3. Cf. Prol. 3, 4.

oves neque agnos, sed haedos pascere, illos videlicet qui pro pravitate et lascivia *a sinistris staturi sunt regis*[c] iudicio praesidentis.

3 Et cum tibi introductae in cubiculum regium ostenderim quae summa sunt bona, *si non agnoveris temet ipsam*, ostendam tibi etiam quae sint ultima mala, ut ex utroque proficias, tam malorum metu quam desiderio bonorum. Si enim nescieris temet ipsam et in ignorantia tui vixeris nec scientiae studium gesseris, sine dubio nec tabernaculum proprium habebis, sed per *pastorum tabernacula* discurres et nunc in huius, nunc in illius *pastoris tabernaculis pasces haedos*, inquietum animal et vagum ac peccatis deputatum.

4 Haec autem patieris, donec rebus ipsis et experimentis intelligas, quantum mali sit animam nescire semet ipsam neque pulchritudinem suam, per quam praecellit ceteras, non virgines, sed mulieres, illas scilicet quae corruptionem passae sunt nec in virginitatis integritate permanserunt.

5 Haec sunt quae sponsus, post illa omnia quae locuta fuerat sponsa, austera quadam commonitione sponsae animos ad agnitionis suae curam suscitans per ordinem propositi dramatis dicit.

6 Sed nunc consequenter, ut cetera, ad Christum haec et ad ecclesiam referamus, qui ad sponsam suam, ad animas scilicet credentium, loquens summam salutis et beatitudinis in scientia <sui> et agnitione constituit. Quomo-

c. Cf. Matth. 25,33.

---

1. Allusion probable au rite biblique du bouc émissaire, *Lév.* 16.
2. Il était dit plus haut (II, 4, 1) que jusqu'alors l'Épouse seule avait pris la parole.
3. «L'Église est une seule personne formée de la réunion de tous», lisait-on plus haut, I, 1, 5. Voir la note complémentaire 9 : «Les sens de l'Écriture».

et de paître, non plus les brebis ni les agneaux, mais les boucs, ceux bien sûr qui pour leur perversité et leur dévergondage auront à se tenir lors du jugement à la gauche du Roi qui préside[c].

3 Et puisque je t'ai montré, quand tu fus introduite dans la chambre du Roi, ce que sont les biens les meilleurs, «si tu ne te connais pas toi-même», je te montrerai aussi ce que sont les pires maux, afin que pour l'un et l'autre motif tu progresses, tant par la crainte des maux que par le désir des biens. Car si tu ne te connais pas toi-même, si tu vis dans l'ignorance de toi et n'apportes aucune application à la science, sans nul doute tu n'auras pas une tente personnelle, mais parmi «les tentes des bergers» tu courras çà et là, et près des tentes, tantôt de tel berger, tantôt de tel autre, «tu paîtras les boucs», cet animal agité, vagabond et voué aux péchés[1].

4 Voilà ce que tu auras à souffrir jusqu'à ce que tu comprennes, par les circonstances et les épreuves, quel grand mal c'est pour une âme de ne connaître ni elle-même, ni sa beauté par laquelle elle surpasse les autres, non pas les vierges, mais les femmes, c'est-à-dire celles qui ont subi la corruption et n'ont pas persévéré dans l'intégrité de la virginité.

5 Voilà ce que l'Époux, après tout ce que lui avait dit l'Épouse[2], déclare selon l'ordre du drame proposé, éveillant par un avertissement sévère l'ardeur de l'Épouse au soin de se connaître elle-même.

Le Christ, l'Église ou l'âme

6 En conséquence, comme le reste, appliquons maintenant cela au Christ et à l'Église. Le Christ, parlant à son Épouse, c'est-à-dire aux âmes des croyants[3], met l'essentiel du salut et de la béatitude dans la science et la connaissance de soi. Comment donc l'âme se connaît-elle

143 do igitur anima | cognoscat semet ipsam, nec facile puto nec breviter explicari posse ; tamen pro viribus pauca ex multis aperire temptabimus.

7 Videtur ergo mihi duplici modo agnitionem sui capere animam debere, quidve sit ipsa et qualiter moveatur, id est quid in substantia et quid in affectibus habeat ; **8** ut puta ut intelligat si boni affectus sit aut non boni, et recti propositi aut non recti ; et si quidem recti sit, si erga omnes virtutes eundem tenorem habeat, tam in intelligendo quam in agendo, an erga necessaria tantum et quae in promptu sunt ; et utrum in eo sit ut recipiat profectus et augeatur in intellectu rerum augmentoque virtutum, an in eo stet et resideat in quod potuit pervenire ; et utrum erga semet ipsam tantummodo excolendam, an et aliis prodesse et conferre aliquid utilitatis vel in verbo doctrinae vel in exemplis gestorum potest.

9 Si vero cognoscat semet ipsam non esse boni affectus neque recti propositi, in hoc ipso ut intelligat utrum satis ei desit et procul a virtutum via sit, an in ipso iam posita sit itinere et incedere iam conetur cupiens *quae in ante sunt apprehendere et quae retro sunt oblivisci*[d], sed nondum approximaverit, aut proxima quidem sit, nondum tamen ad perfectionem venerit.

10 Sed et in eo opus videtur esse animae cognoscentis semet ipsam <scire>, si haec ipsa quae operatur mala ex

d. Cf. Phil. 3,13.

1. Origène souligne la nécessité de pratiquer toutes les vertus, car elles sont interdépendantes et inséparables. Ainsi en est-il de la bonté et de la justice, *PArch.* II, 5. La virginité même n'a de valeur qu'accompagnée de toutes les vertus, H. Crouzel, *Virginité et mariage chez Origène*, Paris-Bruges 1963, p. 98-100. H. J. Horn a dégagé les sources philosophiques de ces affirmations, « Antakoluthie der Tugenden und Einheit Gottes », dans *Jahrbuch für Antike und Christentum* 13 (1970), p. 5-28. La distinction de vertus pour comprendre et de vertus pour agir remonte à Aristote, *Éth. à Nicomaque* VI, 2.

elle-même ? Je pense qu'on ne peut l'expliquer ni facilement ni brièvement ; nous tenterons néanmoins selon nos forces d'ouvrir quelques aperçus parmi beaucoup.

Connaître ses dispositions

7 Il me semble donc que l'âme doit acquérir une connaissance d'elle de deux sortes : ce qu'elle est elle-même, et de quelle façon elle se meut ; c'est-à-dire, qu'a-t-elle dans sa substance et dans ses dispositions ? **8** Il faut par exemple qu'elle comprenne si elle a une disposition bonne ou mauvaise, et une intention droite ou non ; et dans le cas où elle est droite, si elle a la même persévérance pour toutes les vertus, tant pour comprendre que pour agir[1], ou seulement pour ce qui est nécessaire et qui est facile ; et si elle se propose d'être capable de progrès et de croître dans l'intelligence des choses et l'augmentation des vertus, ou de s'en tenir et de rester au point où elle a pu parvenir ; et si elle est capable seulement de se cultiver pour elle-même, ou encore d'être utile aux autres et de leur apporter quelque avantage, soit par la parole de sa doctrine, soit par les exemples de ses actions.

9 Mais si elle se connaît elle-même dépourvue de bonne disposition et d'intention droite, dans ce cas même, qu'elle discerne si elle en est complètement démunie et se trouve loin de la voie des vertus, ou si elle est déjà sur le chemin lui-même et s'efforce déjà d'y marcher, désirant « saisir ce qui est en avant et oublier ce qui est en arrière[d] », mais ne s'est pas encore approchée, ou est certes très proche, mais n'est pourtant pas encore parvenue à la perfection.

Connaître ses passions

10 De plus, pour cela, semble-t-il, l'âme qui se connaît elle-même a besoin de savoir[2] si ces mauvaises actions mêmes qu'elle commet, elle les commet par dispo-

2. *Scire*, addition de Delarue.

affectu ea et studio operetur an fragilitate quadam et, ut ille ait, quasi *quod non vult agens, et quae odit faciens*[e], et rursus ea quae bona sunt affectibus et recto proposito gerere videtur.

11 Verbi gratia, si iracundiam apud aliquos quidem cohibet, apud aliquos autem effert, an semper eam cohibet et apud nullum omnino profert. Similiter et tristitiam, si in aliquibus quidem negotiis vincit, in aliquibus vero recipit, an in omnibus omnino non recipit. Ita et timorem alia-
144 que similiter quae virtu|tibus videntur esse contraria.

12 Adhuc et istud opus est animae cognoscentis se, si gloriae multum cupida sit aut parum aut omnino nihil. Quod inde colligit, si laudibus multum aut mediocriter delectetur aut omnino nihil, et si in opprobriis satis aut parum aut omnino nihil contristetur.

13 Sed et in dando et accipiendo animae cognoscentis semet ipsam sunt quaedam indicia, si quod tribuit et praebet, utrum communicabili affectu et quasi cui aequitatem haberi inter homines placeat, an, ut ille ait, *ex tristitia aut necessitate*[f] vel certe gratiam sive ab accipientibus sive ab audientibus quaerens. Sed et in accipiendo anima quae cognoscit semet ipsam observabit utrum indifferenter habeat ea quae accipit, an velut super aliquo bono gaudeat.

14 Sed et in intellectu perpensabit semet ipsam huiusmodi anima, ut cognoscat utrum facile eam moveat cuiuscumque verisimilitudinis auditio et subripiatur ei arte

e. Cf. Rom. 7, 15 || f. Cf. II Cor. 9, 7.

sition et goût ou par quelque fragilité, et, comme dit l'Apôtre, en quelque sorte «accomplissant ce qu'elle ne veut pas, et faisant ce qu'elle hait[e]», et à l'inverse, si les actions bonnes, elle semble les accomplir dans des dispositions et une intention droites.

11 Par exemple, retient-elle sa colère à l'égard de certains, mais la déchaîne-t-elle contre d'autres ; ou bien la retient-elle toujours et ne la manifeste-t-elle devant absolument personne. De même aussi pour la tristesse : en triomphe-t-elle en certaines occasions, mais l'admet-elle en quelques-unes ; ou bien la refuse-t-elle en toutes absolument. Ainsi encore pour la crainte, et de même pour les autres choses qui semblent opposées aux vertus.

12 L'âme qui se connaît a encore ce besoin : voir si elle est avide de gloire, beaucoup, ou peu, ou pas du tout ; conclusion qu'elle tire, si aux louanges elle se plaît beaucoup, ou moyennement, ou pas du tout, et si par les reproches elle est attristée beaucoup, ou peu, ou pas du tout.

13 De plus, quand elle donne et reçoit, pour l'âme qui se connaît elle-même, il y a certaines indications montrant si ce qu'elle offre ou donne, (elle le cède) dans une disposition de partage et comme on se plaît à voir régner l'égalité entre les hommes, ou bien, pour parler comme l'Apôtre, «avec chagrin ou contrainte[f]» ; ou du moins en cherchant la reconnaissance soit de ceux qui reçoivent (ses dons), soit de ceux qui en entendent parler. De plus, quand elle reçoit, l'âme qui se connaît observera si elle regarde avec indifférence ce qu'elle reçoit, ou s'en réjouit comme de quelque bien.

14 En outre concernant l'intelligence, une âme de ce genre s'examinera elle-même pour connaître si le fait d'entendre n'importe quelle nouvelle vraisemblable l'impressionne facilement et si elle se laisse captiver par l'art, le

vel suavitate vel calliditate sermonum an raro hoc an numquam omnino patiatur.

15 Sed sufficiant ista in hoc agnitionis genere a nobis dicta. Possibile est enim volenti ad horum similitudinem et alia innumera colligere, quibus cognoscere semet ipsam anima probetur et pulchritudinem suam, quam *ad imaginem Dei*[g] in conditione suscepit, si reparare aut restituere potuerit, contemplari.

16 Hoc igitur est quod praesens sermo sub specie mulieris animam docet, ut cognoscat semet ipsam, et ait : *Nisi cognoveris temet ipsam*, hoc est nisi per haec singula quae supra memoravimus duxeris sensus tuos et discretionem singulorum tenueris quae agenda sint, quae cavenda, quid desit tibi et quid abundet, quid emendandum sit quidve servandum, sed si volueris indifferenter agere inter ceteras animas communis vitae hominum, quas hic *mulieres* appellat, inter quas tu *pulchra* es, utpote quae iam et *oscula* Verbi Dei susceperis et *cubilis* eius arcana perspexeris, *si*, | inquam, *non te cognoveris*, sed indifferenter et ut communis vulgus agere volueris, *exi in vestigiis gregum*, id est esto in reliquo grege, si nihil egregium post haec omnia quae in te collata sunt agis neque agnoscens temet ipsam a conversatione gregali sequestraveris. Et eris non solum in grege, sed in vestigiis gregum ; *ultimus* enim fiet et *novissimus*[h], qui primatus suos non intellexerit.

145

17 Et ob hoc iam ubi scientiam neglexerit, necesse est ut *circumferatur omni vento doctrinae ad deceptionem errorum*[i], ita ut modo quidem apud illum pastorem, id est doctorem Verbi, tabernaculum ponat, nunc vero apud

g. Cf. Gen. 1, 27 || h. Cf. Matth. 19, 30 || i. Cf. Éphés. 4, 14.

charme et l'habileté des discours, ou si elle n'en est touchée que rarement ou absolument jamais.

15 Mais sur ce genre de connaissance, que les observations que nous avons faites suffisent. Car il est possible à qui le désire d'en réunir à leur ressemblance encore d'innombrables autres, par lesquelles on prouve que l'âme se connaît elle-même et contemple la beauté qu'elle a reçue «à l'image de Dieu[g]» lors de la création, si elle a pu la recouvrer et la restaurer.

Une menace

16 Voici donc ce que la parole présente enseigne à l'âme sous la figure d'une femme, pour qu'elle se connaisse elle-même. Elle dit : «Si tu ne te connais pas toi-même», c'est-à-dire si, par chacun de ces points que nous avons mentionnés plus haut, tu ne tiens pas les rênes de tes pensées et ne t'appliques point à discerner pour chaque alternative ce qui est à faire, ce qui est à éviter, ce qui te manque et ce que tu as en trop, ce qu'il faut amender ou ce qu'il faut garder, mais si tu veux mener indistinctement la vie commune des hommes parmi les autres âmes qu'on appelle ici «des femmes» — parmi lesquelles toi, tu es «belle», puisque déjà tu as reçu «les baisers» du Verbe de Dieu et pénétré les secrets de sa «chambre» — si, dis-je, «tu ne te connais pas», mais veux vivre indistinctement et comme la foule ordinaire, «sors sur les traces des troupeaux», c'est-à-dire va à la queue du troupeau, si tu ne fais rien de bon après tous ces biens qui t'ont été accordés, et ne te connaissant pas toi-même, tu es mise à l'écart de la vie du troupeau. Et tu seras non seulement dans le troupeau, mais «sur les traces des troupeaux» : car il sera «bon dernier et tout à la fin[h]», celui qui n'aura pas compris sa prééminence.

17 Et de ce fait, à l'instant où elle a négligé la science, il est inévitable qu'elle «soit ballottée à tout vent de doctrine, au gré de la duperie des erreurs[i]», en sorte qu'elle fixe sa tente tantôt près de tel berger, c'est-à-dire tel docteur de la Parole, et tantôt près d'un autre ; c'est ainsi

alium ; et sic ubique circumfertur pascens non oves, quod est animal simplex, sed haedos, lascivos scilicet et inquietos sensus atque ad peccatum deputatos, diversis doctoribus excolens ad hoc ipsum quaesitis ; et haec erit poena culpae illius animae quae se ipsam non studuerit agnoscere et illum solum sequi *pastorem* qui *animam suam ponit pro ovibus suis*[j], Haec est una species, qua intelligere semet ipsam anima in affectibus et actibus suis debeat.

18 Illa vero alia pars profundior est et difficilior, qua iubetur anima, quae tamen iam in mulieribus pulchra est, agnoscere semet ipsam. Quod si obtinere potuerit, speret sibi bona omnia ; si minus, sciat *exeundum sibi post vestigia gregum et pascendum haedos in tabernaculis pastorum*[k] (12
146 alienorum a se. Videamus | ergo et incipiamus pro viribus etiam huius partis agnitionem discutere.

19 Dicit per prophetam sermo divinus : *Illuminate vobis lumen scientiae*[l]. Sed et in donis spiritalibus unum et quidem maximum donum est, quod *per Spiritum sanctum ministratur, sermo scientiae*[m] ; cuius scientiae opus illud principale est quod in Evangelio secundum Matthaeum quidem ita dicit : *Nemo novit Filium nisi Pater, neque Patrem quis novit nisi Filius et cui voluerit Filius revelare*[n]. In Luca autem ita ait : *Nemo scit quid sit Filius, nisi Pater, et nemo scit quid sit Pater, nisi Filius et cui voluerit Filius revelare*[o]. Secundum Iohannem vero ita scriptum est : *Sicut cognoscit me Pater et ego agnosco Patrem*[p]. In

j. Cf. Jn 10, 11 || k. Cf. Cant. 1, 8 || l. Os. 10, 12 || m. Cf. I Cor. 12, 8 || n. Matth. 11, 27 || o. Cf. Lc 10, 22 || p. Jn 10, 15.

---

1. Cf. *supra*, § 3, et la note ; *HomEx.* IX, 4, 35 s., et la note 4 *ad loc.* (*SC* 321, p. 296) ; *HomLév.* II, 2, 9.

2. « Plus profond et plus difficile » : car cette connaissance concerne les rapports de l'âme avec Dieu, alors que la première sorte de connaissance ne regardait que la conduite de l'âme ; c'est comme une

qu'elle est ballottée en tout sens, menant paître non des brebis, animal simple, mais des boucs, à savoir des pensées lascives, turbulentes, vouées au péché[1], qu'elle cultive grâce à divers docteurs recherchés justement pour cela. Telle sera la peine méritée par la faute de cette âme qui ne s'est point appliquée à se connaître elle-même, et à suivre ce seul «berger qui donne sa vie pour ses brebis[j]». Voilà un aspect sous lequel l'âme doit se connaître elle-même dans ses dispositions et ses actions.

Connaissance plus profonde

18 Mais voici un autre aspect plus profond et plus difficile[2] sous lequel ordre est donné à l'âme, qui cependant est déjà «belle entre les femmes, de se connaître elle-même». Si elle arrive à le mettre en pratique, qu'elle espère pour elle tous les biens; sinon, qu'elle sache qu'elle «doit sortir derrière les traces des troupeaux et paître les boucs près des tentes des bergers[k]» qui lui sont étrangers. Voyons donc et commençons selon nos forces à expliquer aussi la connaissance de cet aspect.

La Trinité

19 La parole divine déclare par le prophète[3] : «Faites briller pour vous la lumière de la science[l].» De plus, parmi les dons spirituels, et à vrai dire le don le plus grand qui «est accordé par l'Esprit Saint, c'est la parole de la science[m]»; le principal objet de cette science est ce qu'elle dit dans l'Évangile selon Matthieu : «Personne ne connaît le Fils sinon le Père, et nul ne connaît le Père sinon le Fils et celui à qui le Fils voudra le révéler[n].» Et dans Luc, elle dit : «Personne ne sait ce qu'est le Fils sinon le Père, et personne ne sait ce qu'est le Père sinon le Fils et celui à qui le Fils voudra le révéler[o].» Mais selon Jean il est écrit : «Comme le Père me connaît et que moi je connais le Père[p].» Par ailleurs dans

entrée dans le mystère de Dieu. Plus loin, Origène dira cette connaissance réservée à l'âme parfaite (§ 33).

3. Citation fréquente : *scientia* traduit γνῶσις.

quadragesimo vero et quinto Psalmo dicit : *Vacate, et cognoscite quoniam ego sum Deus*[q].

20 Igitur principale munus scientiae est agnoscere Trinitatem, secundo vero in loco cognoscere creaturam eius, secundum eum qui dicebat : *Ipse enim mihi dedit horum quae sunt scientiam veram, substantiam mundi et virtutem elementorum, initium et finem et medietatem temporum*[r] et reliqua.

21 Inter haec ergo erit animae quaedam etiam sui agnitio, per quam scire debet quae sit eius substantia, utrum corporea an incorporea et utrum simplex an ex duobus vel tribus an vero ex pluribus composita.

22 Sed et iuxta quorundam quaestiones utrum facta an omnino a nullo sit facta ; et, si facta sit, | quomodo facta sit, utrum, ut putant aliqui, in semine corporali etiam ipsius substantia continetur et origo eius pariter cum origine corporis traducitur, an perfecta extrinsecus veniens parato iam et formato intra viscera muliebria corpore induitur.

147

q. Ps. 45, 11 || r. Sag. 7, 17-18.

1. Comme le montre ce passage de la Sagesse, la connaissance du monde est, elle aussi, une connaissance religieuse : celle du monde devant Dieu, son Créateur.

2. « ... sa partie supérieure est ce qui a été fait à l'image de Dieu et à sa ressemblance ; l'autre partie est celle qu'il a assumée dans la suite, à cause de la chute du libre arbitre ..., partie amie de la matière corporelle et aimée d'elle ». — « Notre âme, une par sa substance, est composée de plusieurs éléments, suivant l'opinion de quelques Grecs : une partie rationnelle et une partie dite irrationnelle, laquelle se divise à nouveau en deux tendances : la convoitise et la colère » (le concupiscible et l'irascible), *PArch.* II, 10, 7 et III, 4, 1. Cf. Jérôme, *in Ezech.* 6-8 a (*CCSL* 75, p. 11, 209 s.) ; déjà Tertullien, *anim.* 14, 2.

3. Cf. Tertullien, *anim.* 25, 2.

le psaume quarante-cinq elle dit : « Tenez-vous en repos, et reconnaissez que c'est moi qui suis Dieu[q]. ».

20 Donc, la principale fonction de la science est de connaître la Trinité ; mais en second lieu, de connaître sa créature[1], d'après celui qui a dit : « C'est lui, en effet, qui m'a donné la science véritable de ce qui existe, pour connaître la substance du monde et l'activité des éléments, le commencement, la fin et le milieu des temps[r] », etc.

L'âme

21 Parmi ces réalités, il reviendra donc à l'âme d'avoir aussi une certaine connaissance d'elle-même, par laquelle elle doit savoir quelle est sa substance, si elle est corporelle ou incorporelle, si elle est simple ou composée de deux, de trois parties, ou même d'un plus grand nombre[2].

22 De plus, selon les questions de certains, si elle a été créée, ou n'a été créée par absolument personne ; et si elle a été créée, comment a-t-elle été créée : est-ce, comme le pensent quelques-uns[3], que sa substance aussi est contenue dans la semence corporelle, et son principe transmis en même temps que le principe du corps, ou bien, venant parfaite du dehors, revêt-elle un corps déjà préparé et formé dans les entrailles de la femme[4].

4. « L'âme naît-elle par l'intermédiaire de la semence, de sorte que son principe ou sa substance serait contenu dans les semences corporelles elles-mêmes, ou a-t-elle une autre origine ? Dans ce cas, est-elle engendrée ou non, est-elle mise de l'extérieur dans le corps ou non ? Cela n'est pas suffisamment précisé par la prédication ecclésiastique », *PArch.* I, Préf. 5, 119 s. (cf. les références à Origène et Aristote, *SC* 253, p. 17, n. 30). — Les deux solutions sont celles du traducianisme et du créationisme entre lesquelles se partageaient les chrétiens. Selon le martyr Pamphile, *Apologie pour Origène* 9, c'est pour échapper aux graves objections que l'on pouvait faire à ces deux positions, qu'Origène adopta l'hypothèse — malheureusement mythique — de la préexistence des âmes.

23 Et si ita sit, utrum nuper creata veniat et tunc primum facta, cum corpus videtur esse formatum, ut causa facturae eius animandi corporis necessitas exstitisse credatur, an prius et olim facta ob aliquam causam ad corpus sumendum venire aestimetur ; et si ex causa aliqua in hoc deduci creditur, quae illa sit causa, ut agnosci possit, scientiae opus est.

24 Sed et illud requiritur, utrum semel tantum corpore induatur et id postmodum depositum ultra non quaerat, an cum semel susceptum deposuerit, iterum assumat ; et si secundo, sumptum semper habeat an aliquando iterum abiciat. Et si quidem secundum auctoritatem scripturarum consummatio immineat mundi et corruptibilis status hic in incorruptibilem commutabitur[s], ambiguum non videri quod in praesentis vitae statum secundo aut tertio in corpus venire non possit. Nam si recipiatur hoc, necessario sequitur, ut huiusmodi successionibus consequentibus finem nesciat mundus.

25 Et adhuc in cognitione sui anima requirat, si est aliquis ordo aut sunt aliqui spiritus eiusdem cum ipsa substantiae, alii vero non eiusdem, sed diversi ab ea, id est (12 si sunt et alii spiritus rationabiles, ut ipsa est, et alii carentes ratione ; et si eadem est ipsius, quae et angelorum

s. Cf. I Cor. 15, 53.

---

1. Hypothèse de la préexistence.

2. Le premier membre de l'alternative est la doctrine de la résurrection, le second, celle que Jérôme a prêtée à Origène, la disparition finale du corps ressuscité pour finir dans l'incorporéité complète. Dans le *Peri Archôn*, l'auteur discute à quatre reprises les deux solutions : corporéité ou incorporéité finale, sans prendre de position nette (cf. I, 6 ; II, 1-3 ; III, 6 ; IV, 4, 8). Mais Jérôme n'a conservé, dans sa lettre à Avitus (*ep.* 124), que les passages concernant l'incorporéité. En fait, dans le reste de l'œuvre, cette dernière opinion n'est pas reprise, et le *Peri Archôn* ne la contient que par manière de discussion, selon le genre littéraire de ce livre.

23 Et s'il en est ainsi, si elle vient récemment créée, et dans ce cas faite en premier, quand le corps semble avoir été formé, en sorte que l'on pense que la cause de sa création a été la nécessité d'animer le corps, ou bien si l'on estime que, créée auparavant et depuis longtemps, pour telle ou telle cause, elle vient pour prendre un corps[1]. Et si on croit qu'elle y est amenée par telle ou telle cause, quelle est cette cause ? Pour arriver à le savoir, on a besoin de la science.

24 De plus, on recherche ceci : est-ce que l'âme revêt le corps seulement une fois et, après l'avoir abandonné, ne le cherche pas au-delà, ou bien, quand après l'avoir reçu une fois, elle l'aura abandonné, le prend-elle de nouveau ? Et si elle le prend une seconde fois, l'a-t-elle pris pour toujours, ou viendra-t-il un jour où de nouveau elle le rejette[2] ? Et si, selon l'autorité des Écritures, la fin du monde est proche et si cet état corruptible sera changé en incorruptible[s], il ne semble pas douteux que, pour l'état de la vie présente, elle ne puisse venir dans un corps une deuxième ou une troisième fois. Car si on l'admettait, il s'ensuit nécessairement que, par suite d'enchaînements continus de ce genre, le monde ne connaîtrait pas de fin[3].

25 Et dans la connaissance de soi, que l'âme recherche encore s'il y a un ordre ou s'il y a des esprits de la même substance qu'elle, tandis que d'autres ne sont pas de la même substance, mais différents d'elle : c'est-à-dire, s'il y a d'autres esprits raisonnables comme elle, et d'autres dépourvus de raison ; et si sa substance est la même que

3. Ici se mêlent l'hypothèse de la métempsychose (ou métensomatose) et celle que le corps ressuscité aurait une fin. On voit qu'Origène les rejette, comme il le fait dans la plus grande partie de son œuvre, y compris les grands *Commentaires sur Jean* et *sur Matthieu*, et le *Contre Celse*, tous trois conservés en grec ; cf. par exemple, *CCels*. III, 75, 38 et IV, 17, 16, puis V, 29, 46 et 49, 19.

substantia, quoniam rationabile a rationabili nequaquam differre creditur.

26 Aut si non est quidem talis per substantiam, sed erit talis per gra|tiam, si meruerit, an non possit omnino similis effici angelis, nisi hoc naturae suae qualitas ac similitudo receperit; reddi enim videbitur posse quod amissum est, non tamen conferri id quod ex initio conditor non dedit.

148

27 Sed et hoc adhuc in cognoscenda semet ipsa anima requirat, si virtus animi eius accedere potest et decedere et est mutabilis an acquisita semel ultra non defluit.

28 Et quid opus est plura memorare, quibus ex causis semet ipsam cognoscat anima, ne forte, si neglexerit perfecte *semet ipsam cognoscere, exire* iubeatur *in vestigiis gregum et pascere haedos* et hoc non in proprio tabernaculo, sed *in tabernaculis pastorum*[t], cum praesto sit volenti haec persequi largissimas occasiones ex his quae supra memoravimus sumere, in quibus exerceri in *sermone scientiae*[u] pro viribus possit?

29 Dicantur vero haec a Verbo Dei etiam ad animam quae in profectibus quidem posita est, nondum tamen ad summam perfectionis adscendit. Quae pro eo quidem quod proficit *pulchra*[v] dicitur; ut autem pervenire possit ad perfectionem, fiat ad eam comminatio necessaria; quod nisi per ista singula quae supra diximus semet ipsam

t. Cant. 1,8 || u. Cf. I Cor. 12,8 || v. Cf. Cant. 1,8.

1. Que la nature rationnelle soit la même à l'origine, dans la préexistence, pour les hommes et les anges — et les démons —, telle est, par opposition aux différences de nature que les valentiniens mettaient entre les êtres humains, sauvés ou perdus d'avance, une des thèses fondamentales particulièrement développées de *PArch.* I, 5-8.

2. Le *Peri Archôn* oppose constamment le caractère accidentel des créatures au caractère substantiel de la divinité. La créature a une vertu accidentelle qu'elle reçoit, et qui peut croître ou décroître en elle, selon les mouvements du libre arbitre, alors que les personnes de

celle des anges, puisqu'on estime que le raisonnable ne diffère en aucune manière du raisonnable[1].

26 Ou bien, si elle n'est pas telle par la substance, mais sera telle par grâce si elle l'a mérité, ne pourrait-elle absolument pas devenir semblable aux anges si la qualité et la ressemblance de sa nature n'ont pas reçu cette condition? Car il semblera que ce qui a été perdu peut être recouvré, non toutefois être communiqué ce que le Créateur n'a pas donné dès l'origine.

27 De plus, pour se connaître elle-même, que l'âme recherche encore si la capacité de sa raison peut croître et décroître, est sujette au changement ou une fois acquise ne disparaît plus[2].

28 Mais qu'est-il besoin de rappeler plus de raisons pour lesquelles l'âme ait à se connaître elle-même, sous peine, si elle négligeait de «se connaître elle-même» à la perfection, de recevoir l'ordre «de sortir sur les traces des troupeaux et de mener paître les boucs», et cela non près de sa propre tente, mais «près des tentes des bergers[t]»? Alors qu'il est possible à qui veut poursuivre ces recherches de trouver, grâce à ce que nous avons rappelé plus haut, de très abondantes occasions où il pourrait, selon ses forces, méditer «la parole de science[u]».

A l'âme qui progresse

29 Mais que cela soit dit par le Verbe de Dieu également à l'âme qui est déjà sur les marches des progrès, sans toutefois s'être encore élevée au sommet de la perfection. Certes, parce qu'elle progresse, on la dit «belle[v]»; mais pour qu'elle puisse parvenir à la perfection, que lui soit faite une menace nécessaire. Car si en chacun des points que nous avons dits plus haut elle ne se connaît pas

la Trinité tiennent d'elles-mêmes ce qu'elles ont, sans croissance ni décroissance possibles. Cf. CROUZEL, *Origène*, p. 237.

cognoverit et vigilanter exercuerit in Verbo Dei et lege divina, continget ei de his singulis opiniones colligere diversorum et sequi homines nihil egregium, nihil ex sancto Spiritu locutos.

30 Hoc est enim *exire in vestigia gregum* et eorum doctrinas sectari qui et ipsi permanserint peccatores et nullum peccantibus remedium providere potuerint. Quos qui sequitur, *haedos* utique qui peccatorum indicium tenent videbitur *pascere* circumiens *tabernacula pastorum*, diversas scilicet sectas philosophorum.

31 Intuere ergo plenius, quam terribile est quod sub hac adumbratur figura. *Exi*, inquit, *tu in vestigiis gregum*[w] ; quasi quae intus iam sit anima et intra mysteria collocata, pro eo tamen quod negligat *agnoscere semet ipsam* et requirere quae sit, et quid vel quomodo agere debeat, quidve non agere, dicitur ei *exi tu*, quasi quae ob hanc desidiae culpam foras mittatur ab eo qui praeest. Sic 149 ingens animae periculum est scientiam sui | agnitionemque negligere.

32 Sed fortasse, quoniam duplicem expositionem dedimus agnitionis suae animae, videbitur secundum eam quidem, qua de actibus suis discutere negligit et inquirere de profectibus suis aut perscrutari de vitiis, merito ei dici : *exi*, per quod videatur quasi de interioribus foras propelli.

33 Si vero secundum editionem aliam, qua diximus (12 quod naturam substantiamque suam agnoscere debeat et statum, vel in quo fuerit vel in quo erit, grave credatur. Quae enim facile talis anima invenietur ita perfecta, ita

w. Cant. 1,8.

1. Nouvelle allusion péjorative à la culture, cf. *supra* II, 3, 11, et la note.

2. Cf. Bernard de Clairvaux, *SSC* 38, 3 : «L'intonation terrible de ces paroles adressées à sa bien-aimée est moins celle d'un époux que d'un maître.»

elle-même et ne s'adonne avec soin à la Parole de Dieu et à la Loi divine, il lui arrivera de récolter sur chacun d'eux les opinions de ceux qui divergent d'avis et de suivre des gens qui ne disent rien de remarquable, rien qui vienne du Saint Esprit.

30 C'est là en effet «sortir sur les traces des troupeaux», et professer les doctrines de ceux qui eux-mêmes sont restés pécheurs et n'ont pu assurer aucun remède à ceux qui pèchent. Qui les suit semblera «faire paître les boucs», qui signifient évidemment les pécheurs, en tournant autour «des tentes des bergers», c'est-à-dire les différentes sectes de philosophes[1].

31 Dès lors, considère mieux combien est terrible ce que présage cette figure : «Toi, sors sur les traces des troupeaux[w]», dit-il ; comme si l'âme était déjà placée à l'intérieur et au sein des mystères ; néanmoins du fait qu'elle néglige de «se connaître elle-même» et de rechercher ce qu'elle est, ce qu'elle doit faire et comment le faire, ou ce qu'elle doit ne pas faire, il lui est dit : «Toi, sors», comme si, pour cette faute de paresse, elle était mise à la porte par le Maître[2]. Ainsi est-ce un grand péril pour l'âme de négliger la science et la connaissance de soi.

32 Mais nous avons donné une double explication de ce qu'est pour l'âme la connaissance d'elle-même ; et peut-être, à envisager celle selon laquelle l'âme néglige d'examiner ses actions et de vérifier ses progrès ou de scruter ses vices, semblera-t-il que c'est à juste titre qu'il lui est dit : «Sors», par quoi elle semble pour ainsi dire être chassée hors des réalités intérieures.

33 Mais si l'on envisageait l'autre présentation, où nous avons dit que l'âme doit connaître sa nature et sa substance, ainsi que son état, tant celui où elle a été que celui où elle sera, on aurait du mal à le croire. En effet, quelle âme trouvera-t-on aisément telle, si parfaite, si géniale,

praepotens, cui horum omnium ratio et intelligentia pateat? Ad hoc respondebimus quoniam sermo qui habetur in manibus non ad omnes animas fit neque ad *adulescentulas* hic loquitur sponsus, neque ad ceteras *mulieres* neque ad *octoginta concubinas* aut *sexaginta reginas*[x], sed ad illam quae *inter* omnes *mulieres* sola *pulchra*[y] dicitur et *perfecta*[z].

34 Unde apparet ad dilectas quasque animas haec dici, quibus cum gratia multa sentiendi et intelligendi a Deo data sit, negligunt tamen scientiae partes et cognoscendi semet ipsas nullum adhibent studium. His ergo comminatur Sermo divinus quia, *quibus multum datur, multum ex iis exigitur*[aa], et *humilis* quidem *venia et misericordia dignus erit, potentes autem potenter cruciabuntur*[ab].

35 Si ergo et tu, o anima, quae pulchrior es et eminentior inter ceteros, verbi gratia, doctores, negligas temet ipsam et in ignorantia tui maneas, quomodo poterunt vel hi qui aedificari desiderant instrui vel convinci et argui contradicentes? Digne ergo cum comminatione quadam ad eam dicitur : *Exi tu in vestigiis gregum et pasce haedos tuos in tabernaculis pastorum*[ac].

36 Potest ad hoc trahi etiam illud quod Moyses scribit, quod, si qua Istraelitica mulier adulteraverit, lapidetur[ad] ; si vero *filia sacerdotis, ignibus exuratur*[ae]. Sic ergo iusta videbitur esse comminatio in eos qui capaces esse possunt ad agnitionem et scientiam, sed per desidiam negligunt ; in quos iustissima indignatio sponsi est, quia scit unius negligentiam cedere ad damna multorum[af].

x. Cf. Cant. 6, 8 || y. Cf. Cant. 1, 8 || z. Cf. Cant. 6, 9 || aa. Cf. Lc 12, 48 || ab. Cf. Sag. 6, 6 || ac. Cant. 1, 8 || ad. Cf. Lév. 20, 10 || ae. Cf. Lév. 21, 9 || af. Cf. Rom. 5, 15.

qu'à elle se découvrent la raison et l'intelligence de tout cela ? A quoi nous répondrons que le texte que nous avons entre les mains ne concerne pas toutes les âmes, et que l'Époux ne parle, ici, ni aux «jeunes filles», ni au reste des «femmes», ni aux «quatre-vingts concubines», ni aux «soixante reines[x]», mais à celle-là qui, seule «entre» toutes «les femmes», est dite «belle[y]» et «parfaite[z]».

34 D'où il ressort que ces paroles sont dites à toutes les âmes aimées qui, bien qu'une abondante grâce pour percevoir et comprendre leur ait été donnée par Dieu, négligent cependant des parties de la science et n'apportent aucun zèle à se connaître elles-mêmes. Aussi la parole divine les menace-t-elle, car «de ceux à qui il a été beaucoup donné, il sera beaucoup exigé[aa]», et «le petit sera digne de pardon et de miséricorde, tandis que les puissants seront puissamment châtiés[ab]».

35 Si donc toi, ô âme qui es plus belle et plus distinguée parmi les autres, par exemple les docteurs, tu te négliges toi-même et demeures dans l'ignorance de toi, comment pourront être soit instruits ceux qui désirent être édifiés, soit convaincus et réfutés les contradicteurs ? C'est donc à juste titre qu'il est dit à l'Épouse d'un ton de menace : «Toi, sors sur les traces des troupeaux et fait paître tes boucs près des tentes des bergers[ac].»

Confirmation par l'Écriture

36 On peut aussi rapprocher de cela ce qu'écrit Moïse : si quelque femme israélite a commis un adultère, qu'elle soit lapidée[ad] ; mais si elle est «la fille d'un prêtre, qu'elle soit consumée par le feu[ae]». Ainsi donc la menace semblera juste pour ceux qui peuvent être capables de la connaissance et de la science, mais les négligent par paresse ; contre eux l'indignation de l'Époux est très justifiée, car il sait que la négligence d'un seul tourne à la condamnation de beaucoup[af].

37 Similis enim videbitur huiusmodi anima vel illi qui 150 accep|tum *denarium abscondit in terram*[ag], ne lucri aliquid ex eo pecuniae dominus acquireret, vel illi quem occidisse dicitur Deus quia malignus erat, eum scilicet qui accepta semina scientiae naturalis posteritati invidens *profundebat in terra*[ah].

38 *Pastores*[ai] quoque, sicut et ante iam diximus, si quidem ad ecclesiam comminationis hic sermo fit, *huius mundi principes*[aj] accipiendi sunt vel illi angeli, sub quorum cura reliquae gentes[ak] habentur sive sorte in hoc sive secretioribus quibusdam causis deductae.

39 Si vero ad unamquamque animam comminatio ista referatur, quae semet ipsam negligit agnoscere, sapientes et magistri huius saeculi intelligendi sunt docentes *sapientiam huius mundi*[al], ut in summa hoc intelligatur quia necesse est animam, eam praecipue, quae bona et pulchra est sensibus et ingenio vigilans, *cognoscere semet ipsam* et dare operam ad agnitionem sui per exercitia doctrinae et studia divina ac per hoc agi *Spiritu Dei*[am] et *Spiritu adoptionis*[an].

40 Aut si talis haec anima semet ipsam neglexerit et a divinis studiis declinaverit, necesse est eam dare operam (12 studiis mundanis et sapientiae saeculi et agi spiritu huius mundi iterum in timore. Quod designat Apostolus, cum dicit : *Nos autem non spiritum huius mundi accepimus, sed Spiritum, qui ex Deo est*[ao] et iterum : *Non enim accepistis*

ag. Cf. Matth. 25, 18 || ah. Cf. Gen. 38, 9-10 || ai. Cf. Cant. 1, 8 || aj. Cf. I Cor. 2, 6 || ak. Cf. Deut. 32, 9 || al. Cf. I Cor. 2, 6 || am. Cf. Rom. 8, 14 || an. Cf. Rom. 8, 15 || ao. I Cor. 2, 12.

37 Car une âme de cette sorte paraîtra comparable, soit à celui qui, après avoir reçu «un denier, le cacha en terre[ag]», pour que le possesseur de l'argent n'en tire point de profit ; soit à celui que Dieu fit mourir[1], dit-on, «parce qu'il était vicieux, à savoir celui qui, refusant à la postérité les semences de la science naturelle qu'il avait reçues, les répandait par terre[ah]».

38 Quant aux «bergers[ai]», comme nous l'avons déjà dit auparavant[2], si cette parole de menace s'adresse à l'Église, ils sont à entendre des «princes de ce monde[aj]» ou de ces anges sous la garde desquels sont les autres «nations[ak]», réduites à cela soit par le sort, soit par quelques raisons plus secrètes[3].

39 Mais si cette menace a trait à chaque âme qui néglige de se connaître elle-même, on doit comprendre les sages et les maîtres de ce siècle qui enseignent «la sagesse de ce monde[al]» ; de la sorte, en définitive, on comprend qu'il est nécessaire que l'âme, surtout celle qui est bonne et belle par ses pensées et vigilante par son intelligence, «se connaisse elle-même» et s'adonne à la connaissance de soi par les méditations de la doctrine et les études divines, et grâce à cela qu'elle soit mue «par l'Esprit de Dieu[am]» et «l'esprit d'adoption[an]».

40 Ou bien, si une telle âme s'est négligée elle-même et s'est détournée des études divines, nécessairement elle s'adonne aux études mondaines et à la sagesse du siècle et elle est mue de nouveau par l'esprit de ce monde dans la crainte. C'est ce qu'indique l'Apôtre quand il dit : «Mais nous, nous n'avons pas reçu l'esprit de ce monde, mais l'Esprit qui est de Dieu[ao]», et encore : «Car vous n'avez

1. Allusion à Onan.
2. Cf. *supra*, II, 4, 13.
3. Voir la note *ad* II, 4, 13.

spiritum servitutis iterum in timore, sed accepistis Spiritum adoptionis, in quo clamamus : Abba Pater[ap]. Haec interim nobis de praesenti loco occurrere potuerunt ; nunc iam convertamur ad consequentia.

ap. Rom. 8, 15.

pas reçu un esprit de servitude pour être encore dans la crainte, mais vous avez reçu l'esprit d'adoption, par lequel nous crions : Abba, Père [ap].» Voilà pour l'instant ce qui a pu se présenter à nous au sujet du présent passage ; dès maintenant, tournons-nous vers ce qui suit.

Chapitre 6

Semblable à la cavalerie du Seigneur

Cant. 1, 9 : *A ma cavalerie parmi les chars de Pharaon, je t'estime semblable, ma compagne*

1-2 : Pour le sens historique, la cavalerie du Seigneur qui l'emporta sur celle de Pharaon ; pour l'intelligence mystique, la cavalerie du Pharaon spirituel et des esprits du mal ; 3-5 : la première n'est pas mentionnée dans l'Exode, mais au IVe livre des Rois et chez le prophète Habacuc ; 6-10 : dans la vision de l'Apocalypse apparaît un cheval blanc, monté par celui qui est appelé Fidèle et Vrai, le Verbe de Dieu ; le cheval blanc peut désigner le corps assumé par le Christ, ou son âme, ou son corps et son âme ; ou bien l'Église, qui est nommée son Corps, sans tache ni ride ; 11-15 : «parmi les chars de Pharaon» peut vouloir dire : autant la cavalerie du Seigneur surpasse celle de Pharaon, autant toi, belle entre les femmes, tu surpasses les âmes qui sont sous le joug de Pharaon ; ou bien, cette cavalerie, la mienne, qui «purifiée par le bain d'eau» est devenue nette et blanche et a mérité de recevoir pour cavalier le Verbe de Dieu, fut prise du milieu des chars de Pharaon ; ou bien, l'Église, étant formée du rassemblement d'âmes innombrables, et ayant reçu du Christ un modèle de vie, c'est l'âme du Christ qui est proposée comme modèle.

6

1 *Equitatui meo in curribus Pharaonis similem te arbitratus sum proxima mea*[a]. Historicus quidem sensus hoc est quod videtur ostendere : sicut, inquit, tunc in Aegypto, cum Pharao persequens populum Istrahel processit in curribus et equitatu[b] et meus, hoc est sponsi Domini, equitatus longe praecellebat currus Pharaonis et praestantior erat, utpote qui illos superaverit et *in mare demerserit*[c], ita et tu, proxima mea sponsa, praecellis omnes mulieres, similis effecta equitatui | meo, qui Pharaonis curribus comparatus potentior utique habetur et magnificentior. Hic interim videtur ordo esse sermonum ipsorum verborumque directio.

151

2 Videamus autem nunc ne forte secundum intelligentiam mysticam animas quae sunt sub illo spiritali Pharaone et sub spiritalibus nequitiis positae currus dicat esse Pharaonis et quadrigas eius, quas ipse agit et ducit ad persequendum populum Dei et ad opprimendum Istrahel. Certum est enim quia tentationes et tribulationes quas excitant daemones sanctis per aliquas animas excitant ad hoc ipsum aptas et convenientes. Quibus tamquam curribus adscensis exagitant et impugnant vel ecclesiam Dei vel singulos quosque fidelium.

a. Cant. 1,9 || b. Cf. Ex. 14,8s. || c. Cf. Ex. 14,27-28.

1. Cf. *HomCant.* I, 10.

2. « Il y a des chevaux qui ont pour cavaliers le diable et ses anges ... Tous ceux qui persécutent les saints sont des chevaux hennissants, mais ils ont pour cavaliers qui les conduisent de mauvais anges », *HomEx.* VI, 2, 7 s. Ailleurs, « les chevaux sont les démons », *HomJos.* XV, 3 (*SC* 71, p. 338).

6

Le sens historique

1 «A ma cavalerie parmi les chars de Pharaon, je t'estime semblable, ma compagne[a].» Voici ce que semble indiquer le sens historique. Tout comme jadis en Égypte, quand Pharaon à la poursuite du peuple d'Israël, s'avança avec chars et cavalerie[b], ma cavalerie, c'est-à-dire celle du Seigneur Époux, l'emportait de beaucoup sur les chars de Pharaon, et elle était supérieure, elle qui les a vaincus et «précipités dans la mer[c]»; de même toi aussi, ma compagne Épouse, tu l'emportes sur toutes les femmes, toi qui es devenue semblable à ma cavalerie, laquelle, comparée aux chars de Pharaon, se montre en tous points plus puissante et plus glorieuse[1]. Pour l'instant, telle semble être la suite des paroles mêmes, la remise en ordre des mots.

L'intelligence mystique : la cavalerie de Pharaon

2 Mais voyons maintenant si par hasard, selon l'intelligence mystique, on ne voudrait pas dire : les âmes qui se trouvent sous le joug de ce Pharaon spirituel et sous les esprits pervers que sont les chars de Pharaon et ses quadriges, que lui-même dirige et pousse à persécuter le peuple de Dieu et à opprimer Israël. Car il est certain que les tentations et les épreuves que les démons suscitent pour les saints, ils les suscitent par quelques âmes propres à cet effet et en mesure de le faire[2]. Montés sur elles comme sur des chars, ils pourchassent et attaquent soit l'Église de Dieu, soit chacun des fidèles en particulier.

3 De equitatu vero Domini, quis sit eius iste equitatus, in Exodo quidem, ubi superantur currus Pharaonis et *demerguntur in mare*[d], nihil legimus scriptum nisi tantum quod Dominus *currus Pharaonis et exercitum eius proiecit in mare*[e] rubrum.

4 Invenimus tamen in quarto Regnorum libro, quod Helisaeus de adventu hostium, qui cum equitatu et curribus venerant, formidanti puerulo suo dicit : *Ne timeas, quoniam plures sunt nobiscum quam cum illis. Et oravit*, inquit, *Helisaeus et dixit : Domine, aperi oculos pueri huius, ut videat; et aperuit Dominus oculos eius et vidit; et ecce, mons plenus erat equitibus et currus ignei in circuitu Helisaei, qui descenderant ad eum*[f].

5 Sed et in propheta Habacuc manifeste et evidenter legimus de equitatu Domini et quod adscendat equos suos. Sunt ergo Scripturae verba haec : *Numquid in fluminibus irasceris, Domine, aut in fluminibus furor tuus, aut in mari impetus tuus? Quia adscendes equos tuos, et equitatus tuus salus*[g]. Sunt ergo equi Domini, quibus adscendit, et equitatus eius. Quos ego non alios esse puto quam illas animas quae frenum disciplinae eius accipiunt et *iugum* portant *suavitatis*[h] eius et quae *Spiritu Dei aguntur*[i], et in hoc est iis salus.

6 In revelatione autem Iohannis legimus quod apparuit ei equus, et sedens super eum quidam fidelis | et verus, et cum iustitia iudicans, cuius *nomen*, inquit, est *Verbum Dei*. Ait ergo : *Et vidi caelum apertum, et ecce equus albus, et qui sedebat super eum vocabatur fidelis et verus et cum iustitia iudicans et pugnans. Et oculi eius sicut flamma ignis, et*

152

d. Cf. Ex. 14,27-28 || e. Ex. 15,4 || f. IV Rois 6,14 s. || g. Hab. 3,8 || h. Cf. Matth. 11,30 || i. Cf. Rom. 8,14.

3 Mais au sujet de la cavalerie du Seigneur, touchant ce qu'est cette cavalerie qui est à lui, même dans l'Exode, où les chars de Pharaon sont vaincus et « engloutis dans la mer [d] », nous ne lisons rien d'écrit, sinon seulement : « Chars de Pharaon et son armée, le Seigneur les jeta dans la mer [e] » Rouge.

Élisée et Habacuc

4 Nous trouvons toutefois au quatrième livre des Rois qu'Élisée, au sujet de l'avance des ennemis qui étaient venus avec cavalerie et chars, dit à son petit serviteur rempli d'effroi : « N'aie pas peur, car il y en a plus avec nous qu'avec eux. Puis Élisée pria : Seigneur, ouvre les yeux de ce garçon pour qu'il voie. Et le Seigneur lui ouvrit les yeux et il vit : et voici que la montagne était pleine de cavaliers, et autour d'Élisée il y avait des chars de feu qui étaient descendus vers lui [f]. »

5 De plus, chez le prophète Habacuc, sur la cavalerie du Seigneur, nous lisons aussi de façon claire et évidente qu'il monte ses chevaux. Voici les paroles de l'Écriture : « Est-ce contre les fleuves que flambe ta colère, Seigneur, contre les cours d'eau ta fureur, contre la mer ton emportement ? Car tu montes tes chevaux et ta cavalerie est le salut [g]. » Il y a donc des chevaux du Seigneur, qu'il monte, et sa cavalerie. Ils ne sont autres, à mon avis, que ces âmes qui acceptent le mors de sa discipline, portent « le joug de sa douceur [h] » et « sont conduites par l'Esprit de Dieu [i] », et c'est là pour elles le salut.

La vision de l'Apocalypse

6 Or nous lisons dans l'Apocalypse de Jean que lui apparut un cheval, et assis sur lui quelqu'un fidèle et vrai, jugeant avec justice, dont le nom, dit-il, est « le Verbe de Dieu ». Il déclare donc : « Et je vis le ciel ouvert, et voici un cheval blanc ; celui qui le montait s'appelait Fidèle et Vrai, et c'est avec justice qu'il juge et fait la guerre. Et ses yeux étaient comme une flamme de feu, et sur sa tête étaient

super caput eius diademata multa habentia nomen scriptum, quod nullus novit nisi ipse. Et adopertus erat vestimentum sanguine conspersum, et vocabatur nomen eius Verbum Dei. Et exercitus eius erat in caelo et sequebantur eum in equis albis induti byssino albo puro[j].

7 Sed opus est gratia Dei, quae horum nobis aperiat intellectum, quo possimus advertere quid istae indicent visiones, qui sit equus albus et qui sit qui sedet super eum, cuius nomen est *Verbum Dei*.

8 Et forte quidem dicet aliquis album esse equum corpus quod assumpsit Dominus et quo ille qui *in principio erat apud Deum Deus Verbum*[k] velut vectus est. Alius autem magis animam dicet, quam assumpsit *primogenitus omnis creaturae*[l] et de qua dicebat : *Potestatem habeo ponendi eam, et potestatem habeo iterum sumendi eam*[m]. Alius vero utrumque simul, corpus atque animam, quasi, ubi peccatum non fuerit, equum dici album putabit.

9 Alius adhuc quarto loco *ecclesiam* dicet, quae et *corpus eius*[n] nominatur, *album* videri *equum*, quasi non habentem *maculam aut rugam*, quam sibi ipse *sanctificavit lavacro aquae*[o]. Secundum haec autem singula etiam illa accipiet quae sequuntur, militiam caeli et exercitum Verbi Dei et quomodo singuli quique eorum sequentes Verbum Dei equis albis sedeant et byssinis albis induantur et mundis.

10 Huic ergo *equo albo*, quo ipse vehitur qui *Verbum Dei* appellatur, vel huic equitatui caelesti, qui *eum sequitur in albis* nihilominus *equis*, comparat et similem facit Christus ecclesiam suam.

j. Apoc. 19, 11-14 || k. Jn 1, 1 || l. Cf. Col. 1, 15 || m. Jn 10, 18 || n. Cf. Col. 1, 24 || o. Cf. Éphés. 5, 27.26.

---

1. Dans un beau texte relatif au même passage de l'Apocalypse, le corps du Christ qui a souffert est figuré non par le cheval blanc, mais par le manteau taché de sang», *ComJn* II, 61.

plusieurs diadèmes qui portaient inscrit un nom que nul ne connaît sinon lui-même. Et il était couvert d'un manteau trempé de sang, et son nom était Verbe de Dieu. Et son armée était dans le ciel ; et ses troupes le suivaient sur des chevaux blancs, revêtues de lin fin d'un blanc pur[j].»

7 Mais nous avons besoin de la grâce de Dieu qui nous ouvre le sens de ces paroles pour que nous puissions apercevoir ce qu'indiquent ces visions, quel est le cheval blanc, quel est celui qui le monte, dont le nom est «le Verbe de Dieu».

8 Peut-être l'un dira-t-il que le cheval blanc est le corps que le Seigneur assuma[1] et par lequel est pour ainsi dire porté celui qui «au commencement était auprès de Dieu, le Verbe Dieu[k]». Un autre dira que c'est plutôt l'âme qu'a prise «le Premier-né de toute créature[l]» et dont il disait : «J'ai le pouvoir de la déposer et j'ai le pouvoir de la reprendre[m]». Un autre pensera que c'est l'un et l'autre ensemble, le corps et l'âme quand il n'y a pas eu de péché, qui est dit comme une sorte de cheval blanc.

9 Un autre dira encore en quatrième lieu que l'Église, qui est aussi nommée «son corps[n]», semble être «le cheval blanc», comme n'ayant «ni tache ni ride», elle que pour lui, lui-même «a sanctifiée par le bain d'eau[o]». Or c'est d'après ces interprétations qu'il entendra encore une à une les expressions qui suivent : «la milice du ciel», «l'armée du Verbe de Dieu», le fait que tous ceux qui suivent le Verbe de Dieu montent des chevaux blancs et sont vêtus de lin fin blanc et pur.

10 C'est donc à ce «cheval blanc» par lequel est porté celui qui a nom «le Verbe de Dieu», ou à cette cavalerie céleste qui «le suit sur des chevaux blancs» également, que le Christ compare et assimile son Église.

11 *In curribus* autem *Pharaonis*[p] vel ita possumus accipere, ut, quantum hic Domini equitatus equitatum et currus Pharaonis eminet et praecellit, tantum tu, | quae *pulchra* es *in mulieribus*[q], praecellis et emines omnes reliquas animas quae adhuc iugum Pharaonis portant et sessores eius patiuntur ; vel certe quod equitatus hic meus qui *lavacro aquae mundatus*[r] purus et candidus factus est et Verbum Dei meruit habere sessorem, ex curribus assump- tus est Pharaonis. Inde enim omnes veniunt credentes quia *Christus in hunc mundum venit peccatores salvo facere*[s].

153

12 Hoc ergo modo potest explanari versiculi huiu sensus : *Equitatui meo*, qui fuit ante *in curribus Pharaoni* et nunc *sequitur me in equis albis*[t] *purificatus per lavacrum aquae*[u], *similem te arbitror, proxima mea*[v]. Beatae ergo sun illae animae quae dorsum suum curvaverunt ut suscipian super se sessorem Verbum Dei et frena eiu patiuntur, ut, quocumque ipse voluerit, flectat eas et aga habenis praeceptorum suorum ; quia iam non sua volunta te incedunt, sed ad omnia ducuntur et reducuntu voluntate sessoris.

13 Et fortassis videbitur secundum hoc quod ex multi animabus congregata est ecclesia et exemplum vita accepit a Christo, quod non tam ab ipsa deitate Verbi De acceperit, quae utique supereminet eos actus vel affectu qui ad exemplum dari hominibus debeant, sed illa anim quae assumpta est ab eo, in qua fuit summa perfectio, ips

p. Cf. Cant. 1, 9 || q. Cf. Cant. 1, 8 || r. Cf. Éphés. 5, 26 || s. I Tim 1, 15 || t. Apoc. 19, 14 || u. Cf. Éphés. 5, 26 || v. Cf. Cant. 1, 9.

1. Cf. *supra*, I, 1, 5.

2. Baehrens a corrigé en *deitatem* le *deitate* des mss et de Delaru Comme l'a remarqué A. de Brouwer (« Note critique sur un passag du Commentaire d'Origène sur le Cantique », *RBén* 59 (1959), p. 202 203, la correction n'est pas justifiée : *non ab ipsa deitate (exemplu acceperit)* est plus conforme à la doctrine d'Origène. Ce n'est pas

Parmi les chars de Pharaon

11 L'expression «parmi les chars de Pharaon[p]», nous pouvons la prendre en ce sens : autant cette cavalerie du Seigneur dépasse et surclasse la cavalerie et les chars de Pharaon, autant toi, qui est «belle entre les femmes[q]», tu surclasses et dépasses tout le reste des âmes qui portent le joug de Pharaon et supportent ses cavaliers ; ou plutôt : cette cavalerie, la mienne, qui, «purifiée par le bain d'eau[r]», est devenue nette et blanche et mérita d'avoir pour cavalier le Verbe de Dieu, fut prise du milieu des chars de Pharaon. De là, en effet, viennent tous les croyants, car «le Christ est venu dans ce monde pour sauver les pécheurs[s]».

12 Voilà donc la manière dont peut s'expliquer le sens de ce verset : «A ma cavalerie» qui fut jadis «parmi les chars de Pharaon, et qui maintenant «me suit sur des chevaux blancs[t]», «purifiée par le bain d'eau[u]», «je t'estime semblable, ma compagne[v]». Heureuses sont dès lors ces âmes qui ont courbé leur dos pour recevoir sur elles comme cavalier le Verbe de Dieu, et qui supportent son mors : il les fait tourner là où il veut et les mène par les rênes de ses ordres ; car elles ne marchent plus à leur gré, mais en toutes circonstances vont et viennent au gré du cavalier.

13 Et peut-être semblera-t-il, du fait que l'Église fut formée du rassemblement de beaucoup d'âmes[1] et qu'elle a reçu du Christ un exemple de vie — elle l'a reçu non pas tant de la divinité[2] même du Verbe de Dieu, laquelle surpasse évidemment ces actions ou dispositions qui doivent être données en exemple aux hommes, mais de cette âme qui fut assumée par lui et en qui fut la perfection

divinité, c'est l'âme parfaite assumée par le Verbe qui est proposée en modèle ; c'est l'humanité du Christ qui est médiatrice entre le Verbe et les hommes. Telle est l'exégèse de *Lam.* 4, 20, très souvent cité : cf. *infra*, III, 5, 11, et la note *ad loc.*

sit ad exemplum posita et ipsam dicat hic *proxima mea*[v], cuius similitudinem habere debeat etiam ecclesia, quae ex multis congregatur animabus, illis scilicet quae prius fuerant sub iugo et *curribus Pharaonis* et *equitatus Domini*[w] appellantur. Quae autem ex duabus expositio convenire magis proposito versiculo videatur, probabis etiam tu qui leges.

w. Cf. Hab. 3,8.

suprême —, que de ce fait c'est l'âme qui est proposée comme modèle, elle qu'il appelle ici «ma compagne[v]», elle dont doit porter la ressemblance aussi l'Église, formée de la réunion d'âmes nombreuses, celles-là précisément qui avaient jadis été sous le joug et «parmi les chars de Pharaon» et qu'on appelle «la cavalerie du Seigneur[w]». Mais quelle est celle des deux explications qui paraît le mieux convenir au verset en question[1], à toi aussi, lecteur, de le décider.

1. Il n'est point rare que l'auteur laisse au lecteur le choix entre plusieurs explications, du moins quand il ne les a pas trouvées dans le N.T.; il donne ainsi des «occasions de contemplation»; surtout dans le *Peri Archôn*, mais encore ailleurs, on le voit; cf. H. J. Vogt, «Wie Origenes in seinem *Matthaüs-Kommentar* Fragen offen lässt», dans *Origeniana Secunda*, p. 191-198.

Chapitre 7

Les joues et le cou de l'Épouse

Cant. 1, 10 : *Que tes joues sont devenues gracieuses,*
comme celles de la tourterelle,
et ton cou, comme des colliers

1-2 : Le drame historique ; 3-16 : la réalité : 3-5 : présentation de Paul, le Corps, les membres ; 6-9 : les joues de l'Épouse ; 10-16 : le cou de l'Épouse.

7

1 *Quam speciosae factae sunt genae tuae tamquam turturis, cervix tua sicut redimicula*[a]. Ordo dramatis huiusmodi videtur habere consequentiam quod, posteaquam austeriore usus est commonitione sponsus ad sponsam, protestatus ei quod, *nisi cognosceret semet ipsam, exitura esset in vestigiis gregum et pasceret* non oves, sed *haedos*[b], erubuerit super austeritatem praecepti et rubor verecundiae diffusus in vultu speciosas effecerit genas eius et multo, quam fuerant, pulchrio|res.

154

2 Non solum autem *genae*, sed et *cervix* eius tam decora sit reddita quasi monilium redimiculis adornata. Pulchritudo vero genarum turturibus comparatur, quod per huiusmodi aves simul et honestas vultus et alacritas indicetur. Haec est historici dramatis explanatio. Sed veniamus ad rem.

3 Paulus Apostolus scribens ad ecclesiam Corinthiorum ita dicit : *Corpus autem non est unum membrum, sed multa. Et si dixerit pes : quia non sum manus, non sum de corpore, non propterea non est ex corpore. Et si dixerit auricula : quia non sum oculus, non sum de corpore, non propterea non est ex corpore. Si totum corpus oculus, ubi est auditus? si totum*

a. Cant. 1, 10 || b. Cf. Cant. 1, 8.

---

1. «Gracieuses», au sens du poète : «... la grâce plus belle encore que la beauté», La Fontaine, *Fables, Adonis* ; «belles», Crampon, *BJ* ; «charmantes», Joüon, Osty ; «désirables», Chouraqui ; «jolies», Dhorme, Tournay, etc. — Sauf au livre IV, où s'impose l'expression consacrée «ma belle» pour traduire *speciosa mea*.

7

Le drame historique

1 «Que tes joues sont devenues gracieuses[1], comme celles de la tourterelle, ton cou, comme des colliers[a].» L'ordre d'un drame de ce genre semble avoir une continuité. Après que l'Époux a usé envers l'Épouse d'un avertissement plutôt sévère, lui ayant signifié que, si «elle ne se connaissait pas elle-même, elle allait sortir sur les traces des troupeaux et paître», non des brebis, mais «des boucs[b]», elle a rougi devant la sévérité de l'ordre, et le rouge de la honte répandu sur son visage a rendu ses joues gracieuses, et belles bien plus qu'elles n'avaient été.

2 Et non seulement ses «joues», mais de même son «cou» est rendu si charmant qu'on le dirait orné de «colliers» de bijoux. Mais la beauté de ses joues est comparée à des tourterelles, parce qu'on indique à la fois, par des oiseaux de ce genre, la noblesse et l'air éveillé du visage. Telle est l'explication du drame historique. Mais venons-en à la réalité.

La réalité : Le Christ et ses membres

3 L'apôtre Paul, écrivant à l'Église de Corinthe, dit[2] : «Le corps n'est pas un seul membre, mais plusieurs. Si le pied disait : Comme je ne suis pas la main, je ne suis pas du corps, il n'en serait pas moins du corps pour cela. Et si l'oreille disait : Comme je ne suis pas l'œil, je ne suis pas du corps, elle n'en serait pas moins du corps pour cela. Si le corps entier était œil, où serait l'ouïe ? S'il était tout entier

2. Voir la note complémentaire 19 : «L'Église».

auditus, ubi odoratus? Nunc autem Deus posuit unumquodque membrum in corpore, sicut voluit[c]. Et cum plura de hoc disputasset, ad ultimum dicit : *Vos autem estis corpus Christi et membra ex parte*[d].

4 Et iterum ad Ephesios scribens dicit : *Subiecti invicem in timore Christi, mulieres viris suis subiectae sint sicut Domino, quia vir caput est mulieris sicut et Christus caput est ecclesiae, ipse Salvator corporis. Sed sicut ecclesia subiecta est Christo, ita et mulieres viris suis in omnibus. Viri, diligite uxores vestras, sicut et Christus dilexit ecclesiam suam et semet ipsum tradidit pro ea, ut eam sanctificaret lavacro aquae in verbo, ut ipse sibi praepararet gloriosam ecclesiam non habentem maculam aut rugam, aut aliquid huiusmodi, sed ut esset sancta et immaculata*[e]. Et post pauca : *Nemo enim*, inquit, *aliquando carnem suam odio habuit, sed nutrit et fovet eam, sicut et Christus ecclesiam, quia membra sumus corporis eius*[f], et reliqua.

5 Per haec ergo edocemur quomodo sponsa Christi, ★ quae est ecclesia, etiam sit corpus eius et membra. Si ergo audias sponsi membra nominari, ecclesiae membra dici intellige. In quibus sicut sunt aliqui qui dicuntur oculi, 155 pro intelli|gentiae sine dubio ac scientiae lumine, et alii aures pro audiendo verbo doctrinae, alii manus pro bonis operibus religiosisque ministeriis, ita sunt aliqui qui genae eius appellentur.

6 Genae autem vultus dicuntur, in quibus honestas et verecundia animae agnoscitur, per quod sine dubio illi in membris ecclesiae declarantur, qui castitatis et pudicitiae excolunt honestatem. Pro his ergo ad omne corpus sponsae dicitur : *Quam speciosae factae sunt genae tuae*[g].

c. I Cor. 12, 14-18 || d. I Cor. 12, 27 || e. Cf. Éphés. 5, 21-27 || f. Éphés. 5, 29-30 || g. Cant. 1, 10.

ouïe, où serait l'odorat ? Mais Dieu a mis chaque membre dans le corps comme il a voulu [c]. » Et après un long examen du sujet, il conclut : « Or vous êtes, vous, le corps du Christ, et membres, chacun pour sa part [d]. »

4 Et de nouveau, écrivant aux Éphésiens, il dit : « Soyez soumis les uns aux autres dans la crainte du Christ. Que les femmes soient soumises à leurs maris comme au Seigneur ; car le mari est le chef, tout comme le Christ est le chef de l'Église, lui, le Sauveur du corps. Mais comme l'Église est soumise au Christ, que les femmes le soient en tout à leurs maris. Maris, aimez vos femmes, tout comme le Christ a aimé son Église et s'est livré pour elle, afin de la sanctifier par le bain d'eau qu'une parole accompagne, pour se préparer à lui-même une Église glorieuse, n'ayant ni tache ni ride ni rien de tel, mais qu'elle soit sainte et immaculée [e]. » Et peu après il dit : « Car personne n'a jamais haï sa propre chair ; au contraire, on la nourrit, on en prend soin, tout comme le Christ a fait pour l'Église, car nous sommes membres de son corps [f] », etc.

5 Par là donc nous apprenons que l'Épouse du Christ, qui est l'Église, est aussi son corps et ses membres. Si donc tu entends nommer les membres de l'Époux, comprends que l'on veut dire les membres de l'Église. Parmi eux, de même qu'il y en a qu'on appelle les yeux, du fait sans nul doute de la lumière de leur intelligence et de leur science, et d'autres, les oreilles, du fait qu'ils écoutent la parole de la doctrine, d'autres, les mains, du fait de leurs bonnes œuvres et de leurs ministères religieux, de même il y en a qu'on appelle ses joues.

Les joues de l'Épouse

6 On désigne sous le nom de « joues » ces parties du visage où se reconnaissent la noblesse et la pudeur de l'âme : par là sans nul doute sont désignés ceux qui, parmi les membres de l'Église, cultivent la noblesse de la chasteté et de la pureté. C'est donc à cause d'eux qu'il est dit à tout le corps de l'Épouse : « Que tes joues sont devenues gracieuses [g]. »

7 Et observa quia non dixit : Quam speciosae sunt genae tuae, sed : *Quam speciosae factae sunt*, ut ostendat prius quidem non eas fuisse ita speciosas, sed posteaquam suscepit oscula sponsi et ipse, qui loquebatur prius per prophetas[h], affuit et *mundavit* sibi ipsi *ecclesiam suam lavacro aquae* et fecit eam non habere *maculam aut rugam*[i] et agnitionem sui praestitit ei, tunc *factae sunt speciosae genae* eius. Tunc enim castitas et pudicitia et virginitas, quae prius non fuerat, per ecclesiae genas specioso decore diffusa est.

8 Quae tamen genarum species, id est pudicitiae et castitatis, turturibus comparatur. Turturum ferunt naturam huiusmodi esse ut neque masculus praeter unam feminam adeat aliam neque femina amplius quam unum patiatur marem, ita ut, si accidat altero intercepto superesse alterum, pariter cum coniuge exstinctus ei sit concubitus amor.

9 Convenienter igitur similitudo turturis aptatur ecclesiae, quod vel alterius viri post Christum coniugium nesciat vel quod continentiae et pudicitiae in ea tamquam turturum volitet multitudo.

10 Secundum hanc intelligentiam etiam cervicem sponsae accipiamus. Quae sine dubio illae intelligi debent animae quae iugum Christi suscipiunt dicentis : *Suscipite* 156 *super vos iugum meum, quia* | *iugum meum suave est*[j]. Oboedientia igitur eius *cervices* eius appellantur.

h. Cf. Hébr. 1,1 || i. Cf. Éphés. 5,26-27 || j. Matth. 11,29.30.

1. «L'homme offre encore une paire de tourterelles quand il n'est pas seul, mais a uni son âme au Verbe de Dieu comme à son Époux véritable, à l'exemple de cette sorte d'oiseaux qui forment, dit-on, un seul couple chaste et fidèle», *HomLév.* II, 2, 10 s. L'union fidèle de l'âme au Verbe dans cette homélie, l'union fidèle de l'Église au Christ dans notre commentaire, sont également symbolisées par la fidélité de la tourterelle figurant la vertu de chasteté. La patristique ne cessera

7 Note que l'Époux n'a pas dit : Que tes joues sont gracieuses, mais : « Qu'elles sont devenues gracieuses », pour montrer qu'auparavant elles n'avaient pas été si gracieuses ; mais, après que l'Épouse eut reçu les baisers de l'Époux, et que lui-même, qui lui parlait d'abord par les prophètes[h], fut venu et qu'il eut purifié pour lui « son Église par le bain d'eau », eut fait qu'elle n'aie « tache ou ride[i] », lui eut accordé la connaissance de soi, alors ses « joues sont devenues gracieuses ». Alors en effet une chasteté, une pureté, une virginité qui n'avaient pas existé auparavant furent répandues sur les joues de l'Église avec un charme gracieux.

8 Cette grâce des joues, c'est-à-dire de la pureté et de la chasteté, est comparée à « des tourterelles ». On raconte que la nature des tourterelles est ainsi faite que ni le mâle ne s'approche d'une autre femelle, ni la femelle ne supporte plus d'un mâle : de la sorte, s'il arrive que l'un ayant péri, l'autre survive, en même temps que le conjoint[1] s'éteint pour lui le désir de s'accoupler.

9 Cette comparaison avec la tourterelle convient donc à merveille à l'Église, soit parce qu'après le Christ elle ne connaît pas l'union conjugale avec un autre mari, soit parce qu'une foule de gens continents et chastes voltigent en elle comme une multitude de tourterelles.

Le cou de l'Épouse

10 Comprenons aussi le cou de l'Épouse dans ce sens. Sans nul doute on doit y voir ces âmes qui prennent le joug du Christ[2] qui dit : « Prenez sur vous mon joug, car mon joug est doux[j]. » C'est donc à cause de son obéissance qu'elles sont appelées son « cou ».

de rappeler ce modèle et cette caractéristique qu'affirmait l'Antiquité, cf. Aristote, *Hist. anim.* IX, 7, 612 b ; Pline, *nat.* 10, 35.

2. « Le joug », et « l'obéissance » seront bientôt dits à la fois du Christ et de l'Église (§§ 14-15).

11 *Cervix* ergo eius *speciosa facta est sicut redimicula*[k], et merito. Quam enim prius praevaricationis inoboedientia turpem fecerat, nunc oboedientia fidei speciosam fecit et pulchram. *Cervix* ergo *tua speciosa facta est sicut redimicula*; ad utrumque enim subauditur *speciosa facta est*.

12 *Redimicula* hic dicit constrictiones vel connexiones monilium, quae in cervicibus sedere solent, ex quibus deducitur et descendit per omne collum reliquus ornatus. Ipsi ergo ornamento, quod cervicibus et collo imponi solet, cervicem sponsae comparavit.

13 Quod dictum ita advertimus. *Cervicem* diximus subiectionem et oboedientiam dici pro eo quod quasi iugum Christi suscipiat[l] et fidei eius oboedientiam praebeat.

14 Ornamentum ergo cervicis eius, quae est oboedientia, Christus est. Ipse enim prior *factus est oboediens usque ad mortem*[m], et *sicut per unius* — Adae scilicet — *inoboedientiam peccatores constituti sunt multi, ita et per unius oboedientiam* — Christi dumtaxat — *iusti constituentur multi*[n]. Ornamentum ergo et monile cervicis ecclesiae oboedientia Christi est.

15 Sed et cervix ecclesiae, id est oboedientia eius, similis effecta est oboedientiae Christi, quod est monile cervicis. Magna ergo in hoc laus sponsae est, magna ecclesiae gloria, ubi imitatio oboedientiae eius exaequatur oboedientiae Christi, quem imitatur ecclesia.

16 Haec ipsa species monilis etiam in Genesi memoratur a Iuda patriarcha Thamar nurui suae, quando cum ea

k. Cant. 1, 10 || l. Cf. Matth. 11, 29 || m. Phil. 2, 8 || n. Rom. 5, 19.

11 Donc «le cou» de l'Épouse «est devenu gracieux comme des colliers[k]», et à juste titre. En effet, celle qu'avait jadis rendue laide la désobéissance de la transgression, maintenant l'obéissance de la foi l'a rendue belle et gracieuse. Donc : «Ton cou est devenu gracieux comme des colliers»; car ici et là on sous-entend : «est devenu gracieux».

12 L'Époux appelle ici «colliers» les tresses ou chaînettes des bijoux qui d'ordinaire sont fixés sur le cou; d'eux le reste de la parure s'étend et descend tout autour du cou. C'est à cet ornement que l'on place d'habitude derrière le cou et au cou, que l'Époux a comparé le cou de l'Épouse.

13 A cette parole, nous prêtons attention. Nous avons dit que la sujétion et l'obéissance sont appelées «le cou», du fait, pour ainsi dire, qu'il «reçoit le joug[l]» du Christ et offre l'obéissance de la foi en lui.

14 Aussi la parure de son cou, qui est l'obéissance, est le Christ. Car lui-même le premier «s'est fait obéissant jusqu'à la mort[m]»; et «de même que par la désobéissance d'un seul — Adam — la multitude a été rendue pécheresse, de même par l'obéissance d'un seul — le Christ — la multitude sera rendue juste[n]». Ainsi la parure et le joyau du cou de l'Église, c'est l'obéissance du Christ.

15 De plus, le cou de l'Église, à savoir son obéissance est devenue semblable à l'obéissance du Christ, laquelle est le joyau du cou. Voilà donc un magnifique éloge de l'Épouse, un magnifique titre de gloire pour l'Église, quand l'imitation qu'est son obéissance se rend égale à l'obéissance du Christ, lui qu'imite l'Église.

16 Cette figure même du joyau est aussi mentionnée dans la Genèse : elle est donnée par le patriarche Juda à Thamar, sa bru, quand il coucha avec elle comme avec une

quasi cum meretrice concubuit[o], data. Quod mysterium non omnibus patet. Intelligitur per hoc quod Christus ecclesiae, quam ex multorum dogmatum prostitutione collegerat, futurae perfectionis haec dedit pignora et istud oboedientiae monile cervici eius imposuit.

o. Cf. Gen. 38, 11 s.

---

1. Juda figure le Christ, *HomJér*. IV, 3, 37 s. ; IX, 1, 47 s. et 4, 15 s. Et c'est là un « mystère ». Mystère pressenti par la pensée juive qu'Origène connaissait sans doute. De cette union de Juda avec Thamar naquirent deux jumeaux : Zérah et Pharès, « celui qui s'est

courtisane°. Ce mystère n'est pas accessible à tous[1]. On comprend par là que le Christ a donné à l'Église qu'il avait rassemblée de la prostitution de nombreuses doctrines, ces gages de la perfection future, et qu'il a placé sur son cou ce joyau de l'obéissance.

ouvert une brèche». Or dans la liturgie juive, «Fils de Pharès» est un titre messianique analogue à celui de «Fils de David». On l'explique en glosant sur le nom de Pharès : «Avec quelle force tu l'as emporté! c'est à toi qu'il revient de l'emporter, car c'est toi qui es destiné à posséder la royauté!», *Targum Gen.* 38, 29.

Chapitre 8
Imitations d'or et pointillés d'argent

Cant. 1, 11 - 12 a : *Nous te ferons des imitations d'or*
avec des pointillés d'argent,
jusqu'à ce que le Roi se soit couché

1-9 : Changement de personnages ; selon l'intelligence mystique, *amis et compagnons de l'Époux* sont les anges, prophètes, patriarches ; par les anges, le Christ fut servi au désert, la Loi promulguée ; ils agissaient comme tuteurs et curateurs, car l'Église existe dès le commencement du genre humain ; parmi les prophètes on compte Adam qui prophétisa le grand mystère concernant le Christ et l'Église : que déjà le Christ aimait, preuve qu'elle existait ; prophètes et anges servaient dès le commencement : on le voit à l'apparition des trois hommes à Abraham ; de même dans l'Exode quand l'ange apparut à Moïse ; 10-12 : donc, les amis de l'Époux, les anges, font cette déclaration à l'Épouse ; 13-16 : l'or figure la nature intelligible et incorporelle, l'argent la faculté de la parole et de la raison ; 17-22 : *« l'imitation d'or »* — ombre de la vérité — s'entend des choses visibles et corporelles, la tente faite à la main, dont parle l'Apôtre, l'arche d'alliance, le propitiatoire, etc., le culte juif et la religion juive, les événements arrivés en figure, selon Paul ; 23-26 : *« avec des pointillés d'argent »* : des traces d'une parole spirituelle et d'une interprétation raisonnable, par la parole d'Isaïe sur la vigne du Seigneur, celle d'Ézéchiel, identifiant Ohola et Oholiba avec Samarie et Juda ; mais avec la venue de notre Sauveur, un signe véritable est donné à sa passion dans la déchirure du voile du temple ; 27-33 : *« jusqu'à ce que le Roi se soit couché »* fixe une durée : puisqu'il est ressuscité d'entre les morts, ceux qui deviendront conformes à sa résurrection recevront de lui l'or véritable et l'argent coulé en large plaque ; le confirment la deuxième prophétie de Balaam : « Une étoile se lèvera de Jacob ... », la parole du Seigneur sur Abraham qui a désiré « voir son jour », et sur les nombreux justes qui « ont désiré voir » ; 34-42 : l'interprétation peut être appliquée à *l'âme* : tant qu'elle est encore petite selon l'instruction, il convient de lui faire des cadeaux, jusqu'à ce qu'elle ait fait de tels progrès qu'elle contienne le Roi couché en elle ; d'après la promesse : « J'habiterai en eux, je me promènerai en eux », qui vise ceux qui offrent au Verbe une suffisante largeur de cœur, et la déclaration par le prophète : « Sur qui reposerai-je sinon sur l'humble ... », ce Roi a son lit de repos dans l'âme parvenue à la perfection ; et avec lui sont le Père et le Saint Esprit, convives d'un festin où la charité a la place principale.

8

1 *Similitudines auri faciemus tibi cum distinctionibus argenti, quoadusque rex sit in recubitu suo*[a]. Supra diximus quod specie dramatis libellus hic ordinatus personarum immutatione contexitur ; et nunc ergo videntur haec amici vel sodales sponsi ad sponsam locuti, qui secundum intelligentiam mysticam, ut et supra iam diximus, aut angeli vel etiam prophetae aut patriarchae possunt intelligi.

157 **2** Non enim tunc so|lum, cum post baptismum Iohannis *in deserto tentatus est a diabolo* Dominus, *accesserunt angeli et ministraverunt ei*[b], sed ante adventum praesentiae corporalis ministraverunt semper. Nam et *lex disposita per angelos* dicitur *in manu mediatoris*[c]. Et ad Hebraeos scribens Apostolus dicit : *Si enim qui per angelos habitus est sermo, factus est firmus*[d].

3 Ipsi ergo erant velut *actores et procuratores*[e] appositi parvulae sponsae cum *paedagogo*[f] lege, *donec plenitudo temporum veniret et mitteret Deus Filium suum factum ex muliere, factum sub lege*[g], et adduceret eam *sub actoribus et procuratoribus et paedagogo* lege, ut ipsius Verbi Dei oscula, doctrinam scilicet verbaque, susciperet. Ante ergo quam (13

a. Cant. 1, 11-12 || b. Cf. Matth. 4, 1-11 || c. Cf. Gal. 3, 19 || d. Hébr. 2, 2 || e. Cf. Gal. 4, 2 || f. Cf. Gal. 3, 24 || g. Gal. 4, 4.

---

1. Mot propre à la Septante. Le terme hébreu est un hapax de sens obscur, Joüon, p. 141-142.
2. Cf. *supra*, Prol. 1, 3 ; I, 1, 1.

8

1 « Nous te ferons des imitations[1] d'or avec des pointillés d'argent, jusqu'à ce que le Roi se soit couché[a]. » Nous l'avons dit plus haut : ce petit livre, ordonné en forme de drame, a sa texture faite de changements de personnages[2] ; et ici, donc, ces paroles à l'Épouse, il semble que les disent les amis ou compagnons de l'Époux, qui, selon l'intelligence mystique, comme nous l'avons déjà dit plus haut, peuvent être compris comme les anges, ou même les prophètes ou les patriarches[3].

Anges et prophètes

2 En effet, ce n'est pas seulement lorsque, après le baptême de Jean, le Seigneur « fut tenté par le diable au désert », que « les anges s'approchèrent de lui et le servirent[b] », mais avant la venue de sa présence corporelle, ils l'ont toujours servi. Car « la Loi » est dite « promulguée par les anges dans la main d'un médiateur[c] ». Et l'Apôtre, écrivant aux Hébreux, dit : « Car si la parole annoncée par les anges s'est révélée ferme[d]. »

3 Eux-mêmes étaient donc placés, comme « curateurs et tuteurs[e] », auprès de la toute jeune Épouse, avec « le pédagogue[f] », la Loi, « jusqu'à ce que vienne la plénitude des temps et que Dieu envoie son Fils, né de la femme, né sous la Loi[g] », et que, « sous la conduite des curateurs, des tuteurs et du pédagogue », la Loi, il la dispose à recevoir les baisers du Verbe de Dieu lui-même, c'est-à-dire ses paroles et sa doctrine. Avant que ne vienne donc leur temps,

3. Les anges, *supra*, II, 4, 13 ; les prophètes ou les anges, *supra*, I, 5, 6.

tempus adesset horum, in multis angelorum ministerio excolebatur sponsa, qui apparebant tunc hominibus et loquebantur ea quae res poscebat et tempus.

4 Non enim mihi ex adventu Salvatoris in carne sponsam dici aut ecclesiam putes, sed ab initio humani generis et ab ipsa constitutione mundi, immo, ut Paulo duce altius mysterii huius originem repetam, *ante* etiam *constitutionem mundi*. Sic enim dicit ipse : *Sicut elegit nos in Christo ante constitutionem mundi, ut essemus sancti et immaculati coram ipso, in caritate praedestinans nos in adoptionem filiorum*[h]. Sed et in Psalmis scribitur : *Memento congregationis tuae, Domine, quam congregasti ab initio*[1]. Prima etenim fundamenta *congregationis* ecclesiae statim *ab initio* sunt posita, unde et Apostolus dicit *aedificari* ecclesiam non solum *super Apostolorum fundamentum*, sed etiam *prophetarum*[j].

5 Inter prophetas autem numeratur et Adam, qui *magnum mysterium* prophetavit *in Christo et in ecclesia* dicens : *Propter hoc relinquet homo patrem suum et ma|trem suam, et adhaerebit uxori suae, et erunt ambo in carne una*[k] ; evidenter enim de his dictis eius dicit Apostolus quia :

158

h. Cf. Éphés. 1, 4-5 || i. Ps. 73, 2 || j. Cf. Éphés. 2, 20 || k. Gen. 2, 24.

1. «... l'Église, qui est la première, qui est spirituelle, qui fut créée avant le soleil et la lune», *II Clem*. XIV, 1 (Funck I, p. 200) ; «Dieu a créé et fait croître les êtres en vue de sa sainte Église» ; «Pourquoi donc est-elle si âgée ? ... parce qu'elle a été créée la première de toutes choses ..., et c'est pour elle que le monde a été créé», Hermas, *Vis*. I, 1, 6 et II, 4, 1 ; «l'Église antique (ἀρχαία)», Clément d'Alexandrie, *Strom*. VII, 92, 3. — Pour Origène, l'Église a commencé avec la création des intelligences préexistantes qui s'est produite dans le temps (*PArch*. II, 9, 2 ; IV, 4, 8). L'Église était alors leur ensemble, uni à l'intelligence préexistante jointe au Verbe, comme l'Épouse unie à l'Époux. Ceci avant même la création du monde sensible qui suivra la chute primitive. Après la chute, l'Église est représentée par l'Israël de l'A.T., jusqu'à ce que son Époux s'incarne pour la relever. — Pour les spéculations sur l'Église préexistante, voir Daniélou, *Théologie du*

l'Épouse était éduquée en maint domaine par le ministère des anges, qui apparaissaient alors aux hommes et leur parlaient de ce qu'exigeaient l'événement et l'époque.

4 Car ne crois pas qu'on la dise Épouse ou Église depuis la venue du Sauveur dans la chair, mais dès le commencement du genre humain et dès la fondation même du monde, bien mieux, pour faire remonter plus haut, sous la conduite de Paul, l'origine de ce mystère, même «avant la fondation du monde»[1]. Car voici ce qu'il dit lui-même : «Comme il nous a choisis dans le Christ avant la fondation du monde, pour être saints et immaculés devant lui, nous prédestinant dans la charité à l'adoption des fils[h].» De plus, dans les Psaumes, il est écrit : «Souviens-toi, Seigneur, de ton assemblée que tu as réunie dès le commencement[i].» En effet, les premiers fondements de l'assemblée qu'est l'Église furent posés «dès le commencement» même, et c'est pourquoi l'Apôtre dit que l'Église «est bâtie», non seulement «sur le fondement des apôtres», mais encore «des prophètes[j]».

5 Or, parmi les prophètes on compte aussi Adam[2], qui prophétisa «le grand mystère» qui concerne le Christ et l'Église[3], disant : «C'est pourquoi l'homme quittera son père et sa mère et s'attachera à sa femme, et ils seront deux dans une seule chair[k].» Car de toute évidence, c'est à propos de ces expressions d'Adam que Paul affirme : «Ce

judéo-christianisme, p. 355-377. Des textes qui effleurent le sujet de la préexistence (de l'Église et de l'âme) sont analysés dans les 2 premiers chapitres de l'ouvrage de Chênevert, *L'Église dans le Commentaire d'Origène*, p. 13-78 ; sur l'âme et le corps, cf. l'appendice A, p. 283-285. Voir Crouzel, *Origène*, p. 267-268 et 285-287.

2. Opinion d'origine rabbinique : Théophile, *Autol.* II, 28 ; Clément d'Alexandrie, *Strom.* I, 135, 3. Cf. *PArch.* I, 3, 6, 196 ; voir Chênevert, p. 41-43.

3. En effet, le verset *Gen.* 2, 24 peut être attribué soit à Adam (qui prononce certainement 2, 23), soit au narrateur. Jésus, en *Matth.* 19, 5, en fait une parole de Dieu, mais en *Mc* 10, 7-8, une simple citation.

Mysterium hoc magnum sit, ego autem dico in Christo et in ecclesia[l].

6 Sed et idem Apostolus cum dicit : *Sic enim Christus dilexit ecclesiam, ut semet ipsum traderet pro ea sanctificans eam lavacro aquae*[m], non utique ostendit eam prius non fuisse. Quomodo enim dilexisset eam quae non erat ? Sed eam sine dubio dilexit quae erat. Erat autem in omnibus sanctis qui ab initio saeculi fuerunt.

7 Diligens ergo eam venit ad eam et, sicut *pueri sui communicaverunt sanguini et carni, similiter et ipse particeps factus est eorundem*[n] ac *semet ipsum pro* iis *tradidit*[o]. Ipsi enim erant ecclesia quam dilexit, ut eam vel numerositate augeret vel virtutibus excoleret vel perfectionis caritate de terris transferret ad caelum.

8 Ministraverunt ergo et prophetae *ab initio*, ministraverunt et angeli. Quid enim aliud fiebat tunc cum apparuerunt *tres viri* Abrahae *sedenti ad quercum Mambre*[p] ? Licet illa angelorum species plus aliquid quam angelicum ostenderit ministerium ; nam Trinitatis ibi mysterium prodebatur.

9 Hoc erat et in Exodo, cum *angelus Domini* dicitur *in flamma ignis apparuisse* Moysi *in rubo*[q]. Continuo autem in subsequentibus *Dominus* et *Deus* loqui[r] in angelo scribitur,

l. Cf. Éphés. 5, 32 || m. Éphés. 5, 25-26 || n. Hébr. 2, 14 || o. Gal. 2, 20 || p. Cf. Gen. 18, 1 s. || q. Ex. 3, 2 || r. Cf. Ex. 3, 4-6.

1. Dans *HomGen.* IV, les trois hommes sont Dieu et ses anges auprès d'Abraham (§ 1). Le sage va à la rencontre des trois, mais n'en adore qu'un (§ 2) ; il offre à Dieu et à ses anges un repas de choix (§ 5). Pourtant la doxologie finale fait mention du mystère de la Trinité (§ 6). Commentaire analogue : «Certains rapportent que ces trois

mystère est grand ; mais moi j'affirme qu'il concerne le Christ et l'Église[l].»

6 De plus, quand le même Apôtre dit : «Le Christ a tant aimé l'Église qu'il s'est livré pour elle, la sanctifiant par le bain d'eau[m]», il ne montre pas, certes, qu'elle n'existait pas auparavant. En effet, comment aurait-il aimé celle qui n'existait pas ? Mais sans nul doute, il a aimé celle qui existait. Or elle existait dans tous les saints qui vécurent depuis le commencement du siècle.

7 Ainsi donc l'aimant, il vint à elle ; et comme «ses enfants ont en commun le sang et la chair, il y a lui aussi également participé[n]», et pour eux «il se livra lui-même[o]». Car ils étaient l'Église qu'il a aimée, afin soit de l'augmenter en nombre, soit de l'orner de vertus, soit de la transporter par l'amour de la perfection de la terre au ciel.

8 Dès lors, «depuis le commencement», et les prophètes servirent, et les anges servirent. En effet, que se passait-il d'autre quand «apparurent trois hommes» à Abraham «assis auprès du chêne de Mambré[p]» ? Encore que cette apparition des anges manifeste quelque chose de plus qu'un ministère angélique : car ici, le mystère de la Trinité était révélé[1].

9 Il en était de même aussi dans l'Exode quand, dit-on, «l'Ange du Seigneur est apparu à Moïse dans une flamme de feu dans le buisson ardent[q]». Mais aussitôt après il est écrit que «le Seigneur et Dieu» parle dans l'ange[r], et qu'il

hommes furent trois anges. D'autres affirment qu'ils judaïsent ceux qui ne croient pas que parmi eux, un seul était Dieu, les deux autres étant à mettre au nombre des anges. Mais il n'en manque pas pour enseigner que cette histoire est le type de la sainte et consubstantielle Trinité», PROCOPE DE GAZA, *ComGen.* 18 (*PG* 87/1, col. 364 B).

et ipse esse *Deus Abraham et Deus Isaac et Deus Iacob*[s] designatur. Quod quidam haereticorum legentes dixerunt Deum legis et prophetarum longe inferiorem esse quam Iesum Christum et Spiritum sanctum et eo usque impietatem suam pertenderunt, ut plenitudinem quidem in Christo ponant et in Spiritu sancto, imperfectionem vero et infirmitatem in Deo legis. Sed haec alias.

10 Nunc autem nobis propositum est ostendere quomodo sancti angeli, qui ante adventum Christi velut parvulae adhuc sponsae tutelam procurabant, ipsi sunt | amici et sodales sponsi qui ad eam dicere videantur : *Faciemus tibi similitudines auri cum distinctionibus argenti, usquequo rex sit in recubitu suo*[t].

159

11 Indicant ergo quod ipsi faciant sponsae non aurum — neque enim habebant tale aurum quale dignum erat offerri sponsae —, sed pro auro similitudines auri facere se promittunt, et non unam similitudinem, sed multas.

12 Ita etiam de argento dicunt, sed quasi habentes, licet parvam, argenti materiam promittunt se ei facere non similitudines, sed *distinctiones argenti*, utpote quibus non tanta abundaret argenti materia ut connexum aliquid et solidum ex eo producere opus possent, sed distinctiones solas ac signa quaedam parva velut puncta intersererent illi operi quod ei ex auri similitudine faciebant. Haec ergo

s. Cf. Ex. 3,6 || t. Cant. 1,11-12.

1. «Non seulement on le reconnaît Dieu, mais on le découvre de plus Dieu d'Abraham, d'Isaac et de Jacob ... On l'appelle Seigneur et Dieu», Hilaire de Poitiers, *trin.*, 4, 32. — Selon l'opinion constante aux premiers siècles et chez Origène, c'est le Fils et non le Père qui apparaît dans les théophanies de l'A.T. Il se révèle sous forme angélique (ou humaine), c'est-à-dire sous son âme préexistante qui, n'ayant pas péché, a gardé la forme humano-angélique de la préexis-

est désigné[1] comme «le Dieu d'Abraham, le Dieu d'Isaac, le Dieu de Jacob[s]». Certains des hérétiques, lisant cela, ont dit que le Dieu de la Loi et des prophètes est de loin inférieur à Jésus-Christ et à l'Esprit Saint, et ils poussèrent leur impiété jusqu'à placer la plénitude dans le Christ et l'Esprit Saint, mais l'imperfection et la faiblesse dans le Dieu de la Loi[2]. Mais cela, pour une autre fois.

Une parure pour l'Épouse

10 Pour l'instant notre propos est de montrer que les saints anges qui, avant la venue du Christ, assuraient la tutelle d'une Épouse pour ainsi dire encore toute jeune, sont les amis et les compagnons de l'Époux qui, semble-t-il, lui disent : «Nous te ferons des imitations d'or avec des pointillés d'argent, jusqu'à ce que le Roi se soit couché[t].»

11 Ainsi donc ils déclarent qu'eux-mêmes vont faire pour l'Épouse, non un objet en or — car ils n'avaient pas de l'or tel qu'il fût digne d'être offert à l'Épouse —, mais à la place de l'or, ils promettent de lui faire des «imitations d'or», et non pas une imitation mais plusieurs.

12 De même ils parlent aussi d'argent, mais, comme ayant de cette matière, l'argent, bien qu'en petite quantité, ils s'engagent à lui faire, non pas des «imitations», mais «des pointillés d'argent», car à leur disposition, cette matière, l'argent, n'était pas en telle abondance qu'ils pussent en façonner une œuvre d'un seul tenant et massive, mais ils parsemaient des pointillés seuls et de petits signes comme des points sur cet ouvrage en imitation d'or qu'ils faisaient à l'Épouse. Ce sont donc les amis de

tence. C'est en ce sens que le Christ est dit, dans le contexte des théophanies, s'être fait homme parmi les hommes, ange parmi les anges, *ComJn* I, 217-218; *HomGen.* VIII, 8, 19 s.

2. Il s'agit des adeptes de Marcion qui opposaient le Dieu de l'Ancien Testament au Dieu du Nouveau, cf. *HomJér.* I, 8; *HomGen.* IV, 6; *ComTite* (*PG* 14, col. 1303 C s.); etc.

amici sponsi illi, de quibus supra diximus, sponsae faciunt ornamenta.

13 Sed quid in his secreti contineatur et quid elocutionis novitas ipsa parturiat, omnipotentis Verbi ac sponsi Patrem precemur ut ipse nobis arcani huius claustra patefaciat, quo possimus non solum ad intelligenda haec illuminari, verum et ad proferenda ac secundum mensuram eorum qui lecturi sunt, moderationem eloquii spiritalis accipere.

14 Auri speciem in multis saepe ostendimus figuram tenere intellegibilis et incorporeae naturae, argentum vero virtutem verbi ac rationis, secundum quod et Deus per prophetam dicit : *Dedi vobis argentum et aurum ; vos autem fecistis argentea et aurea Baalim*[u], ostendens per haec et dicens quia : ego *dedi vobis* sensum et rationem qua me Deum et sentire possetis et colere ; *vos autem* et sensum et rationem, quae in vobis est, ad colenda daemonia transtulistis.

15 Sed et *Eloquia Domini eloquia casta, argentum igne probatum*[v] dicitur ; et item in aliis *argentum ignitum iusti lingua*[w] memoratur. Cherubim vero aurea[x] dicuntur, quoniam quidem plenitudo scientiae interpretantur. Sed

u. Cf. Os. 2, 10 || v. Ps. 11, 7 || w. Cf. Prov. 10, 20 || x. Cf. Ex. 25, 18.

1. En effet, dans les Homélies, l'or figurait la foi et l'intelligence, et l'argent, la parole de la confession ou de la prédication : *HomEx.* IX, 3, 84 s. ; XIII, 2, 22 s. ; 35 s. ; *HomNombr.* IX, 1 ; *SelÉz.* 16, 12 ; *HomLc* XXVII, 6. Dans ce Commentaire, on trouve un symbolisme du même ordre : soit, plus loin, dans l'interprétation des « ailes argentées de la colombe » et « du vert pâle de l'or de l'arrière de son dos » (IV, 2, 22-24) ; soit, bientôt, dans celle non moins personnelle qu'il donne des « imitations d'or » et des « pointillés d'argent » (§§ 17-22 ; 23). Sur ce point on ne suivra guère. Il s'agirait des ornements qui parent la cavale à laquelle est comparée l'Épouse, pour GRÉGOIRE DE NYSSE, *HomCant.* III (*GN*, p. 83). Plus proche sera BERNARD, *SSC* 41 ; mais

l'Époux, dont nous avons parlé plus haut, qui font ces parures à l'Épouse.

L'or et l'argent dans l'Écriture

13 Mais qu'y a-t-il de secret contenu dans ces termes et de quoi est grosse l'originalité de l'expression ? Prions le Père du Verbe tout-puissant et de l'Époux de nous tirer lui-même le verrou de ce mystère, afin que nous puissions être illuminés non seulement pour le comprendre, mais encore pour l'exposer et recevoir une mesure dans l'expression spirituelle, proportionnée à la capacité de ceux qui vont lire.

14 Nous avons souvent montré [1] qu'en bien des passages l'éclat de l'or figure la nature intelligible et incorporelle, et l'argent la faculté de la parole et de la raison [2], d'après ce que Dieu aussi dit par le prophète : «Je vous ai donné l'argent et l'or ; mais vous en avez fait des Baals d'argent et d'or [u]», signifiant par là : Moi, «je vous ai donné» la pensée et la raison qui vous permettraient de me reconnaître et de m'honorer comme Dieu ; «mais vous», cette pensée et cette raison qui sont en vous, vous les avez appliquées au culte à rendre aux démons.

15 De plus, on dit : «Les paroles du Seigneur sont des paroles pures, de l'argent éprouvé au feu [v]» ; de même ailleurs, on rappelle : «La langue du juste est de l'argent passé au feu [w].» Mais on dit que les chérubins sont en or [x], car leur nom veut dire plénitude de la science [3]. De plus, on

tandis qu'Origène se cantonne dans l'Écriture, Bernard cherche des correspondances dans la contemplation.

2. *Verbi et rationis* : Rufin traduit probablement l'unique mot grec λόγος. Il use parfois de périphrases analogues pour rendre les deux sens majeurs du mot : cf. *infra*, § 23 ; III, 1, 6.

3. Cf. *HomNombr.* V, 3. Mais déjà : «Chérubim en langue hébraïque, mais comme le traduisent les Grecs : connaissance complète et science abondante», PHILON, *Mos.* II, 97 ; cf. CLÉMENT D'ALEXANDRIE, *Strom.* V, 35, 6.

et candelabrum in tabernaculo testimonii aureum[y] et
160 soli|dum poni iubetur, quod mihi videtur formam tenere naturalis legis, in qua *lux scientiae*[z] habetur.

16 Sed quid opus est multa congregare testimonia, cum in promptu sit scire volentibus in multis Scripturae locis hoc indicari, quod aurum ad sensum mentemque revocetur, argentum vero ad verbum atque eloquia referatur? Nunc ergo properemus ad contemplandum quomodo secundum ea quae praemisimus amici sponsi dicant se *similitudines auri facere* sponsae *cum distinctionibus argenti*[aa].

17 Videtur ergo mihi quod *lex*, quae *per angelos disposita est in manu mediatoris*[ab], quoniamquidem *umbram habebat futurorum bonorum, non ipsam imaginem rerum*[ac], et quaecumque *contingebant* illis qui in lege referuntur, *in figura*[ad] et non in veritate contingebant, ista omnia *similitudines auri* fuerunt, non aurum verum. Quod scilicet aurum verum in illis quae incorporea sunt et invisibilia ac spiritalia intelligatur, *similitudo* vero *auri*, in quo non est ipsa veritas, sed umbra veritatis, ista corporea et visibilia accipiantur.

18 Verbi gratia, *similitudo auri* fuit illud *tabernaculum manu factum*[ae], de quo dicit Apostolus : *Non enim in sancta manu facta introivit Iesus exemplaria verorum, sed in ipsum caelum*[af].

19 Ergo quae in caelis sunt invisibilia et incorporea, illa sunt vera, ista autem, quae in terris sunt visibilia et

y. Cf. Ex. 25, 31 || z. Cf. Os 10, 12 || aa. Cant. 1, 11 || ab. Gal. 3, 19 || ac. Hébr. 10, 1 || ad. Cf. I Cor. 10, 11 || ae. Cf. Hébr. 9, 11 || af. Hébr. 9, 24.

1. Origène emploie souvent le mot « vérité » dans un sens platonicien (et johannique), qui l'oppose à ombre ou image, non à erreur ou tromperie. La vérité, ἀλήθεια, équivaut à mystère, μυστήριον, ou aux réalités suprêmes, πράγματα. En conséquence, ce qui n'est pas vérité

ordonne de placer dans la tente du témoignage un chandelier en or[y] », et en or massif, qui me semble figurer la loi naturelle, où se trouve « la lumière de la science[z] ».

16 Mais qu'est-il besoin de rassembler de nombreux témoignages, puisqu'il est facile à ceux qui le désirent de savoir qu'en de multiples passages de l'Écriture on signale que l'or concerne la pensée et l'intelligence, tandis que l'argent correspond à la parole et aux expressions ? Maintenant donc hâtons-nous de considérer, suivant ce que nous avons avancé, dans quel sens les amis de l'Époux disent qu'ils vont « faire » à l'Épouse « des imitations d'or avec des pointillés d'argent[aa] ».

Imitations d'or

17 Il me semble donc que « la Loi qui fut placée par les anges dans la main d'un médiateur[ab] », puisqu'elle « contenait l'ombre des biens à venir, et non l'image même des réalités[ac] », et que tout ce qui arrivait à ceux dont on parle dans la Loi « arrivait en figure[ad] », et non en vérité, tout cela fut « des imitations d'or », non de l'or véritable. Qu'on entende évidemment cet or véritable des réalités incorporelles, invisibles et spirituelles ; quant à « l'imitation d'or », où n'est pas la vérité elle-même, mais l'ombre de la vérité[1], qu'on la prenne comme des choses visibles et corporelles.

18 Par exemple, ce fut « une imitation d'or » que cette « tente faite à la main[ae] » dont parle l'Apôtre : « Ce n'est pas, en effet, dans un sanctuaire fait à la main, copie du véritable, que Jésus est entré, mais au ciel même[af]. »

19 Par conséquent, les réalités qui sont aux cieux, invisibles et incorporelles, ce sont les véritables ; mais celles qui sont sur la terre, visibles et corporelles, on dit qu'elles

n'est pas faux, mais image. Le temple de l'A.T. et tout ce qu'il contient sont images des réalités célestes. La perspective est donc platonicienne, « les mystères célestes » correspondent aux « idées » de Platon.

corporea, *exemplaria verorum* dicuntur esse, non vera. Ista ergo sunt quae et *similitudines auri*[ag] appellantur, in quibus est et arca testamenti[ah] et propitiatorium et Cherubim[ai] et altare incensi[aj] et mensa propositionis et panes[ak], sed et velamen[al] et columnae[am] ac serae[an] et altare holocaustorum[ao] et ipsum templum[ap] atque omnia quae in lege scripta sunt[aq]. Omnia haec *similitudines* erant *auri*.

20 Sed et ipsum aurum visibile, pro eo quod visibile erat, non erat aurum verum, sed similitudo erat illius veri auri invisibilis. Istas ergo *similitudines auri* fecerunt sponsae ecclesiae amici sponsi, angeli videlicet et prophetae, qui ministraverunt[ar] in lege ceterisque mysteriis. Haec, opinor, et Paulus intelligens dicebat : *In religione angelorum, in his quae videt, frustra inflatus a sensu carnis suae*[as].

161 **21** Omnis ergo iudaicus cultus | et religio *similitudines* sunt *auri*. *Cum autem conversus fuerit quis ad Dominum et ablatum fuerit ab eo velamen*[at], tunc videbit aurum verum ; cuius auri, antequam adesset et agnoscendum se praeberet, similitudines fecerunt sponsae amici eius, ut ex illis similitudinibus commonita et provocata veri auri desiderium caperet.

22 Hoc enim factum indicat Paulus, cum dicit : *Haec autem in figura contingebant illis, scripta sunt autem propter nos in quos finis saeculorum devenit*[au]. Sed et *finem*, quem

ag. Cant. 1, 11 || ah. Cf. Ex. 25, 10-16 || ai. Cf. Ex. 25, 17-22 || aj. Cf. Ex. 30, 1-6 || ak. Cf. Ex. 25, 23-30 || al. Cf. Ex. 26, 31 || am. Cf. Ex. 26, 37 ; 27, 10-12 || an. Cf. Ex. 25, 13-15 || ao. Cf. Ex. 27, 1-8 || ap. Cf. Ex. 26, 1 s. || aq. Cf. Ex. 31, 7 s. ; Hébr. 9, 2-5 || ar. Cf. Matth. 4, 11 || as. Col. 2, 18 || at. II Cor. 3, 16 || au. I Cor. 10, 11.

1. Cf. *supra*, §§ 2-8.

2. Cette «pensée de la chair» de Paul, ici, νοῦς τῆς σαρκός (*Col.* 2, 18), et ailleurs φρόνημα τῆς σαρκός (*Rom.* 8, 6-7), Origène l'applique à la partie inférieure de l'âme qui la tire vers le corps.

sont «une copie des véritables», non les véritables. Voilà donc celles qu'on appelle «des imitations d'or[ag]». Parmi elles il y a : l'arche d'alliance[ah], le propitiatoire et les chérubins[ai], l'autel de l'encens[aj], la table et les pains de proposition[ak], et encore le voile[al], les colonnes[am] et les barres[an], l'autel des holocaustes[ao] et le temple lui-même[ap], et tout ce qui est écrit dans la Loi[aq]. Tout cela était «des imitations d'or».

20 De plus, l'or visible lui-même, du fait qu'il était visible, n'était pas l'or véritable, mais une imitation de cet or véritable invisible. Voilà donc «les imitations d'or» que firent à l'Église Épouse les amis de l'Époux, c'est-à-dire les anges et les prophètes, qui ont servi[ar] dans la Loi et les autres mystères[1]. C'est en comprenant cela, je pense, que Paul aussi disait : «dans le culte des anges, dans ce qu'il voit, gonflé d'un vain orgueil par sa pensée[2] charnelle[as]».

21 Donc tout le culte juif et la religion juive sont «des imitations d'or». «Mais quand quelqu'un se convertira au Seigneur et que le voile lui sera ôté[at]», alors il verra l'or véritable. De cet or, avant qu'il soit présent et s'offre à la connaissance, les amis de l'Époux firent à l'Épouse des imitations, pour que, avertie et stimulée par ces imitations, elle éprouve le désir de l'or véritable.

22 Qu'il en soit ainsi, en effet, Paul l'indique quand il dit[3] : «Or ces événements leur arrivaient en figure, mais furent mis par écrit pour nous qui touchons à la fin des siècles[au].» De plus, «la fin», dont parle Paul, ne l'entends

3. Origène en appelle souvent à ce texte de Paul pour justifier l'une des idées centrales de son exégèse. C'est pour nous, chrétiens, que l'A.T. a été écrit, non pour ceux qui l'ont vécu. En conséquence, puisque les préceptes cérémoniels et juridiques ont été abolis dans leur littéralité par le Christ, que les récits racontent des événements du passé, il faut leur trouver un sens spirituel par lequel ils continuent à exister pour nous.

dicit Paulus, non intelligas temporalem ; finis enim temporalis multos inveniet pro quibus non scripta haec ; neque enim huiusmodi de his recipient intellectum. Sed finem saeculorum perfectionem rerum intellige quae utique Paulo et similibus eius advenisse et propter ipsos scripta haec esse dicuntur.

23 Sed haec in excessu diximus volentes ostendere quomodo amici sponsi dicant ad sponsam facere se ei *similitudines auri cum distinctionibus argenti*, per ea scilicet quae in *lege et prophetis*[av] per figuras et imagines et ★ similitudines et parabolas scripta tradiderunt. Sunt tamen in his et parvae quaedam *distinctiones argenti*, indicia scilicet quaedam spiritalis verbi et interpretationis rationabilis, licet valde rara et exigua.

24 Ante adventum namque Domini vix sicubi aliquis prophetarum parum quid occulti sermonis aperuit, verbi gratia ut Esaias, cum dicit : *Vinea enim Domini Sabaoth domus Istrahel est, et domus Iuda novella dilecta*[aw], et iterum alibi : *Aquae multae gentes multae sunt*[ax]. Et Ezechiel duas sorores nominans Oollam et Oolibam aliam Samariam distinguit esse et aliam Iudam[ay], et, sicubi talia quaedam ipsis prophetis interpretantibus aperiuntur, istae *distinctiones* dicuntur *argenti*.

25 Ubi vero Salvator et Dominus noster Iesus Christus 162 advenit *ferens omnia verbo virtutis suae*[az], in | passione eius indicium datum est, quod ea quae in absconditis tegebantur et arcanis in lucem proferentur et ad manifestationem venient, per hoc quod *velum templi*, quo abdita sanctorum

av. Cf. Matth. 7,12 || aw. Is. 5,7 || ax. Apoc. 17,15 || ay. Cf. Éz. 23,4 || az. Hébr. 1,3.

1. «La fin s'entend de la perfection des choses et de la consommation des vertus», *HomGen.* XV, 6,8s.

pas comme temporelle ; car la fin temporelle atteindra beaucoup d'hommes pour qui cela n'est pas écrit ; car à ce sujet ils n'admettront pas un sens de cet ordre. Mais comprends la fin des siècles comme la perfection de ce qui est bien arrivé à Paul et à ses semblables[1], et c'est pour eux, dit-on, que cela fut écrit.

Pointillés d'argent

23 Mais nous avons dit cela dans une digression, voulant montrer dans quel sens les amis de l'Époux disent à l'Épouse qu'ils lui font « des imitations d'or avec des pointillés d'argent » : à savoir, par ce qu'ils ont transmis d'écrit dans « la Loi et les prophètes[av] » à l'aide de figures, d'images, de comparaisons et de paraboles. Néanmoins il s'y trouve aussi des petits « pointillés d'argent », à savoir des traces d'une parole spirituelle et d'une interprétation raisonnable[2], quoique bien rares et de peu d'importance.

24 Car avant la venue du Seigneur, c'est à peine si l'un des prophètes a quelque part entrouvert trop peu quelque chose d'une parole à sens caché, par exemple comme Isaïe, quand il dit : « Car la vigne du Seigneur Sabaoth, c'est la maison d'Israël, et la maison de Juda ses jeunes plants chéris[aw]. » Et encore ailleurs : « Les eaux multiples sont des nations multiples[ax]. » Ou Ézéchiel qui, nommant les deux sœurs Oholla et Oholiba, précise que l'une est Samarie et l'autre Juda[ay]. Et si quelque part des ouvertures de ce genre sont faites par les prophètes mêmes qui se font les interprètes, on dit qu'il s'agit de « pointillés d'argent ».

25 Mais quand vint notre Sauveur et Seigneur Jésus-Christ « portant toutes choses par la Parole de sa Puissance[az] », un signe fut donné dans sa passion que ce qui était voilé dans le secret et le mystère sera mis au grand jour et viendra à se manifester : grâce au fait que « le voile du temple », qui dérobait à la vue les arcanes et les

2. Cf. *supra*, § 14, et la note.

et arcana velabantur, *scissum est desursum usque deorsum*[ba], palam fore denuntians omnibus quod intrinsecus videbatur obtectum.

26 Sic ergo illud quod per angelos et prophetas ministratum est, *similitudo* fuit *auri cum distinctionibus* parvis et exiguis *argenti*; haec autem quae per ipsum Dominum nostrum Iesum Christum tradita sunt, in auro vero et argento solido collocata sunt.

27 Haec enim, quae per amicos sponsi facta est, *similitudo auri cum distinctionibus argenti*, non in sempiternum mansura promittitur, sed tempus ei statuitur ab illis ipsis dicentibus : *Usque quo rex sit in recubitu suo*[bb].

28 Cum enim *recubans dormierit ut leo et sicut catulus leonis*[bc] et post haec *suscitaverit* eum *Pater* et resurrexerit *a mortuis*[bd], si qui fuerint *conformes resurrectionis eius*[be], iam non in similitudine auri, id est non in rerum corporalium cultu manebunt, sed aurum verum ab ipso percipient quaerentes et sperantes *non ea quae videntur*, sed *quae non videntur*[bf], *nec quae in terris sunt*, sed quae in caelis, *ubi Christus est in dextera Dei sedens*[bg], et dicent quia *et si cognovimus Christum secundum carnem aliquando, sed nunc iam non novimus*[bh].

ba. Cf. Matth. 27,51 || bb. Cant. 1,12 || bc. Gen. 49,9 || bd. Cf. Gal. 1,1 || be. Cf. Phil. 3,10 || bf. II Cor. 4,18 || bg. Col. 3,2.1 || bh. II Cor. 5,16.

1. Voir une interprétation plus complète des *deux* rideaux du Temple : à la mort de Jésus, celui du Saint se déchira, découvrant les mystères, mais «à travers un miroir, en énigme»; celui du Saint des saints ne sera déchiré qu'à la fin des temps, *SerMatth.* 138 (*GCS* 11, p. 285).

2. «Nous te ferons des imitations d'or avec des rehauts d'argent, mais pas toujours, seulement jusqu'à ce que ton Époux se lève de son repos. Lorsqu'il se sera réveillé, il te fera, lui, de l'or, il te fera de l'argent; c'est lui qui ornera ton esprit et ton entendement, et tu

mystères du sanctuaire, «fut déchiré du haut en bas[ba]», montrant au-dehors ouvertement à tous ce qui semblait caché à l'intérieur[1].

26 Ainsi donc, ce qui fut offert par les anges et les prophètes, ce fut «une imitation d'or» avec de rares et petits «pointillés d'argent». Mais ce qui fut transmis par notre Seigneur Jésus-Christ en personne a été coulé en or véritable et en argent massif.

«Jusqu'à ce que le Roi se soit couché»

27 De fait, on ne promet pas que dure à jamais cette «imitation d'or avec des pointillés d'argent» faite par les amis de l'Époux, mais eux-mêmes lui assignent une durée[2], quand ils disent : «Jusqu'à ce que le Roi se soit couché[bb].»

28 Car puisque «se couchant», celui-ci «a dormi comme le lion et comme le petit du lion[bc]», et qu'ensuite «le Père l'a fait se lever» et l'a ressuscité «d'entre les morts[bd]», ceux qui deviendront conformes[3] à sa résurrection[be] n'en resteront plus à «une imitation d'or», c'est-à-dire au culte des choses corporelles ; mais ils recevront de lui l'or véritable, cherchant et espérant «non ce qui se voit, mais ce qui ne se voit pas[bf]», «non ce qui est sur la terre», mais ce qui est aux cieux, «là où le Christ est assis à la droite de Dieu[bg]», et diront : «Même si nous avons connu le Christ selon la chair jadis, à présent nous ne le connaissons plus ainsi[bh].»

seras vraiment riche, Épouse parfaite dans la maison de l'Époux», *HomCant.* I, 10, fin.

3. Or la conformité à la mort et à la résurrection du Christ est déjà opérée, selon *Rom.* 6, 3 s., par le baptême, suivi d'une vie nouvelle qui lui corresponde. Telle est «la première résurrection» (*Apoc.* 20, 5). Elle donne la connaissance des «vraies réalités», non «face à face», mais «à travers un miroir, en énigme». Le «face à face» est réservé à «la seconde résurrection». Voilà l'explication donnée par Origène.

29 Non ergo iam *distinctionibus* parvis *argenti*, sed in latitudinem diffuso utentur argento. Audient enim quia in illa *auri similitudine* petra, quae sequi dicitur et potum
163 populo praebere, | Christus est[bi] et mare baptismus est[bj] et nubes Spiritus sanctus est, et manna Verbum Dei est[bk] et agnus paschae Salvator est[bl] et sanguis agni passio Christi est[bm], et velum, quod est in sanctis sanctorum[bn], quo divina illa et arcana tegebantur, caro eius est[bo], aliaque innumera ex resurrectione eius patebunt, non iam parva ut prius *distinctione*, sed latissima expositione patefacta.

30 Adhuc autem ut clarius fiat, quod dicit : *Usque quo rex sit in recubitu suo*[bp], etiam de secunda Balaam prophetia, quae de Christo ita continet, proferamus : *Orietur*, inquit, *stella ex Iacob, et exiet homo de semine eius, et dominabitur gentibus multis; et exaltabitur Gog regnum eius, et crescet regnum eius. Deus educet eum ex Aegypto, sicut gloria unicornis, et comedet gentes inimicorum suorum, et crassitudines eorum emedullabit, et iaculis suis sagittabit eos. Recumbens requiescet ut leo et sicut catulus leonis; quis suscitabit eum*[bq]*?*

31 Considera ergo ex his diligentius et vide quomodo omnis *similitudo auri* usque ad certum tempus, ad recubitum scilicet regis, stare memoratur. Post haec autem

bi. Cf. I Cor. 10,4 || bj. Cf. I Cor. 10,1-2 || bk. Cf. Jn 6,31 s. || bl. Cf. Jn 1,29 || bm. Cf. Apoc. 7,14 || bn. Cf. Ex. 26,31 s. || bo. Cf. Hébr. 10,20 || bp. Cant. 1,12 || bq. Nombr. 24,17.7-9.

1. L'Écriture ne précise pas ce point pour les événements de l'Exode, même en *I Cor.* 10,1 s. Origène songe-t-il au triple récit synoptique de la Transfiguration? « Peut-être la nuée lumineuse est-elle l'Esprit Saint; elle enveloppe les justes de son ombre et prophétise, car Dieu agit en elle », *ComMatth.* XII, 42.

2. *Sicut gloria unicornis*; explicitons : *gloria eius sicut gloria unicornis. Gloria* traduit le grec δόξα, dont le premier sens est « la réputation, la renommée ». *Unicornis* traduit le grec de la Septante, μονοκέρωτος, la licorne. Aquila et la Vulgate le rendent par « rhinocéros ». La licorne, animal plus ou moins fabuleux pour les anciens, était

29 Ce n'est donc plus de petits «pointillés d'argent» qu'ils se servent, mais d'argent coulé en large plaque. Car ils entendront dire que dans cette «imitation d'or», la Pierre qui suit, dit-on, et offre à boire au peuple, est le Christ [bi]; la Mer est le baptême [bj]; la nuée est l'Esprit Saint [1]; la manne est le Verbe de Dieu [bk]; l'Agneau de la Pâque est le Sauveur [bl]; le sang de l'Agneau est la passion du Christ [bm]»; et le voile, qui est dans le Saint des saints [bn], derrière lequel étaient cachées ces réalités divines et secrètes, est sa chair [bo]; et d'autres trésors innombrables seront découverts par sa résurrection, mis au jour non plus comme avant par un petit «pointillé», mais par une très large explication.

Une prophétie de Balaam

30 Mais pour rendre plus claire sa parole : «Jusqu'à ce que le Roi se soit couché [bp]», présentons aussi ce que la seconde prophétie de Balaam contient au sujet du Christ : «Une étoile se lèvera de Jacob et un homme sortira de sa semence; il régnera sur de nombreuses nations; son royaume s'élèvera plus haut que Gog, son empire grandira. Dieu le conduira hors de l'Égypte, sa renommée sera comme celle de la licorne [2]; il dévorera les nations de ses ennemis, il sucera la moelle de leurs os, et les percera de ses traits. Se couchant, il se reposera comme le lion et comme le petit du lion. Qui le fera lever [bq]?»

31 Considère donc avec plus d'attention ce qui ressort de ces paroles, et vois comment on rappelle que toute «imitation d'or» dure jusqu'à un temps fixé, à savoir jusqu'au coucher du Roi. Mais après cela «son royaume s'élèvera

réputée farouche et forte. Ainsi l'a-t-on décrite : «Les Indiens chassent une bête intraitable, c'est la licorne, semblable au cheval par le corps, au cerf par la tête, à l'éléphant par les pieds, au sanglier par la queue; elle a un mugissement grave et une seule corne noire s'élevant de deux coudées au milieu du front. Ils disent que cette bête ne peut être prise vivante», PLINE, *nat.* 8, 76.

exaltabitur Gog, id est super tecta, *regnum eius*, cum videlicet de terris ad caelestia fuerit tecta translatum. Sed de his plenius, prout Dominus dedit, in Numerorum libro prosecuti sumus.

32 Requiramus sane si etiam sanctis patribus ipsis et prophetis, qui ministraverunt Verbum ante adventum Domini nostri Iesu Christi, perfectionis huius quae est veri auri gratia data sit, an tantum futura haec intellexerint et in Spiritu ventura praeviderint[br] atque ob hoc solum dixerit Dominus de Abraham quia desideraverit *videre diem eius et viderit et laetatus sit*[bs], quod scilicet in Spiritu futura praeviderit.

33 Et magis fortasse hoc ita esse etiam ille sermo confirmet qui ait : *Multi iusti desideraverunt videre quae videtis, et non viderunt, et audire quae auditis, et non audierunt*[bt]. Quamvis nec illis potuerit defuisse perfectio veniens ex fide. Quae enim nos facta credimus, haec illi 164 maiore cum exspectatione futura credebant. | Sicut ergo ex adventu Christi credentes praeteritorum fides, ita et illos futurorum ad summam perfectionis adduxit.

34 Quod si ad unamquamque animam referatur expositio, videbitur : donec parvula est adhuc anima et imperfecta et *sub tutoribus et procuratoribus*[bu] posita, sive doctoribus ecclesiae sive *angelis*, qui *parvulorum* esse dicuntur et

br. Cf. I Pierre 1, 10-12 || bs. Jn 8, 56 || bt. Matth. 13, 17 || bu. Cf. Gal. 4, 2.

---

1. «Gog veut dire : par-dessus les toits», *HomNombr*. XVII, 5; mais ailleurs le *super tecta* est remplacé par *munera, SelNombr*. 24, 7.

2. Cf. *HomNombr*. XVII, 5, Cf. *supra*, Prol. 4, 2 et la note complémentaire 8 : «Références».

3. La comparaison entre la connaissance des prophètes et celle des justes du N.T. est abordée plusieurs fois. Elle est surtout développée en *ComJn* VI, 15-31 : la connaissance des prophètes serait pratiquement égale à celle des apôtres; mais le passage veut venger l'A.T.

plus haut que Gog», c'est-à-dire au-dessus des toits[1], puisque assurément il sera transporté de la terre jusqu'aux toits célestes. Mais sur ce point, nous avons fait, d'après ce qu'a donné le Seigneur, un exposé plus complet à propos du livre des Nombres[2].

Les patriarches

32 Cherchons alors si, encore aux saints pères eux-mêmes, et aux prophètes qui servirent le Verbe avant la venue de notre Seigneur Jésus-Christ, fut donnée la grâce de cette perfection qui est celle de l'or véritable, ou s'ils ont seulement discerné ces réalités futures et prévu[br] dans l'Esprit qu'elles allaient advenir, et si c'est uniquement pour cela que le Seigneur a dit d'Abraham qu'il a désiré «voir son jour, qu'il l'a vu et qu'il s'est réjoui[bs]», parce que bien sûr il a prévu dans l'Esprit les événements futurs.

33 Et qu'il en est ainsi, c'est ce que confirmera peut-être davantage cette parole : «Beaucoup de justes ont désiré voir ce que vous voyez et ne l'ont pas vu, entendre ce que vous entendez et ne l'ont pas entendu[bt].» Et pourtant à eux non plus n'a pu faire défaut la perfection venant de la foi. Car ce que nous croyons accompli, eux dans une plus grande attente le croyaient comme allant arriver. Donc, tout comme à partir de la venue du Christ la foi aux événements passés amena les croyants au sommet de la perfection, de même fit pour eux aussi la foi aux événements futurs[3].

Pour l'âme petite

34 On le verra, si l'explication est rapportée à chaque âme. Tant que l'âme est encore toute petite et imparfaite, placée «sous des tuteurs et des curateurs[bu], qu'il s'agisse des docteurs de l'Église, ou des anges qui sont, dit-on, ceux des tout

contre le mépris des marcionites, d'où un certain déséquilibre. En revanche est rétablie la supériorité des apôtres, moissonneurs là où les prophètes ont été les semeurs, *ibid.* XIII, 314-324.

videre semper faciem Patris qui in caelis est[bv] *similitudines auri* fiunt ei, cum non *solidis* et fortibus alitur Verbi Dei *cibis*[bw], sed similitudinibus imbuitur, velut si dicamus, parabolis et exemplis docetur, pro quibus et ipse Christus dicitur *aetate et sapientia crescere et gratia apud Deum et homines*[bx].

35 In istis ergo similitudinibus imbuitur et fiunt ei parvulae *distinctiones argenti*[by]. Aperiuntur enim interdum et his qui imbuuntur parva aliqua et rara de secretioribus mysteriis, ut desiderium concipiant maiorum ; neque enim desiderari quid potest si penitus ignoretur.

36 Et ideo incipientibus et primis in eruditionibus positis, sicut non sunt ad subitum cuncta pandenda, ita neque penitus abscondenda sunt spiritalia et mystica, sed, ut ait Sermo divinus, faciendae sunt iis *distinctiones argenti* et scintillae quaedam spiritalis intelligentiae animis eorum iniciendae sunt, ut gustum quodammodo desiderandae dulcedinis sumant, ne, ut diximus, si penitus ignoretur, nec omnino desideretur.

37 Verum quod parvulam nominamus animam, nemo ita accipiat, quasi secundum substantiam parvula dicatur, sed cui deest eruditio et in qua exiguus est intellectus ac minima peritia, hanc parvulam dicimus animam. Igitur haec fieri convenit *usque quo rex sit in recubitu suo*[bz], id est usque quo in id proficiat huiusmodi anima, ut capiat regem recumbentem in semet ipsa.

bv. Matth. 18, 10 || bw. Cf. Hébr. 5, 12 || bx. Lc 2, 52 || by. Cf. Cant. 1, 11 || bz. Cf. Cant. 1, 12.

petits et «voient sans cesse la face du Père qui est dans les cieux [bv]», on lui fait des «imitations d'or», puisqu'elle n'est pas nourrie «des nourritures solides [bw]» et consistantes du Verbe de Dieu, mais initiée par des imitations de nourriture, comme si nous disions : est enseignée par des paraboles et des figures; à propos desquelles on dit que le Christ lui-même «grandit en âge, en sagesse et en grâce devant Dieu et devant les hommes [bx]».

35 Elle est donc initiée par ces «imitations» et on lui fait, à elle toute petite, «des pointillés d'argent [by]». Car de temps à autre on découvre à celles qu'on initie quelques petits et rares détails concernant les mystères plus secrets, pour qu'elles conçoivent le désir des plus grands biens ; on ne saurait en effet désirer quelque chose si on l'ignore entièrement.

36 Et c'est pourquoi, à ceux qui commencent et en sont aux premières instructions, de même qu'il ne faut pas tout découvrir d'emblée, de même il ne faut pas non plus cacher entièrement les réalités spirituelles et mystiques, mais comme dit la Parole divine, il faut leur faire «des pointillés d'argent» et jeter dans leurs âmes certaines étincelles d'intelligence spirituelle pour qu'ils prennent en quelque sorte le goût de la douceur qu'il faut désirer, afin d'éviter que, nous l'avons dit, si elle était entièrement ignorée, elle ne soit absolument pas désirée.

Le repos du Roi

37 Mais quand nous appelons l'âme toute petite, que personne ne comprenne comme si on la disait toute petite selon la substance ; mais celle à qui l'instruction fait défaut, celle en qui l'intelligence est étroite et l'expérience bornée, c'est l'âme que nous disons toute petite. Il convient alors de lui faire des cadeaux «jusqu'à ce que le Roi se soit couché [bz]», c'est-à-dire jusqu'à ce que cette âme ait fait de tels progrès qu'elle contienne le Roi couché en elle-même.

38 Sic enim dicit hic rex quia : *Habitabo in iis et inambulabo in iis*[ca], profecto qui tantam Verbo Dei cordis sui latitudinem praebent, ut etiam in iis deambulare dicatur, spatiis scilicet amplioris intelligentiae agnitionisque diffusioris.

39 Ita ergo et recubare dicitur in anima illa sine dubio, de qua ipse Dominus dicit per prophetam : *Super* | *quem requiescam nisi super humilem et quietum et trementem sermones meos*[cb] ? Habet ergo rex iste, qui est Sermo Dei, in ea anima, quae iam ad perfectum venerit, recubitum suum, si tamen non sit in ea aliquod vitium, sed plena sit sanctitate, plena pietate, fide, caritate, pace omnibusque virtutibus. Tunc enim delectat in ea recubare regem et habere recubitum.

165

40 Ad hanc enim animam Dominus dicebat quia : *Ego et Pater veniemus, et caenabimus cum eo, et mansionem faciemus apud eum*[cc]. Ubi ergo caenat Christus cum Patre et ubi mansionem facit, quidni et recumbit ? Beata latitudo illius animae, beata strata illius mentis, ubi et Pater et Filius, ut non dubito, una cum Spiritu sancto recumbit et caenat et mansionem facit.

41 Quibus putas opibus, quibus copiis tales convivae pascuntur ? Pax ibi primus cibus est, humilitas simul apponitur ac patientia, mansuetudo quoque et lenitas, et

ca. II Cor. 6, 16 || cb. Is. 66, 2 || cc. Jn 14, 23.

1. Cf. *supra* Prol. 3, 13. Sur la largeur, la grandeur, la capacité du cœur, voir *HomLc* XXI, 5-6, avec les notes *ad loc.* (*SC* 87, p. 296 s). On le voit : devant Dieu, l'homme ne saurait grandir en hauteur, mais il peut s'épanouir en largeur, s'offrant au don de l'amour divin, accueillant la Parole de Dieu, s'ouvrant à la gratuité de son salut. Les vertus sur lesquelles va insister la suite du texte sont toutes les vertus qui favorisent cet élargissement du cœur, cette ouverture au don de Dieu : au sens biblique la foi, qui comporte humilité et charité, et la paix.

38 Car c'est bien ainsi que ce Roi déclare : « J'habiterai en eux, je me promènerai en eux[ca] » : en ceux assurément qui offrent au Verbe de Dieu une largeur de leur cœur[1] si grande qu'on dise même qu'en eux « il se promène », à savoir dans les espaces d'une intelligence plus étendue et d'une connaissance plus vaste.

39 C'est donc ainsi qu'on dit encore qu'il se repose dans l'âme, celle sans nul doute dont le Seigneur lui-même déclare par le prophète : « Sur qui reposerai-je, sinon sur l'humble, le pacifique, celui qui tremble à mes paroles[cb]. » Ce Roi, qui est le Verbe de Dieu, a donc son lit de repos dans cette âme qui est maintenant parvenue à l'état parfait, si du moins quelque vice ne se trouve plus en elle, mais si elle est pleine de sainteté, pleine de piété, de foi, de charité, de paix et de toutes les vertus. Car elle est heureuse que le Roi en elle ait son lit de repos et se repose.

40 A cette âme, en effet, le Seigneur disait : « Moi et le Père, nous viendrons et nous mangerons avec lui, et nous ferons chez lui notre demeure[cc]. » Là donc où le Christ mange avec son Père[2], là où il fait sa demeure, ne peut-il aussi se coucher ? Heureuse largeur de cette âme. Heureux lit de cette intelligence, où le Père et le Fils, en même temps que l'Esprit Saint, comme je n'en doute pas, se reposent, mangent et font leur demeure[3].

41 De quelle richesse, penses-tu, de quelle opulence se nourrissent de tels convives ? Ici, la paix est la première nourriture, on sert ensemble l'humilité et la patience, la mansuétude aussi et la douceur, et ce qui est pour lui de la

2. « Il a fait pour toi un grand festin, et lui-même mange avec toi », *HomGen.* XXIV, 4, 23. Cf. *HomÉz.* XIV, 2, fin.

3. Sur le thème des « nourritures spirituelles », cf. *infra*, III, 5, 7, la note *ad loc.*

quod summae ei suavitatis est, puritas cordis. Caritas autem in hoc convivio principalem obtinet locum.

42 Tali ergo modo etiam tertia expositione ad unamquamque animam referri posse videbitur, quod ait : *Similitudines auri faciemus tibi cum distinctionibus argenti, quoadusque rex sit in recubitu suo*[cd].

cd. Cant. 1, 11-12.

plus exquise suavité, la pureté de cœur. Mais la charité occupe la place principale dans ce festin[1].

42 Voilà donc de quelle manière encore, dans une troisième explication, il semblera possible d'appliquer à chaque âme la parole : « Nous te ferons des imitations d'or avec des pointillés d'argent, jusqu'à ce que le Roi se soit couché[cd]. »

1. Sur la charité, vertu principale et centrale, cf. *infra*, III, 8, 15, et les notes *ad loc.*

Chapitre 9

Le nard de l'Épouse

Cant. 1, 12 b : *Mon nard a donné son odeur (ou Son odeur)*

1-2 : Deux leçons : « a donné son odeur » : comme si le nard donnait son odeur propre seulement au contact du corps de l'Époux ; « a donné Son odeur » : comme si cet onguent de nard prenait l'odeur de l'Époux et le renvoyait à l'Épouse ; voilà l'explication du drame historique ; venons-en à l'intelligence spirituelle ; 3-9 : d'après *la seconde leçon*, voyons l'Épouse Église dans le personnage de Marie (à Béthanie) : elle attire à elle, par sa chevelure dont elle essuyait les pieds de Jésus, un onguent imprégné de la qualité de Son corps, une odeur qui est celle du Verbe de Dieu ; l'odeur de la doctrine qui procède du Christ et de l'agréable parfum du Saint Esprit a rempli toute la maison de ce monde, ou du moins la maison de cette âme ; et le Christ lui a rendu témoignage ; 10-13 : d'après *la première leçon*, soit l'Église, soit l'âme, ayant pu expliquer la gloire du Christ, diront peut-être avec raison : « Mon nard a donné son odeur » ; Source, Pain, Nard et Onguent, le Christ a de multiples aspects.

9

1 *Nardus mea dedit odorem suum* — sive *odorem eius*[a]. In specie dramatis hoc videtur ostendi, quod post haec verba ingressa sit sponsa ad sponsum et unguentis suis unxerit eum, ac miro quodam genere, quasi nardus, quae prius odorem non dederat cum esset apud sponsam, tunc dederit odorem suum cum corpus contigit sponsi, ut non tam ille ex nardo odorem quam nardus ex ipso sumpsisse videatur.

★ **2** Si vero secundum hanc differentiam quae in aliis invenitur exemplaribus legimus : *Nardus mea dedit odorem eius*, invenitur adhuc aliquid divinius, ut [videatur] unguentum hoc nardi, quo unctus est sponsus, non tam suum, qui nardo inesse naturaliter solet, sed ipsius sponsi odorem ceperit et ipsius odorem ad sponsam reportaverit nardus, ut in eo quo unxit eum odorem sponsi ipsius 166 unguenti | munus acceperit et hoc sit quod dicere videatur : nardus mea, qua unxi sponsum, regressa ad me odorem mihi detulit sponsi et velut superato naturali suo odore, prae fraglantia sponsi ipsius mihi detulit suavitatem. Haec habet historici dramatis explanatio ; sed veniamus iam nunc ad intelligentiam spiritalem.

3 Ponamus hic sponsam ecclesiam in persona Mariae, quae decenter utique dicitur afferre libram unguenti nardi pretiosi et unguere pedes Iesu et detergere capillis suis, et

a. Cant. 1, 12.

---

1. Sur le personnage de Marie et la scène, cf. *HomCant.* II, 2 ; voir aussi la note complémentaire 12 : « Ton nom est un parfum répandu ».

9

Deux leçons

1 «Mon nard a donné son odeur (ou Son odeur)[a].» Dans la forme du drame, voici ce qu'on semble montrer. Après les paroles précédentes, l'Épouse s'est approchée de l'Époux, l'a oint de ses onguents; et d'une façon étonnante, comme si le nard, qui auparavant n'avait pas donné d'odeur tant qu'il était aux mains de l'Épouse, avait alors donné son odeur au contact du corps de l'Époux, en sorte que, semble-t-il, c'est moins Lui qui a pris l'odeur venant du nard, que le nard qui l'a prise venant de Lui.

★ **2** Mais si, d'après la différence qu'on trouve dans d'autres copies, nous lisons : «Mon nard a donné Son odeur», on trouve quelque chose d'encore plus divin : cet onguent de nard dont est oint l'Époux a pris moins son odeur, d'habitude naturellement inhérente au nard, que l'odeur de l'Époux lui-même, et le nard a renvoyé l'odeur de l'Époux à l'Épouse, en sorte que, du fait qu'elle l'en a oint, le présent de l'onguent a recueilli l'odeur de l'Époux lui-même; et voici ce que cela semble vouloir dire : Mon nard, dont j'ai oint l'Époux, revenu à moi m'a rapporté l'odeur de l'Époux, et comme dépassant son odeur naturelle, en plus de son odeur agréable, il m'a offert la suave odeur de l'Époux lui-même. Voilà ce que contient l'explication du drame historique. Mais venons-en aussi maintenant à l'intelligence spirituelle.

D'après la seconde leçon : l'onction de Béthanie

3 Présentons ici l'Épouse Église dans le personnage de Marie[1] : il est dit qu'en toute convenance elle apporte une livre d'un onguent de grand prix, oint les pieds de Jésus, les essuie de ses cheveux, reçoit en quelque

recipere quodammodo ac recuperare per crinem capitis sui ad semet ipsam unguentum ex qualitate ac virtute corporis eius infectum, et odorem non tam nardi per unguentum quam ipsius Verbi Dei ad se trahentem per capillos quibus abstergebat pedes, et imposuisse capiti suo non tam nardi quam Christi fraglantiam, et dicere quia nardus mea missa in corpus Christi reddidit mihi odorem eius.

4 Denique vide quomodo haec ipsa referuntur. *Maria*, inquit, *attulit libram unguenti nardi pretiosi et unxit pedes Iesu et extersit capillis capitis sui ; domus autem*, inquit, *tota repleta est odore unguenti*[b].

5 Quod utique indicat quia odor doctrinae, qui procedit de Christo, et sancti Spiritus fraglantia replevit omnem mundi huius domum aut totius ecclesiae domum. Vel certe replevit omnem domum animae illius, quae odoris Christi (1 suscepit participium, offerens primo fidei suae munus velut unguentum nardi et recipiens ex hoc gratiam Spiritus sancti et spiritalis doctrinae fraglantiam.

6 Quid ergo interest, utrum in Cantico Canticorum sponsa perunguat unguento sponsum an in Evangelio discipula magistrum et Maria Christum sperans, ut diximus, redire ad se ex hoc unguento odorem Verbi et fraglantiam Christi, ut et ipsa dicat : *Bonus odor sumus Deo*[c] ?

7 Et quoniam fide plenum fuit istud unguentum et 167 pretiosi affectus, ob hoc et Iesus testimonium reddidit | ei dicens : *Bonum opus operata est in me*[d]. Sic ergo rursus in Cantico Canticorum post aliquanta amplectitur *emissiones*

b. Jn 12, 3 || c. II Cor. 2, 15 || d. Mc 14, 6.

1. «Lorsque nous avons offert à Dieu notre foi et notre amour, il nous accorde les divers dons de l'esprit», *HomNombr*. XII, 3 ; et aussi XXIII, 2 ; XXIV, 2 ; cf. *HomGen*. VIII, 10.

sorte et récupère pour elle-même, par la chevelure de sa tête, un onguent imprégné de la qualité et de la puissance du corps de Jésus ; et elle attire à elle, grâce aux cheveux dont elle essuyait Ses pieds, une odeur qui est moins celle du nard à cause de l'onguent, que celle du Verbe de Dieu même ; elle s'imprègne la tête d'un parfum suave qui est moins du nard que du Christ, et elle dit : Mon nard, versé sur le corps du Christ, m'a renvoyé Son odeur.

4 Du reste, vois comment ces faits mêmes sont rapportés : « Marie apporta une livre d'un onguent de nard de grand prix, oignit les pieds de Jésus et les essuya avec les cheveux de sa tête. Et la maison tout entière fut remplie de l'odeur de l'onguent[b]. »

5 Cela indique à coup sûr que l'odeur de la doctrine qui procède du Christ et l'agréable parfum du Saint Esprit ont rempli toute la maison de ce monde, ou la maison de toute l'Église. Ou du moins, ils ont rempli toute la maison de cette âme qui a reçu en partage l'odeur du Christ, lui offrant d'abord le don de sa foi comme un onguent de nard, et recevant de ce fait la grâce de l'Esprit Saint et l'agréable parfum de la doctrine spirituelle[1].

6 Quelle différence y a-t-il donc, si dans le Cantique des cantiques l'Épouse répand de l'onguent sur l'Époux, ou si dans l'Évangile la disciple le fait sur le Maître, Marie sur le Christ, dans l'espoir, comme nous avons dit, que lui revienne par cet onguent l'odeur du Verbe et l'agréable parfum du Christ, afin de dire elle aussi : « Nous sommes une bonne odeur pour Dieu[c] » ?

7 Or, parce que cet onguent fut rempli de foi et d'un amour de grand prix, pour cette raison Jésus aussi lui rendit ce témoignage : « Elle a accompli une bonne œuvre à mon égard[d]. » De même donc encore une fois dans le Cantique des cantiques, un peu après, il accueille avec joie « les

sponsae sicut hic *opus* Mariae ; ait enim : *Emissiones tuae paradisus cum fructu pomorum, cyprus cum nardis ; nardus et crocus*[e]. Amplectitur ergo et in his emissiones ac munera sponsae.

8 Observavimus sane quod in his quae nunc memoravimus, pluraliter primo et postmodum singulariter nardum posuit. Quod puto secundum illam rationem dictum, qua negotiator regni caelorum primo plures margaritas negotiatur, usque quo ad unam perveniat pretiosam[f].

9 Et forte, quod dixit : *Emissiones tuae paradisus cum fructibus pomorum*[g], illos indicat *fructus* cum *nardis* plurimis, quos afferimus ex institutionibus et doctrina prophetica. Ex doctrina vero ipsius Domini Iesu Christi emissiones nostrae et munera non plures habent *nardos*, sed unam.

10 Sed redeamus ad eam quae dicit : *Nardus mea dedit odorem suum*[h] et vide si possumus adhuc etiam hoc in loco intelligere praesenti quod, si quando valuerimus integre et decenter exponere de deitate Christi virtutemque eius ac maiestatem dignis assertionibus consignare, tunc fortassis merito dicet vel ecclesia vel anima illa quae ita manifeste potuerit gloriam eius exponere : *Nardus mea dedit odorem suum*.

e. Cant. 4, 13-14 || f. Cf. Matth. 13, 45 s. || g. Cant. 4, 13 || h. Cant. 1, 12.

1. L'interprétation du premier terme hébreu est difficile. La Septante et la Vulgate traduisent étymologiquement : « tes envois ». Certains proposaient : « tes pousses », mais selon une fausse leçon qui précède, et rejetée. D'autres comprennent : « tes envois d'eau, tes canaux », Joüon ; « tes conduits », « il s'agit des parties secrètes, dont les parfums sont énumérés avec complaisance par le Bien-Aimé (v. 14) », Dhorme ; « tes surgeons », peut-être s'agit-il de la poitrine. Surgeons reprend en jeu de mots un terme désignant la dot du père à sa fille

élans» de l'Épouse, comme ici l'œuvre de Marie. Il dit en effet : «Tes élans sont un jardin avec le fruit des arbres fruitiers, le cypre uni aux nards, le nard et le safran[e].» Il accueille donc avec joie ici aussi les élans et les dons de l'Épouse.

8 Nous avons certes observé que dans le passage que nous venons de rappeler, on a employé «nard» d'abord au pluriel, ensuite au singulier. C'est dit, je pense, pour cette raison que le marchand du Royaume des cieux achète d'abord plusieurs perles avant de parvenir à l'unique, la précieuse[f].

9 Et peut-être sa parole : «Tes élans sont un jardin avec les fruits des arbres fruitiers[g]», indique-t-elle «les fruits» avec «les nards» multiples que nous apportons d'après les enseignements et la doctrine des prophètes. Mais d'après la doctrine du Seigneur Jésus-Christ lui-même, nos élans et nos dons n'exhalent pas plusieurs «nards», mais un seul[1].

D'après la première leçon : l'Église et l'âme

10 Mais revenons à celle qui dit : «Mon nard a donné son odeur[h]», et vois si nous pouvons encore comprendre dans ce présent passage ceci : si parfois nous parvenons à exposer d'une façon saine et convenable ce qui concerne la divinité du Christ, et à rendre compte en dignes démonstrations de sa puissance et de sa majesté, alors soit l'Église, soit l'âme qui a pu en expliquer la gloire d'une manière si évidente, diront peut-être avec raison : «Mon nard a répandu son odeur.»

(*I Rois* 9,16)», *TOB*; de même Graetz (d'après Joüon, p. 220), donnant au mot le sens de *dons* : d'après lui, ce seraient des baisers; «tes jets», *BJ*; «tes pousses», Osty; «tes élans», Chouraqui (que nous suivons). — A noter qu'Origène parle odeur et dons. S'il emploie le pluriel *fructibus* au lieu du singulier du texte (*Cant.* 4,13), c'est pour ajouter cet exemple aux deux autres, celui *des* nards et celui *des* perles, comme illustration du passage de la multiplicité imparfaite à l'unité parfaite. (M. B.)

11 Nec mirum videri debet, si Christus, quemadmodum fons[i] est et flumina aquae vivae de eo procedunt[j] et quemadmodum panis est et vitam dat[k], ita et nardus est et odorem reddit et unguentum est quo qui uncti fuerint, Christi fiant, sicut dicit in psalmo : *Nolite tangere Christos meos*[l].

12 Et fortasse secundum illud quod dicit Apostolus, his *qui exercitatos habent sensus ad discretionem boni vel mali*[m], singulis quibusque sensibus animae singula quaeque Christus efficitur. Idcirco enim et *verum lumen*[n] dicitur, ut habeant oculi animae quo illuminentur ; idcirco et *verbum*[o], ut habeant aures quod audiant ; idcirco et *panis vitae*[p], ut habeat gustus animae quod gustet.

13 Idcirco ergo et unguentum vel nardus appellatur, ut habeat odoratus animae fraglantiam Verbi. Idcirco et | 168 palpabilis ac manu contractabilis[q] et *Verbum caro factum*[r] dicitur, ut possit interioris animae manus contingere de Verbo vitae.

14 Haec autem omnia unum atque idem est Verbum Dei quod, per haec singula affectibus orationis commutatum, nullum animae sensum gratiae suae relinquat expertem.

i. Cf. Jn 4, 14 || j. Cf. Jn 7, 38 || k. Cf. Jn 6, 35 || l. Ps. 104, 15 || m. Hébr. 5, 14 || n. Cf. Jn 1, 9 || o. Cf. Jn 1, 1 || p. Cf. Jn 6, 35 || q. Cf. I Jn 1, 1 || r. Cf. Jn 1, 14.

Les aspects du Christ

11 Il ne doit pas sembler étonnant que le Christ, comme il est une Source[i] et que des fleuves d'eau vive coulent de lui[j], et comme il est un Pain et qu'il donne la vie[k]», est de même aussi un Nard et redonne son odeur, et un Onguent dont ceux qui sont oints deviennent des christs, comme on dit dans le psaume : «Ne touchez pas à mes christs[l].»

12 Et peut-être que, selon ce que dit l'Apôtre, «pour ceux qui ont les sens exercés au discernement du bien et du mal[m]», à chacun des sens de l'âme en particulier, le Christ devient-il un aspect particulier. Voilà pourquoi on le dit encore «Lumière véritable[n]», en sorte que les yeux de l'âme ont par quoi être illuminés ; et pourquoi encore «Parole[o]», en sorte que les oreilles ont de quoi entendre ; et pourquoi encore «Pain de vie[p]», en sorte que le goût de l'âme a de quoi goûter.

13 Voilà donc pourquoi on l'appelle encore Onguent ou Nard, en sorte que l'odorat de l'âme a l'agréable odeur du Verbe. Voilà pourquoi encore on le dit tangible et palpable de la main[q], et «Verbe fait chair[r]», en sorte que la main de l'âme intérieure peut toucher quelque chose du Verbe de vie.

14 Or tout cela, c'est le seul et même Verbe de Dieu qui, adapté grâce à ces aspects particuliers aux dispositions de la prière, ne laisse aucun sens de l'âme privé de sa grâce.

Chapitre 10

Le sachet de myrrhe

Cant. 1, 13 : *C'est un sachet de myrrhe de goutte pour moi mon Bien-Aimé,*
qui restera — ou reposera — entre mes seins

1 : Parole de la même Épouse aux jeunes filles ; 2-3 : «*Neveu*» fils du frère ; l'Épouse est l'Église venue des nations ; le frère est le premier peuple ; de lui est né le Christ selon la chair ; 4-7 : *sachet de myrrhe*... indique le mystère de la naissance corporelle ; rapportée à chaque âme, l'expression fait comprendre la cohérence et la cohésion des doctrines ; tout récipient fermé par un lien est déclaré pur, l'âme ne doit rien toucher qui ne soit noué par la raison et serré par la vérité des doctrines ; 7-10 : *goutte*, chose petite, peut être dite la venue du Fils de Dieu dans la chair ; comme la petite pierre dont parle Daniel, qui deviendra une grande montagne ; comme chez les prophètes, «réuni à partir d'une goutte de ce peuple, Jacob sera rassemblé» ; le Verbe s'est fait goutte pour rassembler la goutte des nations et la goutte du reste de Jacob ; dans le psaume quarante-quatre, on dit au Bien-Aimé : «La myrrhe de goutte et la casse découlent de tes vêtements» ; des vêtements du Verbe de Dieu qui sont la doctrine de la Sagesse coulent : la myrrhe, signe de la mort reçue pour le genre humain ; *la myrrhe de goutte*, le dépouillement de sa condition divine ; *la casse*, sorte de plante qui se développe dans les eaux courantes annonçant la rédemption du genre humain donnée par les eaux du baptême ; 11 : *les seins*, faculté maîtresse du cœur, dans laquelle l'Église ou l'âme tiennent le Christ ou le Verbe de Dieu lié et serré par les liens de leur désir.

10

★ **1** *Alligamentum guttae fraternus meus mihi, in medio uberum meorum manebit* — sive *commorabitur*[a]. Eiusdem adhuc verba sunt sponsae ad adulescentulas, ut videtur, loquentis. Prius quidem dixerat quia nardus sua dedisset ei odorem sponsi[b] et quia per unguentum quo unxerat eum odoris eius fraglantiam recepisset. Nunc autem ait : *Fraternus meus mihi guttam* redolet et hanc non diffusam, neque ut libet dispersam, sed colligatam et constrictam, quo scilicet odoris ipsius suavitas densior reddatur et vehementior. Et hoc, inquit, cum talis sit, *in medio uberum meorum demoratur et commanet* et requiem ac mansionem suam facit in loco pectoris mei.

2 Verum quod nunc primum cognominavit eum *fraternum* suum sponsa et nominis huius appellatione per totum paene libelli textum frequenter utitur, dignum puto ut prius requiramus appellationis ipsius causam et quid vel unde *fraternus* dicitur exponamus.

3 *Fraternus* appellatur fratris filius. Requiramus ergo primo, quis sit frater sponsae, cuius hic filius habeatur, et vide si possumus dicere sponsam quidem esse ex gentibus[c] ecclesiam, fratrem vero eius priorem populum et fratrem, ut res indicat, seniorem. Quia ergo ex illo populo *Christus* 169 *secundum carnem*[d] nascitur, ob hoc ab | ecclesia gentium fratris filius appellatur.

a. Cant. 1, 13 || b. Cf. Cant. 1, 12 || c. Cf. Act. 15, 14 || d. Rom. 9, 5.

10

★ **1** «C'est un sachet de myrrhe de goutte pour moi mon Bien-Aimé (Neveu), qui restera[1] — ou reposera — entre mes seins[a].» Ces paroles sont encore de la même Épouse, parlant, semble-t-il, aux jeunes filles. D'abord elle leur avait dit que son nard lui avait donné l'odeur de l'Époux[b] et que, par l'onguent dont elle l'avait oint, elle avait reçu l'agréable parfum de son odeur. Or maintenant elle dit : «Mon Bien-Aimé» fleure «pour moi la myrrhe de goutte», et non point répandue ni vaporisée à plaisir, mais concentrée et condensée, afin, évidemment, que la suavité de l'odeur même soit rendue plus dense et plus forte. Et lui, dit-elle, puisqu'il est tel, «repose et reste entre mes seins», il fixe son repos et son séjour à cet endroit de ma poitrine.

Le Neveu

2 Mais comme c'est ici la première fois que l'Épouse l'appelle son «Neveu»[2], et qu'elle use fréquemment de l'emploi de ce nom presque tout le long du petit livre, il convient, je pense, de chercher d'abord le motif de cette appellation, et d'expliquer le sens et l'origine du terme de «Neveu».

3 On appelle neveu le fils du frère. Donc cherchons d'abord qui est le frère de l'Épouse, duquel vient ce fils. Et vois si nous pouvons dire que l'Épouse est bien l'Église venue des nations[c], mais son frère est le premier peuple, et le frère aîné, comme la réalité l'indique. Et parce que «le Christ selon la chair[d]» est né de ce peuple, l'Église des nations l'appelle Fils du frère.

1. Voir la note complémentaire 17 : «Le sachet de myrrhe».
2. Voir la note complémentaire 18 : «Le Bien-Aimé».

4 Quod ergo ait : *Alligamentum guttae fraternus meus mihi*[e], corporeae nativitatis eius indicat sacramentum ; videtur enim quodammodo *alligamentum* esse et vinculum quoddam animae corpus, quo alligamento gutta in Christo (1 divinae virtutis ac suavitatis adstringitur.

5 Si autem ad unamquamque animam quae dicta sunt referantur, alligatura guttae dogmatum continentia et constrictio ac divinarum sententiarum nodositas intelligitur ; innexae enim sibi invicem sunt fidei rationes et vinculis veritatis adstrictae.

6 Denique et lex mundum dicit *esse omne vas* quod alligatum est, *immundum* vero *quod solutum fuerit et non ligatum*[f]. Cuius rei haec profecto figura erat quod Christus, in quo numquam fuit ulla immunditia peccati, *alligamentum guttae* dicitur.

7 Et ideo anima non debet contingere aliquid dissolutum et quod non sit ratione subnixum et dogmatum veritate constrictum, ne immunda fiat. Qui enim immundum contigerit immundus erit[g] secundum legem ; contigit namque eum sensus irrationabilis et alienus a Sapientia Dei et fecit eum immundum.

8 Vide autem si forte adventum Filii Dei in carne *guttam* dictum et quasi breve aliquid et exiguum nominatum possumus accipere, sicut et Daniel de eo dicit *lapidem* parvum *de monte excisum sine manibus et factum* post haec *montem magnum*[h], vel sicut in libello duodecim propheta-

e. Cant. 1, 13 || f. Cf. Nombr. 19, 15 || g. Cf. Lév. 5, 2 || h. Cf. Dan. 2, 34 s.

1. Λόγος, «raison», cf. Prol. 1, 1, avec la note complémentaire 1 : «Le Verbe de Dieu».

2. Ou encore : la personne «touche le péché» et devient impure ; car «il sort du péché même une force mauvaise qui rend impur celui qui a eu ce contact», *HomLév.* III, 3, 29 s. et 43 s.

Le sachet

4 L'expression : «C'est un sachet de myrrhe de goutte pour moi mon Bien-Aimé[e]» indique le mystère de sa naissance corporelle. Car le corps semble être pour l'âme une manière de sachet et une sorte de lien, sachet par lequel est enserrée dans le Christ la myrrhe de goutte de la force et de la suavité divines.

5 Mais si l'on rapporte l'expression à chaque âme, on comprend comme lien de la myrrhe de goutte la cohérence et la cohésion des doctrines, et l'entrelacement des pensées divines ; car les raisons de la foi sont enlacées les unes aux autres et attachées par les liens de la vérité.

6 Enfin la Loi aussi dit : pur «est tout récipient» qui est fermé par un lien, mais «impur ce qui aura été délié et non lié[f]». Assurément, c'était là une figure à cause de laquelle le Christ, en qui ne fut jamais aucune souillure du péché, est dit «un sachet de myrrhe de goutte».

7 Et c'est pourquoi l'âme ne doit pas toucher quelque chose de délié, et qui ne soit pas noué par la raison[1] et serré par la vérité des doctrines, pour ne pas devenir impure. En effet, qui touchera un objet impur sera impur[g] d'après la Loi. Car une pensée non conforme à la raison et étrangère à la Sagesse de Dieu le touche et le rend impur[2].

La goutte

8 Mais vois si par hasard nous ne pouvons pas comprendre que la venue du Fils de Dieu dans la chair est dite «une goutte»[3], et comme désignée par une chose petite et infime ; de même Daniel aussi parle à son sujet d'une petite «pierre détachée de la montagne sans l'intervention des mains et devenue» ensuite «une grande montagne[h]»; ou de même, dans le

3. Passage plus développé dans *HomCant.* II, 3.

rum nihilominus *gutta* quaedam futura dicitur, quae congreget populum.

9 Est ergo et in prophetis ita scriptum : *Et erit, ex gutta populi huius congregatus congregabitur Iacob*[i]. Decebat enim eum qui veniebat congregare non solum *Iacob*, sed et
170 omnes gentes quae, | sicut propheta dicit, *reputatae sunt tamquam gutta ex situla*[j], *exinanientem se de Dei forma*[k] effici et ipsum guttam et sic venire ad congregandum guttam gentium et guttam nihilominus reliquiarum Iacob.

10 Sed et in quadragesimo quarto psalmo dicitur ad *dilectum*[1], cui etiam ipse psalmus adscribitur : *Myrrha et gutta et casia a vestimentis tuis*[m]. A *vestimentis* ergo Verbi Dei, quae est doctrina sapientiae, *myrrha* procedit, mortis dumtaxat indicium pro humano genere susceptae. *Gutta*, ut supra diximus, exinanita divinitatis forma, servilis formae suscepta dignatio. *Casia* quoque, quoniam id genus herbae aquis indesinentibus nutriri dicitur et coalescere, redemptionem generis humani per aquas baptismi indicat datam.

11 Sic ergo *alligaturam guttae fraternum* suum sponsa tamquam nuptiali dramate loquens *inter medium uberum suorum commorantem*[n] dicit ; ubera, ut superius iam diximus, principale cordis adverte, in quo ecclesia Chris-

i. Mich. 2, 12 || j. Is. 40, 15 || k. Phil. 2, 6 || l. Cf. Ps. 44, 1 || m. Ps. 44, 9 || n. Cant. 1, 13.

---

1. Cf. *supra*, § 9.

2. Il se colportait des fables sur la casse : ainsi poussait-elle « autour des marais, défendue par une espèce de chauve-souris aux griffes redoutables, et des serpents ailés », PLINE, *nat.* 12, 85. Pline ne dit pas qu'elle se développe dans les eaux courantes, mais qu'elle est cultivée « dans notre monde, là où coule le Rhin », ajoutant curieusement : « Elle vit plantée dans des ruches d'abeilles », *ibid.* 12, 98.

petit livre des douze prophètes, on parle également d'une «goutte» à venir qui rassemblerait le peuple.

9 Voici donc ce qui est écrit chez les prophètes : «Et il arrivera qu'à partir d'une goutte de ce peuple, Jacob réuni sera rassemblé[i].» Car il convenait que celui qui venait rassembler non seulement «Jacob», mais encore toutes les nations qui, au dire du prophète, «sont considérées comme une goutte d'eau tombant d'un seau[j]», «se dépouillant de la condition de Dieu[k]», se soit fait lui-même une goutte et vienne ainsi pour rassembler la goutte des nations, et pareillement la goutte du reste de Jacob.

10 De plus, dans le psaume quarante-quatre, on dit au Bien-Aimé[l], à qui du reste le psaume même est dédié : «La myrrhe, la myrrhe de goutte et la casse découlent de tes vêtements[m].» Donc, des vêtements du Verbe de Dieu, qui sont la doctrine de la Sagesse, coule la myrrhe, évidemment un symbole de la mort qu'il a reçue pour le genre humain. «La myrrhe de goutte», comme nous l'avons dit plus haut[1], (désigne) la bonté de s'être dépouillé de la condition divine et d'avoir pris la condition servile. «La casse», également, parce que ce genre de plante, dit-on, se nourrit et se développe dans les eaux courantes[2], annonce la rédemption du genre humain donnée par les eaux du baptême.

«Dans son cœur»

11 Ainsi donc l'Épouse, parlant comme dans un drame nuptial, dit que son «Bien-Aimé est un sachet de myrrhe de goutte qui reste entre ses seins[n]». Comprends les seins, comme nous l'avons déjà dit plus haut[3], comme la faculté maîtresse du cœur dans laquelle l'Église tient le Christ, ou l'âme le

3. Cf. *supra*, I, 2, 1 et 3s., et les notes *ad loc.*

tum vel anima Verbum Dei desiderii sui vinculis alligatum tenet et adstrictum. Si quis enim Verbum Dei toto affectu in corde suo et toto amore constringit, ipse solus poterit odorem fraglantiae eius et suavitatis accipere.

1. Semblable expression de tendresse : « Qu'il prenne Jésus dans ses mains et qu'il l'entoure de ses bras ; qu'il le tienne tout entier sur son

Verbe de Dieu, lié et serré par les liens de leur désir. Car c'est seulement si l'on serre le Verbe de Dieu dans son cœur de toute son affection et de tout son amour[1], que l'on pourra saisir l'odeur de son agréable parfum et de sa suavité.

cœur, et alors, bondissant de joie, il pourra se rendre là où il désire» dans *HomLc* XV, 2; voir la note 2 *ad loc.* (*SC* 87, p. 234).

Chapitre 11

La grappe de cypre

Cant. 1, 14 :
C'est une grappe de cypre pour moi mon Bien-Aimé,
dans les vignes d'Engaddi

1-4 : Le sens historique ; 5-11 : l'intelligence spirituelle ; 5-8 : la grappe de vigne ; le Verbe de Dieu est la Vigne véritable ; progressivement, elle exhale la suavité de l'odeur contenue dans la fleur, puis la douceur de la maturité, jusqu'à la conduite aux pressoirs ; 9-11 : la grappe de cypre a la puissance de réchauffer ; est à comprendre comme la puissance de l'Époux ; elle provient des vignes d'Engaddi, qui veut dire « œil de ma tentation » ; ces paroles sont adressées à l'Épouse seule, à l'âme parfaite.

11

1 *Botrus cypri fraternus meus mihi in vineis Engaddi*[a]. Quantum ad litterae ipsius explanationem, habet aliquid ambiguum, quod ait : *botrus cypri*, quia et uva florens (144 cyprus appellatur et species quaedam extrinsecus virgulti est, quae cyprus dicitur, ferens etiam ipsa floridum quendam fructum in modum florentis uvae prolatum.

2 Sed videtur magis ad fructum vitis sermo respicere, quoniamquidem vinearum Engaddi facta memoria est. Engaddum autem ager terrae Iudaeae est non tantum vineis quantum balsamis florens.

3 Hic ergo erit historicus sensus sponsae loquentis ad adulescentulas, ut intelligatur dicens primo quidem : *Nardus mea odorem mihi sponsi mei reddidit*[b] ; secundo vero : *Alligamentum guttae effectus est mihi fraternus meus, demorans inter media ubera mea*[c] ; tertio : *Botrus cypri ex vineis Engaddi*[d] superans omne quidquid est in odoribus 171 et floribus suavitatis, | quo scilicet audientes haec adulescentulae magis ac magis ad caritatem sponsi concitentur et amorem.

4 Idcirco autem singulatim et per ordinem primo *nardum* suam, deinde *guttam*, post haec etiam *botrum* cypri

a. Cant. 1, 14 || b. Cant. 1, 12 || c. Cant. 1, 13 || d. Cant. 1, 14.

1. Ambiguïté : *botrus*, en grec et en latin, traduit un terme hébreu désignant ici, pour la seule fois dans la Bible, une «grappe» autre que celle de la vigne (JOÜON, p. 147). *Cyprus* est le cypre, arbuste nommé encore henné, qui porte des fleurs en «grappes», renommées pour leur odeur. Origène va d'un sens de «grappe» à l'autre. Grappe de vigne

11

Le sens historique

1 «C'est une grappe de cypre pour moi mon Bien-Aimé dans les vignes d'Engaddi [a].» Concernant l'explication de la lettre même, l'expression «grappe de cypre» a quelque chose d'ambigu [1]. Car d'une part, on appelle cypre la vigne en fleur, et de l'autre, il y a en outre une espèce d'arbuste que l'on nomme cypre, qui porte lui aussi une sorte de fruit en forme de fleur, à la manière de la vigne en fleur.

2 Mais la parole semble plutôt viser le fruit de la vigne, puisqu'on fait mention des vignes d'Engaddi. Or Engaddi est une contrée de la terre de Judée où fleurissent moins les vignes que les baumiers.

3 Le sens historique sera donc celui-ci : l'Épouse parle aux jeunes filles pour qu'on la comprenne lorsqu'elle dit, en premier lieu : «Mon nard m'a renvoyé l'odeur de mon Époux [b]»; en second : «Sachet de myrrhe de goutte s'est fait pour moi mon Bien-Aimé, qui reste entre mes seins [c]»; en troisième : Il est «une grappe de cypre des vignes d'Engaddi [d]», dépassant tout ce qu'il y a de suavité dans les fleurs et les odeurs et évidemment afin que ces jeunes filles, à l'entendre, soient de plus en plus incitées à la charité et l'amour de l'Époux.

4 Mais elle nomme un à un et par ordre, d'abord son «nard», ensuite «la myrrhe de goutte», et puis encore «la

d'abord, plus conforme au contexte (§ 2) et propre à l'interprétation spirituelle (§§ 5-8) ; grappe de cypre ensuite : sa propriété et ce qu'elle symbolise (§ 9). (M. B.)

nominat, ut per eos gradus quosdam profectuum doceat caritatis.

5 Sed videamus iam quid spiritalis habeat intellectus. Si quidem hic qui appellatur *botrus*, ad fructum vitis referendus est, Verbum Dei accipimus sicut *sapientiam*[e] et *virtutem*[f] et *thesaurum scientiae*[g] aliaque multa, ita et *vitem veram*[h] dici.

6 Sicut ergo his quibus efficitur *sapientia* et *scientia*, non ad subitum, sed per profectus quosdam et gradus, pro studiis et intentione ac fide eorum qui ei vel in sapientia vel in scientia vel in virtute participantur, sapientes eos et scientes reddit vigentesque virtutibus, ita et in quibus *vitis vera* efficitur, non iis ad subitum maturos botros producit et dulces nec repente iis efficitur *vinum* suave et *laetificans cor hominis*[i], sed primo producit iis suavitatem tantummodo odoris in flore, ut gratia fraglantiae ipsius invitatae in initiis animae post haec pati possint acerbitatem tribulationum et tentationum, quae propter Verbum Dei credentibus excitantur.

7 Et ita demum maturitatis eis dulcedinem praebet, usquedum perducat eos ad torcularia, ubi effunditur *sanguis uvae*[j], *sanguis novi Testamenti*[k], qui bibatur in die festo in superioribus[l], ubi *stratum magnum* paratum[m] est.

8 Sic ergo per singulos hos profectuum gradus incedere oportet eos qui per sacramentum vitis et botrum cypri initiati, ad perfectionem feruntur et calicem novi Testamenti[n] ab Iesu susceptum bibere contendunt.

e. Cf. I Cor. 1, 30 || f. I Cor. 1, 24 || g. Cf. Col. 2, 3 || h. Cf. Jn 15, 1 || i. Cf. Ps. 103, 15 || j. Cf. Gen. 49, 11 || k. Cf. Mc 14, 24 || l. Cf. Mc 14, 15 || m. Cf. Lc 22, 12 || n. Cf. Lc 22, 20.

---

1. Dénominations ou aspects, cf. *supra* I, 6, 13.
2. Allusion à des persécutions ?

grappe de cypre», afin d'enseigner par eux certains degrés des progrès de la charité.

L'intelligence spirituelle : La grappe de vigne

5 Mais voyons maintenant ce qu'il en est du sens spirituel. Si vraiment ce qu'on appelle «grappe» est à rapporter au fruit de la vigne, nous comprenons que le Verbe de Dieu, de même que «Sagesse[e]», «Puissance[f]», «Trésor de science[g]» et bien d'autres choses[1], est dit de même encore «Vraie Vigne[h]».

6 Donc, de même que ceux pour qui il se fait «Sagesse» et «Science», ce n'est pas d'emblée, mais par certains progrès et degrés, résultant des études, de l'application et de la foi de ceux qui participent à lui soit en sagesse, soit en science, soit en vertu, qu'il les rend sages, savants, vigoureux en vertus : de même aussi, pour ceux en qui il se fait vraie Vigne, il ne fait pas pousser d'emblée pour eux des grappes mûres et douces, ni ne se fait soudainement pour eux «un vin» délicieux «qui réjouit le cœur de l'homme[i]»; mais d'abord il exhale pour eux seulement l'odeur suave contenue dans la fleur, afin que les âmes, captivées au commencement par la grâce de son agréable odeur, puissent supporter ensuite l'amertume des épreuves et des tentations suscitées pour les croyants à cause du Verbe de Dieu[2].

7 Et alors seulement il leur offre la douceur de la maturité jusqu'à ce qu'il les conduise aux pressoirs où est répandu «le sang de la vigne[j]», «le sang de la nouvelle Alliance[k]», que l'on boit le jour de fête dans la chambre haute[l] où est dressé «un grand lit[m]».

8 Ainsi donc c'est par chacun de ces degrés de progrès que doivent monter ceux qui, initiés par le mystère de la vigne et la grappe de cypre, sont conduits à la perfection et s'efforcent de boire à la coupe de la nouvelle Alliance[n] reçue de Jésus.

9 Quod si *cyprus* sui generis arbor accipienda est, cuius fructus et flos non tantum odoris suavitatem, quantum et vim calefaciendi ac fovendi dicitur possidere, illa sine dubio accipietur sponsi virtus, qua incalescunt animae erga fidem eius et caritatem quae contigerat eos qui dicebant : | *Nonne cor nostrum erat ardens intra nos, cum adaperiret nobis Scripturas*[o] ?

172

10 Vel certe quoniam de *vineis Engaddi botrus*[p] hic florens esse nominatur, *Engaddi* autem interpretatur oculus tentationis meae, si quis est qui intellectum habere potest quomodo *tentatio est vita hominis quae est super terram*[q], et intelligit quomodo quis in Deo eripitur a tentatione, et qui agnoscit qualitatem tentationis suae, ita ut possit de ipso dici quia *in his omnibus non peccavit labiis suis coram Deo*[r], huic *botrus cypri de vineis Engaddi* efficitur Verbum Dei.

(14

11 Observandum tamen est quod verba sponsae ita referuntur ut et *nardus*[s] et *alligamentum guttae*[t] et *botrus cypri*[u] ipsi soli sint, utpote quae in hos iam profectus adscenderit. Sola enim perfecta anima est quae ita habeat purum et purgatum odoratus sui sensum, ut possit *nardi* et *guttae* et *cypri* ex Verbo Dei procedentis fraglantiam capere et gratiam divini odoris haurire.

(14

o. Lc 24, 32 || p. Cf. Cant. 1, 14 || q. Job 7, 1 || r. Job 2, 10 || s. Cf. Cant. 1, 12 || t. Cf. Cant. 1, 13 || u. Cf. Cant. 1, 14.

1. *Natura eius excalfacit*, PLINE, *nat.* 23, 90.

2. « Œil de la tentation », c'est à peu près l'explication donnée dans *HomCant.* II, 3, fin. Une autre, « fontaine de bouc », est dans JÉRÔME,

La grappe de cypre

9 Que si «le cypre» est à comprendre comme un arbre de son espèce dont le fruit et la fleur, dit-on, possèdent moins la suavité de l'odeur que la propriété d'échauffer et de réchauffer[1], il sera compris sans nul doute comme la puissance de l'Époux, grâce à laquelle s'échauffent les âmes pour la foi en lui, et la charité qui avait saisi ceux qui disaient : «Notre cœur n'était-il pas brûlant au-dedans de nous, lorsqu'il nous ouvrait les Écritures[o] ?»

Des vignes d'Engaddi

10 Ou du moins, puisque cette grappe en fleur est désignée comme provenant «des vignes d'Engaddi[p]» — or «Engaddi» veut dire «œil de ma tentation[2]» —, s'il est un homme qui peut avoir le sens de la manière dont «la vie de l'homme sur la terre est une tentation[q]», et comprend comment celui qui est en Dieu est délivré de la tentation, et qui discerne la nature de sa tentation au point que l'on peut dire de lui : «En tout cela il ne pécha point par ses lèvres devant Dieu[r]», pour un tel homme le Verbe de Dieu se fait «une grappe de cypre provenant des vignes d'Engaddi».

A l'Épouse seule

11 Il faut cependant noter que les paroles de l'Épouse sont rapportées de telle sorte que «le nard[s]», «le sachet de myrrhe de goutte[t]», «la grappe de cypre[u]» sont pour elle seule, parce qu'elle est celle qui s'est déjà élevée à ces progrès. Car seule est parfaite l'âme qui a le sens de l'odorat assez pur et affiné pour qu'elle puisse saisir l'agréable odeur «du nard», «de la myrrhe de goutte» et du «cypre» provenant du Verbe de Dieu, et aspirer la grâce de l'odeur divine.

Liber de nominibus hebraicis, *PL* 23, col. 805 (et 1261-1262). Elle est reprise par Apponius, *In Canticum* III, 15. Et toutes deux se retrouvent dans la postérité.

FRAGMENTS DE CHAÎNES

Un certain nombre de fragments grecs correspondant au *Commentaire sur le Cantique*[1] sont conservés dans les chaînes exégétiques, spécialement celle de Procope de Gaza. Ce sont des résumés, semble-t-il, faits par les caténistes qui reproduisent des idées, mais non le texte même d'Origène. Voici ceux qui concernent la partie du Commentaire traduite par Rufin. S'il y a parallélisme entre les deux textes, on aura une confirmation de certaines vues d'Origène. Mais si les fragments contiennent des additions, sera-ce l'indice d'autant d'omissions par le traducteur Rufin ?

Une édition critique de ces fragments est souhaitable, Baehrens ne l'ayant assurée qu'en partie. C'est pourquoi on ne donne ci-après que leur traduction, à titre documentaire. On a indiqué par un astérisque (★) en marge du texte et de la traduction les passages auxquels correspondent ces fragments.

1. Voir ci-dessus, Introduction, p. 16.

LIVRE I

★ **I, 1,7**

Baehrens, *GCS* 8, p. 90-91
(Procope, *PG* 17, col. 254 A)

Qu'il ne me demande pas en mariage par les prophètes, dit l'Épouse, mais qu'il converse avec moi lui-même au sens spirituel. C'est en ce sens que Jean dit : « Ce que nos mains ont palpé du Verbe de vie[a]. » L'Épouse dit cela comme si elle avait entendu les prophètes qui déclarèrent : « Le Roi s'est épris de ta beauté[b] » ; et ailleurs : « Comme le jeune époux se réjouira au sujet de l'épouse, ainsi le Seigneur se réjouira à ton sujet[c]. »)

a. I Jn 1,1 b. Ps. 44,12 c. Is. 52,5

★ **I, 1,14**

Baehrens, 92
(Procope, *PG* 17, col. 254 A)

Chaque fois que cherchant quelque chose, nous comprenons une doctrine divine, croyons que nous avons reçu un baiser de la bouche de l'Époux. Mais pendant que nous sommes dans l'embarras, ayons l'idée en priant de dire : « Qu'il me baise des baisers de sa bouche[a]. »

a. Cant. 1,2

★ **I, 2,19-20**

Baehrens, 96
(Procope, *PG* 87/2, 1548 D-1549 A)

Comme il y a de nombreux vins dans l'Écriture, des meilleurs et des pires, ici les seins de l'Époux sont comparés aux meilleurs ; car on ne les aurait pas jugés d'après les pires. L'Épouse donc, se réjouissant des vins nombreux et variés, et préparée à comprendre que les seins de l'Époux sont meilleurs qu'eux, dit cette parole, en les préférant au vin qui est dans la Loi et les prophètes.

★

I, 3, 1-2

Baehrens, 98
(Procope, *PG* 87/2, 1549 A)

Note qu'au sujet de la manière de vivre évangélique elle use du terme «le parfum»; au sujet du service de la Loi, elle a employé le terme «les aromates» mêmes, faisant voir le caractère suréminent et spirituel de celle-là, le caractère grossier de celui-ci.

★

I, 4, 2

Baehrens, 101
(Procope, *PG* 87/2, 1549 A-B)

Peut-être prophétise-t-elle la puissance du nom du Christ qui a rempli le monde au temps de sa venue, au point d'être devenue, selon Paul, «aux uns une odeur de mort pour la mort, aux autres une odeur de vie pour la vie[a]». Car si elle avait été à tous «pour la vie», l'Épouse aurait dit : C'est pourquoi tous t'ont aimé, et pas seulement les jeunes filles qui «se renouvellent de jour en jour[b]», et n'ont plus «ni tache ni ride[c]». Or, «il s'est répandu» de sorte que ce qui fut enfermé dans le mystère n'est plus passé sous silence.

a. II Cor. 2, 16 b. Cf. II Cor. 4, 16 c. Cf. Éphés. 5, 27

★

I, 5, 1-4

Baehrens, 108-109
(Procope, *PG* 17, col. 253 C-255 A)

«Le Roi m'a introduite dans sa chambre[a].» C'est-à-dire qu'il appelle sanctuaire l'âme digne d'être aimée, ou l'Église, ou la faculté maîtresse du Christ, où Paul étant entré déclare : «Nous avons, nous, la pensée du Christ[b], pour connaître les dons que Dieu nous a faits[c].» De quoi s'agit-il ? De «ce que l'œil n'a pas vu, ce que l'oreille n'a pas entendu, ce qui n'est pas monté au cœur de l'homme. Voilà ce que Dieu a préparé pour ceux qui l'aiment[d]». Car dans la chambre de l'Époux «sont cachés tous les trésors de la sagesse et de la science[e]». L'Épouse donc, comme devançant les jeunes filles, y fut introduite, et «elle se tint comme reine à la droite du Roi, dans une robe parée d'or[f], comme dit David ; et au sujet des jeunes filles : «Seront présentées au Roi des vierges à sa suite[g]», etc.

a. Cant. 1, 4 b. I Cor. 2, 16 c. I. Cor. 2, 12 d. Cf. I Cor. 2, 9 e. Col. 2, 3 f. Cf. Ps. 44, 10 g. Ps. 44, 15

★

I, 6, 3-6

Baehrens, 111
(Procope, *PG* 17, 256 A-B)

«Nous aimerons tes seins plus que le vin[a].» C'est-à-dire : si maintenant, à cause de notre faiblesse, nous aimons le vin plus que tes seins, ô Époux, quand nous aurons été rendues meilleures, nous les aimerons plus que ce vin. Le vin qui réjouit les jeunes filles, c'est ce qui a trait à la Loi ; les seins de l'Époux, à la perfection. Ensuite, comme excuse de ne pas encore aimer, elles disent : «L'Équité t'a aimé[a].» Mais nous, nous n'avons pas encore rendu droites nos démarches.

a. Cant. 1, 4

LIVRE II

★

II, 1, 3-6

Baehrens, LIII.2
(Procope, *PG* 17, 256 B)

L'Église qui vient des nations dit cela aux âmes originaires de Jérusalem, ou plutôt à Jérusalem, reconnaissant qu'elle-même est noire, puisqu'elle ne provient pas d'ancêtres illustres ni éclairés ; c'est pourquoi elle est abandonnée à l'obscurité, mais elle est belle à cause de la parole qu'elle a reçue ; et elle ressemble aux tentures de peaux de Salomon, qu'il possédait, avec les autres choses qu'il s'était acquises dans sa gloire.

★

II, 1, 46-49

Baehrens, LIV.4

L'Éthiopien[1] qui a épargné le prophète, l'a fait à l'encontre d'Israël. De même aussi les chefs d'Israël condamnèrent le Christ à la fosse de la mort. Mais le peuple des nations, de couleur noire et sans origine, a reçu la résurrection en échange de sa foi, de même qu'il l'a fait sortir de la fosse. Voilà pourquoi il devint serviteur du Roi : c'est en effet ce que veut dire le nom (d'Abdimélech). Après cela, ayant délaissé Israël à cause de son péché, mais le sauvant à cause de sa vertu (car il était lui aussi noir et beau), Dieu lui dit : «Voici que je vais faire venir mes paroles contre cette ville pour[2] le malheur et non pour le bonheur. Et je te sauverai en ce jour-là, parce que tu as eu confiance en moi, dit le Seigneur[a].

a. Jér. 46 (39), 16-18

1. Fragment anonyme dans *Michaelis Ghislerii In Jeremiam Prophetam Commentarii*, 3 vol., Lyon 1623 : t. II, p. 770 (repris par Klostermann, *TU* 16/3, p. 43).
2. Baehrens corrige en εἰς le ὡς de Ghislieri.

★

II, 2, 6

Baehrens 126 •
(Procope, *PG* 17, 256 C)

Couverte de ténèbres que je fus par le péché, pour mon manque de foi m'a dédaigné le Christ, que les Écritures proclament «Soleil de justice[a]».

a. Mal. 4, 2 (3, 20)

★

II, 3, 1-12

Baehrens, 130-132
(Procope, *PG* 17, 256 C-D)

«Les fils de ma mère ont combattu en moi ; ils m'ont placée gardienne dans les vignes ; ma vigne, je ne l'ai pas gardée[a].» C'est-à-dire : les disciples du Christ m'enseignant, dans l'intention de me purifier des mauvaises pensées à son égard et des démons qui les suggèrent, les ont combattus en moi, eux qui sont les fils de la même mère que moi, je veux dire de «celle qui est libre[b]». Eux, ils sont adoptés comme «le reste selon l'élection de grâce[c]» ; moi, j'ai reçu «l'alliance» selon «la Jérusalem d'en haut», et je suis engendrée de nouveau «en vertu de la promesse[d]». Ils n'ont point d'abord placé l'Épouse comme gardienne, puis ont combattu ; mais en combattant d'abord, ils l'ont rendue capable d'être placée comme gardienne dans les vignes. Quant à l'illustre Moïse et aux prophètes, chacun d'eux était «un champ fertile qu'a béni le Seigneur[e]» et un vignoble. Si quelqu'un se trouve parmi eux et ne garde pas sa condition première, celle du «vignoble venant de Sodome[f]», il s'applique la parole présente.

a. Cant. 1, 6 b. Gal. 4, 26 c. Rom. 11, 5 d. Cf. Gal. 4, 22-26 e. Cf. Gen. 27, 27 f. Deut. 32, 32

★ **II, 5, 1-17**

Baehrens, 141-146
(Procope, *PG* 17, 256 D - 257 C)

La célèbre sentence, tenue pour traditionnelle chez les Grecs, «Connais-toi toi-même», a été dite à l'avance par le sage Salomon. D'après elle, l'âme est maintenant menacée par son amant et son Époux, si elle ne garde pas la beauté qui lui fut donnée à l'image de Dieu, d'être chassée de l'intérieur et mise aux derniers rangs, «menant paître les boucs qui sont à gauche[a]». Tu les feras paître parmi les tentes des bergers, tantôt par-ci, tantôt par-là, telle une errante, jusqu'à ce que tu aies appris par l'expérience la connaissance de ta propre conversion. Mais la parole s'appliquera aussi à l'Église.

On se connaît soi-même en sachant si on a une bonne ou une mauvaise disposition, si on est resté en arrière loin du chemin pour la vertu, ou si «on tend vers ce qui est en avant, oubliant ce qui est en arrière[b]», si on n'a pas encore atteint le but, ou si on est parvenu à la perfection, ou si on s'approche des limites de la beauté. Et c'est un devoir d'examiner chaque action pour voir comment elle fut engendrée par chaque pensée et parole. L'Époux appelle «femmes» les âmes qui ne sont ni pures ni indifférentes.

Négligeant la connaissance d'elle-même, l'âme deviendrait «ballottée et menée à la dérive à tout vent de doctrine, au gré de la rouerie des hommes[c]». Elle fait paître partout ses propres boucs qui sont à gauche, plutôt qu'auprès du «Bon Pasteur[d]» qu'est le Verbe.

(Mais l'Épouse — le Verbe est doux —, même si elle ne l'est pas encore pour l'avenir, est déjà belle parmi les femmes, énumérée avec l'Église de Dieu, et plus belle que ce qu'il y a de petit en elle. Car celles qui sont ainsi appelées «femmes» de l'Église sont incomparablement meilleures que les âmes païennes qui marchent à la suite des amants des puissances contraires, appelées «femmes», mais non vierges. En effet, comment ne serait-elle pas meilleure celle qui a élevé ses regards vers son Créateur? Et l'ordre : «Sors» est semblable à l'ordre «que soit livré à Satan pour la destruction de sa chair[e]» celui qui fut chassé de l'Église, après avoir, comme l'Épouse disait aux jeunes filles, «été introduit auprès du Roi dans sa chambre[f]».)

a. Cf. Matth. 25, 33 b. Cf. Phil. 3, 13 c. Éphés. 4, 14 d. Cf. Jn 10, 11 e. Cf. I Cor. 5, 5 f. Cf. Cant. 1, 4

★ **II, 7,5-9**

Baehrens, 154-155
(Procope, *PG* 17, 257 C)

De plus, Paul déclare membres du Christ ceux de l'Église Épouse ; en sont comme la face ceux qui l'emportent sur le reste par la beauté, ne pensant rien de honteux et portant pour elle le fruit qu'est la modestie de la tempérance. Ceux qui sans doute auparavant n'étaient pas beaux ont été changés au point qu'il est dit à l'Épouse : « Pourquoi tes joues sont-elles devenues belles[a], n'ayant tache ni ride[b] ? » Peut-être du fait de connaître seulement le Dieu unique ; car la tourterelle aussi ne s'unit qu'à un seul conjoint.

a. Cant. 1,10 b. Cf. Éphés. 5,27

★ **II, 8,23-28**

Baehrens, 161-162
(Procope, *PG* 17, 257 D)

Alors il n'y avait pas d'argent en abondance et à profusion, et il y avait peu de choses dites dans un sens mystérieux par les prophètes et les anciens sages. Mais quand vint le Christ, ce qui se trouvait dans les sanctuaires du temple a été contemplé par celui qui voit le véritable « voile déchiré du haut en bas[a] » pour qu'en soit contemplé l'intérieur quand le Christ, « s'étant couché, dormit comme un lion et ressuscita comme un lionceau[b] ». — Et après cela : Alors en effet, « ceux qui sont devenus conformes à sa résurrection[c] » recevront de lui de l'or au lieu des imitations d'or, seront comblés d'or et d'argent.

a. Cf. Matth. 27,51 b. Cf. Gen. 49,9 c. Cf. Phil. 3,10

★ **II, 9,2-4**

Baehrens, 165-166
(Procope, *PG* 17, 260 A)

« C'est l'odeur de l'Époux, dit l'Épouse, que mon nard dont je l'ai oint a donnée[a]. » En effet, après avoir oint de son nard les pieds de Jésus et les avoir essuyé de ses cheveux, elle a reçu ce nard changé par l'odeur de l'Époux. Sentant ce parfum venu sur sa tête, elle dit : « Mon nard m'a donné l'odeur de l'Époux. »

C'est pourquoi, comme à partir du corps de Jésus, l'onguent de sa disciple remplit toute la maison[b].

a. Cf. Cant. 1, 12 b. Cf. Jn 12, 3

★ **II, 10, 1-3**

Baehrens, 168-169
(Procope, *PG* 17, 260 A-B)

«C'est un sachet de myrrhe de goutte pour moi, mon Bien-Aimé, qui restera entre mes seins[a].» Après avoir dit : «Le nard de l'Époux m'a donné son odeur[b]», j'ajoute maintenant que mon Bien-Aimé exhale la myrrhe, non pas répandue ni s'évaporant au-dehors, mais concentrée et donnant une bonne odeur plus dense. L'Église venue des nations[c] ayant eu pour frère le premier peuple, puisque de lui était le «Christ selon la chair[d]», a nommé l'Époux Fils du frère. Mais Aquila ayant traduit : frère du père, il faut dire que l'ancien peuple est le père de l'Église venue des nations[c], puisque à partir de la Loi et des prophètes chez eux a commencé la naissance en Dieu et, partant de nous, la promotion vers la piété. Donc, de ce peuple ainsi rendu père de l'Épouse, le Sauveur est frère, comme eux «né sous la Loi[e]».

a. Cant. 1, 13 b. Cf. Cant. 1, 12 c. Cf. Act. 15, 14
d. Rom. 9, 5 e. Gal. 4, 4

TABLE DES MATIÈRES

Notes complémentaires et index divers, à la fin du tome II.

SOURCES CHRÉTIENNES

Dans la liste qui suit, dite « liste alphabétique », tous les ouvrages sont rangés par nom d'auteur ancien, les numéros précisant pour chacun l'ordre de parution depuis le début de la collection. Pour une information plus complète, on peut se procurer deux autres listes au secrétariat de « Sources Chrétiennes » — 29, rue du Plat, 69002 Lyon (France) — Tél. : 78 37 27 08 :

1. La « liste numérique », qui présente les volumes et leurs auteurs actuels d'après les dates de publication ; elle indique les réimpressions et les ouvrages momentanément épuisés ou dont la réédition est préparée.
2. La « liste thématique », qui présente les volumes d'après les centres d'intérêt et les genres littéraires : exégèse, dogme, histoire, correspondance, apologétique, etc.

LISTE ALPHABÉTIQUE (1-375)

SOUS PRESSE

Les Apophtegmes des Pères. Tome I. J.-C. Guy.
ATHÉNAGORE : **Supplique au sujet des chrétiens** et **Traité de la Résurrection.** B. Pouderon.
JEAN CHRYSOSTOME : **Homélies contre les anoméens.** A.-M. Malingrey.
LACTANCE : **Institutions divines.** Livre IV. P. Monat.
ORIGÈNE : **Commentaire sur le Cantique.** Tome II. L. Brésard, H. Crouzel, M. Borret.

PROCHAINES PUBLICATIONS

BASILE DE CÉSARÉE : **Homélies morales.** Tome I. É. Rouillard, M.-L. Guillaumin.
BERNARD DE CLAIRVAUX : **Introduction aux Œuvres complètes.**
BERNARD DE CLAIRVAUX : **A la gloire de la Vierge Mère.** I. Huille, J. Regnard.
CÉSAIRE D'ARLES : **Œuvres monastiques.** Tome II : **Œuvres pour les moines.** J. Courreau, A. de Vogüé.
GRÉGOIRE DE NAZIANZE : **Discours 42-43.** J. Bernardi.
HERMIAS : **Moquerie des philosophes païens.** R. P. C. Hanson (†).
JEAN DAMASCÈNE : **Écrits sur l'Islam.** R. Le Coz.
ORIGÈNE : **Commentaire sur saint Jean.** Tome V. C. Blanc.

SOUS PRESSE

Les Apophtegmes des Pères. Tome I. J.-C. Guy.

ATHÉNAGORE : **Supplique au sujet des chrétiens** et **Traité de la Résurrection.** B. Pouderon.

JEAN CHRYSOSTOME : **Homélies contre les anoméens.** A.-M. Malingrey.

LACTANCE : **Institutions divines.** Livre IV. P. Monat.

ORIGÈNE : **Commentaire sur le Cantique.** Tome II. L. Brésard, H. Crouzel, M. Borret.

PROCHAINES PUBLICATIONS

BASILE DE CÉSARÉE : **Homélies morales.** Tome I. É. Rouillard, M.-L. Guillaumin.

BERNARD DE CLAIRVAUX : **Introduction aux Œuvres complètes.**

BERNARD DE CLAIRVAUX : **A la gloire de la Vierge Mère.** I. Huille, J. Regnard.

CÉSAIRE D'ARLES : **Œuvres monastiques.** Tome II : **Œuvres pour les moines.** J. Courreau, A. de Vogüé.

GRÉGOIRE DE NAZIANZE : **Discours 42-43.** J. Bernardi.

HERMIAS : **Moquerie des philosophes païens.** R. P. C. Hanson (†).

JEAN DAMASCÈNE : **Écrits sur l'Islam.** R. Le Coz.

ORIGÈNE : **Commentaire sur saint Jean.** Tome V. C. Blanc.

Également aux Éditions du Cerf

LES ŒUVRES DE PHILON D'ALEXANDRIE

publiées sous la direction de

R. Arnaldez, C. Mondésert, J. Pouilloux.

Texte original et traduction française.

1. **Introduction générale. De opificio mundi.** R. Arnaldez.
2. **Legum allegoriae.** C. Mondésert.
3. **De cherubim.** J. Gorez.
4. **De sacrificiis Abelis et Caini.** A. Méasson.
5. **Quod deterius potiori insidiari soleat.** I. Feuer.
6. **De posteritate Caini.** R. Arnaldez.

7-8. **De gigantibus. Quod Deus sit immutabilis.** A. Mosès.

9. **De agricultura.** J. Pouilloux.
10. **De plantatione.** J. Pouilloux.

11-12. **De ebrietate. De sobrietate.** J. Gorez.

13. **De confusione linguarum.** J.-G. Kahn.
14. **De migratione Abrahami.** J. Cazeaux.
15. **Quis rerum divinarum heres sit.** M. Harl.
16. **De congressu eruditionis gratia.** M. Alexandre.
17. **De fuga et inventione.** E. Starobinski-Safran.
18. **De mutatione nominum.** R. Arnaldez.
19. **De somniis.** P. Savinel.
20. **De Abrahamo.** J. Gorez.
21. **De Iosepho.** J. Laporte.
22. **De vita Mosis.** R. Arnaldez, C. Mondésert, J. Pouilloux, P. Savinel.
23. **De Decalogo.** V. Nikiprowetzky.
24. **De specialibus legibus.** Livres I-II. S. Daniel.
25. **De specialibus legibus.** Livres III-IV. A. Mosès.
26. **De virtutibus.** R. Arnaldez, A.-M. Vérilhac, M.-R. Servel et P. Delobre.
27. **De praemiis et poenis. De exsecrationibus.** A. Beckaert.
28. **Quod omnis probus liber sit.** M. Petit.
29. **De vita contemplativa.** F. Daumas et P. Miquel.
30. **De aeternitate mundi.** R. Arnaldez et J. Pouilloux.
31. **In Flaccum.** A. Pelletier.
32. **Legatio ad Caium.** A. Pelletier.
33. **Quaestiones in Genesim et in Exodum. Fragmenta graeca.** F. Petit.

34 A. **Quaestiones in Genesim,** I-II (e vers. armen.). Ch. Mercier.

34 B. **Quaestiones in Genesim,** III-VI (e vers. armen.). Ch. Mercier et F. Petit.

34 C. **Quaestiones in Exodum,** I-II (e vers. armen.).

35. **De Providentia,** I-II. M. Hadas-Lebel.

Alexander (De animalibus). A. Terian.

IMPRIMERIE A. BONTEMPS
LIMOGES (FRANCE)
Registre des travaux :
DÉPÔT LÉGAL : Octobre 1991
IMPRIMEUR N° 21572-90 — ÉDITEUR N° 9238